FISIOTERAPIA NA ATENÇÃO PRIMÁRIA

MANUAL DE PRÁTICA PROFISSIONAL
BASEADO EM EVIDÊNCIA

FISIOTERAPIA NA ATENÇÃO PRIMÁRIA

MANUAL DE PRÁTICA PROFISSIONAL BASEADO EM EVIDÊNCIA

Johnnatas M. Lopes
Marcello B. O. G. Guedes

Atheneu

EDITORA ATHENEU

São Paulo	*Rua Jesuíno Pascoal, 30* *Tel.: (11) 2858-8750* *Fax: (11) 2858-8766* *E-mail: atheneu@atheneu.com.br*
Rio de Janeiro	*Rua Bambina, 74* *Tel.: (21) 3094-1295* *Fax: (21) 3094-1284* *E-mail: atheneu@atheneu.com.br*

CAPA: Equipe Atheneu

PRODUÇÃO EDITORIAL: MKX Editorial

REVISOR ORTOGRÁFICO: Maciel de Jesus

CIP-BRASIL. CATALOGAÇÃO NA PUBLICAÇÃO
SINDICATO NACIONAL DOS EDITORES DE LIVROS, RJ

L853f

Lopes, Johnnatas M.
    Fisioterapia na atenção primária : manual de prática profissional baseado em evidência / Johnnatas M. Lopes, Marcello B. O. G. Guedes. - 1. ed. - Rio de Janeiro : Atheneu, 2019.

    Inclui bibliografia
    ISBN 978-85-388-0988-3

    1. Fisioterapia.   2. Cuidados primários de saúde.   I. Guedes, Marcello B. O. G. II. Título.

19-56143

CDD: 615.8
CDU: 615.8

Vanessa Mafra Xavier Salgado - Bibliotecária - CRB-7/6644
26/03/2019   27/03/2019

JOHNNATAS MIKAEL LOPES

Professor Adjunto do Curso de Medicina da Universidade Federal do Vale do São Francisco (UNIVASF) na Área de Saúde Coletiva. Doutor em Saúde Coletiva pela Universidade Federal do Rio Grande do Norte (UFRN). Mestre em Saúde Pública pela Universidade Estadual da Paraíba (UEPB). Fisioterapeuta graduado pela UEPB.

MARCELLO BARBOSA OTONI GONÇALVES GUEDES

Professor Adjunto do Departamento de Fisioterapia da Universidade Federal do Rio Grande do Norte (UFRN) na Área de Fisioterapia na Atenção Primária em Saúde. Doutor em Saúde Coletiva pela UFRN. Mestre em Ciências da Saúde pelo Instituto de Previdência dos Servidores do Estado de Minas Gerais (IPSEMG). Fisioterapeuta graduado pela Universidade Federal dos Vales do Jequitinhonha e Mucuri (UFVJM).

ANDRÉA VIANA AGUIAR

Bióloga. Mestre e Doutora na Área da Educação e Corporeidade pela Universidade Federal do Rio Grande do Norte (UFRN). Especialista em Yoga pelo Instituto de Ensino e Pesquisas em Yoga das Faculdades Metropolitanas Unidas (IEPY/FMU). Capacitação e Formação em Ayurveda pela Escola Yoga Brahma Vidyalaya e Aromaterapia pela Terra Flor e Oshadi. Docente da Escola de Saúde da UFRN.

CRISTIANE APARECIDA MORAN

Fisioterapeuta. Especialista em Fisioterapia Pediátrica pelo Instituto da Criança do Hospital das Clínicas da Faculdade de Medicina da Universidade de São Paulo (IC-HCFMUSP). Especialista em Fisioterapia Respiratória pela Irmandade da Santa Casa de São Paulo (ISCSP). Mestre e Doutora em Ciências pela Universidade Federal de São Paulo (Unifesp). Pós-Doutoranda pela USP. Professora Adjunta do Departamento de Ciências da Saúde da Universidade Federal de Santa Catarina (UFSC).

ÉRIKA MEDEIROS LOPES

Fisioterapeuta pela Universidade Federal do Rio Grande do Norte (UFRN). Pós-Graduada em Fisioterapia do Trabalho e Ergonomia. Formação em Pilates e Reeducação Postural Global (RPG). Graduanda em Educação Física pela UFRN.

FERNANDA DINIZ DE SÁ

Professora Adjunta de Fisioterapia em Saúde Coletiva da Universidade Federal do Rio Grande do Norte (UFRN), Campus Santa Cruz. Especialista em Acupuntura pela Associação Brasileira de Acupuntura (ABA). Mestre em Engenharia de Produção (Ergonomia e Saúde do Trabalhador) pela Universidade Federal da Paraíba (UFPB). Doutora em Sociologia (Saúde, Corpo e Sociedade) pela UFPB.

FLÁVIO CÉSAR BEZERRA DA SILVA

Docente de Ensino Básico, Técnico e Tecnológico (EBTT) da Escola de Saúde da Universidade Federal do Rio Grande do Norte (UFRN) nas Áreas de Práticas Integrativas e Complementares em Saúde da Mulher. Vice-Coordenador do Curso de Especialização e Enfermagem Obstétrica da Rede Cegonha III (Ministério da Saúde). Doutor em Enfermagem pela UFRN. Especialista em Acupuntura e Eletroacupuntura pela Faculdade Redentor (UniRedentor). Mestre em Enfermagem pela UFRN. Especialista em Enfermagem Obstétrica pela UFRN. Licenciado e graduado em Enfermagem pela UFRN. Pós-Graduado em Engenharia Química pela Universidade Federal de São Carlos (UFSCar). Graduado em Engenharia Química pela UFRN.

GERONIMO JOSE BOUZAS SANCHIS

Graduado em Fisioterapia pela Faculdade de Ciências da Saúde da Universidade Federal do Rio Grande do Norte (FACISA/UFRN). Pós-Graduado em Fisioterapia nas Disfunções Musculoesqueléticas pela Universidade Estácio de Sá (Unesa). Mestre em Saúde Coletiva pelo Portal de Programas de Pós-Graduação em Saúde Coletiva do Centro de Ciências da Saúde da UFRN (PPGSCol-CCS-UFRN).

HELDER VIANA PINHEIRO

Fisioterapeuta pela Faculdade Natalense para o Desenvolvimento do Rio Grande do Norte (FARN). Especialista em Fisioterapia em Terapia Intensiva pela Faculdade Inspirar. Mestre em Fisioterapia nas Áreas de Avaliação e Intervenção Fisioterpêutica nos Sistemas Respiratório e Cardiovascular pela Universidade Federal do Rio Grande do Norte (UFRN). Pós-Graduando em Fisioterapia em Ortopedia, Traumatologia e Desportiva pela UFRN. Ex-Professor Substituto na UFRN nas Áreas de Fisioterapia em Pneumologia, Cardiologia e Angiologia. Morfofisiologia Humana. Atual Professor Substituto da UFRN no Departamento de Educação Física, nas disciplinas de Primeiros Socorros e Socorros de Urgência. Atual Professor no Curso de Fisioterapia da Faculdade Maurício de Nassau (Uninassau) em Anatomia Aplicada à Fisioterapia, Fisiopatologia em Pneumologia e Fisioterapia em Pneumologia.

HELOISA MARIA JÁCOME DE SOUSA BRITTO

Fisioterapeuta pela Universidade Federal do Rio Grande do Norte (UFRN). Mestra e Doutora em Fisioterapia pela UFRN. Experiência em Docência e Assistência Clínica nas Áreas de Fisioterapia Neurológica e Gerontologia, com ênfase na Atenção Primária e Secundária em Saúde.

KARLA VERUSKA MARQUES CAVALCANTE DA COSTA

Graduada em Fisioterapia pela Universidade Federal da Paraíba (UFPB). Mestra e Doutora pelo Programa de Pós-Graduação em Produtos Naturais e Sintéticos Bioativos da UFPB, Área de Concentração: Farmacologia. Professora-Associada da UFPB. Experiência Docente nas Áreas de Farmacologia e em Fisioterapia nas Áreas de Uroginecologia e Saúde da Mulher.

Luíza Braga

Graduação em Fisioterapia pela Universidade Federal de Minas Gerais (UFMG). Especialização em Saúde da Mulher pela Faculdade de Ciências Médicas de Minas Gerais (FCMMG).

Marina Pegoraro Baroni

Fisioterapeuta pela Universidade Estadual do Oeste do Paraná (Unioeste). Mestre em Educação Física pela Universidade Federal do Paraná (UFPR). Especialista em Fisioterapia Traumato-Ortopédica pela Associação Brasileira de Fisioterapia Traumato-Ortopédica (ABRAFITO). Docente do Curso de Fisioterapia da Universidade Estadual do Centro-Oeste (Unicentro).

Mércia Maria de Santi

Doutora e Mestre em Ciências Sociais pela Universidade Federal do Rio Grande do Norte (UFRN). Especialista em Corpo e Cultura de Movimento pela UFRN. Graduada em Educação Física pela Universidade de Mogi das Cruzes (UMC). Professora da Escola de Saúde da Universidade Federal do Rio Grande do Norte (ES-UFRN), no Curso Técnico de Massoterapia e na Graduação Tecnológica de Gestão Hospitalar. Ex-Coordenadora da Especialização em Cuidados e Práticas Integrativas. Pesquisadora nas Áreas de Práticas Integrativas e Complementares, Brincar, Criança, Escola, Interdisciplinaridade e Formação Docente.

Silvana Alves Pereira

Fisioterapeuta. Pós-Doutora em Neurociências e Comportamento. Professora-Adjunta do Curso de Fisioterapia e Residência Multiprofissional da Universidade Federal do Rio Grande do Norte (UFRN). Pesquisadora Permanente do Programa de Pós-Graduação em Ciências da Reabilitação e Saúde Coletiva da UFRN. Diretora Científica da Associação Brasileira de Fisioterapia Cardiorrespiratória e Fisioterapia em Terapia Intensiva (ASSOBRAFIR) – Regional Rio Grande do Norte.

Thais Sousa Rodrigues Guedes

Mestra em Saúde Coletiva pela Universidade Federal do Rio Grande do Norte (UFRN). Especialista em Fisioterapia na Saúde da Mulher pela Faculdade de Ciências Médicas de Minas Gerais (FCMMG). Fisioterapeuta pela Universidade Federal de Minas Gerais (UFMG). Professora Titular da Faculdade Maurício de Nassau (Uninassau).

Thaíssa H. M. Dantas

Fisioterapeuta pela Faculdade de Ciências da Saúde do Trairi da Universidade Federal do Rio Grande do Norte (FACISA/UFRN). Fisioterapeuta Materno-Infantil com Residência Integrada Multiprofissional em Assistência Materno-Infantil pela UFRN. Mestra em Ciências da Reabilitação pela FACISA/UFRN.

Dedicamos esta obra aos nossos amigos e familiares, que nos dão apoio e nos estimulam nessa caminhada docente e de pesquisador, em especial pais, filhos e esposas.

AGRADECIMENTOS

Esta obra é fruto de muita dedicação e comprometimento. O trabalho aqui realizado não teria um desfecho positivo, não fosse a colaboração de cada coautor. Por isso, nossos primeiros agradecimentos vão para aqueles que colaboraram.

Nossa trajetória acadêmica e docente na atenção primária nos levou ao crescimento profissional e pessoal, que nos permitiu pensar, planejar e desenvolver esta obra. Assim, agradecemos os ensinamentos e a troca de experiências que cada mestre, profissional da área e alunos compartilharam conosco.

Sem a participação de cada uma dessas pessoas, provavelmente não estaríamos escrevendo estes agradecimentos.

Esta obra origina-se da motivação imposta pela escassez literária direcionada à formação e atuação profissional dos fisioterapeutas na Atenção Primária em Saúde (APS). Percebe-se que esses profissionais, em sua maioria, ainda estão desenvolvendo práticas que não atendem aos objetivos epidemiológicos atuais, por meio de uma atenção centrada na reabilitação de doença e incapacidades, sem atentar-se para uma carga cada vez maior de condições crônicas que precisam ser identificadas em situações de risco ou em estágios leves, a fim de desenhar um manejo adequado das mesmas.

Devemos esse cenário à própria evolução histórica da profissão, como também aos sistemas de saúde que se sucederam ao longo dos tempos no Brasil. A Fisioterapia é uma profissão de saúde que foi outorgada como ensino superior em 1969 e com perfil profissional voltado para o enfrentamento e a recuperação de morbidades relacionadas com a função motora. Portanto, tem seu passado arraigado na função exclusiva de reabilitação.

Do mesmo modo, os sistemas de saúde que se sucederam nesse espaço de tempo, até a implementação do Sistema Único de Saúde (SUS), vislumbravam uma assistência à saúde de modo episódico ou focal, centrado na doença e com o intuito de sanar eventos agudos ou agudizados da população, o que também não foi contornado até o momento pelo SUS.

O novo desafio do sistema de saúde brasileiro, nos próximos anos, é fornecer uma atenção à saúde coerente com o perfil epidemiológico dominante, que se constitui predominantemente de condições crônicas de saúde. Além disso, precisa ser de qualidade, isto é, com assistência efetiva, eficiente, segura e de acesso oportuno à população. Para tanto, se faz necessário um sistema de atenção à saúde capaz de identificar os determinantes biopsicológicos e sociais responsáveis pelo novo panorama sanitário, além de fornecer um cuidado proativo, continuado e resolutivo à população.

Segundo as evidências mais recentes, esses objetivos têm seu alcance maximizado pelas estratégias de APS, que têm a característica principal de ordenar as redes de atenção à saúde, com todos os serviços disponíveis no território, acolhendo a população, centrada na pessoa e na família, identificando vulnerabilidades e produzindo cuidados que geram resolutividade dos condicionantes e agravos de saúde.

No contexto da saúde brasileira, a principal política que representa a APS consiste na Estratégia Saúde da Família (ESF). Contudo, o modelo exercido pela ESF está em crise, devido ao modelo de atenção à saúde ainda hegemônico no sistema, concentrado nos moldes do contexto sanitário do século XIX, criado para sustentar ações de combate às condições de saúde agudas ou de condições que agudizam, com processo de trabalho desestruturado por equipes sobrecarregadas, com baixo arsenal de recurso humano com conhecimento técnico-científico para manejo da grande carga de condições crônicas e não articulada com os serviços da rede assistencial.

A inserção do fisioterapeuta nas políticas da APS se faz necessário pela multicausalidade das condições crônicas e suas repercussões na capacidade funcional do indivíduo e da sociedade, pelo seu acúmulo de habilidades técnico-científicas para o manejo dessas condições e pela capacidade de atuação em equipe profissional nas mais variadas populações, sabendo compreender seu contexto e sua relação com o ser humano.

A participação do fisioterapeuta é realizada de maneira diferenciada na APS brasileira. Na ESF, sua presença ainda é facultativa e dependente da sensibilidade dos gestores e da capacidade de controle social nos municípios, havendo vários exemplos de inclusão no país. Outra maneira é por meio do Núcleo de Apoio à Saúde da Família, conhecido como NASF, no qual existe a regulamentação do Ministério da Saúde que formaliza a presença do fisioterapeuta na composição das equipes de apoio matricial, dependendo das características e necessidades epidemiológicas.

Embora essa inserção venha ocorrendo lentamente, as práticas realizadas, em sua maioria por fisioterapeutas, ainda recaem no paradigma da recuperação da saúde de modo pontual e com escassas ações de promoção da saúde ou na prevenção de instalação das condições incapacitantes. As ações de proteção e prevenção, constituídas de identificação de grupos de riscos ou morbidades, elaboração e execução de estratégias que eliminem ou mitiguem a ocorrência de disfunção, são ainda negligenciadas na formação e atuação dos fisioterapeutas na APS, sendo preciso redirecionar a formação desses profissionais.

A APS tem a finalidade de suprir a maior parte das necessidades de saúde, lançando mão da vigilância em saúde e da assistência integral ao cidadão. Diversos profissionais possuem conhecimento e práxis para atuarem na APS, cabendo ao fisioterapeuta importante espaço em virtude da sua formação científica e do contexto epidemiológico recente.

O conteúdo fornecido nesta obra busca sistematizar o conhecimento produzido até o momento sobre a práxis fisioterapêutica, fornecendo subsídios para uma prática profissional baseada em evidências, trabalho em equipe centrado no usuário e na família, proativo, continuado, resolutivo e que estimule o autocuidado e as mudanças de comportamento e enfrentamento das condições de saúde. Além disso, este livro fornece subsídios àqueles que desejam atuar na saúde suplementar em clínicas ou consultórios próprios e que pretendem desenhar um cuidado aos seus pacientes coerente com a lógica de atenção às condições crônicas de saúde.

Sabemos que esta obra não é o fim da sistematização do processo de trabalho fisioterapêutico na APS, mas um início de reflexões e pesquisas que alicercem cada vez mais o trabalho do fisioterapeuta na assistência à saúde da população, na perspectiva da integralidade e resolutividade do cuidado.

Flávio César Bezerra da Silva

Johnnatas Mikael Lopes

Seção 1

Estruturação Conceitual em Epidemiologia

Processo Histórico e Conceitos Básicos de Epidemiologia

■ Johnnatas Mikael Lopes

■ Marcello Barbosa Otoni Gonçalves Guedes

APRESENTAÇÃO

Neste primeiro capítulo, apresentaremos uma pequena noção sobre o desenvolvimento da epidemiologia como ciência, abordando aspectos históricos que marcaram os alicerces da obtenção de informação em âmbito coletivo para a tomada de decisão. Isso se faz necessário para entendermos o motivo da utilização da base de conhecimentos epidemiológicos para atuação fisioterapêutica em nível primário de assistência à saúde comunitária.

INTRODUÇÃO

A Epidemiologia como a concebemos atualmente foi construída inicialmente em uma concepção dualística entre os princípios da medicina individual ou medicina curativista e a saúde coletiva ou preventiva na Idade Antiga e que ainda podemos evidenciar contemporaneamente. Essa concepção teve início ainda na antiguidade e perdura até a atualidade como discussões sobre qual o melhor modo de assistência à saúde das pessoas.[1]

Foi na época do Império Romano que houve as primeiras tentativas de obtenção de informações referentes às populações, como os censos para o registro de pessoas e da mortalidade com o intuito de conhecer os saldos oriundos das guerras, como também para a arrecadação de impostos.[1,2] Após esse período, já na Idade Média, o mundo ocidental presenciou a hegemonia da medicina curativista, norteada pelo pensamento religioso. Enquanto isso na civilização oriental, os registros históricos mostram que a prática da medicina apresentava um aspecto coletivo e com grandes avanços de conhecimentos e tecnologias, revelando destaque significativo às figuras dos médicos persas Avicena e Averrois.[1]

Na Idade Moderna, foi criada a concepção de história natural da doença pelo médico inglês Thomas Sydenham, que vislumbrou os possíveis desfechos que as doenças poderiam causar nas pessoas desde a cura até a morte. Mais tarde, com a institucionalização dos ambientes hospitalares pela medicina, ambientes esses que até então tinham a característica de abrigar viajantes, pobres e mendigos pelos religiosos, naquela época tornaram-se *locus* da prática médica e de aprendizagem clínica. Isso permitiu a consolidação da medicina como profissão liberal. Todo esse cenário obteve apoio da emergente burguesia durante a revolução francesa.[2,3]

Atualmente, os profissionais de saúde fazem uso do conhecimento da Epidemiologia como ciência em todos as ações profissionais desde a pesquisa clínica e de populações, no planejamento e gestão de serviços até a tomada de decisão a partir, principalmente, da construção de indicadores epidemiológicos.[4]

Mais adiante iremos compreender os pontos alicerçadores, fatos históricos que consolidaram o conhecimento epidemiológico como ciência, além de construir as estimativas epidemiológicas mais simples.

PROCESSO HISTÓRICO

Alicerce da epidemiologia

A Epidemiologia apresenta uma base teórica que fundamenta as suas aplicabilidades e que é necessária para o profissional de atenção primária no desenvolvimento das suas ações comunitárias, pois as orientações para a elaboração das políticas públicas de saúde passam pelas informações epidemiológicas.[1,4] Logo, os pilares de fundamentação da Epidemiologia são os seguintes:

- Saber clínico: conhecimento da história natural das doenças com base racional e naturalizada. Esse ponto-chave diz respeito à capacidade de compreensão dos determinantes e condicionantes das doenças, suas características de manifestação e os possíveis desfechos que a doença pode apresentar caso os indivíduos não recebam nenhuma intervenção.

- Saber estatístico: componente fundamental que possibilita o arcabouço metodológico e quantitativo da Epidemiologia, permitindo aqueles que fazem uso desta ciência a elaboração de estratégias de investigação científica e na criação de estimativas e indicadores para uso nas tomadas de decisão clínica e coletiva norteadas pela probabilidade.

- Medicina social: é o alicerce político da Epidemiologia, com base na concepção dos determinantes sociais da saúde. Teve grande influência teórica de Rudolf Virchow, que fez as primeiras proposições da relação entre condições sociais e o surgimento de doenças.

O tripé da clínica, estatística e medicina social é fundamental para o trabalho no território dos serviços de atenção primária, pois o fisioterapeuta desenvolverá ações de reconhecimento dos predisponentes e características clínicas essenciais para seu diagnóstico funcional (Clínica); planejará inquéritos e investigações, estimará indicadores, elaborará gráficos e caracterizará populações (Estatística); e também deverá levar em consideração na sua práxis clínica e coletiva os determinantes sociais em saúde a fim de não se tornar reducionista no manejo do processo saúde-doença.

JOHN SNOW: PAI DA EPIDEMIOLOGIA

Considerado um dos primeiros epidemiologistas e por muitos o pai da Epidemiologia, o médico anestesista inglês John Snow realizou o que foi considerada a primeira investigação epidemiológica. Esse feito se deu diante do surto de cólera que assolava a cidade de Londres no período da Revolução Industrial, a qual já se encontrava em processo avançado e com a formação de uma grande população proletária em situações precárias de moradia, alimentação e assistência à saúde.[2,5]

Snow conseguiu desvendar o mecanismo de transmissão do cólera a partir da investigação da localização dos indivíduos acometidos, algo muito conhecido atualmente como georreferenciamento de casos. Ele percebeu que os focos de ocorrência do cólera estavam geograficamente concentrados próximo às estações de bombeamento de água da cidade. Apesar da análise bioquímica dessas águas não poder ser realizada, em virtude da inexistência da microscopia, e assim conhecer o agente etiológico do cólera, ele reuniu evidências convincentes a partir do padrão de ocorrência da doença com a associação da enfermidade à transmissão hídrica, conseguindo bloquear o uso dessas bombas e, consequentemente, o declínio de sua ocorrência.[1]

O raciocínio estabelecido por John Snow é aquele que devemos cultivar diariamente nas nossas funções de atenção primária, ou seja, a desenvoltura do pensamento de que os problemas de saúde necessitam ser investigados na comunidade com ênfase tanto em seus condicionantes biológicos como nos seus sociais. Além disso, é importante o monitoramento contínuo da situação de saúde para avaliar a sua evolução, como fez John Snow, a fim de verificar se a ocorrência de cólera realmente declinaria com o fechamento das estações de bombeamento de água.[1,6]

MEDICINA "CIENTÍFICA"

Apesar do avanço obtido no início da Revolução Industrial, a utilização do conhecimento epidemiológico foi posto de lado em virtude do grande desenvolvimento nas ciências básicas já no final do século XVIII, principalmente na área de fisiologia e fisiopatologia. Estas trouxeram à tona a medicina curativista e unicausal como centro das atenções e ações da investigação científica.[6,7]

As descobertas de Claude Bernard, Virchow e Pasteur sobre as doenças infectocontagiosas e processo inflamatório acabaram deixando esquecidas as contribuições que os fatores sociopolíticos impõem a saúde humana, colocando a Epidemiologia no campo dos estudos apenas dos processos de transmissão das doenças.[1,7]

A consolidação da medicina curativista teve seu apogeu com o relatório elaborado por Abraham Flexner nos Estados Unidos. Esse relatório instituiu um modelo de ensino médico com base em uma abordagem individualista e apenas nas ciências básicas. Esse novo paradigma ficou conhecido como modelo flexneriano, o qual tem sua influência sentida até os dias atuais na formação dos profissionais de saúde.[8]

EPIDEMIOLOGIA COMO DISCIPLINA CIENTÍFICA

Após o apogeu das ciências básicas, a Epidemiologia ganha corpo como disciplina científica no fim do século XIX, mesmo com a supremacia da medicina "científica". Com a formalização da *American Public Health Association* nos Estados Unidos e a manutenção do pensamento da medicina social na Alemanha, a Epidemiologia manteve-se viva e ampliou seu caráter científico.[1,2]

Com a crise econômica de 1929 e a dificuldade no acesso aos serviços de saúde assim como a incapacidade de resolução dos problemas pela visão curativista e individualista, a Epidemiologia ganha novo interesse na comunidade científica, pois a sua característica social possibilitou observar os problemas de saúde de modo a criar novas abordagens coletivas a fim de solucionar os agravos à saúde.[3]

Nesse momento de renascimento, a fomentação dada pela Estatística por meio da teoria das probabilidades e com a elaboração do conceito de risco permitiu à Epidemiologia um suporte metodológico para delineamento de investigações científicas e também a especificação de seu objeto de estudo: agravos à saúde com suas delimitações de pessoa, espaço e tempo.[6,9]

A consagração como ciência vem com a criação das disciplinas de Higiene e Saúde Pública na Europa e Estados Unidos e incluídas na formação médica. Outro marco foi a fundação da *International Epidemiological Association* em 1954 que buscou implantar a visão de saúde coletiva e preventiva nas academias e serviços de saúde. Nessa mesma época, Bradford Hill desenvolveu fortes bases para a elaboração dos ensaios clínicos controlados como também foram desenvolvidos os tipos de delineamentos observacionais, principalmente o estudo de coorte na cidade de Framingham, que engradeceram sem precedentes a pesquisa epidemiológica.[2]

Por fim, o desenvolvimento computacional e de softwares estatísticos permitiu tipos mais aprofundados de análise probabilística por meio de processos multivariados e uso de banco de dados com dezenas de variáveis que podem ser controladas.[9]

EPIDEMIOLOGIA NO BRASIL

Os primeiros passos da Epidemiologia brasileira ocorreram com a medicina na Escola Tropicalista Baiana no início do século XX. Ainda nessa época, destacaram-se as ações sanitaristas de Oswaldo Cruz no Rio de Janeiro para controle da varíola, febre amarela e peste bubônica. No entanto, as estratégias adotadas na época tinham cunho militarista, o que gerou revolta da população e a deflagração de reações populares, como a Revolta da Vacina. Este movimento eclodiu devido à imposição obrigatória da vacina contra a varíola. Outro nome expoente da Epidemiologia nacional foi o de Carlos Chagas que, em 1909, descobriu o agente causador da tripanossomíase americana assim como seu ciclo reprodutivo, a qual leva o nome de Doença de Chagas.[5,4]

Com a hegemonia norte-americana no pós-primeira guerra, a política sanitarista brasileira sofreu grande influência da Fundação Rockefeller daquele país. A partir de então, inaugurou-se um período de combate às enfermidades transmissíveis, entre elas a malária. A influência não ocorria apenas nas políticas públicas de saúde, mas também no ensino médico, em que houve a criação da disciplina de Higiene na Faculdade de Medicina de São Paulo. Esta logo se transformaria em Escola de Higiene e Saúde Pública e, finalmente, na atual Escola de Saúde Pública da Universidade de São Paulo (USP).[10]

Hoje, contamos com várias entidades nacionais e internacionais que fomentam e disseminam o conhecimento epidemiológico. No Brasil, a Associação Brasileira de Saúde Coletiva norteia a produção científica e acadêmica, e sua aplicação aos serviços de saúde do país. Além disso, gerencia vários periódicos indexados que subsidiam os profissionais de saúde no aperfeiçoamento do conhecimento epidemiológico aplicado no assistencialismo e gerenciamento.[5]

ESTIMATIVAS EPIDEMIOLÓGICAS: MEDIDAS DE FREQUÊNCIA

Uma das principais funções do conhecimento epidemiológico atual é a obtenção de estimativas sobre a saúde de populações. Para tanto, faz necessário medir a ocorrência de agravos à saúde a partir da contagem temporal e espacial de eventos de interesse.[3]

Para medir a ocorrência de determinado evento, os profissionais de saúde procuram medir a proporção de pessoas na população de interesse ou referência que estão acometidas por certa doença ou morbidade.[2] Assim, acabamos obtendo uma percepção do quadro atual de saúde. Já em outras oportunidades, queremos não mais identificar em qual estado se encontra a saúde da população e sim a velocidade que os problemas de saúde surgem na população com o passar do tempo, constatando se ela está sendo controlada ou não. Assim, é possível a tomada de decisão para a elaboração de ações preventivas ou o tratamento.

Cientes de tais necessidades, daremos início à construção do saber sobre a estimação de indicadores de saúde com base nos conceitos de prevalência e incidência.

PREVALÊNCIA: UM RETRATO DA SITUAÇÃO DE SAÚDE

O título acima traduz bem o conceito de prevalência, o qual remete a uma concepção estática da realidade de saúde. A sua representação é apenas do momento, necessária para ações em curto prazo. Portanto, a prevalência (p) de uma doença, a morbidade ou o evento de saúde é o número de casos de interesse na população em relação ao total da população de uma determinada região em um dado período.[1,3,5]

Exemplo:

- No ano de 2010, o diabetes atingia 23% dos idosos de Natal.
- Identificamos 10% de afastamento de trabalho nas indústrias potiguares em 2009.
- No mês de janeiro, 68% dos serviços ambulatoriais do HUOL — Hospital Universitário Onofre Lopes — foram de doenças crônicas não transmissíveis.

Para estimar a prevalência usamos a seguinte fórmula:

$$p = c/N$$

c → N° de casos de interesse observados.

N → População delimitada espacial e temporalmente.

Logo, a prevalência será uma proporção da população averiguada e seu valor estará no intervalo de 0 a 1, sendo um valor adimensional, repassando a ideia de probabilidade de um evento de saúde acontecer.

INCIDÊNCIA: UM FILME DA EVOLUÇÃO DOS AGRAVOS À SAÚDE

Em muitas situações, os profissionais de saúde desejam conhecer como determinada doença ou morbidade apresenta-se em períodos distintos de observação. Apenas assim, poderemos saber a ocorrência de aumentos, reduções ou a estabilização de algum evento de saúde e nos mostrar a que velocidade tal evento acontece no tempo.[2,3]

Exemplos:

- Entre 1990 e 2000, surgiram anualmente uma média de 20,3 casos de diabetes a cada 1.000 pessoas no Brasil.
- A ocorrência de dengue em Natal passou de 50,1 casos por 10.000 pessoas em 2009 para 92,8 casos por 10.000 em 2010.
- Nos últimos dez anos, vêm caindo os casos de AVC isquêmico no Nordeste brasileiro em média de 20% ao ano.

- A maneira mais simples de se determinar a incidência de eventos de saúde é por meio da incidência acumulada (I_A), cuja obtenção assemelha-se muito com a da prevalência e é utilizada quando existem populações estáveis. A seguinte fórmula permite estimar a incidência para cada período específico.[1]

$$I_A = c/N_0$$

c → N° de casos de interesse observado.

N_0 → População inicial delimitada espacial e temporalmente de indivíduos não doentes.

Esta abordagem para estimação da incidência de agravos à saúde vem sendo bem utilizada quando trabalhamos com dados dos sistemas de informação, por exemplo o dos serviços de saúde ou de bases nacionais, como o Sistema de Informação da Atenção Básica (SIAB). Nesta situação, temos somente os totais dos eventos, que geralmente é o número observado na metade do período investigado, e o tamanho da população. É assim que acompanhamos a evolução de muitas doenças nos sistemas de vigilância em saúde.

Outra maneira de estimar a prevalência é por meio da taxa de incidência (TI). Este modo é utilizado quando temos uma população dinâmica e conseguimos identificar precisamente o tempo que cada pessoa durante um acompanhamento permaneceu sem o evento de interesse e assim estabelecer a medida de pessoa-tempo. Desse modo, usamos a seguinte fórmula para estimar a incidência:

$$TI = c/PT$$

c → N° de caso-eventos observados.

PT → Quantidade de pessoa-tempo acumulada na população.

O conceito de pessoa-tempo refere-se à somatória do tempo (horas, dias ou ano) que cada indivíduo da população em observação permaneceu em risco de apresentar o evento de saúde de interesse, sem, portanto, apresentá-lo.

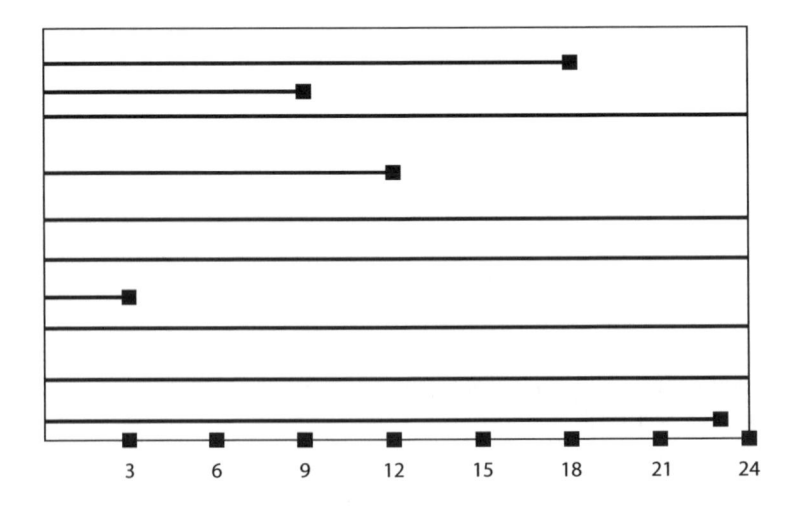

FIGURA 1.1. – Acompanhamento de pacientes após transplante cardíaco quanto à ocorrência de morte. (Fonte: elaboração própria.)

Vamos a um exemplo para entender melhor. Na **Figura 1.1**, temos o monitoramento em um hospital de 10 pacientes pós-transplante cardíaco e que foram acompanhados pela equipe do setor de epidemiologia quanto à ocorrência de morte (incidência de morte). As linhas horizontais representam os pacientes acompanhados e, embaixo, os anos em que foram realizadas as checagens. Nos primeiros três anos foi registrado apenas um caso de morte. Assim, a quantidade de pessoa-tempo acumulada é de 30 pessoas-ano (10 indivíduos × 3 anos). Substituindo na fórmula anteriormente explicada, teremos uma incidência de 0,03 mortes por pessoa-ano. Aos 12 anos de acompanhamento, registrou-se uma taxa de incidência de 0,03 mortes por pessoa-ano, que equivale ao total de pessoa-tempo de 96 (8 indivíduos × 12 anos) e 3 mortes.

SOBREVIDA

Quando queremos saber a velocidade em que os agravos da saúde ocorrem, também é interessante verificar o quão os indivíduos não são atingidos pelos eventos de saúde. Para tanto, existe o conceito de sobrevida (S) que é a probabilidade de um indivíduo da população acompanhada estar livre da doença ou morbidade investigada.[1,6]

Para determinar a sobrevida seguimos a fórmula:

$$S = 1 \text{-} I_A$$

$I_A \rightarrow$ Incidência acumulada da doença investigada.

FATORES QUE INFLUENCIAM A PREVALÊNCIA E A INCIDÊNCIA

Para entender como a prevalência e a incidência de agravos relacionam-se e são influenciadas, vejamos a analogia a seguir utilizada que é bem conhecida na área de Epidemiologia (**Figura 1.2**). Temos três elementos: torneira, nível de água e o escape. À medida que a torneira do reservatório aumenta a sua vazão, o nível de água tende a aumentar. Já o escape acaba provocando redução do nível do reservatório.

A prevalência e a incidência de agravos à saúde se comportam como a analogia anteriormente citada, em que o nível de água se refere à prevalência de agravos, sendo influenciada diretamente pela incidência (torneira) e o escape (mortes ou curas). A prevalência de qualquer evento tende a ser constante quando a taxa de incidência dela é semelhante ao desfecho

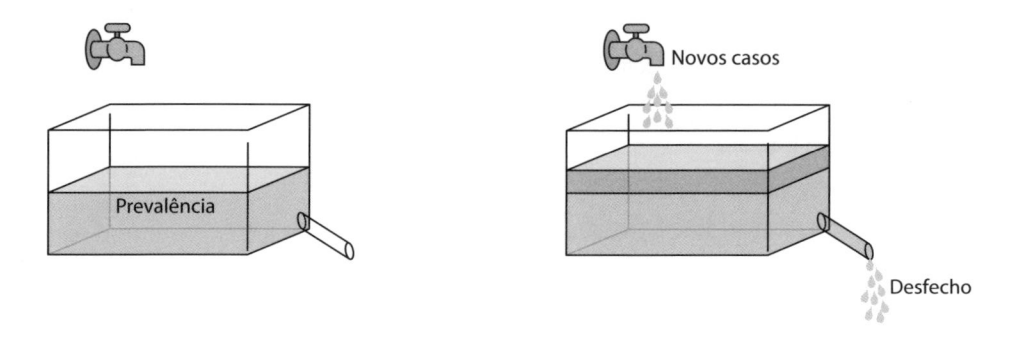

FIGURA 1.2. Ilustração analógica da incidência e prevalência de doenças na população. (Fonte: Adaptada de Medronho RA. Epidemiologia. 2a ed. São Paulo: Atheneu; 2009.)

(escape). No entanto, a baixa incidência e o alto nível de desfecho levam à queda da prevalência, sendo o contrário também verdadeiro.

Atualmente, observamos um perfil epidemiológico de grandes morbidades crônicas de baixa letalidade, como as lombalgias e as artropatias degenerativas, que acabam produzindo altos níveis de prevalência e carga de morbidade. Fato contrário ao início do século XX, em que as doenças infectocontagiosas tinham alto grau de letalidade, gerando níveis baixos de prevalência.[11]

Já a incidência de enfermidades ocorre na dependência da capacidade de reproduções de casos e das medidas preventivas. No período do final do século XIX e início do XX, em que as doenças infectocontagiosas predominavam no contexto de saúde, a magnitude da incidência delas era alta e a prevalência baixa, pois não existiam meios precisos de prevenção, bem como tratamento adequado, havendo elevada letalidade.

CONSIDERAÇÕES FINAIS

Vimos um pouco da história da consolidação da Epidemiologia como ciência, permeando pelos problemas e conquistas adquiridas com o passar do tempo. Aprendemos também sobre as medidas de frequência mais utilizadas na área de saúde e que são fundamentais para serem utilizadas nos serviços de atenção primária, a fim de se elaborar indicadores de saúde. Estes têm grande utilidade no diagnóstico situacional, planejamento de ações e planos terapêuticos, assim como no monitoramento contínuo dos mesmos.

REFERÊNCIAS BIBLIOGRÁFICAS

1. Medronho RA. Epidemiologia. 2a ed. São Paulo: Atheneu; 2009.
2. Rouquayrol MZ. Epidemiologia e saúde. 6a ed. Rio de Janeiro: Medsi; 2003.
3. Pereira MG. Epidemiologia: teoria e prática. Rio de Janeiro: Guanabara Koogan; 1995.
4. Barreto ML. Papel da epidemiologia no desenvolvimento do Sistema Único de Saúde no Brasil: histórico, fundamentos e perspectivas. Rev Bras Epidemiol. 2002;5(V):4–17.
5. Almeida Filho N, Barreto ML. Epidemiologia e saúde: fundamentos, métodos e aplicações. Rio de Janeiro: Guanabara Koogan; 2012.
6. Franco LJ, Passos ADC. Fundamentos de epidemiologia. 2a ed. Barueri: Manole; 2011.
7. Filho NA. Bases históricas da epidemiologia. Cad. Saúde Pública 1986;2(3):304–11.
8. Gomes D, Aurélio M, Ros D. A etiologia da cárie no estilo de pensamento da ciência odontológica. Cien. Saúde Colet. 2008;13(3):1081–90.
9. Barradas R. Epidemiologia vs. Estatística: a velha contenda entre racionalismo e empirismo? Cad. Saúde Pública 2010;26(4):2010.
10. Paim JS. Saúde coletiva como compromisso: A trajetória da ABRASCO. Cad. Saúde Pública 2007;23(10):2521–2.
11. Maria A, Gadelha J. Global burden of disease attributable to diabetes mellitus in Brazil. Cad. Saúde Pública 2009;25(6):1234–44.

2

Indicadores de Saúde e Conceito de Risco

■ Johnnatas Mikael Lopes

APRESENTAÇÃO

Neste capítulo, continuaremos abordando os conceitos epidemiológicos que apresentam grande aplicabilidade na assistência e gerenciamento de serviços de saúde. Aqui, trabalharemos a interpretação dos principais indicadores de saúde, o uso do conceito de risco e suas estimações para efeito de tomada de decisão epidemiológica e clínica.

Os fisioterapeutas precisam dessas informações a fim de desenvolver as competências e as habilidades específicas que um profissional da atenção primária deve apresentar, como diagnosticar a situação de saúde da comunidade a qual está vinculada, construir uma sala de situação sobre as condições de saúde e dos seus condicionantes, avaliar a qualidade da sua assistência e tomar decisão sobre ações coletivas.

COMO MEDIR A SAÚDE DA POPULAÇÃO?

Os profissionais de saúde estão bem familiarizados com a prática de obtenção de informações de pacientes para a construção de diagnósticos e a tomada de decisão clínica, e assim conscientemente auxiliar o paciente na sua melhora. Semelhante a um clínico, que avalia a condição de saúde de uma pessoa por meio do método de mesmo nome, os profissionais da atenção primária à saúde precisam também apresentar conhecimentos relacionados à mensuração de quão boa é a saúde da comunidade que é corresponsável.

Agora, diferentemente do pensamento clínico, fisioterapeutas e demais profissionais de nível primário utilizam também das ferramentas desenvolvidas pelos epidemiologistas a fim de identificarem a situação de saúde da população sob sua responsabilidade, aplicando assim metodologia da sala de situação. Para a sua construção utiliza-se as ferramentas dos indicadores de saúde, que são informações oriundas de estimativas coletivas obtidas tanto por levantamentos na comunidade, no serviço de atenção primária ou nos sistemas de informações governamentais e institucionais.[1] Assim, os profissionais de nível primário conseguem apreender acerca do nível de saúde da população.

Antes de continuar, entendamos o que é um indicador de saúde e o que é um índice:

- Indicador: medida que avalia apenas um aspecto ou faceta da saúde humana. Por exemplo: taxa de mortalidade infantil, avalia apenas a ocorrência de mortes prematuras.

• Índice: síntese de vários aspectos da saúde humana. Por exemplo: índice de Apgar, que resume a saúde com base em distintas facetas, como a frequência cardíaca, movimentos respiratórios, tônus, irritabilidade reflexa e coloração da pele.

Pelo exposto, observamos que indicadores têm um conceito diferenciado do índice. Este é mais complexo de se obter, a exemplo do Índice de Desenvolvimento Humano (IDH). Já os indicadores são os mais utilizados no âmbito da saúde e podem ser expressos na forma de proporção/quociente ou na forma de taxa/coeficiente.[2] Os indicadores são geralmente estimados a partir de medidas de frequência, as quais aprendemos no capítulo anterior. Aqui, tentaremos detalhar alguns indicadores de saúde que visam capacitá-los a diagnosticar a saúde do coletivo.

Os primeiros indicadores de saúde foram fundamentados na ocorrência de mortes e nascimentos. A justificativa para esta escolha está na pouca variabilidade do conceito que a morte e o nascimento apresentam em qualquer parte do mundo, o que permite um acompanhamento universal e temporal fidedigno dessas estimativas.[2,3] Vamos explorar a estimação de indicadores de saúde com base na morte, entre os quais, os principais são a taxa de mortalidade geral, taxa de mortalidade materna e taxa de mortalidade infantil, razão de mortalidade proporcional e curvas de Nelson Morais. Além desses, apresentaremos indicadores de saúde fundamentados no tempo de vida: expectativa de vida e anos de vida potencialmente perdidos, e em morbidades e risco.

TAXA DE MORTALIDADE GERAL (TMG)

O indicador de mortalidade geral fornece o dado de quão risco um indivíduo de uma determinada população, em certo intervalo de tempo, tem de morrer por qualquer que seja a causa.[1] Para tanto, precisamos conhecer a quantidade de mortes no período estudado e a sua população total. Observe a fórmula a seguir:

TMG = $O\_t/N \times 1.000$

$O_t \rightarrow$ nº de óbitos total no local e no período analisado.

N → população da metade do período da área analisada.

Vejam que a fórmula é semelhante à utilizada para a estimação da incidência acumulada de algum evento em saúde que estudamos no Capítulo 1. Todavia, incluímos a constante 1.000, a fim de corrigir valores com várias casas decimais. A fonte de dados para estabelecer a TMG é oriunda do Sistema de Informação de Mortalidade (SIM), que estudaremos mais à frente, e revela a quantidade de mortes ocorridas, assim como a base de dados do Instituto Brasileiro de Geografia e Estatística (IBGE), que fornece a população total do período e região analisada.[4]

No Brasil, foi registrada no ano de 2011 uma TMG de 6,38 óbitos por 1.000 habitantes. Isto significa que, a cada mil pessoas, aproximadamente seis morreram no referente ano, mostrando a possibilidade de morrer nessa circunstância temporal e espacial. As estimativas nacionais de TMG vêm caindo devido às medidas sanitárias e preventivas adotadas nas últimas décadas.[5]

A mortalidade ainda pode ser estimada para as causas específicas, para o sexo e a faixa etária, funcionando da mesma maneira que a mortalidade geral, sendo o numerador os casos de óbitos específicos e a população analisada no denominador.[6] Outro modo de estimar a mortalidade é calcular a proporção de óbitos por causa específica, sexo ou faixa etária. Neste caso, o denominador será o número de óbitos total e não a população de origem.[7]

RAZÃO DE MORTALIDADE MATERNA (RMM)

Outra maneira de avaliar a condição de saúde da população é pela mortalidade materna. Este indicador não apenas sinaliza a qualidade da saúde da mulher, mas também retrata o grau de desenvolvimento da população quanto à saúde e igualdade social, pois a maioria das mortes maternas são evitáveis.[8,9]

A Organização Mundial da Saúde (OMS) considera como mortalidade materna o óbito de mulheres no período gestacional ou 42 dias após a concepção. As mortes podem ser originárias diretamente da gestação ou de morbidades relacionadas, excluindo causas acidentais.[7] Para determinar-se a RMM utiliza-se a seguinte fórmula:

$$RMM = O_{mat}/N° \text{ nasc} \times 100.000$$

$O_{mat} \rightarrow n°$ de óbitos maternos no local e no período analisado.

$N° \text{ nasc} \rightarrow n°$ de nascidos vivos no local e no período analisado.

As estimativas brasileiras de óbitos maternos ainda continuam elevadas. Dados do Ministério da Saúde revelam a ocorrência de 68 óbitos para cada cem mil nascidos vivos em 2010 — valores considerados elevados pela OMS, que avalia como aceitável a ocorrência de 10 a 20 óbitos por cem mil nascidos vivos. Entretanto, a RMM vem declinando e mostra uma redução de 52% desde 1990.

TAXA DE MORTALIDADE INFANTIL (TMI)

Uma das maneiras mais interessantes de medir a saúde da população para a idade é por meio da mortalidade infantil. Este indicador de saúde estima o nível de mortalidade de crianças ao longo do primeiro ano de vida incompleto, sendo também subdividido em mortalidade neonatal e pós-natal.[10,11]

Para se determinar a TMI é preciso ter informações do número de óbitos de crianças menores de um ano e o total de nascidos vivos,[1] como se segue:

$$TMI = O_{inf}/N° \text{ nasc} \times 1.000$$

$O_{inf} \rightarrow n°$ de óbitos de crianças menores de 1 ano no local e no período analisado.

$N° \text{ nasc} \rightarrow n°$ de nascidos vivos no local e no período analisado.

A taxa de mortalidade infantil neonatal (TMIN) consiste nos casos de óbitos ocorridos até os 27 dias de nascidos, os quais são influenciados pelas condições da gestação e do parto, refletindo a qualidade assistencial do pré-natal dos serviços de atenção primária e perinatal dos hospitais e das maternidades.

Por outro lado, a taxa de mortalidade infantil pós-natal (TMIP) caracteriza-se pelos óbitos infantis compreendidos entre o 28° dia e um ano incompleto de nascidos, fase em que as crianças estão mais suscetíveis aos fatores exógenos como causa de morte.[2,11]

$$TMIN = O_{(inf.\ 28\ dias)}/N° \text{ nasc} \times 1.000$$

$$TMIP = O_{(inf.\ 1\ ano)}/N° \text{ nasc} \times 1.000$$

$O_{(inf. 28)}$ → n° de óbitos de crianças menores até 27 dias de nascidos no local e no período analisado.

$O_{(inf.1 ano)}$ → n° de óbitos de crianças entre até 28 dias e um ano de nascidos no local e no período analisado.

N° nasc → n° de nascidos vivos no local e no período analisado.

A mortalidade infantil em nosso país vem caindo. Dados de 2007 revelam que houve uma redução de 59,7% desde 1990, em que os valores eram de 47,1 óbitos e passaram a 19,3 óbitos a cada 1.000 nascidos vivos. Com isso, existiu uma projeção de que em 2015 a TMI seria em torno de 15,7 óbitos por mil nascidos vivos, pois não há estimativas após 2016.

RAZÃO DE MORTALIDADE PROPORCIONAL (RMP)

Outro indicador de saúde fundamentado em mortalidade por idade é o de Swaroop e Uemura, também conhecido por razão de mortalidade proporcional, cuja medida revela o nível de mortalidade de indivíduos acima de 50 anos em relação ao total de óbitos.[12] Este indicador mostra algo paradoxal, os seus altos valores mostram um elevado nível de saúde e o contrário, baixa qualidade de saúde. Isto acontece porque quanto maior a proporção de óbitos de pessoas acima de 50 anos em relação aos mais novos, revela um envelhecimento avançado da população e uma assistência à saúde e social adequadas.[7] Vejamos como estimá-los:

$$RMP = O_{(>50)}/O_t$$

$O_{(>50)}$ → n° de óbitos de indivíduos acima de 50 anos no local e no período analisado.

O_t → n° total de óbitos no local e no período analisado.

Valores de RMP são divididos em quatro níveis. O 1° nível corresponde a valores ≥ 75% e mostram alto nível de saúde, comum a países desenvolvidos; o 2° nível tem valores entre 50-74,9%, e revela um serviço de saúde e econômico regular; 3° nível apresenta valores de RMP entre 25-49,9% e é observado em países com assistência à saúde e economia deficitária; e por fim, o 4° nível apresenta valores de RMP inferiores a 25%, característico de países subdesenvolvidos, em que a maioria dos óbitos acontece em pessoas menores de 50 anos.[2,4]

CURVAS DE MORTALIDADE PROPORCIONAL

Em 1959, um sanitarista brasileiro chamado Nelson Morais desenvolveu um conjunto de curvas que representam a proporção de mortes por faixa etária em relação aos óbitos totais e que evidencia o nível de saúde da população.[13] Esse tipo de curva recebeu seu nome — Curvas de Nelson Morais — e mostram quatro tipos de curvas (**Figura 2.1**).

A curva do tipo I corresponde ao nível muito baixo de saúde, com elevados casos de óbitos de menores de um ano e de adultos jovens (20-49 anos). Já o tipo II equivale a nível baixo de saúde, com alto grau de óbitos infantis. O tipo III revela nível de saúde regular, com o aumento dos óbitos de indivíduos com mais de 50 anos e queda dos infantis, e o tipo IV mostra um nível de saúde elevado com predomínio dos óbitos de pessoas mais velhas.[14]

INDICADORES DE SAÚDE FUNDAMENTADOS NO TEMPO DE VIDA

Até o momento detalhamos apenas indicadores que medem a ocorrência de morte. Entretanto, existem indicadores que avaliam em que momento as mortes ou as incapacidades

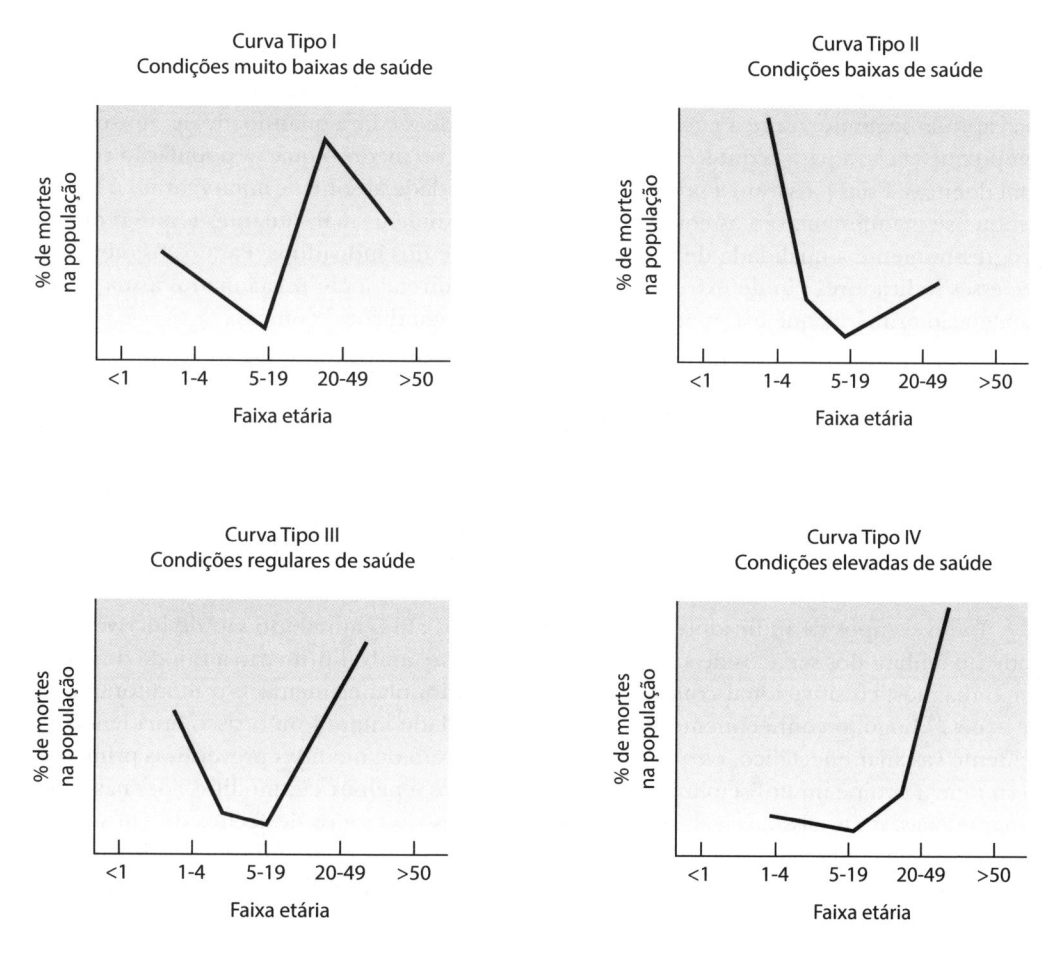

FIGURA 2.1.   Curvas de mortalidade proporcional de Nelson Morais.[13]

acontecem na população, são eles: expectativa ou esperança de vida e anos de vida potencialmente perdidos. Estes indicadores revelam o tempo de vida médio estimado a ser vivido e anos potencialmente perdidos, respectivamente.[4,7] Não iremos nos debruçar sobre como determiná-los, mas sim entender seu conceito.

A expectativa de vida nos informa quanto de tempo de sobrevivência é esperado para um indivíduo ao nascer no ano de elaboração da estimativa. Por exemplo, no Brasil, em 2013, a esperança de vida foi de 74,84 anos, ou seja, os nascidos vivos neste ano tendem a viver aproximadamente mais de 74 anos, caso mantenham-se os níveis de mortalidade.[15]

Já o indicador anos de vida potencialmente perdidos expressa o tempo de vida que os indivíduos acabam deixando de usufruir por alguma causa específica. A sua determinação se dá pelo somatório da diferença entre a idade de morte e a esperança de vida. Portanto, se uma pessoa que nasceu em 2013 morrer com 36 anos, ele tem 38,84 anos potencialmente perdidos. Somando-se os anos de vida perdidos de todos os óbitos neste ano por alguma causa específica e dividindo-se pelo total de óbitos, temos a média de anos de vida potencialmente perdidos da população.

INDICADORES DE SAÚDE FUNDAMENTADOS NA MORBIDADE E NO RISCO

Com a mudança do perfil epidemiológico das doenças na população mundial, como veremos em capítulo seguinte, surge a necessidade não apenas de medir a quantidade de mortes ou o tempo que ela leva para acontecer, mas também é preciso medir o quão a população convive com doenças. Estas passaram a produzir menor mortalidade absoluta e aumentaram o tempo em que se manifestam, são as condições crônicas de saúde as mais atuantes e que reduzem progressivamente a qualidade de vida e funcionalidade dos indivíduos. Para os fisioterapeutas, esses indicadores são de extrema valia, pois estão diretamente relacionados a sua práxis na atenção primária, que é a prevenção e o manejo de condições crônicas.

Então, medir os eventos de mortes dessas doenças não mostra ser um indicador tão fidedigno. Busca-se, portanto, medir, além da sua ocorrência, o risco que as pessoas da comunidade têm em desenvolver alguma condição por meio da estimação de medidas de frequência que aprendemos no capítulo anterior. Essa estratégia é fundamental na atenção primária porque permite ao profissional conhecer o perfil mórbido e a vulnerabilidade da população sob sua responsabilização para traçar medidas que mitiguem sua ocorrência ou consequências danosas secundárias. Assim, o fisioterapeuta estará atuando de maneira proativa no cuidado de saúde.

Todos os tipos de indicadores de saúde mostrados até o momento são de incrível utilidade no âmbito dos serviços de saúde e, principalmente, a nível primário a fim de desenvolver o diagnóstico situacional com uma sala de situação, planejamento e o monitoramento de ações.[16] Logo, o conhecimento da taxa de mortalidade infantil ou o risco/incidência de acidente vascular encefálico, os quais têm o reflexo direto de medidas preventivas primárias, permitem à equipe multidisciplinar avaliar os resultados e pensar em modificações nas ações programadas. Além disso, ressalta-se que não apenas os riscos e os desfechos devem ser monitorados pelos indicadores de saúde, mas também a elaboração de indicadores de processo de trabalho, a partir de medidas de frequências, é uma maneira válida para a manutenção da boa saúde da população.

RISCO: DETERMINISMO OU PROBABILIDADE?

Após conhecer o que é um indicador de saúde e como são obtidos, é fundamental para o profissional de atenção primária saber o conceito de risco, pois nele está embutida a capacidade de identificação de características biológicas, comportamentais ou ambientais que favorecem o aparecimento de doenças ou reduzem sua ocorrência, as quais podem ser identificadas para tornarem-se informações clínicas e de elaboração de indicadores de saúde com base no risco.

Assim, o conceito de risco tem um significado muito importante na saúde pública e também na práxis fisioterapêutica. Pessoas em risco estão mais susceptíveis em apresentar algum tipo de doença ou agravo da saúde. O risco nos diz o quão perigosa é certa característica, identificando o que chamamos de fator de risco. O contrário também é verdadeiro, características que reduzem o aparecimento de doenças são fatores de proteção.

Logo, quando dizemos que uma pessoa fuma, passamos a saber que ela tem uma probabilidade ou chance maior de desenvolver câncer de pulmão que aquelas que não fumam. Todavia, isto não tem caráter determinístico, ou seja, quem fuma não desenvolverá neoplasia pulmonar obrigatoriamente. Sendo assim, o conceito de risco é um aspecto probabilístico de um evento de saúde acontecer.

RISCO E SAÚDE PÚBLICA

A Epidemiologia fornece grande subsídio à saúde coletiva de modo a permitir a criação de políticas públicas voltadas ao controle e prevenção de doenças. Para isto, necessita-se conhecer os fatores condicionantes de doenças assim como os fatores que podem evitá-las.

As contribuições dos procedimentos de vigilância epidemiológica como também das investigações científicas são meios fundamentais da Epidemiologia ajudar na identificação dos condicionantes de saúde. Estas estratégias permitem a detecção de fatores de risco e proteção para a população submetida a situações contextuais singulares.

Para se determinar se uma característica, seja ela biológica, comportamental, ambiental ou social é um fator de risco ou proteção para ocorrência de agravos à saúde, temos que determinar as medidas de associação pertinentes, as quais irão estimar o risco ou a proteção do indivíduo.

MEDIDAS DE ASSOCIAÇÃO

Quando se deseja estabelecer os fatores de risco para algum agravo à saúde é preciso ensejar uma pesquisa científica que aborde as características que possivelmente levam ao adoecimento. Nestas pesquisas epidemiológicas, os investigadores procuram estimar as medidas de associação, cujos principais representantes são o Risco Relativo (RR) e Razão de Chances ou OddsRatios (OR). Estas estimativas são medidas relativas que revelam a probabilidade do agravo acontecer ou não, comparando-se grupos em que as características analisadas são opostas, como fuma/não fuma.[2,3]

Quando essas estimativas tiverem valores entre 0 e 1, elas nos mostrarão que a característica é um fator de proteção. Enquanto os valores superiores a 1 informarão que se trata de fatores de risco. Quando a medida de associação for igual a 1, a característica em questão não influenciará a ocorrência da doença averiguada, ou seja, não contribui positiva ou negativamente para a ocorrência do agravo.

O RR e OR observados em textos científicos apresentam a seguinte leitura, que deve ser levada em consideração nas ações de planejamento e intervenções na atenção primária. Por exemplo, um grupo de indivíduos com fibrilação atrial aumenta seu risco em cinco vezes (OR = 5) de desenvolver um acidente vascular encefálico ou mulheres acima de 40 anos que usam corticosteroides elevam em 400% (RR = 4) a possibilidade de desenvolver osteoporose. Por outro lado, a prática de exercício físico reduz a ocorrência de osteoporose em 40% (RR = 0,6). Perceba que as medidas são obtidas a partir de informações do coletivo e, quando tratadas em âmbito individual, precisam ser ponderadas para não se cometer falácias ecológicas e se ter um conceito determinístico, o que transforma o conceito epidemiológico em aplicabilidade clínica.

Assim, você, como fisioterapeuta de serviços de atenção primária, deve obter informações na literatura epidemiológica a fim de conhecer os condicionantes dos principais agravos à saúde que atingem as populações e, com isso, verificá-los a partir de levantamentos nos sistemas de informação local ou nacional como também nas buscas ativas na comunidade por meio da prática da vigilância em saúde.

DETERMINANDO O RISCO RELATIVO E A RAZÃO DE CHANCES

Com o intuito ilustrativo, demonstrarei como estimar as medidas de risco por meio de um exemplo fictício na **Tabela 2.1**.

TABELA 2.1. Estimativa das medidas de risco

Prática de esporte	Infarto agudo do miocárdio		Total
	Sim	Não	
Sim	2 (a)	31 (b)	33
Não	28 (c)	4 (d)	32
Total	30	35	

Fonte: elaboração própria do autor.

A pergunta que iremos responder é: Qual o risco de infarto em praticante de esporte? Para tanto, usamos a seguinte fórmula:

$$RR = \frac{\frac{a}{a+b}}{\frac{c}{c+d}}$$

$\frac{a}{a+b}$ → incidência de infarto nos praticantes de esporte.

$\frac{c}{c+d}$ → incidência de infarto nos não praticantes de esporte.

Logo,

$$RR = \frac{\frac{2}{2+31}}{\frac{28}{28+4}} \approx RR = \frac{\frac{2}{33}}{\frac{28}{32}} \approx RR = 0,06$$

Com base na estimativa do RR, chegamos à conclusão de que a prática de atividade física mostra-se um fator de proteção em relação à ocorrência de infarto agudo do miocárdio, tendo em vista que o risco de infarto é menor nos praticantes (RR = 0,06) quando comparado aos não praticantes. Estes têm uma possibilidade 16 vezes maior de ter um infarto agudo do miocárdio (1/RR = 16,66).

Caso quiséssemos determinar o OR, usaríamos a seguinte fórmula:

$$OR = \frac{\frac{a}{b}}{\frac{c}{d}}$$

$\frac{a}{b}$ → Chance de infartar

$\frac{c}{d}$ → Chance de não infartar

Logo,

$$OR = \frac{\frac{2}{31}}{\frac{28}{4}} \approx OR = 0,01$$

Novamente, mostramos que a prática de esporte tem efeito protetor em relação à ocorrência de infarto agudo do miocárdio. Isto acontece porque a chance de ocorrência de infarto nos praticantes é menor do que nos não praticantes de atividade esportiva (OR<1).

Vocês devem estar pensando: "Quando usaremos o RR ou o OR?" Essas medidas de risco nos dão informações parecidas. No entanto, as medidas de RR são obtidas a partir de estudos prospectivos do tipo coorte e o OR advém de delineamentos retrospectivos, a exemplo de caso-controle. Em situações em que a ocorrência do agravo à saúde é baixa, os seus valores são semelhantes, como é o caso do exemplo utilizado.

Relembro que durante a prática profissional nos serviços de saúde não é necessário a estimação das medidas de associação para efeito de tomada de decisão como é realizado com os indicadores. O que é necessário é que os profissionais detenham o conceito e apliquem em suas funções de caráter epidemiológico, tanto nos planejamentos e intervenções como na prática clínica, para identificar características existentes nos usuários que podem levá-los a adoecer.

CONSIDERAÇÕES FINAIS

Ao fim deste capítulo, o fisioterapeuta adquiriu a capacidade de interpretar os conceitos de indicadores de saúde assim como estimá-los tanto para agravos a saúde que causam mortes como também para aqueles que ocasionam incapacidades e deterioram a qualidade de vida da população. Assim, é possível avaliar o quão efetivas são as ações em saúde desenvolvidas pelas equipes dos serviços de saúde e também elaborar estratégias de enfrentamento.

O outro ponto consolidado aqui é referente ao risco epidemiológico. Este conceito tem grande aplicabilidade na prática profissional, pois é a partir dele que o fisioterapeuta conseguirá identificar indivíduos vulneráveis na população, elaborará indicadores com base no risco e traçar meios para evitar ou minimizar danos a sua saúde. Encerramos informando que, além dos indicadores de saúde, outros indicadores, como os socioeconômicos da comunidade e ambientais, devem ser levantados a fim de construir uma verdadeira sala de situação com o máximo possível de condicionantes de saúde.

REFERÊNCIAS BIBLIOGRÁFICAS

1. Rouquayrol MZ. Epidemiologia e saúde. 6a ed. Rio de Janeiro: Medsi; 2003.
2. Medronho RA. Epidemiologia. 2a ed. São Paulo: Atheneu; 2009.
3. Pereira MG. Epidemiologia: teoria e prática. Rio de Janeiro: Guanabara Koogan; 1995.
4. Franco LJ, Passos ADC. Fundamentos de epidemiologia. 2a ed. Barueri: Manole; 2011.
5. Barreto ML. Papel da epidemiologia no desenvolvimento do Sistema Único de Saúde no Brasil : histórico, fundamentos e perspectivas. Rev. Bras. Epidemiol. 2002;5(V):4–17.
6. Melissa P, Pereira H, Israel P, Lira C De. Avaliação da adequação das informações de mortalidade e nascidos vivos no Estado de Pernambuco, Brasil. Cad. Saúde Pública. 2010;26(4):671–81.
7. Almeida Filho N de, Barreto ML. Epidemiologia e saúde: fundamentos, métodos e aplicações. Rio de Janeiro: Guanabara Koogan; 2012.

8. Martins AL. Mortalidade materna de mulheres negras no Brasil. Cad. Saúde Pública 2006;22(11):2473–9.

9. Léa S, Gotlieb D. Reflexões sobre a mensuração da mortalidade materna. Cad. Saúde Pública 2000;16(1):23–30.

10. Geremias H, Andrade SM De, Birolim MM, Carvalho O De, Maria A, Silva R et al. Mortalidade infantil no Brasil: uma revisão de literatura antes e após a implantação do Sistema Único de Saúde. Pediatria (Santiago). 2008;32(2):131–43.

11. Campos TP, Carvalho MS, Barcellos CC. Mortalidade infantil no Rio de Janeiro, Brasil : áreas de risco e trajetória dos pacientes até os serviços de saúde. Rev. Panam. Salud. Public 2000;8(3).

12. Paiva ER de, Julinano Y, Novo NF, Leser W. Razão de mortalidade proporcional de Swaroop e Uemura. Rev. Saúde Pública 1987;21(2):90–107.

13. Laurenti R. Quantificação do Indicador de Nelson de Moraes (Curva de Mortalidade Proporcional). Rev. Saúde Pública 2006;40(6):962–3.

14. Laurenti R, Mello Jorge MHP, Lebrão ML, Gotlieb SLD. Estatísticas de saúde. 2ª ed. São Paulo: E.P.U., 2005.

15. Castro M, Camargos S, Helena I, Perpétuo O, Machado J. Expectativa de vida com incapacidade funcional em idosos em São Paulo, Brasil 1. 2005;17(1):379–86.

16. Moya J, Junior JBR, Martinello A, Bandarra E, Bueno H, Neto OL de M, edit. Organização Pan-Americana de Saúde. Salas de Situação em Saúde: Compartilhando as experiências do Brasil. Brasília: Organização Pan-Americana da Saúde, Ministério da Saúde; 2010.

3

Transição Demográfica e Epidemiológica

■ Johnnatas Mikael Lopes

APRESENTAÇÃO

Entender o dinamismo em que as doenças surgem e desaparecem nas populações é o foco deste capítulo. O fisioterapeuta e outros profissionais de saúde atentos às transformações do perfil epidemiológico conseguem traçar medidas direcionadas ao controle de doenças assim como entender que o adoecimento da população pode apresentar padrões que oscilam no espaço-tempo e são altamente influenciados pelas questões demográficas, sociais, econômicas e culturais.

Juntamente com o que foi aprendido no capítulo anterior sobre indicadores de saúde e risco epidemiológico, iniciaremos o presente capítulo com a exposição das transformações demográficas traduzidas pelos indicadores e que influenciam as mudanças no adoecer populacional.

INTRODUÇÃO

O mundo em que vivemos hoje é bem diferente daquele em meados do século XX. Em 1950, existia uma população de 2,5 bilhões de habitantes no mundo e no ano 2000 a população atingiu pouco mais de seis bilhões de habitantes. Como você pode ver, na **Figura 3.1**, a população mundial iniciou seu crescimento exagerado nos primórdios do século XIX concomitante com o processo de industrialização e momento expoente do capitalismo.[1]

As mudanças ocorridas na demografia mundial tiveram como alicerce teórico-explicativo duas correntes de pensamento: Malthusiana e Marxista, que polarizavam entre si. A primeira defendia a concepção de que o crescimento populacional ocorreria em progressão geométrica, no entanto, limitada pelo crescimento aritmético dos recursos para a sua manutenção. A outra teoria, a Marxista, tentou explicar as mudanças populacionais baseada em condições socioeconômicas de cada época e na ideia que não existia uma lei universal como aquela exposta pelos malthusianos. Todavia, essas teorias modificaram-se com o passar do tempo.[1,2]

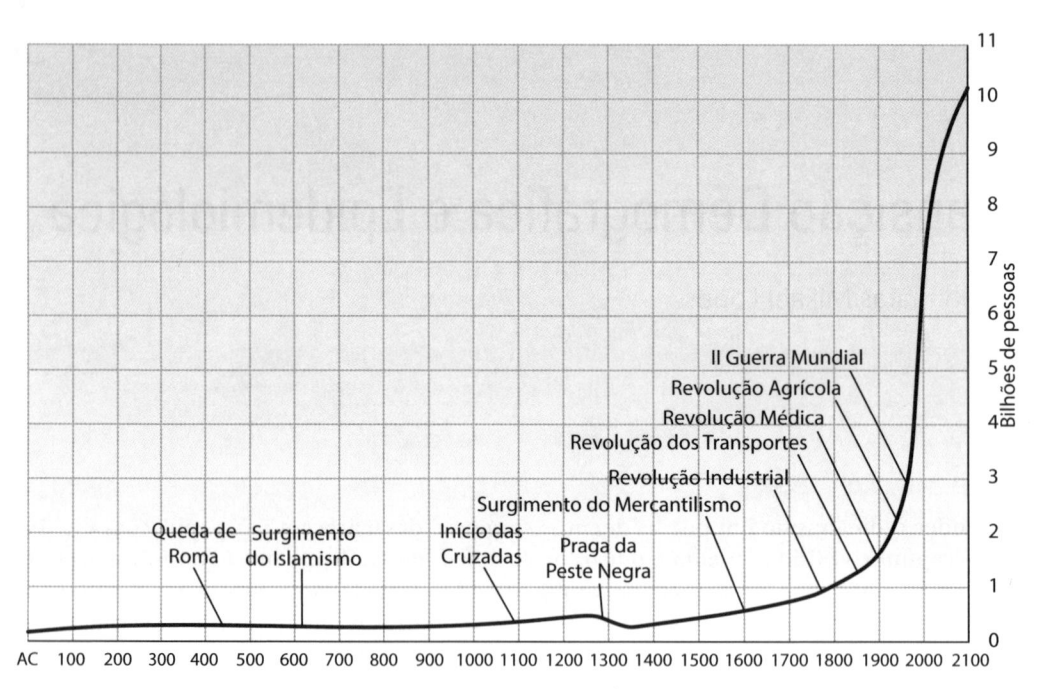

FIGURA 3.1. Distribuição do crescimento populacional.[3]

TRANSIÇÃO DEMOGRÁFICA

Parece não ser importante, mas conhecer a maneira como a população mundial modifica seu perfil tem relevante importância no estabelecimento de políticas públicas a nível macro e também a nível micro nos serviços de atenção primária. Entendamos como ocorreu esta evolução do perfil populacional.[3,4]

Ainda na tentativa de explicar as mudanças populacionais observadas ao longo do século XX, o perfil evolutivo demonstrado na **Figura 3.1** foi subdividida em fases que conjuntamente foram intituladas como Teoria da Transição Demográfica. De acordo com alguns autores, esta teoria acabou adquirindo traços das concepções neomalthusianas e, entretanto, outros pesquisadores a percebem com aspectos marxistas.[1,3,4]

A Teoria da Transição Demográfica tenta explicar as alterações das variáveis demográficas que ocorrem até os dias de hoje e apresentam as seguintes fases:[2]

- Fase 1: período prévio à industrialização caracterizado por altas taxas de natalidade e mortalidade, provocando um crescimento lento da população.

- Fase 2: momento de queda na mortalidade, mas com elevadas taxas de natalidade. Coincide com a industrialização dos países desenvolvidos em meados do século XIX.

- Fase 3: nesta fase, inicia o envelhecimento da população, a redução da natalidade e a contínua queda da mortalidade. Os países desenvolvidos atingiram esta fase ainda no início do século XX.

- Fase 4: estado de equilíbrio no crescimento populacional, também chamada de pós--transição, e caracterizado por elevada expectativa de vida. Comum nos países pós-industrialização europeus e norte-americanos.

As causas dessa transição demográfica explicam-se pelas alterações nos indicadores demográficos de fecundidade, natalidade e mortalidade na população. A fecundidade refere-se à fertilidade das mulheres, nos informando o número de filhos em média que uma mulher, em período fértil, gera em determinado local e período. A natalidade revela a proporção de nascimentos em relação ao tamanho da população de um certo local e tempo, e a mortalidade, como visto no capítulo sobre indicadores, é o risco de morrer de uma população, também delimitada por local e tempo.[5] Todas essas informações podem ser visualizadas na pirâmide etária abaixo (**Figura 3.2**).

As modificações nos indicadores demográficos advêm do avanço tecnológico e de políticas públicas que alcançaram melhora no conhecimento sobre doenças e descobertas de

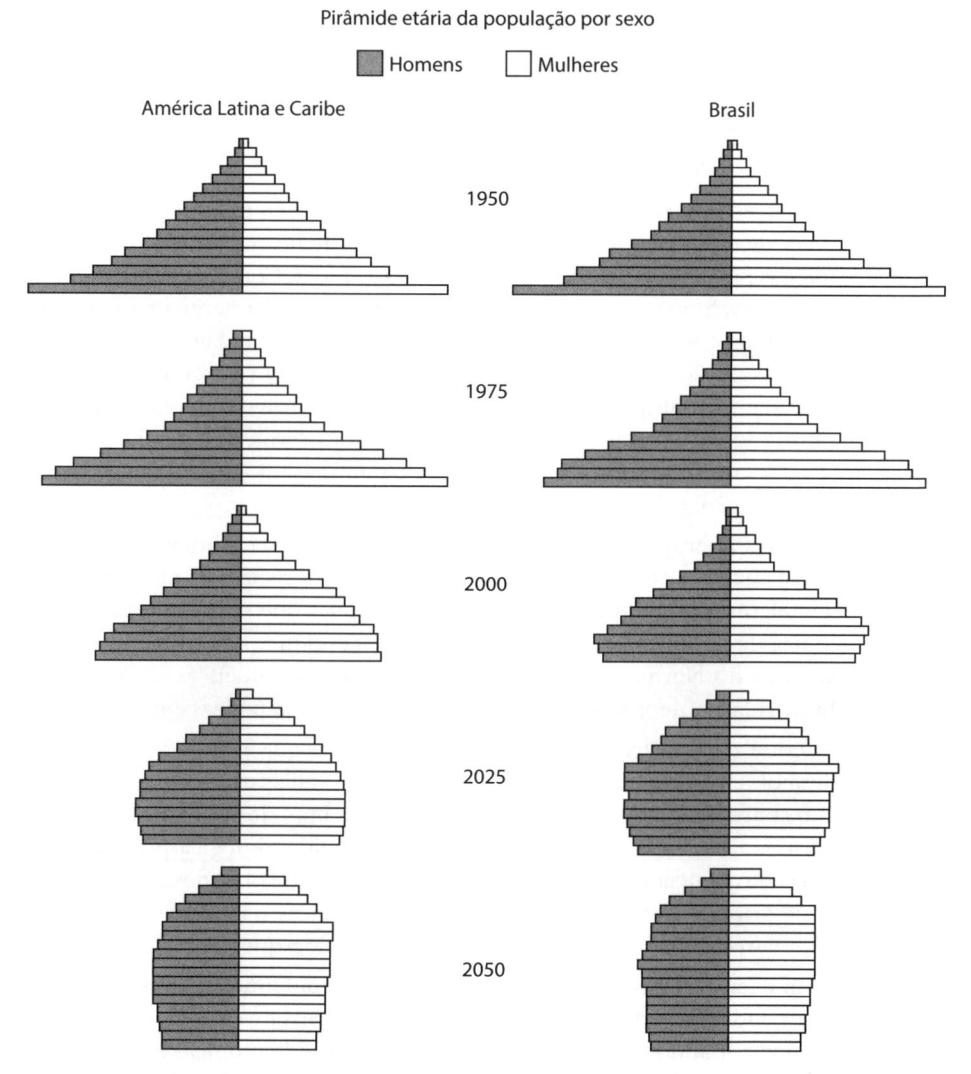

FIGURA 3.2. Projeção das pirâmides etárias da América Latina e Caribe (esquerda) e Brasil (direita) até 2050.[3]

medicamentos como a penicilina, ações sanitárias para o controle da qualidade da água, dos alimentos e do lixo, urbanização das cidades, inserção da mulher no mercado de trabalho e suas melhores condições laborais que reduziram o número de filhos, entre outros.[5]

TRANSIÇÃO EPIDEMIOLÓGICA

Associado às transformações demográficas iniciadas no século XVIII com a hegemonia capitalista, o perfil epidemiológico dos países desenvolvidos também sofreu grandes transformações. Esse processo recebeu o nome de Transição Epidemiológica em 1971, proposto por Abdel Omran.[5]

Omran acreditava que o perfil de morbidades das populações seguia um curso de padrões que se modificava como o tempo. Para tanto, postulou que o processo de mudanças no perfil epidemiológico ocorreu em três fases:[6]

- "Era das Pestilências e da Fome".
- "Era do Declínio das Pandemias".
- "Era das Doenças Degenerativas e Produzidas pelo Homem".

Os três estágios propostos por Omran iniciam-se pelo declínio das doenças infectocontagiosas e da escassez de comida, que promoviam altos níveis de mortalidade, fazendo parte da realidade de vida das populações até o término da Idade Média. Com o advento da industrialização e do capitalismo, houve maiores investimentos no desenvolvimento de vacinas e medicamentos para o combate às doenças transmissíveis, como aquelas ocasionadas por bactérias e vírus, permitindo redução na mortalidade por doenças como a peste bulbônica, varíola e febre amarela. Em seguida, observou-se a passagem da supremacia das doenças infectocontagiosas de curta duração para condições de saúde com maior prevalência de doenças crônicas que surgiram com o envelhecimento da população e configuram a realidade da saúde nos países pós-industrialização, principalmente os europeus.[5,6]

É interessante ressaltar que este processo não ocorre de maneira homogênea em todo o mundo. Hoje constatamos a existência de países com as características da fase de pestilências e fome, como em alguns países africanos e asiáticos, e aqueles que se encontram em um alto grau de prevalência de condições crônicas, com grande destaque para os países do oeste da Europa e da América do Norte, em que prevalecem os casos de doenças neurodemenciais, cérebro e cardiovasculares, neoplasias, musculoesqueléticas, metabólicas e mentais.[5]

Todavia, a teoria da transição epidemiológica não consegue responder todas as peculiaridades epidemiológicas por causa do seu caráter linear alicerçado em observações dos países tidos como centrais. Sabendo disso, propõe-se alguns modelos que substituam ou complementem essa teoria. Entre eles, destaca-se a transição epidemiológica polarizada, a qual caracteriza-se pela convivência tanto de surtos de doenças infectocontagiosas, como a dengue e diversos tipos de gripe, e a grande carga de doenças crônicas não transmissíveis como as cardiovasculares, neuropsiquiátricas, causas externas, musculoesqueléticas e as neoplásicas.[7]

O Brasil é um exemplo clássico da teoria de transição epidemiológica polarizada. Aqui, encontramos focos endêmicos de malária, leishmaniose e surtos de dengue e outras doenças transmissíveis compartilhando espaço com as condições de saúde crônicas e degenerativas.[7,8]

Há também a ocorrência de eventos de episódios de grande impacto de doenças transmissíveis em países tidos na fase 4 de transição, como o surto de Aids ocorrido nos Estados

Unidos nos anos 1980 e em Antraz nos anos 1990, entre outras localidades da Europa com outras doenças.[8]

BRASIL: TRIPLA CARGA DE MORBIDADE

O sistema de saúde brasileiro convive com uma tripla carga de morbidade devido à sua polarização epidemiológica. De um lado existe a carga das doenças infectocontagiosas e carenciais que ainda assolam as regiões norte e nordeste do país, mantendo elevados níveis de mortalidade infantil. Por outro lado, vive uma realidade de país desenvolvido com o registro de alta mortalidade por doenças crônicas não transmissíveis, cardiovasculares e neoplasias, por exemplo, assim como as ocasionadas por causas externas (**Figura 3.3**).[7,8]

Embora o país passe por esta polarização, o sistema de saúde não está preparado para assistir a grande carga mórbida ocasionada pelas doenças crônicas não transmissíveis e as incapacidades provenientes dela. Mesmo com os maiores níveis de mortalidade, elas causam menor quantidade de mortes absolutas em comparação com o período dominado pelas enfermidades contagiosas, provocando uma carga de sequelas e incapacidade funcional que onera o sistema de saúde e previdenciário.[9]

Este cenário é sentido em nível local nos serviços de saúde de atenção primária, como a Estratégia Saúde da Família, em que se pode confrontar com grandes quantidades de casos referente a doenças diarreicas e do trato respiratório superior como também com usuários enfrentando longos anos de diabetes, hipertensão, osteoartrite, lombalgia e sequelas de violência urbana. Infelizmente, as equipes da Estratégia Saúde da Família ainda não conseguem abarcar todo este espectro de morbidades principalmente por déficit de profissionais com habilidades e competências para a prevenção e o manejo desses e outros problemas crônicos.[9,10]

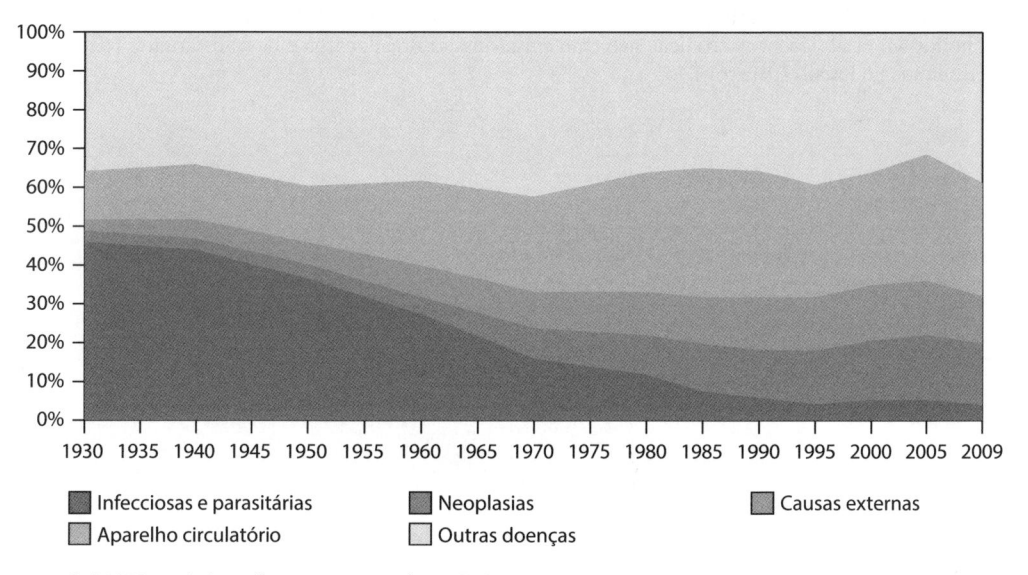

Até 1970, os dados referem-se apenas às capitais

FIGURA 3.3. Distribuição temporal do perfil epidemiológico brasileiro entre 1930 e 2009. (Adaptado de Rouquayrol.[9])

CONSIDERAÇÕES FINAIS

Ao final deste capítulo, podemos identificar que o adoecimento da população é um processo dinâmico e que está atrelado a fatores sociais, econômicos e demográficos, e não somente aos fatores biológicos. Vimos também que as mudanças não acontecem de modo homogêneo e que o Brasil convive com uma dupla carga de morbidades, a qual é sentida nos níveis mais locais de assistência à saúde e, por isso, exige dos profissionais de saúde a capacidade para lidar com essas ambiguidades e conhecimento epidemiológico para planejar e executar ações preventivas e de manejo. No âmbito da prática fisioterapêutica, é necessário o desenvolvimento de competências voltadas principalmente para o manejo das condições crônicas de saúde ou para os fatores de risco que levam a ela, tendo em vista o impacto que tais práticas provocam tanto na função biológica como comportamental e social das pessoas.

REFERÊNCIAS BIBLIOGRÁFICAS

1. Almeida Filho N, Barreto ML. Epidemiologia e saúde: fundamentos, métodos e aplicações. Rio de Janeiro: Guanabara Koogan, 2012. 699 p.
2. Barreto ML, Teixeira MG, Bastos FI, Ximenes RAA, Barata RB, Rodrigues LC. Sucessos e fracassos no controle de doenças infecciosas no Brasil: o contexto social e ambiental, políticas, intervenções e necessidades de pesquisas. The Lancet, série saúde no Brasil. 2011;3:47-60.
3. Laurenti R. Estatísticas de saúde. 2. ed. São Paulo: E.P.U., 2005. 186 p.
4. Wong LlR, Carvalho JA. O rápido processo de envelhecimento populacional do Brasil: sérios desafios para as políticas públicas. Rev. Bras. Estud. Popul. 2006;23(1):5-26.
5. Medronho RA. Epidemiologia. 2. ed. São Paulo: Atheneu, 2009. 685 p. ISBN: 9788573799996.
6. Franco LJ, Passos ADC. Fundamentos de epidemiologia. 2. ed. Barueri, SP: Manole, 2011. 379 p.
7. Paim J, Travassos C, Almeida C, Bahia L, Macinko J. O sistema de saúde brasileiro: história, avanços e desafios. The Lancet, série saúde no Brasil. 2011;1:11-31.
8. Pereira MG. Epidemiologia: teoria e prática. Rio de Janeiro: Guanabara Koogan, c1995. 583 p.
9. Rouquayrol MZ. Epidemiologia e saúde. 6. ed. Rio de Janeiro: Medsi, 2003. 708 p.
10. Schmidt MI et al. Doenças crônicas não transmissíveis no Brasil: carga e desafios atuais. The Lancet, série saúde no Brasil, 2011;4:61-74.

4

Vigilância em Saúde

■ Johnnatas Mikael Lopes

APRESENTAÇÃO

A necessidade de prever e controlar a ocorrência de doenças surgiu em um momento histórico no qual se iniciava o interesse na manutenção da força de trabalho e esta apresentava altas ocorrências de doenças infectocontagiosas. Isto caracterizou as ações de vigilância epidemiológica. Atualmente, continuamos interessados nessa ideia de vigiar os eventos de saúde, não apenas as doenças, mas os seus determinantes e condicionantes no que chamamos de Vigilância em Saúde. Para tanto, vamos alicerçar neste capítulo as atividades de vigilância epidemiológica e sua estrutura processual assim como os sistemas de informações que contribuem para o trabalho de monitoramento e tomada de decisão tanto no cenário nacional como no local dos serviços de saúde.

INTRODUÇÃO

A coleta de informação sobre as doenças vem desde a antiguidade com os estudos de Hipócrates. No entanto, a obtenção sistemática junto com o processamento e análise crítica dos dados foi implementada na Inglaterra em meados do século XIX por um dos pioneiros da Epidemiologia, *Sir* Willian Farr. Este inglês fundou um sistema de registro de morbidades e mortalidade que norteou as medidas de intervenção pública na saúde e levou a modificações.[1,2]

Apenas em 1950 que se cunhou a expressão vigilância epidemiológica. Esta remete ao conjunto de técnicas de coleta, processamento, análise, interpretação e divulgação das informações relacionadas aos agravos à saúde e determinantes/condicionantes dos mesmos a fim de ter subsídios para a tomada de decisão em saúde pública, assim como a avaliação das ações.[3]

VIGILÂNCIA EPIDEMIOLÓGICA NO BRASIL

No Brasil, o monitoramento da saúde da população iniciou-se com a instauração do Sistema Nacional de Vigilância Epidemiológica (SNVE), que, após a promulgação do Sistema Único de Saúde (SUS), passou por descentralização das suas responsabilidades, sendo auxiliado pelos serviços estaduais e municipais no intuito de realizar o monitoramento mais íntimo da saúde da população[4] (**Figura 4.1**).

Inicialmente, o SNVE concentrava-se apenas em agravos infectocontagiosos, implementando suas ações de monitoramento com a inclusão da vigilância das doenças não transmissíveis, acidentes de trânsito, óbitos infantis e materno. Hoje, vem se priorizando a expressão Vigilância em Saúde para consolidar a concepção mais generalizada do sistema de monitoramento não apenas dos agravos biológicos, mas também os determinantes sociais e ambientais de saúde.

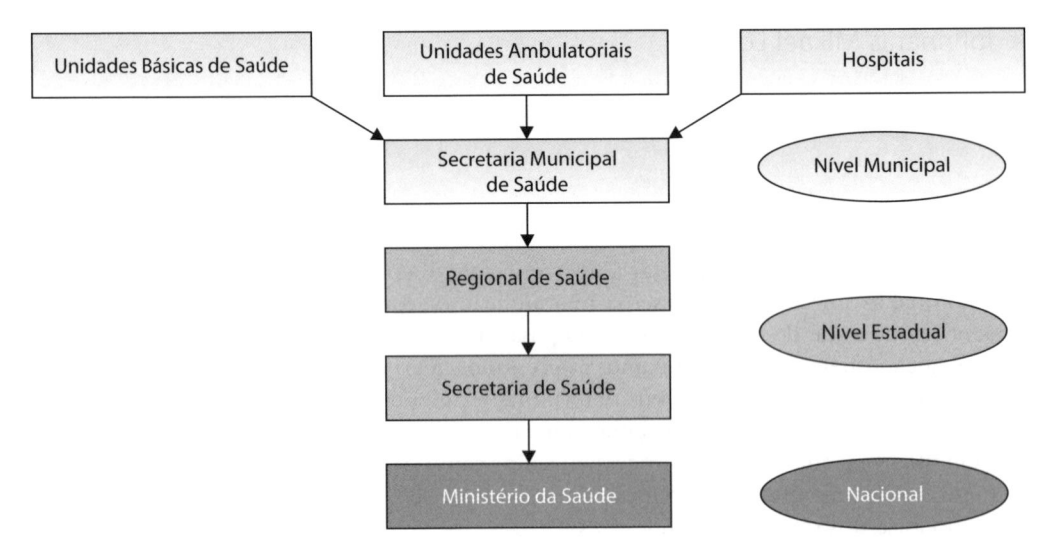

FIGURA 4.1. Fluxograma de processamento dos dados provenientes do sistema de vigilância epidemiológica. (Fonte: elaboração própria do autor.)

OPERACIONALIZAÇÃO DA VIGILÂNCIA EM SAÚDE

Todo município deve apresentar um serviço de vigilância em saúde que coleta os dados relacionados à saúde a partir de várias fontes, entre as principais podemos destacar a notificação compulsória realizada nos serviços de saúde. Esse tipo de fonte de informação consiste em uma lista de doenças transmissíveis (**Figura 4.2**), que é padronizada internacionalmente e, assim como no território brasileiro, pode incluir doenças endêmicas das regiões.[5]

A responsabilidade pela notificação dos agravos é de todo profissional de saúde, tanto os agravos confirmados como a suspeita deles. É importante lembrar que a notificação não caracteriza exercício ilegal da profissão médica, sendo penalizados juridicamente e pela entidade de classe aqueles profissionais omissos no processo de notificação.[6]

O cidadão também tem o dever cívico de notificar às autoridades a ocorrência de agravos à saúde, as quais são registradas na Ficha Individual de Notificação e na Ficha Individual de Investigação[7] (**Figura 4.3**).

Além da notificação compulsória individual, existem outras fontes de informação que alimentam o sistema de vigilância, a saber: laboratórios de análises clínicas, declaração de óbitos de cartórios, investigação epidemiológica, notificação de surtos, imprensa e vigilância sentinela.[5]

Portaria Nº 5, de 21 e3 fevereiro de 2006

- Acidentes por animal peçonhento
- Botulismo*
- Carbúnculo ou "antrax"*
- Cólera*
- Coqueluche
- Dengue
- Difteria*
- Doença de Chagas (casos aguados)*
- Doença de Creutzfeldt-Jacob e outras doenças priônicas
- Doença meningocócica*/meningite por Haemophilus
- Influenzae*/Outras meningites
- Esquistossomose**
- Eventos adversos pós-vacinação***
- Febre amarela*
- Febre do Nilo Ocidental*
- Febre maculosa
- Febre tifoide*
- Hanseníase**
- Hantavirose*
- Hepatites virais
- Hipertermia maligna*
- Influenza Humana****
- Infecções pelo vírus da imunodeficiência humana (HIV) em gestantes e crianças expostas ao risco de transmissão vertical

- Intoxicação por agrotóxicos
- Leishmaniose Tegumentar Americana
- Leishmaniose Visceral
- Leptospirose
- Malária
- Peste*
- Poliomelite*/Paralisia flácida aguda*
- Raiva Humana*
- Rubéola
- Sarampo*
- Sífilis congênita
- Sífilis em gestante
- Síndrome da imunodeficiência Adquirida (AIDS)**
- Síndrome da Rubéola congênita
- Síndrome Febril Ictero-hemorrágica Aguda*
- Síndrome Respiratória Aguda Grave*
- Tétano acidental
- Tétano neonatal*
- Tracoma**
- Tularemia*
- Tuberculose**
- Varíola*
- Agravos inusitados

*   Notificação imediata.
**   Notifocar apenas casos confirmados.
***   Aguardar nota da Imunização.
**** Influenza Humana: surtos ou agregação de casos ou agregação de óbitos ou resultados laboratoriais que devem ser notificados pelos laboratórios de referência nacional ou regional.

FIGURA 4.2. Portaria Nº 2325, de 08 de dezembro de 2003 do Ministério da Saúde. (Fonte: Secretaria Nacional de Vigilância Sanitária do Ministério da Saúde.)

A coleta de informações pelo sistema de vigilância permite que exista um monitoramento constante do nível de saúde da população e que qualquer alteração nos padrões tidos como normais, ocorrerá o acionamento de ações para minimizar os danos. Por exemplo, um aumento alarmante nos acidentes de motos que são atendidos em um hospital de uma cidade pode incitar a vigilância a acionar os profissionais dos serviços de atenção primária a desenvolverem estratégias que viabilizem a prevenção de tais acidentes como a educação no trânsito.[6]

Uma fonte bem característica de informação para a prática de vigilância na atenção primária, além dos meios de notificação, é a realização de investigações epidemiológicas ou busca ativa por meio de rastreamento de agravos à saúde ou de indivíduos com risco de desenvolvê-las. Essa abordagem permite ao profissional de saúde observar a ocorrência de doenças ou seus condicionantes que serão utilizados no monitoramento e no planejamento de ações da equipe de saúde.[7-9]

| República Federativa do Brasil
Ministério da Saúde | **SINAN**
SISTEMA DE INFORMAÇÃO DE AGRAVOS DE NOTIFICAÇÃO
FICHA DE NOTIFICAÇÃO | Nº |

Dados Gerais

1 Tipo de Notificação

1 - Negativa   2 - Individual   3 - Surto   4 - Inquérito Tracoma

2 Agravo/doença

3 Data da Notificação

4 UF   **5** Município de Notificação

Código (IBGE)

6 Unidade de Saúde (ou outra fonte notificadora)   Código

7 Data dos Primeiros Sintomas

Notificação Individual

8 Nome do Paciente

9 Data de Nascimento

10 (ou) Idade
1 - Hora
2 - Dia
3 - Mês
4 - Ano

11 Sexo M - Masculino
F - Feminino
I - Ignorado

12 Gestante
1-1ºTrimestre   2-2ºTrimestre   3-3ºTrimestre
4- Idade gestacional Ignorada   5-Não   6- Não se aplica
9-Ignorado

13 Raça/Cor
1-Branca   2-Preta   3-Amarela
4-Parda   5-Indígena   9- Ignorado

14 Escolaridade
0-Analfabeto   1-1ª a 4ª série incompleta do EF (antigo primário ou 1º grau)   2-4ª série completa do EF (antigo primário ou 1º grau)
3-5ª à 8ª série incompleta do EF (antigo ginásio ou 1º grau)   4-Ensino fundamental completo (antigo ginásio ou 1º grau)   5-Ensino médio incompleto (antigo colegial ou 2º grau)
6-Ensino médio completo (antigo colegial ou 2º grau)   7-Educação superior incompleta   8-Educação superior completa   9-Ignorado   10- Não se aplica

15 Número do Cartão SUS   **16** Nome da mãe

Notificação de Surto

17 Data dos 1ºs Sintomas do 1º Caso Suspeito

18 Nº de Casos Suspeitos/ Expostos

19 Local Inicial de Ocorrência do Surto
1 - Residência   2 - Hospital / Unidade de Saúde   3 - Creche / Escola
4 - Asilo   5 - Outras Instituições (alojamento, trabalho)   6- Restaurante/ Padaria
7 - Eventos   8 - Casos Dispersos no Bairro   9- Casos Dispersos Pelo Município
10 - Casos Dispersos em mais de um Município   11 - Outros   Especificar _____

Dados de Residência

20 UF   **21** Município de Residência   Código (IBGE)   **22** Distrito

23 Bairro   **24** Logradouro (rua, avenida,...)   Código

25 Número   **26** Complemento (apto., casa, ...)   **27** Geo campo 1

28 Geo campo 2   **29** Ponto de Referência   **30** CEP

31 (DDD) Telefone   **32** Zona 1 - Urbana   2 - Rural
3 - Periurbana   9 - Ignorado   **33** País (se residente fora do Brasil)

Notificante

Município/Unidade de Saúde

Nome   Função   Assinatura

Notificação   Sinan NET   SVS   17/07/2006

FIGURA 4.3. Parte da ficha de notificação de caso/suspeita de Aids. (Fonte: Sistema de Informação de Agravos de Notificação, Ministério da Saúde, 2018.[4])

Vale a pena também ressaltar a importância do sistema sentinela. Este modo de obtenção de informações para a vigilância trata-se de um método de coleta de eventos de saúde que geralmente necessita apenas da ocorrência de uma amostra de um único caso, e não a averiguação de todos os agravos para ativar ações de controle.[10] Em caso de doença de alta transmissibilidade e letalidade, como a gripe suína, apenas um caso serve para desencadear as ações.

Após a obtenção dos dados, eles devem ser processados no sistema, analisados e interpretados para que a tomada de decisão seja realizada da melhor maneira possível. Assim podemos dizer que:

- Processamento é a organização sistemática das informações com caracterização de pessoa, lugar e tempo.

- Análise é o uso de técnicas estatísticas para descrever e relacionar eventos, assim como sua apresentação ilustrativa.

- Interpretação por meio da leitura crítica dos fatos analisados para que as conclusões sejam feitas coerentemente e permitam a tomada de decisão mais adequada.

Com o estabelecimento das decisões adequadas, as ações de controles são postas em prática a fim de minimizar a ocorrência de novos agravos. As medidas de controle caracterizam-se pela vacinação de vulneráveis, suporte aos acometidos e seu acompanhamento, controle de focos epidêmicos e, nos casos de condições crônicas, medidas preventivas e de manejo para a ocorrência de eventos secundários mortais ou incapacitantes.[5]

O passo final da prática de vigilância em saúde é avaliar as ações do sistema a fim de retroalimentá-lo, criar normatizações específicas para o combate aos agravos à saúde, informar aos serviços por meio de boletim epidemiológico e elaboração de sala de situação para ajudar no planejamento e tomada de decisão em saúde que é realizado no âmbito das secretarias municipais e estaduais ou ministério da saúde, assim como nos serviços de saúde.

Dificuldades da Vigilância em Saúde

Ainda existe alto grau de subnotificação, decorrente em grande parte da passividade dos sistemas de vigilância e do desconhecimento dos profissionais de saúde dos tipos de doença de notificação compulsória como também da maneira de como proceder a obtenção de informação para o monitoramento.

A baixa representatividade de doenças de pouca gravidade acabam provocando a não notificação e a baixa oportunidade, que se traduzem na dificuldade da vigilância em obter informações, em processar e analisá-las, como acontece com as condições de saúde crônicas que apresentam longa latência e são silenciosas em sua manifestação, o que limita as ações efetivas de combate.[8,11]

Estas dificuldades da vigilância em saúde também são sentidas nos serviços de atenção primária, os quais devem executar as ações que caracterizam o modelo de vigilância. E isto abre espaço para a atuação do fisioterapeuta neste nível de atenção à saúde em virtude do novo perfil epidemiológico de condições crônicas que acabam ocasionando imensa sobrecarga de incapacidade. Este profissional pode desempenhar o papel de identificar precocemente situações de saúde individual e coletiva que geralmente apenas seriam assistidas em fases tardias ou agravadas de evolução clínica, principalmente as relacionadas como os sistemas neurológicos, musculoesqueléticos, cardiorrespiratório e geniturinário em todos os ciclos da vida.[12]

Sistema de Informação e Vigilância em Saúde

Na era do conhecimento, a necessidade de informação e a velocidade com que ela é adquirida faz com que as tomadas de decisão ocorram prontamente, seja na economia, segurança, comunicação e também na saúde. Portanto, em todos esses segmentos a informação é sistematizada, isto é, ela é organizada na forma da sua obtenção, processamento, análise e divulgação.[13]

Nesta obra voltada para a práxis fisioterapêutica na atenção primária, já discutimos sobre a sistematização da informação anteriormente, ao discutir sobre a vigilância em saúde, com mais ênfase na vigilância epidemiológica. Para que essa vigilância dos condicionantes e agravos à saúde aconteça a contento, é necessário que as informações sobre os eventos vitais cheguem de maneira rápida e fidedigna às instâncias de tomada de decisão ou mesmo fiquem armazenadas para seu fácil acesso nos serviços de saúde.[13,14] A fim de concretizar esta intenção, foram criados os Sistemas de Informação em Saúde (SIS), que se operacionalizam como métodos padronizados de coleta de dados e que permitem armazenamento em banco de dados, além da agregação com outras informações, e sua análise é transformada em informações que podem ser interpretadas para a tomada de decisão.[1,9]

Logo, os SIS possibilitam a criação de base de informações que podem ser analisadas em qualquer esfera de gestão e também em diversas localidades e tempos. Isto torna possível a avaliação de políticas, programas e estratégias ao longo dos anos a fim de observar seus efeitos e monitorar a qualidade assistencial.[14]

Podemos classificar as bases de dados dos SIS em três maneiras:

- Epidemiológicos: utilizados para vigilância em saúde, pesquisa e avaliação dos serviços quanto à estrutura, processo e resultados.
- Administrativos: contêm informações financeiras dos serviços, demográficas e de procedimentos em saúde. São utilizados também para vigilância, pesquisa e avaliação do serviço.
- Clínicos: têm informações a respeito dos indivíduos assistidos nos serviços como laudos de exames, procedimentos e evolução. O seu acesso é restrito aos profissionais que assistem o paciente.

Em primeiro momento, podemos pensar que apenas a base de dados clínicos nos interessa para nosso planejamento de ações. Contudo, todos os três tipos de base de dados são pertinentes ao trabalho do fisioterapeuta na atenção primária. O uso coerente dessas bases permitem aos profissionais estabelecerem objetivos e metas com base nas necessidades da população sob sua responsabilidade, como também os aportes de governabilidade que apresentam.[5,15]

SISTEMAS DE INFORMAÇÃO EM SAÚDE

No Brasil, o primeiro SIS criado foi o responsável pelo registro dos eventos de morte a partir do ano de 1975, o Sistema de Informação sobre Mortalidade (SIM). Em seguida, com as melhorias no processamento e acesso aos dados demográficos do Instituto Brasileiro de Geografia e Estatística (IBGE), como também a criação de sistemas locais, foram possibilitadas análises mais aprofundadas e contextuais da realidade de saúde.[13]

Após o SIM, outros sistemas foram criados, como o Sistema de Informação sobre Nascidos Vivos (SINASC), Sistema de Informações Hospitalares do Sistema Único de Saúde (SIH-SUS), Sistema de Informação de Agravos e Notificação (SINAN) entre outros. A maioria deles apresentam documento padrão de coleta de informações (**Tabela 4.1**).[6]

OPERACIONALIZAÇÃO DOS SISTEMAS DE INFORMAÇÃO EM SAÚDE

A informação utilizada nos SIS percorre um certo trajeto até ser disponibilizada nas bases de dados. Iremos tomar como exemplo o registro de um nascido vivo com intuito de visualizar o preenchimento da declaração de nascido vivo e o caminho que as informações deste documento percorrem até chegar a seu destino final.[6,14]

TABELA 4.1. Fontes de informações secundárias para o estabelecimento de diagnóstico situacional na comunidade

SIM	Sistema de Informação de Mortalidade
SINASC	Sistema de Informação sobre Nascidos Vivos
SINAN	Sistema de Informação de Agravos e Notificação
SIAB	Sistema de Informação da Atenção Básica
HIPERDIA	Sistema de Cadastro e Acompanhamento de Portadores de Hipertensão e Diabetes *Mellitus*
SIS PRÉ-NATAL	Sistema de Acompanhamento do Programa de Humanização Pré-Natal
SISCOLO	Sistema de Informação do Câncer de Colo do Útero
SISMAMA	Sistema de Informação do Câncer de Mama
SAI	Sistema de Informações Ambulatoriais
SIH	Sistema de Informações Hospitalares
IBGE	Instituto Brasileiro de Geografia e Estatística

Fonte: Elaboração própria.

A declaração de nascido vivo é um instrumento que deve ser emitido a cada nascimento, seja em ambiente hospitalar ou domiciliar. A declaração contém informações sobre local do nascimento, dados da mãe, gestação, recém-nascido, identificação da mãe e criança e responsável pelo preenchimento. Esses dados, quando existentes no banco de armazenamento, permitem que o sistema de vigilância e os profissionais da atenção primária construam indicadores de saúde a respeito dos fatores contribuintes para a boa qualidade da gestação, parto e saúde da criança nascida.

Antes de chegar ao banco de dados do SINASC, sistema responsável pelo armazenamento das informações referentes ao nascimento, a declaração de nascido vivo segue o fluxo direcional mostrado **Figura 4.4**.

Após emitida em três vias pelo hospital ou unidade de saúde, uma declaração tem como destino a secretaria de saúde do município, em que constará como uma fonte de alimentação do SINASC. Para as demais vias, uma ficará no estabelecimento e outra com a família para o registro civil do recém-nascido. Em casos de nascimentos domiciliares, os responsáveis devem levar o recém-nascido ao serviço de saúde e solicitar a declaração de nascido vivo. No cartório civil, é lavrado o registro em mais 3 vias, no qual uma retornará ao hospital, outra para a secretaria e a última ficará com os responsáveis da criança.

O que acabamos de descrever foi o trajeto característico dos sistemas nacionais de informação. No caso de sistemas locais de informação, como o de serviços de atenção primária, o percurso é menor e servem, por exemplo, para formação de bancos de dados clínicos com informações precisas sobre a saúde da população assistida pela equipe de saúde da família e a construção de salas de situação que permitam aos profissionais de saúde e o gerente do serviço planejar estratégias de ação.[16,17]

Nos bancos clínicos, podemos armazenar dados de rastreamentos e estratificações dos riscos sob várias condições de saúde, como risco de osteoporose e fraturas de baixo impacto, risco de quedas, risco de acidente vascular encefálico e indivíduos restritos ao leito.

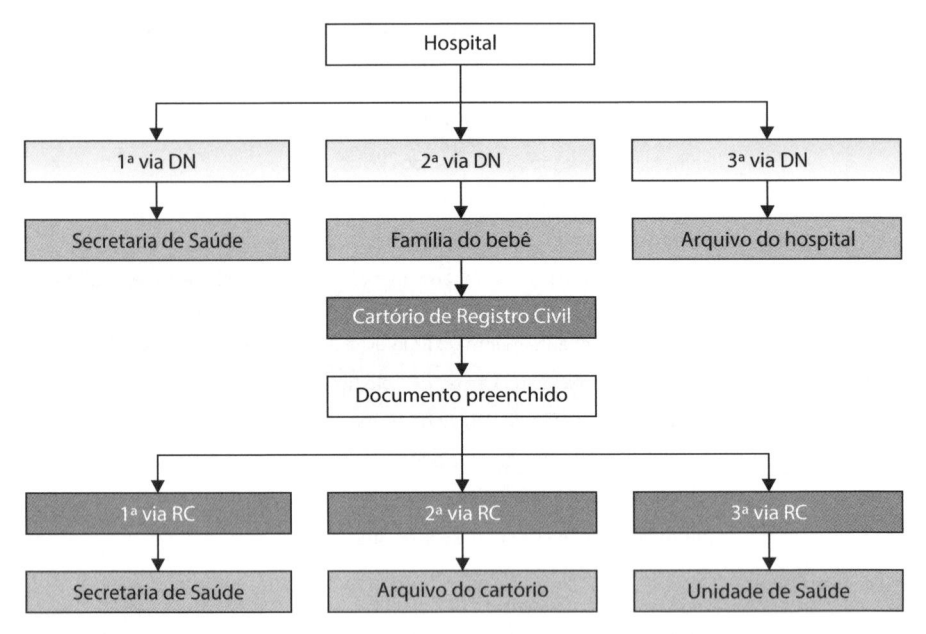

FIGURA 4.4. Fluxograma de registro de evento de nascido vivo no SINASC. (Fonte: elaboração própria do autor.)

Atualmente, está em uso em vários municípios no Brasil o prontuário eletrônico do cidadão, vinculado ao e-SUS, sistema de informação ordenado pela atenção primária, que atua como logística de acompanhamento dos usuários em toda a rede e constitui a base de dados clínicos longitudinais.

Como veremos nos capítulos das Seções 3 e 4, o fisioterapeuta tem habilidades para obter informações clínicas dos usuários a partir das consultas de triagem ou de rastreamentos realizados na comunidade para identificar a distribuição de morbidades ou de seus condicionantes na população e estas informações precisam ser disponibilizadas em banco de dados para tornar o monitoramento efetivo e viável na tomada de decisão.

CONSIDERAÇÕES FINAIS

A aplicação da vigilância em saúde e o uso das fontes de informações, como os sistemas de informação, não é uma prerrogativa apenas de epidemiologistas, mas também de todos os profissionais de saúde. O fisioterapeuta deve compreender os processos envolvidos na produção da informação para a tomada de decisão em serviços de atenção primária, as quais não são apenas dados clínicos, mas também epidemiológicos, que o auxiliarão durante o planejamento de ações voltadas para a promoção de saúde, prevenção de doenças e na recuperação de pessoas com agravos à saúde.

REFERÊNCIAS BIBLIOGRÁFICAS

1. Rouquayrol MZ. Epidemiologia e saúde. 6a ed. Rio de Janeiro: Medsi; 2003.
2. Franco LJ, Passos ADC. Fundamentos de epidemiologia. 2a ed. Barueri: Manole; 2011.
3. Jacintho L. Vigilância epidemiológica: Uma proposta de transformação. Saúde e Soc. 1992;1(1):7–14.

4. Brasil. Ministério da Saúde. Sistema de Informação de Agravos de notificação. 2018. Disponível em: http://portalsinan.saude.gov.br/images/documentos/Agravos/NINDIV/Notificacao_Individual_v5.pdf
5. Medronho RA. Epidemiologia. 2a ed. São Paulo: Atheneu; 2009.
6. Teixeira MG, Penna GO, Risi JB et al. Seleção das doenças de notificação compulsória: critérios e recomendações para as três esferas de governo. Inf. Epidemiol Sus. 1998;7(1):7-28.
7. Laurenti R, Mello Jorge MHP, Lebrão ML, Gotlieb SLD. Estatísticas de saúde. 2ª ed. São Paulo: E.P.U., 2005.
8. Almeida Filho N, Barreto ML. Epidemiologia e saúde: fundamentos, métodos e aplicações. Rio de Janeiro: Guanabara Koogan, 2012.
9. Pereira MG. Epidemiologia: teoria e prática. Rio de Janeiro: Guanabara Koogan; 1995.
10. Gawryszewski VP, Costa VC, Monteiro RA, Carvalho CG. A proposta da rede de serviços sentinela como estratégia da vigilância de violências e acidentes. Cien. Saúde Colet. 2007;11(Sup):1269-78.
11. Barreto ML. Papel da epidemiologia no desenvolvimento do Sistema Único de Saúde no Brasil: histórico, fundamentos e perspectivas. Rev. Bras. Epidemiol. 2002;5(V):4-17.
12. Júnior JPB. Fisioterapia e saúde coletiva: desafios e novas responsabilidades profissionais. Ciência & Saúde Coletiva 2010;15(SUP):1627-36.
13. Moreira ML. Sistema de Informação de Saúde: A Epidemiologia e a Gestão de Serviço. Saúde e Soc. 1995;4(1/2):43-5.
14. Vidor AC, Fisher PD, Bordin R. Utilização dos sistemas de informação em saúde em municípios gaúchos de pequeno porte. Rev. Saúde Pública 2011;45(1):24-30.
15. Barros MBDA. A importância dos sistemas de informação e dos inquéritos de base populacional para avaliações de saúde. Epidemiol e Serviços Saúde [Internet]. 2004 Dec [cited 2014 Sep 9];13(4):2003-4.
16. Moya J, Junior JBR, Martinello A, Bandarra E, Bueno H, Neto OL de M, editores. Organização Pan-Americana de Saúde. Salas de Situação em Saúde: Compartilhando as experiências do Brasil. Brasília: Organização Pan-Americana da Saúde, Ministério da Saúde; 2010.
17. Leite LDO, Rezende DA. Modelo de gestão municipal baseado na utilização estratégica de recursos da tecnologia da informação para a gestão governamental: formatação do modelo e avaliação em um município. Rev. Adm. Pública 2010;44(2):459-93.

Seção 2

Fisioterapia e Atenção Primária

5

Sistema Único de Saúde: Princípios, Diretrizes e Organização

■ Fernanda Diniz de Sá

APRESENTAÇÃO

Neste capítulo, serão abordados os principais aspectos que contextualizaram a formação do Sistema Único de Saúde (SUS), apresentando os princípios e as diretrizes contidos nos marcos legais e normativos para a conformação do modelo de atenção. Em seguida, são apresentados as ações e os serviços que compõem o sistema, em seus diferentes níveis de atenção à saúde e complexidade da assistência, assim como a organização das redes de atenção à saúde. Objetiva-se fornecer um arcabouço para a compreensão do modelo de atenção necessário para as práticas da fisioterapia no contexto do SUS.

INTRODUÇÃO

Os sistemas de saúde são antes de tudo uma modalidade de proteção social, componentes do grande conjunto denominado seguridade social, que pode ser entendido como o direito dos indivíduos de ter garantidas as suas necessidades básicas mínimas, abrangendo políticas públicas que incluem, além da Saúde, a Previdência e a Assistência Social.[1,2]

Historicamente, há uma tensão que permeia a responsabilidade sobre o provimento dessa proteção aos indivíduos. Duas lógicas confrontam-se nesse contexto: uma privada, que entende que a responsabilidade seria dos próprios indivíduos, que deveriam, a partir de seus meios, obter a seguridade por meio da compra de seguros de modo individual e/ou ocupacional; outra pública, cujo entendimento atribui essa responsabilidade ao Estado, que deve prover cobertura indiscriminada a todo cidadão, sem a necessidade de pagamentos prévios, decorrente do reconhecimento do estatuto de cidadania.[1-3]

No Brasil, até o fim da década de 80, o acesso aos serviços de saúde era privilégio de poucos, uma vez que os únicos brasileiros que poderiam usufruir desses serviços eram aqueles com situação de emprego formalizada, ou seja, trabalhadores de carteira assinada e seus dependentes. Àqueles que não estavam inseridos contratualmente no mercado de trabalho, restavam os serviços de saúde filantrópicos, em sua maioria mantidos por instituições religiosas. A lógica era privativista, com compra de serviços de saúde diretamente por aqueles que podiam pagar ou por meio de contribuições mensais vinculadas ao emprego formal.[3,4]

O final da década de 1980 no Brasil foi marcado por movimentos sociais que reivindicavam a redemocratização do país e a melhoria das condições da saúde da população. Paralelamente, o Movimento Sanitarista Brasileiro foi crescendo e ganhando representatividade e força por meio dos usuários, profissionais de saúde, políticos, parcelas da burocracia governamental e organizações populares e sindicais na luta pela reestruturação do nosso sistema de saúde. Esse movimento emergiu nas universidades e estava organizado solidamente desde meados dos anos 70, tendo como principal objetivo e bandeira de luta a garantia do direito à saúde para todos e a construção de um sistema único e estatal de serviços.[4,5]

Vislumbrando a oportunidade histórica da Assembleia Nacional Constituinte a ser realizada no ano de 1988, o Movimento da Reforma Sanitária convocou todos os atores envolvidos a participarem da 8ª Conferência Nacional de Saúde a fim de definir as estratégias a serem defendidas na Constituinte de 1988. Na conferência, foi consolidada a opção pela via institucional e definiu-se quais seriam os princípios a serem defendidos: o conceito ampliado da saúde, o reconhecimento da saúde como direito de cidadania e o dever do Estado e a defesa de um sistema único, de acesso universal, igualitário e descentralizado de saúde. Assim, o Movimento da Reforma Sanitária Brasileira concebeu o Sistema Único de Saúde (SUS) como uma política de estado e como estratégia setorial de um projeto de democratização da sociedade, que visava permitir que todos tivessem melhor qualidade de vida e boas condições de saúde.[4,5]

Em vitória histórica, o SUS foi aprovado na Assembleia Nacional Constituinte (1988), derrotando outras propostas que defendiam modelos excludentes e privados para a organização do sistema de saúde nacional. Assim, com a promulgação da nova Constituição Federal, o acesso aos serviços de saúde tornou-se gratuito e converteu-se em um direito de todo cidadão.[3,4]

A Constituição de 1988 foi, portanto, um marco para a saúde pública brasileira, ao definir a saúde como "direito de todos e dever do Estado". Os artigos 196 ao 200 constituem a Sessão II da saúde, sendo a base de todo o conjunto de leis e normas que constituem o fundamento jurídico da política e do processo de organização do sistema de saúde no Brasil. Posteriormente, esses artigos foram regulamentados nas denominadas Leis Orgânicas da Saúde (Lei nº 8.080, de 19 de setembro de 1990; e Lei nº 8.142, de 28 de dezembro de 1990), que detalharam aspectos contidos nos artigos e resgataram reivindicações importantes.[6-8]

SISTEMA ÚNICO DE SAÚDE: PRINCÍPIOS E DIRETRIZES

O Sistema Único de Saúde (SUS) é constituído pelo conjunto das ações e de serviços de saúde sob gestão pública. É o arranjo organizacional do Estado brasileiro que dá suporte à efetivação da política de saúde. Compreende um conjunto organizado e articulado de serviços e ações de saúde e congrega o conjunto das organizações públicas de saúde existentes nas esferas municipal, estadual e nacional. Incluem-se, nesse conjunto, os serviços privados de saúde que cobrem os usuários do sistema de modo complementar, quando contratados ou conveniados ao SUS.[6,9,10]

De acordo com o artigo 200 da Constituição Federal, o SUS atua nas áreas de: controle e fiscalização de procedimentos, produtos e substâncias de interesse para a saúde e participação da produção de medicamentos, equipamentos, imunobiológicos, hemoderivados e outros insumos; execução de ações de vigilância sanitária e epidemiológica, bem como as de saúde do trabalhador; ordenação da formação de recursos humanos na área de saúde; participação da formulação da política e da execução das ações de saneamento básico; incrementação em sua área de atuação do desenvolvimento científico e tecnológico; fiscalização e inspeção de alimentos, compreendido o controle de seu teor nutricional, bem como bebidas e águas para consumo humano; participação do controle e fiscalização da produção, transporte, guarda e utilização de substâncias e produtos psicoativos, tóxicos e radioativos; e colaboração na proteção do meio ambiente, nele compreendido o trabalho.[6]

Para dar conta da complexidade envolvida em um sistema com escopo de atuação tão abrangente, o SUS é regido por princípios e diretrizes que norteiam a sua filosofia e organização, respectivamente, e são estabelecidos na Lei Orgânica de Saúde. O sistema é denominado único justamente pelo fato de seguir a mesma doutrina e o mesmo modo de operacionalização em todo o território nacional, estando sob a responsabilidade dos entes municipal, estadual e federal.[6-8]

Os princípios doutrinários são relacionados à ideologia do sistema, à sua filosofia, sendo esses: a universalidade, a equidade e a integralidade. As diretrizes, que norteiam o modelo de gestão a ser adotado, são: a regionalização, a hierarquização e o controle social, incluindo-se ainda a resolutividade e a complementaridade do setor privado. Os princípios e as diretrizes do SUS serão apresentados e debatidos em seus aspectos mais relevantes adiante (**Tabela 5.1**).[9,10]

TABELA 5.1. Síntese dos princípios e das diretrizes do SUS

Universalidade	Acesso igualitário às ações e serviços de saúde.
Equidade	Atendimento adequado para as necessidades diferenciadas dos indivíduos.
Integralidade	Ações em saúde integrais voltadas para a promoção da saúde, prevenção de agravos, diagnóstico, recuperação e reabilitação. Abordagem integral dos indivíduos, considerando os aspectos biopsicossociais. Ações em saúde nos três níveis de complexidade da assistência: atenção primária, secundária e terciária.
Hierarquização e regionalização	Serviços de saúde organizados segundo o grau de complexidade da assistência, desde a atenção primária até os níveis secundários e terciários, em consonância com as necessidades epidemiológicas da população e distribuídos adequadamente, de maneira racional, nos territórios e nas regiões.
Descentralização e comando único	Distribuição das responsabilidades de gestão quanto às ações e serviços de saúde entre as esferas de governo (federal, estadual, regional e municipal) com a preservação de comando único.
Controle social	Garantia do direito à participação da população no processo de formulação das políticas de saúde e do controle da sua execução, em todos os níveis, desde o federal até o local, por meio de suas entidades representativas.
Resolubilidade	Capacidade de resolver os problemas de saúde do usuário de maneira adequada em serviços acessíveis ou direcioná-lo a outros em que possam ser atendidas as suas necessidades, conforme o nível de complexidade exigido para a situação.
Complementaridade do setor privado	Possibilidade de contratação de serviços de saúde privados, caso o setor público seja insuficiente.

Fonte: Brasil.[6-8]

UNIVERSALIDADE

O artigo 196 da Constituição Federal de 1988 consolida o primeiro dos princípios doutrinários, a universalidade, quando afirma: "A saúde é direito de todos e dever do Estado, garantido mediante políticas sociais e econômicas que visem a redução do risco de doença e de outros agravos e ao acesso igualitário às ações e serviços para sua promoção, proteção e recuperação".[6,9-11]

Esse artigo evidencia a ideia central da saúde como direito de cidadania, inerente a todos aqueles que sejam brasileiros, por nascimento ou naturalização, e residentes permanentes, independente de raça, renda, escolaridade, religião ou qualquer outro tipo de discriminação. Além disso, traz a noção de que cabe ao Estado a responsabilidade por promover a saúde, proteger o cidadão contra os riscos a que ele se expõe e assegurar a assistência em caso de doença ou outro agravo à saúde.[9,11,14]

A partir da universalidade, o indivíduo passa a ter direito pleno aos cuidados em saúde, independente da complexidade, custo ou natureza do serviço envolvido. O acesso universal expressa a saúde como um direito da cidadania, não devendo haver nenhum tipo de preterição, sendo um dever do governo, em suas esferas municipal, estadual e federal.[9,14]

EQUIDADE

Apesar do fato de que todos os usuários devem ser vistos pelo sistema de maneira igualitária, sem privilégio algum, as pessoas não são iguais e apresentam particularidades que as diferenciam e criam necessidades específicas. A desigualdade é inerente ao ser humano, uma vez que estes têm religião, etnia, cor da pele, cultura, opção sexual e situação socioeconômica distintas. As desigualdades são, sobretudo, produzidas pelos determinantes sociais da saúde, sendo assim, caso o SUS fornecesse cuidado igual a todos, sem considerar as especificidades contextuais de cada indivíduo, estaria deixando de atender a necessidades especiais de algumas pessoas e certamente promoveria iniquidades, que são desigualdades injustas.

Assim emerge o princípio da equidade, que assegura ações e serviços, de todos os níveis, considerando as peculiaridades individuais, de maneira a diminuir as desigualdades na medida do possível, proporcionando atendimento adequado para necessidades diferenciadas, caracterizando-o como um princípio de justiça social. Esse princípio oferece então um respaldo de acordo com as prioridades relacionadas às necessidades singulares dos grupos sociais ou indivíduos.[13,15]

Entende-se, pois, que todo cidadão é igual perante o SUS no que concerne ao direito ao acesso aos serviços de saúde, entretanto, a partir do princípio da equidade considera-se que os indivíduos são singulares e precisam ser tratados conforme suas necessidades específicas. Portanto, a equidade pode ser vista como um princípio complementar ao da igualdade, uma vez que significa um tipo de tratamento diferenciado oferecido a pessoas que têm necessidades diferenciadas, com vistas a alcançar-se igualdade.[16,17]

INTEGRALIDADE

O princípio da integralidade, previsto na Lei Orgânica da Saúde, vem para consolidar um modelo de atenção à saúde que reconhece as pessoas como sendo um todo indivisível e integrante de uma comunidade. A atenção integral é "entendida como conjunto articulado e contínuo das ações e serviços preventivos e curativos, individuais e coletivos, exigidos para cada caso em todos os níveis de complexidade do sistema".[7]

Esse princípio encarrega-se de estabelecer a indissociabilidade de vários aspectos relacionados à prática, à organização e à resposta dos serviços de saúde aos problemas apresentados pela população. Na lógica desse princípio, cada pessoa deve ser considerada como um todo indivisível e integrante de uma comunidade, de modo a serem oferecidos cuidados considerando o ser em seus aspectos biopsicossociais. Na integralidade, considera-se que as ações em saúde voltadas para a promoção da saúde e prevenção de agravos não devem estar dissociadas das ações voltadas para diagnóstico, recuperação e reabilitação, pois essas devem formar também um todo indivisível e não deveriam ser fragmentadas.[12,15,18]

Enfim, o homem é um ser integral, biopsicossocial, e deve ser atendido nessa perspectiva por um sistema de saúde também integral, voltado a promover, proteger e recuperar sua saúde. Para que isso venha a ocorrer, as unidades prestadoras de serviço, com seus diversos graus de complexidade da assistência, devem do mesmo modo formar um conjunto articulado, configurando um sistema capaz de prestar assistência integral.[11,15,18]

REGIONALIZAÇÃO E HIERARQUIZAÇÃO

Esses princípios determinam que os serviços devem ser organizados em níveis de complexidade tecnológica crescente (hierarquização), dispostos em uma área geográfica delimitada e com a definição da população a ser atendida (regionalização). Isso na capacidade dos serviços em ofertar à população de uma determinada região todas as modalidades de assistência e tecnologia disponível, de modo a possibilitar um grau satisfatório de resolução dos problemas de saúde daquela população.[13,19]

Os níveis de complexidade definem o grau de densidade tecnológica envolvido na assistência e são definidos como Atenção Primária à Saúde, Secundária e Terciária à Saúde. No Brasil, frequentemente esses níveis são denominados atenção básica, de média e alta complexidade.[9,10]

Na atenção primária estão os serviços dotados de baixa tecnológica e alta complexidade de cuidado, envolvendo profissionais generalistas, trabalhando em equipes multidisciplinares, para realizar procedimentos mais frequentemente necessários às características epidemiológicas de determinada localidade. Os usuários devem acessar os serviços de saúde preferencialmente por essa via, uma vez que esse nível de atenção envolve cuidados capazes de resolver a maioria dos problemas da população, sendo o alicerce e a base organizacional do sistema. Os serviços de atenção primária, no Brasil organizados a partir da Estratégia Saúde da Família, devem existir em maior número e estar distribuídos o mais amplamente possível nos territórios. Em níveis mais especializados (situados em unidades ambulatoriais, de diagnóstico, hospitalares, dentre outros), que exigem maior densidade tecnológica e são, via de regra, menos frequentemente necessários, os serviços podem existir em menor número e serem distribuídos de maneira racional nas regiões, obedecendo ao critério de acessibilidade geográfica, de modo que seja possibilitado o acesso por vias de transporte e demais critérios facilitadores.[9-11]

A regionalização e a hierarquização implicam que os serviços dos diferentes níveis de complexidade de uma região devem estar integrados em Redes de Atenção à Saúde, de modo que os usuários sejam encaminhados para unidades de saúde com maior densidade tecnológica, sempre que haja necessidade, e que possam retornar a sua unidade de origem (geralmente na atenção primária) para acompanhamento. A esse mecanismo dá-se o nome de sistema de referência e contrarreferência que exige adequado fluxo de informação e integração entre as unidades de saúde. O arranjo organizacional das Redes de Atenção à Saúde voltará a ser abordado mais adiante, ainda nesse capítulo.

DESCENTRALIZAÇÃO E COMANDO ÚNICO

A descentralização consiste na redistribuição das responsabilidades de gestão quanto às ações e serviços de saúde entre as esferas de governo (federal, estadual, regional e municipal) com a preservação de comando único. Essa diretriz divide as competências de cada ente e fortalece a premissa de que quanto mais perto do fato a decisão for tomada, mais chance haverá de acerto. Isso representou o grande avanço para o modelo de atenção, tendo em vista que, antes do SUS, todas as decisões e a gestão eram centralizadas, o que provocava enormes distorções regionais, havendo quase nenhuma margem de manobra para os governos locais tomarem decisões e desenvolverem ações especificamente delineadas para realidades singulares.[13,20,21]

Essa diretriz veio, portanto, a democratizar o processo decisório e aumentar a capacidade de resposta dos governos locais em relação aos problemas de saúde de uma determinada região. Isso implica dizer que os governos estaduais e, principalmente, os municipais têm maior responsabilidade e autonomia para decidir, implementar e gerir ações e serviços de saúde.[20]

CONTROLE SOCIAL

Para eliminar os tipos autoritários e tradicionais de gestão das políticas públicas sociais e adotar práticas que favoreçam uma maior transparência das informações e maior participação da sociedade no processo decisório, a Lei Federal nº 8.142, de 28 de dezembro de 1990, assegura o princípio constitucional de democratização pela "participação da comunidade".[8] A participação da comunidade garante que a população é parte fundamental do processo de formulação das políticas de saúde e do controle da sua execução, em todos os níveis, desde o federal até o local, por meio de suas entidades representativas. Esse princípio é executado por meio dos Conselhos de Saúde e Conferências de Saúde, que são fóruns que promovem espaços de representação institucional e participação popular.[9,10,22]

As Conferências de Saúde acontecem a cada quatro anos e são promovidos nos níveis federal, estadual e municipal, contando com a representação de vários segmentos sociais e tendo como finalidade propor diretrizes, avaliar a situação da saúde para, assim, definir prioridades e linhas de ação sobre a saúde. Os Conselhos de Saúde têm caráter permanente e deliberativo e atuam na formulação de estratégias e no controle da execução da política de saúde, inclusive nos aspectos econômicos e financeiros, nos níveis federal, estadual, municipal e local, este último sendo estabelecido nos territórios sanitários. Em sua composição, são formados por uma parcela de 50% de usuários e os demais componentes são representantes dos trabalhadores da saúde (25%) e dos gestores de serviço público e privado (25%).[10,22]

A saúde foi, portanto, o primeiro setor a experimentar uma regulação, formada a partir da participação da coletividade na sua estrutura, o que significa uma vitória da democracia em um setor estratégico de proteção social. Isso significa o reconhecimento da voz dos cidadãos, de maneira propositiva e deliberativa, nas decisões e nas execuções das políticas públicas de interesse coletivo.[22]

RESOLUBILIDADE

É a capacidade de dar uma solução às necessidades dos usuários nos serviços de saúde da maneira mais adequada possível, no local mais próximo de sua residência ou encaminhando-o para onde seus problemas possam ser atendidos, conforme o nível de complexidade exigido para a resolução.

Esse princípio garante que, quando um indivíduo tem necessidade de atendimento e procura um serviço de saúde ou ainda quando surge um problema de impacto coletivo sobre a saúde de uma coletividade, o serviço em questão deve estar capacitado para enfrentá-lo e resolvê-lo até o nível da sua competência e que seja capaz de encaminhar adequadamente quando não houver condições para atender a essa necessidade.[9,10]

COMPLEMENTARIDADE DO SETOR PRIVADO

A Constituição definiu que, no SUS, quando os serviços públicos não forem suficientes para dar conta das demandas de saúde de uma determinada região, possibilita-se a contratação de serviços privados. Esses serviços devem seguir todos os princípios e as diretrizes do SUS, seguindo direcionamento único.[10,11]

Na contratação de serviços privados complementares pelo SUS, deve-se dar preferência aos serviços não lucrativos, filantrópicos. Além disso, a integração desses serviços deverá dar-se na mesma lógica organizativa do SUS, com posição definida na rede regionalizada e hierarquizada dos serviços, de modo que, em cada região, devem estar claramente estabelecidas as funções e os níveis de complexidade em cada lugar.[6,9,11]

NÍVEIS DE ATENÇÃO À SAÚDE NO SUS: CONSTRUINDO REDES

Historicamente, diversos problemas têm contribuído para a ineficiência do setor saúde em resolver os problemas e demandas da população, dentre os quais se pode destacar: baixa valorização da atenção primária em saúde, com oferta de atenção pontual, esporádica e sintomática, com foco na patologia e não no usuário; serviços de saúde trabalhando de maneira isolada e funcionando com lógicas diferentes; pouco envolvimento da família, da comunidade e de outros setores; usuários passivos, como receptor de informações; atendimento centrado no profissional e no ato médico; e pequena diversidade dos pontos para atenção à saúde.[4,5,10-12]

Para enfrentar essa fragmentação e ineficiência foram institucionalizadas pela portaria nº 4.279, de 30 de dezembro de 2010, e pelo decreto 7.508, de 28/06/2011, as Redes de Atenção à Saúde (RAS), que constituem atualmente o modelo de organização adotado com a finalidade de alcançar a integralidade da assistência (**Tabela 5.2**).[23,24] Nas RAS não há hierarquia em nível de importância entre os diferentes serviços de atenção à saúde, independente do grau de densidade tecnológica e custo envolvido na ação, mas o estabelecimento de uma rede horizontal de pontos de atenção à saúde de distintas densidades tecnológicas integradas entre si. Todos os pontos de atenção à saúde são igualmente importantes para que se cumpram os objetivos das RAS, apenas diferenciam-se pelas diferentes densidades tecnológicas que caracterizam os diversos pontos de atenção à saúde, substituindo o modelo hierárquico pelo poliárquico.[25,26]

TABELA 5.2. Modelo de atenção à saúde no SUS

Níveis de atenção à saúde: relaciona-se às ações de promoção da saúde, prevenção de doenças e agravos, recuperação da saúde e reabilitação.	Promoção da saúde: ações voltadas para os determinantes e condicionantes sociais da saúde, envolvendo intersetorialidade.
	Prevenção de doenças e agravos: ações voltadas para o controle dos riscos e proteção específica às doenças e agravos.
	Recuperação da saúde: ações voltadas para o diagnóstico oportuno e limitação dos danos provocados por determinada doença ou agravo.
	Reabilitação: ações voltadas a proporcionar o mais alto grau de funcionalidade ao indivíduo frente às sequelas ou limitações decorrentes da doença ou agravo.
Níveis de complexidade da assistência: relaciona-se à densidade tecnológica das estruturas e dos procedimentos envolvidos nas ações em saúde.	Atenção primária: ações em saúde nos três níveis de atenção à saúde, realizadas com orientação epidemiológica e comunitária por equipe multiprofissional generalista, com baixo grau de densidade tecnológica envolvido.
	Atenção secundária: ações e serviços cuja assistência demande a disponibilidade de profissionais especializados e a utilização de recursos tecnológicos e custos intermediários, para o apoio diagnóstico e terapêutico, realizado em nível ambulatorial e hospitalar.
	Atenção terciária: ações e serviços cuja assistência envolva a necessidade de profissionais especializados e a utilização de alta tecnologia e alto custo, para o apoio diagnóstico e terapêutico, realizado em nível ambulatorial e hospitalar.

Fonte: Leavell; Clark.[28]

As Redes de Atenção à Saúde são estabelecidas em uma região e população definidas e são formadas pela atenção primária à saúde, por serviços especializados e hospitalares (de média e alta complexidade) e por sistemas de apoio e logísticos que são transversais e atuam para dar suporte e integração aos serviços de saúde, em todos os níveis de complexidade da assistência.[26,27]

Os sistemas de apoio são constituídos pelo sistema de suporte diagnóstico e terapêutico e de assistência farmacêutica, assim como os sistemas de informação à saúde. Já os sistemas logísticos, que ainda são propostas incipientes no SUS, são: cartão de identificação dos usuários; prontuário clínico único de preferência informatizado e disponível para acesso em todos os serviços de saúde; sistema de transporte, que facilite o acesso dos usuários aos serviços de maior densidade tecnológica que, usualmente, estão concentrados geograficamente; e sistema de acesso regulado à atenção, que permita adequada destinação de usuários aos serviços. Para dar a governança necessária a essa sofisticada estrutura organizacional é necessário um sistema de gestão articulado em um conjunto de ações e atividades organizadas especificamente para possibilitar adequada governabilidade e gerenciamento da RAS (**Tabela 5.3**).[25-27]

Para que as redes funcionem como um conjunto de ações e serviços articulados em níveis de complexidade crescente, devem estar compreendidas no âmbito de uma Região de Saúde, ou de várias delas. Uma região de saúde constitui um espaço geográfico contínuo, constituído por um grupo de municípios próximos, que deve compartilhar determinadas ações e serviços de saúde entre si, de maneira solidária e pactuada. Esse agrupamento de municípios é delimi-

TABELA 5.3. Estrutura operacional das redes de atenção à saúde

Centro de comunicação	Atenção primária à saúde
Redes temáticas	Atenção secundária e terciária à saúde
Sistemas de apoio	Sistema de apoio diagnóstico e terapêutico Sistema de assistência farmacêutica Sistema de informação em saúde
Sistemas logísticos	Cartão de identificação dos usuários Prontuário clínico único e informatizado Sistemas de acesso regulado à atenção Sistemas de transporte em saúde

Fonte: Mendes.[25,26]

tado geograficamente de preferência a partir de identidades culturais, econômicas e sociais e de redes de comunicação e infraestrutura de transportes, com a finalidade de integrar a organização, o planejamento e a execução de ações e serviços de saúde que serão compartilhados. Para ser instituída, a Região de Saúde deve conter, no mínimo, ações e serviços de: atenção primária; urgência e emergência; atenção psicossocial; atenção ambulatorial especializada e hospitalar; e vigilância em saúde.[23,24]

Desse modo, as RAS são estruturadas de modo a responder aos mais diversos problemas de saúde por meio de um ciclo completo de atendimento, o que implica na continuidade do cuidado no fluxo assistencial (atenção primária, atenção secundária e atenção terciária à saúde) e a integralidade da atenção à saúde (ações de promoção da saúde, de prevenção de doenças e agravos, de intervenções, tratamento oportuno, cuidado, reabilitação e medidas paliativas).[27]

ATENÇÃO PRIMÁRIA À SAÚDE: PORTA DE ENTRADA E BASE ORGANIZACIONAL DAS REDES

As evidências apontam que a Atenção Primária à Saúde (APS) tem capacidade de resolver cerca de 80% das necessidades de saúde da população. Os serviços de saúde da APS devem atuar com território bem definido, a partir de equipe interdisciplinar responsável por um número específico de pessoas da localidade, utilizando métodos de cuidado complexos, mas de baixa densidade tecnológica e, geralmente, de baixo custo. Na APS o sujeito é abordado em sua singularidade, complexidade, integralidade e inserção sociocultural, sendo realizadas ações preventivas, curativas, reabilitadoras e de promoção da saúde, integrando todos os cuidados desenvolvidos quando existe mais de um problema. Dessa maneira, a APS apresenta características próprias que a definem, a diferenciam, e fazem com que a não efetivação desses atributos torne a abordagem ineficiente (**Tabela 5.4**).[28-30]

As experiências mais exitosas em organização de sistemas de saúde, em todo o mundo, demonstram que a APS deve ser a base organizacional e a coordenadora da rede de atenção à saúde, sendo tendência na Europa, Canadá e América Latina, por exemplo. Há um consenso de que a APS alcança melhores indicadores de saúde, tem menores custos e maior satisfação dos usuários, entretanto ainda encontra-se um dissenso no que concerne aos mecanismos operacionais para implantação dos princípios, encontrando-se diversos modelos a partir dos quais essa proposta vigora em execução.[29,30]

TABELA 5.4. Descrição das características da atenção primária em saúde

Características próprias da APS	Funções da APS nas redes de atenção
Primeiro contato	
Integralidade	Resolubilidade
Longitudinalidade	Comunicação
Coordenação	Responsabilização
Foco na família e na comunidade	

Fonte: Mendes[25]; Starfield.[34]

No SUS, a APS é regulamentada pela Política Nacional de Atenção Básica (PNAB), Portaria nº 2.488 de 2011, e está organizada pela Estratégia Saúde da Família (ESF), que a despeito de algumas limitações, a exemplo da reduzida variedade de profissionais que compõem a equipe mínima, tem representado um avanço importante no modelo de atenção à saúde no Brasil.[31,32]

As Unidades Básicas de Saúde (UBS) na atenção primária devem ser preferencialmente o primeiro contato com a rede de atenção à saúde no SUS, ou seja, a porta de entrada no sistema.[34] Tanto a população como os profissionais de saúde devem identificar as UBS como o primeiro recurso de saúde a ser buscado quando há uma necessidade/problema de saúde. Para tanto, deve ser garantida uma boa acessibilidade ao serviço, ou seja, as UBS devem estar localizadas geograficamente o mais próximo possível da população, de maneira a favorecer o deslocamento dos indivíduos e, além disso, ter disponibilidade organizacional para atendê-la, a exemplo de horários de funcionamento adequados, modos de marcação de consultas etc. Pelo decreto 7.508, de 28/06/2011, além da atenção básica são considerados portas de entrada os serviços de atenção de urgência e emergência, de atenção psicossocial e outros serviços especiais de acesso aberto.[24,32,33]

Na PNAB são estabelecidas as equipes interdisciplinares de saúde da família, que devem ser formadas por médico e enfermeiro generalista, auxiliar ou técnico de enfermagem e Agentes Comunitários de Saúde (ACS) em número suficiente para cobrir 100% da população do território, admitindo-se um número máximo de 12 ACS por equipe, sendo cada agente responsável por 750 pessoas, no máximo. Cada equipe de Saúde da Família (eSF) é responsável por no máximo 4 mil pessoas, sendo esse número definido pelo grau de vulnerabilidade da população, com a recomendação de uma média de 3 mil pessoas por equipe. Nas UBS, atuam ainda profissionais da saúde bucal: cirurgião-dentista, auxiliar de consultório dentário ou técnico em higiene dental.[32,33]

As equipes de saúde da família trabalham com uma população e um território definido (adscrição da clientela) para que possam lidar com o contexto de vida das pessoas. Para que isso ocorra é necessário que se estabeleça uma relação próxima entre indivíduos e profissionais da equipe de saúde da família ao longo do tempo, independentemente do tipo de problemas de saúde ou mesmo da existência de um problema.[30,35,36]

Com a formação do vínculo entre a equipe e os usuários, tem-se a oportunidade de acompanhar os diversos momentos do ciclo de vida dos indivíduos, de suas famílias, da própria comunidade, fortalecendo a confiança e estabelecendo mecanismos de continuidade do cuidado, além de favorecer um ambiente propício à corresponsabilização, de maneira que os indivíduos sejam encorajados a serem agentes ativos e partícipes das ações em saúde. A essa característica fundamental da APS dá-se o nome de longitudinalidade, que é exatamente a continuidade do cuidado a partir do vínculo e da responsabilização. Devido a isso, as eFS são denominadas equipes de referência, pois é a partir delas que os usuários são encaminhados para os serviços especializados e hospitalares, sempre que houver necessidade, e é para elas que estes devem retornar para o acompanhamento.[33,36,37]

Ainda que as equipes de saúde da família trabalhem de maneira alinhada com os fundamentos e as diretrizes da atenção primária e do SUS, por contar com um número insuficiente de especialidades, cotidianamente apresentam-se nas UBS situações cuja complexidade exige a intervenção coordenada de outros profissionais de saúde. Às equipes mínimas de saúde da família podem ser incorporadas outras especialidades profissionais, entretanto ainda não existem incentivos financeiros federais para a contratação de outros profissionais, de modo que cabe aos governos locais, a partir de seus próprios recursos, decidir incorporar outras especialidades às eSF. Experiências exitosas da incorporação de profissionais de outras especialidades às eSF, inclusive fisioterapeutas, têm sido relatadas, ampliando o escopo de atuação e resolutividade das ações da atenção primária.[38-41]

A inserção da fisioterapia na Estratégia de Saúde da Família é algo relativamente recente e, a despeito de práticas exitosas e alinhadas aos princípios e valores da APS estarem sendo realizadas e publicadas, deve ser reconhecido que muitos profissionais ainda encontram um estranhamento frente aà atuação nessa perspectiva de abordagem. A dependência de aparato tecnológico para desenvolvimento de práticas prioritariamente de caráter individual e reabilitadoras, fruto de uma formação voltada para os serviços ambulatoriais e hospitalares, não facilita a inserção em ações de caráter coletivo e comunitário. Associado a isso, a dificuldade de acesso da população aos níveis secundários de assistência ocorre também nos serviços de fisioterapia, desencadeando num grande contingente de usuários com limitações na saúde físico-funcional desassistidas, o que faz do atendimento a essa demanda reprimida um entrave às possibilidades de desenvolvimento de outras atividades pelo fisioterapeuta no nível primário.[38-40]

A adaptação da formação às Diretrizes Curriculares Nacionais, que impulsionaram os cursos de graduação a se adequarem ao novo modelo de atenção, vem alterando esse quadro e preparando os graduados em fisioterapia para atuação voltada para promoção da saúde, prevenção de agravos, tratamento oportuno e não somente para a fase de reabilitação, a partir de um planejamento de ações em consonância com o perfil epidemiológico em uma perspectiva de trabalho interdisciplinar rico em tecnologias leves considerando o contexto comunitário, educação em saúde, atividades coletivas, incorporação de capacitação dos cuidados domiciliares, abordando o cuidador e o autocuidado para gerenciamento de condições agudas e crônicas, dentre outras. Esses mecanismos e tecnologias que facilitam e promovem uma adequada abordagem da fisioterapia na APS e sua devida inserção nesse contexto é o mote de idealização desta obra.[38-41]

Para dar suporte às eSF em áreas não contempladas pelas equipes mínimas, existem os Núcleos de Apoio à Saúde da Família (NASF), que buscam ampliar a abrangência e o escopo das ações da atenção básica, bem como sua resolutividade. A partir dos NASF, profissões como a fisioterapia inserem-se mais frequentemente na atenção primária, oferecendo apoio matricial de modo a realizar discussão de casos e formulação conjunta de projetos terapêuticos, atendimentos conjuntos, apoio pedagógico e ações de caráter coletivo na unidade de saúde ou espaços comunitários. As equipes do NASF viabilizam ainda a interconexão entre os serviços primário, secundário e terciário em saúde, além de também poder ter alcance intersetorial.[41-43]

Como referido anteriormente, a atenção básica deve ser a coordenadora da Rede de Atenção à Saúde, o que requer recursos de comunicação fortemente estabelecidos para que os serviços de atenção especializada e hospitalar, na média e alta complexidade, estejam funcionalmente integrados e em continuidade de cuidados com a APS. A partir da identificação de uma situação que não possa ser resolvida no escopo da atenção básica, a equipe de saúde da família deve estar preparada para direcionar o usuário para o serviço de saúde adequado para resolver o problema em questão, seja na atenção secundária ou terciária. Para tanto, os fluxos assistenciais de referência e contrarreferência devem ser delineados e os mecanismos de comunicação, fortalecidos. No momento em que esse usuário for encaminhado para serviços secundários e terciários, a equipe de saúde da família deve fazer parte da condução do caso e ser partícipe do processo de decisão, diagnóstico e/ou terapêutico. Do mesmo modo, quando o usuário retornar da consulta ou tratamento especializado, ou ainda receber alta de cuidados hospitalares, a equipe de referência deve manter contato com os níveis especializados e hospitalares para fornecer adequado acompanhamento e devidas interações necessárias para a continuidade dos cuidados em nível domiciliar.[29,30]

Assim, a atenção básica deve responder pela maior parte da resolutividade do sistema, atendendo a todas as necessidades de saúde da população sob sua responsabilidade, sendo também a base de integração com os demais níveis de atenção à saúde, uma vez que quando houver necessidade de referenciar usuários para os serviços especializados e hospitalares, a comunicação e o cuidado continuado devem ser articulados e compartilhados entre esses níveis.[29]

ATENÇÃO SECUNDÁRIA E TERCIÁRIA: TECENDO AS REDES TEMÁTICAS

A Atenção Secundária e Terciária é representada por serviços especializados em nível ambulatorial e hospitalar, dotados de densidade tecnológica intermediária e alta e que demandam custos expressivos para o sistema de saúde. A diferenciação entre esses é exatamente determinada pelo grau de especialização e do custo envolvido na ação. Dentre o rol de ações, pode-se citar como exemplo: consulta médica especializada, tratamentos de reabilitação como a fisioterapia e a fonoaudiologia, terapia renal substitutiva, cirurgias, radioterapia etc. Essas ações estão distribuídas de maneira racional nos territórios, sendo instaladas em unidades de abrangência regional, para vários bairros e/ou municípios de acordo com as necessidades identificadas e pactuadas pelos gestores.[43,44]

No Brasil, historicamente, a atenção especializada, tanto ambulatorial como hospitalar, é revestida de isolamento e fragmentação do cuidado, sendo um local em que os usuários chegam a partir de uma referência da atenção básica, sem nenhum registro de história pregressa da pessoa ou da situação de saúde, objeto da procura pelo serviço, em geral recebendo atenção pontual e sintomática. Somado a isso, não há o estabelecimento de vínculos, uma vez que o usuário pode ser atendido por diferentes profissionais de uma mesma especialidade, a depender do agendamento.[44-46] Ademais, a comunicação com a atenção básica ou com a unidade hospitalar da qual recebeu alta é precária, dependendo muitas vezes de laudos clínicos episódicos e nenhuma interlocução com as equipes de referência.

Ao contrário da atenção básica, a oferta especializada ainda está fortemente vinculada aos serviços privados (filantrópicos ou lucrativos), principalmente os de natureza hospitalar.

Isso tende a distorcer ainda mais os serviços, devido à carência nos setores de regulação e controle. Um exemplo clássico é um excesso de pedidos de consultas por outros especialistas e exames complementares, muitas vezes desnecessários e potencialmente iatrogênicos. Sendo assim, a oferta de serviços especializados, de nível ambulatorial e hospitalar, é um dos maiores gargalos do sistema, e caracteriza-se pelas barreiras no acesso, baixa resolutividade, concentração em locais de alta densidade demográfica desconsiderando o perfil epidemiológico das populações e baixo grau de integração.[46,47]

Por muito tempo e, frequentemente ainda nos dias atuais, os serviços de especialidade e a atenção hospitalar de média e alta complexidade funcionaram como porta de entrada do sistema, atendendo diretamente a uma parcela demanda que deveria ser atendida inicialmente na atenção primária. Isso tem sido combatido pelos mecanismos de regulação da demanda, que estabelecem encaminhamento como único acesso a situações eletivas. Mas, quando por alguma falha nesses mecanismos essa situação ocorre, perde-se tanto na qualidade da abordagem inicial frente às necessidades em saúde quanto no acesso da população aos tratamentos especializados (quando verdadeiramente necessários), representando, além disso, ampliação ineficiente dos gastos do SUS.[39,40] Isso em parte é decorrente de precária atuação da atenção primária em responder com resolutividade às necessidades em saúde dentro de seu escopo, mas também há forte tendência de representação, tanto por parte da população quanto dos profissionais de saúde, de que os problemas só são realmente resolvidos a partir de incorporação tecnológica e inclusão de especialidades na abordagem dos casos.[45,47]

O usuário deve ter acesso aos serviços especializados, de média e alta complexidade, somente a partir da identificação de uma situação que não possa ser resolvida no escopo da atenção básica. A equipe de referência, deve estar capacitada a direcionar o usuário para o serviço de saúde ambulatorial e/ou hospitalar com grau de especialização e tecnologia adequado para resolver o problema específico. Para tanto, os fluxos assistenciais devem ser eficazmente delineados e os mecanismos de comunicação, mantidos e fortalecidos.

Com muita frequência, os serviços especializados, a exemplo dos serviços de fisioterapia ambulatorial, experimentam filas de espera e baixa produtividade, provocando pouca resolutividade e ineficiência. Obviamente, esses serviços existem em número insuficiente e com distribuição inadequada nas regiões, mas parte desse problema é decorrente também do baixo emprego de tecnologias de corresponsabilização dos usuários, uso ineficiente do matriciamento de casos com a atenção básica, a exemplo da capacitação para autogerenciamento para controle de condições crônicas, assim como a escassez de profissionais inseridos na APS, que favoreçam o desmame dos serviços ambulatoriais e a desospitalização, quando os usuários recebem alta de tratamentos e internações hospitalares.

Na modelagem das Redes de Atenção à Saúde, a atenção secundária e terciária é organizada no SUS por linhas de cuidado em redes temáticas em uma lógica que busca ser parte de um sistema de cuidados integrais e contínuos. As linhas de cuidado nas RAS objetivam garantir a retaguarda técnica especializada, que venha a preservar, no processo diagnóstico e terapêutico, uma vinculação mantida e compartilhada com a atenção básica. As linhas de cuidado são, portanto, um conjunto de ações e serviços de saúde orientados por necessidades de saúde específicas, a exemplo de: segmentos populacionais (deficientes, indígenas, quilombolas etc.), ciclos de vida (infância, adolescência, envelhecimento etc.), gênero (saúde da mulher, saúde do homem, grupo LGBT etc.), agravos específicos (tuberculose, hanseníase, hipertensão arterial, diabetes melito etc.) ou eventos (gestação, entre outros). A partir dessas necessidades, são definidas as matrizes das redes temáticas que seguem o fluxo assistencial a partir da atenção básica para a atenção secundária e terciária.[25-27]

Nas redes temáticas são estabelecidos algoritmos de acolhimento, protocolos clínicos e carteiras de serviços, desde a atenção básica e no contínuo assistencial, de modo a serem criados critérios para o adequado direcionamento dos usuários, com base no rol de ações disponíveis em cada serviço. As linhas-guia delineadas para diagnóstico da doença ou do agravo à saúde; o tratamento preconizado, com os recursos apropriados; os mecanismos de controle terapêutico; e o acompanhamento e a verificação dos resultados, a serem acompanhados pelos profissionais de saúde e gestores do SUS: esses recursos, que preconizam práticas em saúde baseadas em evidências e o uso racional de recursos farmacêuticos, terapêuticos e tecnológicos, procuram evitar intervenções desiguais, inadequadas e, ainda, gerar economia para o sistema de saúde. O objetivo não é padronizar o atendimento, em prejuízo aos aspectos singulares dos projetos terapêuticos, que devem ser priorizados para uma atenção integral dos usuários; outrossim, favorecer práticas em saúde que sejam seguras e eficazes.[23-25,27]

O Ministério da Saúde tem priorizado algumas linhas de cuidado com investimentos e incentivos para a implantação das RAS com temáticas prioritárias, definidas por importância epidemiológica da população. As linhas de cuidado materno-infantil (Rede Cegonha), psicossocial, com ênfase no cuidado aos usuários de álcool, crack e outras drogas, cuidados voltados para condições crônicas, rede de atenção às urgências e emergências e a saúde funcional. Essas redes pretendem reestruturar serviços existentes que fornecem suporte para as diversas redes, criar pontos de atenção específicos para as redes temáticas e capacitar recursos humanos para uma abordagem integral e contínua das necessidades em saúde.

Considerações finais

O SUS é um sistema complexo e sofisticado que mudou o modelo de atenção à saúde no Brasil e, a despeito das dificuldades inerentes ao processo de efetivação de seus princípios e diretrizes, representa um inegável avanço, tendo trazido reconhecidas melhorias em diversos indicadores de saúde e de assistência desde a sua implantação. O desafio de avançar ainda mais nos aspectos relativos ao acesso, efetividade, eficiência e qualidade na atenção deve ser pauta de discussão e engajamento de toda a sociedade, especialmente das categorias profissionais da área de saúde, e o fisioterapeuta deve empoderar-se para atuar em consonância com os princípios e as diretrizes do sistema, assim como resgatar espaços de atuação historicamente relegados.

Referências bibliográficas

1. Paim JS. Direito à saúde, cidadania e Estado. In: Paim JS. Saúde, crises e reformas. Centro Editorial e Didático da UFBA;1986. p. 213-50.
2. Fleury S, Ouverney AM. Política de saúde: uma política social. In: Giovanella L, Escorel S, Lobato LVC, Noronha JC, Carvalho AI. Políticas e Sistemas de Saúde no Brasil. Rio de Janeiro: Fiocruz; 2012.
3. Escorel S, Nascimento DR, Edler FC. As origens da reforma sanitária e do SUS. In: Lima NT, Gerschman S, Edler FC. Saúde e democracia: história e perspectivas do SUS. Rio de Janeiro: FIOCRUZ; 2005. p.59-81.
4. Gerschman SV. A democracia inconclusa: um estudo da reforma sanitária brasileira. Rio de Janeiro: FIOCRUZ; 2004. 270 p.
5. Lyda M. Cem anos de saúde pública: a cidadania negada. São Paulo: Editora da Universidade Estadual Paulista; 1994. 148 p.

6. Constituição da República (BR). Artigos 196-200. Brasília: Senado Federal, 1988.

7. Lei nº 8.080 (BR): Dispõe sobre as condições para a promoção, proteção e recuperação da saúde, a organização e o funcionamento dos serviços correspondentes e dá outras providências. Diário Oficial da República Federativa do Brasil, Brasília, DF, 19 set. 1990.

8. Lei nº 8.142 (BR): Dispõe sobre a Participação da Comunidade na Gestão do Sistema Único de Saúde (SUS) e sobre as Transferências Intergovernamentais de Recursos Financeiros na Área da Saúde e dá Outras Providências. Diário Oficial da República Federativa do Brasil, Brasília, DF, 28 de dezembro de 1990.

9. Conselho Nacional de Secretários de Saúde (BR). Sistema Único de Saúde. Coleção Para Entender a Gestão do SUS. Brasília: CONASS, 2011. 291 p.

10. Noronha JC, Lima LD, Machado CV. O Sistema Único de Saúde – SUS. In: Giovanella L, Escorel S, Lobato LVC, Noronha JC, Carvalho AI. Políticas e Sistemas de Saúde no Brasil. Rio de Janeiro: FIOCRUZ; 2012. pp. 435-472.

11. Organização Pan-Americana de Saúde (OPAS). Brasil: O perfil do Sistema de Serviços de Saúde. Mar. 2005.

12. Paim JS, Teixeira CT. Configuração institucional e gestão do Sistema Único de Saúde: problemas e desafios. Ciênc. Saúde Coletiva 2007;12(Sup):1819-1829.

13. Cordeiro H. Descentralização, universalidade e equidade nas reformas da saúde. Ciência & Saúde Coletiva 2001;6(2):319-328.

14. Andrade EM, Andrade EO. O SUS e o direito à saúde do brasileiro: leitura de seus princípios, com ênfase na universalidade da cobertura. Revista Bioética 2010;18(1):61–74.

15. Lucchese PT. Equidade na gestão descentralizada do SUS: desafios para a redução de desigualdades em saúde. Ciênc. Saúde Coletiva 2003;8(2):439-448.

16. Sousa Campos GW. Reflexões temáticas sobre equidade e saúde: o caso do SUS. Saúde e Sociedade 2006;15(2):23-33.

17. Paim JS. Equidade e reforma em sistemas de serviços de saúde: o caso do SUS. Saúde e Sociedade 2006;15(2):34-46.

18. Franco TB. Integralidade na assistência à saúde: a organização das linhas do cuidado. In: Merhy EE. O trabalho em saúde: olhando e experienciando o SUS no cotidiano. São Paulo: Hucitec; 2003. 296 p.

19. Araujo DD, Elias PEM. Regionalização e dinâmica política do federalismo sanitário brasileiro. Rev. Saúde Pública 2011;45(1):204-11.

20. Andrade LOMD, Pontes RJS, Martins Junior T. A descentralização no marco da Reforma Sanitária no Brasil. Revista Panamericana de Salud. Pública 2000;8(1-2):85-91.

21. Yunes J. O SUS na lógica da descentralização. Estudos avançados. 1999;13(35):65-70.

22. Ceccim RB, Armani TB, Rocha CF. O que dizem a legislação e o controle social em saúde sobre a formação de recursos humanos e o papel dos gestores públicos, no Brasil. Ciênc. Saúde Coletiva 2002;7(2):373-83.

23. Presidência da República (BR). Decreto nº 7.508, de 28 de junho de 2011. Regulamenta a Lei nº 8.080, de 19 de setembro de 1990, para dispor sobre a organização do Sistema Único de Saúde - SUS, o planejamento da saúde, a assistência à saúde e a articulação interfederativa, e dá outras providências. Diário Oficial da República Federativa do Brasil, Brasília, DF, 29 jun. 2011.

24. Ministério da Saúde (BR), Gabinete do Ministro. Portaria nº 4.279, de 30 de dezembro de 2010: Estabelece diretrizes para a organização da Rede de Atenção à Saúde no âmbito do Sistema Único de Saúde - SUS. Diário Oficial da República Federativa do Brasil, Brasília, DF, 31 dez. 2010.

25. Mendes EV. As redes de atenção à saúde. Brasília: Organização Pan-Americana da Saúde; 2011. 554 p.

26. Mendes EV. As redes de atenção à saúde. Ciência & Saúde Coletiva 2010;15(5):2297-2305.

27. Kuschnir R, Chorny AH. Redes de atenção à saúde: contextualizando o debate. Cien. Saúde Colet. 2010;15(5):2307-2316.

28. Leavell S, Clark EG. Medicina preventiva. São Paulo: McGraw-Hill; 1976

29. Lavras C. Atenção Primária à Saúde e a Organização de Redes Regionais de Atenção à Saúde no Brasil. Saúde Soc. 2011;20(4):867-874.

30. Giovanella L, Mendonça MHM. Atenção primária à saúde. In: Giovanella L, Escorel S, Lobato LVC, Noronha JC, Carvalho AI. Políticas e Sistemas de Saúde no Brasil. Rio de Janeiro: Fiocruz; 2012.

31. Conselho Nacional de Secretários de Saúde (BR). Atenção primária e promoção da saúde. Coleção para entender a gestão do SUS. Brasília: CONASS; 2011. 197 p.

32. Ministério da Saúde (BR). Portaria n 2.488, de 21 de outubro de 2011. Aprova a Política Nacional de Atenção Básica, estabelecendo a revisão de diretrizes e normas para a organização da Atenção Básica, para a Estratégia Saúde da Família (ESF) e o Programa de Agentes Comunitários de Saúde (PACS). Diário Oficial da República Federativa do Brasil, Brasília, DF, 21 out. 2011.

33. Fontenelle LF. Mudanças recentes na Política Nacional de Atenção Básica: uma análise crítica. Rev. Bras. Med. Fam. Comunidade Florianópolis, 2012 Jan.-Mar.;7(22):5-9.

34. Starfield B. Atenção primária: Equilíbrio entre necessidades de saúde, serviços e tecnologias. Brasília: Unesco/Ministério da Saúde; 2002.

35. Forrest CB, Starfield B. The effect of first-contact with primary care clinicians on ambulatory health expendidures. J. Fam. Pract. 1996 Jul.; 43(1):40-8.

36. Escorel S, Giovanella L, Mendonça MLM, Senna MCM. O Programa de Saúde da Família e a construção de um novo modelo para a atenção básica no Brasil. Rev. Panam. Salud. Publica/Pan. Am. J. Public. Health 2007;21(2):164-176.

37. Giovanella L, Mendonça MHM, Almeida PF, Escorel S, Senna MCM, Fausto MCR et al. Saúde da família: limites e possibilidades para uma abordagem integral de atenção primária à saúde no Brasil. Ciênc. Saúde Coletiva 2009 June;14(3):783-794.

38. Portes LH, Caldas MAJ, Paula LT, Freitas MS. Atuação do fisioterapeuta na Atenção Básica à Saúde: uma revisão da literatura brasileira. Rev. APS. 2011;14(1):111-119.

39. Júnior JPB. Fisioterapia e saúde coletiva: desafios e novas responsabilidades profissionais. Ciênc. Saúde Coletiva 2010;15(1):1627-1636.

40. Silva DJ, Da Ros MA. Inserção de profissionais de fisioterapia na equipe de saúde da família e Sistema Único de Saúde: desafios na formação. Ciênc. Saúde Coletiva 2007;12(6):1673-1681.

41. Ministério da Educação (BR). Conselho Nacional de Educação. Câmara de Educação Superior. Resolução CNE/CES: Institui Diretrizes Curriculares Nacionais do Curso de Graduação em Fisioterapia. CNE: 19 de fevereiro de 2002.

42. Campos GWS. Clínica e saúde coletiva compartilhadas: teoria Paideia e reformulação ampliada do trabalho em saúde. In: Campos GWS, Minayo MCS, Akerman M, Drumond Júnior M, Carvalho YM. Tratado de saúde coletiva. Rio de Janeiro: Hucitec; Fiocruz, 2006. p. 53-92.

43. Campos GWS, Domitti AC. Apoio matricial e equipe de referência: uma metodologia para gestão do trabalho interdisciplinar em saúde. Cad. Saúde Pública 2007 Feb.;23(2):399-407.

44. Conselho Nacional de Secretários de Saúde (BR). Assistência de Média e Alta Complexidade no SUS. Coleção Para Entender a Gestão do SUS. Brasília: CONASS, 2011. 223 p.

45. Solla J, Chioro A. Atenção ambulatorial especializada. In Giovanella L, Escorel S, Lobato LVC, Noronha JC, Carvalho AI. Políticas e Sistemas de Saúde no Brasil. Rio de Janeiro: Fiocruz; 2012.

46. Vianna SM, Nunes A, Góes G, Silva JR, Santos RJM, Lima LRC. Atenção de alta complexidade no SUS: desigualdades no acesso e no financiamento. Projeto economia da saúde. Brasília: Ministério da Saúde/ Instituto de Pesquisa Econômica Aplicada, 2005.

47. Pires MRGM, Göttems LBD, Martins CMF, Guilhem D, Alves ED. Oferta e demanda por média complexidade/SUS: relação com atenção básica. Cien. Saúde Colet. 2010;15(Supl 1):1009-1019.

6

Modelos de Atenção Primária à Saúde e Assistência Fisioterapêutica

■ Johnnatas Mikael Lopes

APRESENTAÇÃO

Falar sobre a prática fisioterapêutica na atenção primária parecerá um pouco utópica se não mostrarmos as experiências que a fisioterapia tem no mundo e como está inserida nessas iniciativas no Brasil.

Neste capítulo, serão expostos os modelos de atenção primária à saúde (APS) experimentada em vários países assim, bem como o modelo de atenção às condições crônicas utilizado e que deve ser desenvolvido para a realidade brasileira com o intuito de alicerçar as bases da formação profissional e das políticas realizadas para expandir a assistência primária à saúde. Além disso, vamos fundamentar a inclusão do profissional fisioterapeuta nessa nova reorganização assistencial, detalhando quais as responsabilidades do fisioterapeuta ao atuar como profissional de primeiro contato e na assistência à comunidade em uma equipe multidisciplinar.

INTRODUÇÃO

Segundo a Organização Mundial da Saúde, por intermédio da Declaração de Alma-Ata em 1978, a APS contempla a justiça social, suporte equitativo, participação comunitária, integralidade da assistência, colaboração intersetorial, equipe multidisciplinar e promoção da saúde. Logo, os serviços de atenção primária devem prover essas diretrizes a fim de fornecer uma assistência abrangente e resolutiva dos problemas de saúde, possibilitando a continuidade do cuidado por longos períodos. Isso é o que caracteriza a APS como a porta de entrada do sistema de saúde.[1]

Muitos profissionais ou graduandos em Fisioterapia se perguntam sobre o que eles podem fazer nos serviços de APS, qual o seu papel individual e em equipe, e se realmente têm competências e habilidades para tal nível de atenção. Na maioria das vezes, as respostas são proferidas de maneira evasiva e sem consistência teórica, o que deixa os menos atentos perdidos no exercício da atividade profissional, recaindo no paradigma de ser referenciado apenas como profissional especialista de reabilitação. Essa é a realidade que temos, infelizmente.

Todavia, a justificativa para esse cenário advém de duas conjunturas estabelecidas. O primeiro deles é a formação histórica da profissão como reabilitadora e o fisioterapeuta como aquele profissional que não tem competência para realizar triagem de primeiro contato do paciente que adentra nos serviços. A outra conjuntura é a manutenção do sistema de saúde arraigado no centralismo biomédico, de ações reativas e esporádicas de cuidados enquanto sabe-se que o melhor modo de assistir a população em cuidados primários é por meio de equipes multidisciplinares e proativas, assistência continuada com planejamento e coerência com as necessidades locais.

Para conseguirmos sair dessa situação, existem duas vias a serem enfrentadas, a saber: 1. Transformar o discurso dos fisioterapeutas por meio de uma melhor capacitação e que os novos fisioterapeutas cursem uma graduação realmente generalista com uma perspectiva profissional para atuar nos três níveis de assistência e não apenas em ambulatórios ou hospitais com finalidade reabilitadora. 2. O outro ponto, talvez o mais difícil, é tornar o sistema de saúde um espaço de atuação do trabalho fisioterapêutico no paradigma da APS, incluindo-se aqui tanto os serviços públicos como os conveniados, conforme já é reconhecido e demonstrado em experiências internacionais exitosas.

Para se ter uma dimensão do panorama nacional, mostramos os achados de Costa *et al.*,[2] que evidenciaram nos registros do Cadastro Nacional de Estabelecimentos de Saúde brasileiro que somente 13% dos fisioterapeutas cadastrados atuam na APS e estes estão maciçamente clusterizados nos serviços públicos e na região Sul do país. Apesar de ser profissional generalista, o fisioterapeuta não se concentra no nível de atenção mais complexo e de menor densidade tecnológica que é a APS, com maior número de estabelecimentos.

FISIOTERAPIA E O NOVO PARADIGMA DAS CONDIÇÕES CRÔNICAS

O cenário epidemiológico mostra uma realidade mundial e nacional de enorme sobrecarga promovida por condições crônicas de saúde que exigem acompanhamento contínuo e multiprofissional, diferentemente da realidade do início do século XX, quando as enfermidades oriundas de agentes infectocontagiosos assolavam as populações. Os perfis das condições crônicas direcionam para o estabelecimento de uma realidade em que os indivíduos perdem paulatinamente sua capacidade funcional e reduzem sua qualidade de vida em consequência da ineficácia dos sistemas em contingenciar a debilitante história natural de diversas doenças cuja prevenção pode acontecer ou seu manejo adequado evitaria a evolução negativa do agravamento da condição de saúde.[3]

As condições crônicas de saúde são caracterizadas por doenças que atingem praticamente todos os sistemas orgânicos e que apresentam, em sua grande maioria, determinação multicausal, compreendendo desde fatores biológicos e comportamentais como também condicionantes sociais, a exemplo da educação ou acesso aos serviços de saúde.[4]

Nesta obra, não queremos negligenciar a necessidade da assistência às doenças infectocontagiosas ou problemas de saúde agudos. Todavia, estamos convictos de que os profissionais da APS, como médicos e enfermeiros, apresentam aparato científico e de prática assistencial suficiente para ofertar suporte à população nestas circunstâncias. Em contrapartida, existe uma lacuna de sistemática profissional, assistência adequada e resolutiva às condições crônicas, as quais o fisioterapeuta, com outros profissionais, a exemplo de nutricionistas e psicólogos, pode fornecer de modo a superar os desafios atuais.[5]

Portanto, vamos mostrar, a partir de agora, exemplos de modelos de assistência em APS para condições crônicas e também exemplos de inserção do fisioterapeuta em equipes de cuidados primários, sendo um dos profissionais de escolha na realização do contato inicial com a população assistida. Em seguida, discutiremos sobre as experiências nacionais e qual o papel que o fisioterapeuta pode desenvolver nos cuidados primários no sistema de saúde brasileiro.

TIPOS DE MODELOS DE ATENÇÃO ÀS CONDIÇÕES CRÔNICAS

O atual panorama da assistência à saúde revela um esgotamento dos sistemas de saúde brasileiros devido à manutenção de um modelo assistencial que utiliza a prática clínica do século XIX para combater condições de saúde do século XIX. Em vista disso, vários modelos assistenciais foram desenvolvidos com o intuito de adequação às necessidades de saúde.[6]

O primeiro modelo assistencial aqui abordado é o *Chronic Care Model* (CCM), que foi desenvolvido pelo *MacColl Institute for Health Innovation* nos Estados Unidos. Essa estratégia surge a partir das altas prevalências e mortalidade por condições crônicas de saúde. Perante o panorama epidemiológico, o CCM desenvolveu a primeira iniciativa que se alicerça em um sistema de saúde que contempla o autocuidado apoiado, o sistema de informação clínica, a atenção multiprofissional com papéis bem definidos, a atenção por pares e continuada, a atenção baseada em evidências e adequada às singularidades e a culturalidade dos usuários, suporte às decisões e uso dos recursos da comunidade.[7] Esse modelo de atenção cria uma organização do cuidado, a partir das tecnologias citadas, capaz de ser proativa e fornecer acompanhamento longitudinal e resolutividade.

Na **Figura 6.1** nos revela um gradiente de utilização de ações de saúde relacionadas ao autocuidado apoiado e o cuidado profissional nas condições crônicas. Observamos que, à medida que o risco de complexidade aumenta, as necessidades de cuidado profissional também

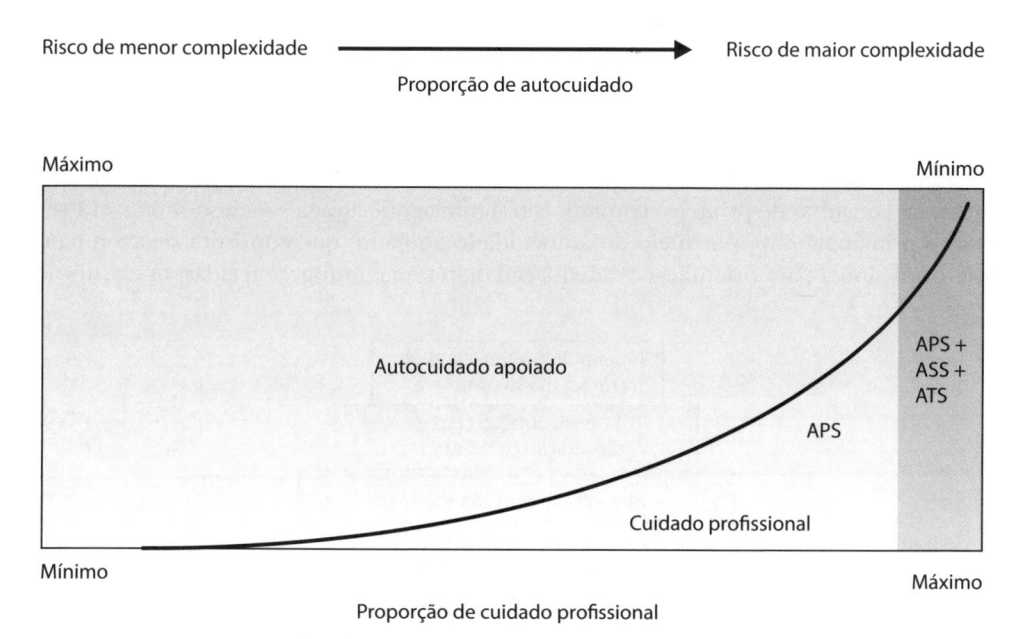

FIGURA 6.1. Gradiente de transição do autocuidado apoiado para o cuidado profissional nas condições crônicas de saúde. APS (Atenção Primária à Saúde); ASS (Atenção Secundária à Saúde) e ATS (Atenção Terciária à Saúde). (Fonte: Adaptado de Brock.[9])

se elevam, sendo o contrário também verdadeiro. Isto possibilita uma distinção de um espectro de cuidado entre aqueles indivíduos que necessitarão de maior aporte de abordagens de autocuidado apoiado e aqueles que precisam do cuidado profissional intensivo.

Este modelo do CCM ainda é pouco utilizado nos Estados Unidos: em torno de 5% da população fazem uso dessa estratégia. Em contrapartida, tem sido implantado com maior êxito na Alemanha, Reino Unido, Holanda, Itália, Austrália, Nova Zelândia e outros, em que o sistema de saúde é de financiamento público e universal.[5]

Outra estratégia de atenção às condições crônicas é o Modelo Pirâmide de Risco (MPR), desenvolvido pela seguradora de saúde Kaiser Permanente também nos Estados Unidos e que hoje é adotado em diversos países, tanto em sistemas públicos como privados. Ressaltamos aqui a estratégia de atenção deste modelo e não o seu modo de financiamento, pois esta seguradora foi um dos principais lobistas para a implementação do modelo atual de financiamento da saúde dos Estados Unidos durante o governo Nixon.[8]

O MPR advoga que as pessoas com condições crônicas de saúde apresentam diferenças na necessidade de cuidado, principalmente, quando se leva em consideração as seguintes características: duração da condição, urgência de intervenção, arsenal de serviços necessários e capacidade de autocuidado. Portanto, as condições crônicas de saúde apresentam uma transição entre a necessidade de autocuidado apoiado e cuidado profissional supervisionado, como mostra a **Figura 6.2**.

Com isso, para o funcionamento do MPR é preciso a estratificação de risco de gravidade dos indivíduos diagnosticados com condições crônicas de saúde. Os estratos de risco são divididos em três níveis:

- Nível 1: autocuidado apoiado (70-80% – condições simples).
- Nível 2: gestão da condição de saúde (20-30% – condições complexas).
- Nível 3: gestão de caso (1-5% das condições altamente complexas).

A fim de compreender o MPR, vamos a um exemplo. As pessoas com osteoartrite terão fornecimento de cuidado de acordo com o nível de risco em que se encaixarem, logo após a triagem nas consultas de primeiro contato. Isto significa que aqueles inclusos no nível 1 serão assistidos principalmente por meio do autocuidado apoiado, que consistirá de acompanhamento profissional para orientação e adequação de terapias autogerenciadas; os classificados

FIGURA 6.2. Estratificação de vulnerabilidade para condições crônicas na população em geral com base no Modelo de Pirâmide de Risco (MPR). (Fonte: Elaboração do próprio autor.[8])

como nível 2 apresentam fatores de risco biopsicológicos ou a possibilidade de deterioração da saúde e necessitarão que seu problema de saúde seja assistido em parte pelo autocuidado apoiado e gestão clínica profissional; no nível 3, estarão aqueles usurários com alta dependência de cuidados profissionais, sendo mais intensivo o uso dos recursos de saúde como ambulatório de línica especializada ou centros de reabilitação. Essa estratégia possibilita um cuidado mais equânime.

Essa lógica, de atenção à saúde possibilita um uso racional do sistema, pois constatamos que grande proporção das pessoas atingidas por condições crônicas de saúde se localiza no nível 1, que representa as condições cujo estadiamento encontra-se em níveis iniciais. Logo, a principal consequência dessa abordagem para o sistema de saúde é o uso racional de consultas especializadas e redução de gastos com medicamentos, exames e sobrecarga de trabalho nos serviços de saúde secundário e terciário.

Além da estratificação de risco, o MPR difere do CCM em virtude do uso do autocuidado por meio de estratégias educacionais, tecnologias de gestão clínica presencial e a distância, fortalecimento da APS e sua integração com atenção especializada e direcionamento às necessidades do usuário.

Por fim, o último modelo abordado é o de Determinação Social da Saúde. Esta concepção de modelo assistencial enfoca a relação entre as pressões dos condicionantes sociais e as condições de saúde. Aceita-se atualmente que o gradiente social, nas suas várias dimensões, afeta as condições de saúde. Por exemplo, a distribuição desigual de serviços de saúde promove iniquidades nas populações e, portanto, acesso reduzido àqueles descobertos pelo sistema. Logo, o modelo de determinação social da saúde possibilita elaborar formas de combate à oferta, distribuição de poder e de recursos sociais, a fim de desenvolver o capital social da população e o suporte social equânime.[10]

No Brasil, a Comissão de Determinantes Sociais da Saúde escolheu o modelo de Dahlgren e Whitehead como o norteador das políticas governamentais, no entanto, existem outros modelos como o de Starfield, Evans e Stoddart, e outros.[5]

Dahlgren e Whitehead expõem um modelo em que as características intrínsecas dos indivíduos, como idade, sexo e estilo de vida, mantêm interação com determinantes externos, os quais apresentam influências mais proximais como as redes sociais e comunitárias (capital social), passando por determinantes intermediários como educação formal, condições de trabalho, habitação e outros até chegar aos macrodeterminantes, como as condições socioeconômicas, culturais e ambientais gerais nas quais a população está submetida.[5] Tais determinantes estabelecem entre si uma relação não linear e estratificação das condições de vida que tornam as condições de saúde desiguais por meio de injustiças sociais e não por questões inatas (**Figura 6.3**).

Atualmente, é proposto um modelo de atenção coerente com a realidade brasileira chamado de Modelo de Atenção às Condições Crônicas (MACC), no qual o papel da Fisioterapia se torna fundamental dentro da nova ordenação assistencial, principalmente de uma organização de serviços em redes e coordenadas pela APS.[5]

O MACC consiste na confluência e rearranjo do CCM, MPR e do modelo Determinantes Sociais da Saúde, permitindo uma coerência com as necessidades de saúde do Brasil e com seu sistema de saúde. A estrutura alicerçante do MACC é o CCM, sem suas características competitivas elaboradas para o sistema norte americano, baseando-se, principalmente, na reorgani-

FIGURA 6.3. Modelo teórico de determinação social da saúde de Dahlgren e Whitehead. (Fonte: Adaptada da Organização Mundial da Saúde.[10])

zação dos serviços e no autocuidado apoiado.[7] Aliado ao CCM, a capacidade de estratificação de necessidades da população que o MPR permite realizar para ações de base territorial irá produzir uma atenção mais equânime. Além disso, engloba a visão ampliada de saúde ao identificar o processo saúde-doença no âmbito do contexto do modelo de determinação social.[5]

É importante destacar que o MACC é um modelo que visa modificar sistemicamente a organização de saúde desde o âmbito macro das políticas setoriais e intersetoriais, assim como o âmbito meso dos serviços e comunidade e micro das práticas que os profissionais de saúde precisam desenvolver na interface com o usuário.[5]

MODELOS DE ASSISTÊNCIA FISIOTERAPÊUTICA EM CUIDADOS PRIMÁRIOS

Você já se perguntou sobre a existência de alguma experiência de fisioterapeutas atuando nos cuidados primários? Pois é, há relatos, em vários sistemas de saúde, da participação de fisioterapeutas em equipes de APS e com papel de provedor de escolha para os cuidados primários. Alguns estudos já avaliaram sua qualidade entre usuários e políticos, mostrando boa aceitabilidade. No entanto, existe também resistências políticas a sua inclusão, muitas vezes oriundas de grupos políticos e da visão médica geral.

EXPERIÊNCIA NORTE-AMERICANA

Nos Estados Unidos, constatamos três sistemas de saúde que integram o fisioterapeuta na equipe de cuidados primários. Um deles é o das Forças Armadas (US Arm) em que os fisioterapeutas passaram a desempenhar as funções de examinar , avaliar e tratar os pacientes sem a necessidade de referência médica quando os assuntos eram disfunções musculoesqueléticas.[11]

Esse papel foi conquistado a partir da Guerra do Vietnã, em uma situação em que existia grande sobrecarga dos cirurgiões em procedimentos invasivos, o que acabava por tornar negligenciadas as avaliações clínicas de triagem. Então, este espaço passou a ser ocupado pelos fisioterapeutas, o que resultou em declínio na taxa de hospitalização dos soldados com condições clínicas que não necessitavam de internação como também reduziu o tempo de espera para atendimento e tratamento.[12]

Esta experiência culminou na consolidação das práticas gerais como rol de atividades da Fisioterapia, sendo o profissional capaz de desenvolver atividades de consultas de triagem, habilitação para o referenciamento à assistência médica, fisioterapêutica ou qualquer outro profissional da saúde quando necessário, assim como a solicitação de exames laboratoriais e de imagem para conclusão de sua tomada de decisão.

Foi identificado que após a incorporação da Fisioterapia na US Army como profissional de contato primário em distúrbios musculoesquelético e neurais, a taxa de radiografias reduziu em 50%, foram relatadas mais aceitabilidade, efetividade e eficiência nos programas de assistência musculoesquelética, acesso direto ao tratamento após a avaliação e melhor uso das ações médicas nos serviços de saúde militares.[13]

Outro modelo de assistência fisioterapêutica de cuidados primários é o realizado pela Kaiser Permanente, uma seguradora de saúde que opera em cinco estados norte-americanos e desenvolvedora do MPR para doenças crônicas visto anteriormente. Na região norte da Califórnia, esse sistema de saúde apresenta serviços de Fisioterapia que estão inclusos na APS e contempla os seguintes serviços clínicos: prática de consultas, estratificação de risco e encaminhamento para especialidades. É estabelecida uma assistência multidisciplinar ao usuário no contexto das morbidades musculoesqueléticas e do autocuidado apoiado.[14]

A justificativa para a inclusão do fisioterapeuta no sistema Kaiser Permanente de atenção primária à saúde foi embasada nos elevados indicadores de visitas ocasionadas por condições relacionadas ao aparelho locomotor, as quais chegavam a 25% de todas as solicitações. O modelo da Kaiser Permanente caracteriza-se pela atuação conjunta de fisioterapeutas e médicos na determinação das causas de disfunção musculoesquelética, modificação do trabalho, exercícios e no encaminhamento para outros profissionais. Isto consiste em uma assistência realizada por pares, fundamental na confluência de saberes para o manejo de situações clínicas. Além disso, pacientes entre 18 e 65 anos, sem febre, sem dores torácicas e abdominais poderiam ter acesso direto à consulta fisioterapêutica em casos agudos ou crônicos.

A terceira experiência norte-americana é a realizada no *Department of Veterans Affairs*, que responde pela assistência à saúde dos veteranos de guerra, os quais se compõem de uma proporção de indivíduos predominantemente maiores de 60 anos. Este sistema de saúde, em 2000, iniciou um programa de inserção da prática fisioterapêutica no contato inicial de pacientes cuja inspiração está no sucesso da iniciativa da *USArmy*. Todavia, permitiram um maior espectro de ação do fisioterapeuta, não somente aqueles referentes às morbidades musculoesqueléticas, mas todo o conjunto de distúrbios relacionados à mobilidade.

No modelo do *Department of Veterans Affairs* existem outros profissionais que fazem parte da linha de frente como farmacêuticos, nutricionistas, assistente social e psicólogos. Todos atuando de maneira independente e multidisciplinar. Nesse formato, o fisioterapeuta recebe pacientes de três fontes: emergência, triagem por telefone e clínica de cuidados primários, em que os dois primeiros são direcionados a partir da enfermagem que acolhe e identifica o problema, remetendo à fisioterapia para triagem. Na clínica de primeiros cuidados, o usuário pode ter acesso diretamente ao fisioterapeuta como primeiro contato. Este tipo de acolhimento, geralmente, é feito em parceria com médicos residentes e assistentes, sendo o fisioterapeuta um preceptor no aperfeiçoamento de exame propedêutico desses profissionais quando relacionado a questões cineticofuncionais.[11]

A partir do primeiro contato e com a realização da triagem nesses três meios de acolhimento, o fisioterapeuta toma a decisão em relação à linha de cuidado do paciente: encaminhar para o serviço de fisioterapia adequado juntamente ou não com o referenciamento para outro profissional ou ainda o paciente pode não ter indicação de fisioterapia.

O que verificamos nas experiências norte-americanas é um acúmulo de habilidades técnico-científicas da Fisioterapia para atuação clínica de cuidados primários, o que produz imensa capacidade para a atuação no contato inicial de usuários de sistemas de saúde. Por outro lado, esses modelos experimentados pela Fisioterapia ainda são subordinados a uma conjuntura social de autointeresse e competividade que se distanciam da assistência universal e comunitária pretendida pelo sistema brasileiro atual.

OUTRAS EXPERIÊNCIAS

No Reino Unido, o acesso direto ao fisioterapeuta na atenção primária do *National Health System* não foi verificado, como se tem em outros campos, por exemplo, a prática esportiva e o setor privado. Alerta-se que o acesso direto aos cuidados primários praticados por fisioterapeutas pode produzir resultados interessantes na redução no tempo de espera do paciente, custo associado à prescrição de drogas, referência para níveis terciários de assistência, não comparecimento do paciente e nos custos para o mesmo. Julga-se que a assistência de atenção primária fornecida por fisioterapeuta é aceitável e confiável.[15]

Em estudo recente, Bury e Stokes avaliaram as políticas de acesso direto ao fisioterapeuta como provedor de cuidados primários e constataram que estes profissionais estão na linha de frente dos cuidados da saúde em mais da metade dos países associados à União Europeia. Além disso, identificaram que as principais barreiras ao livre acesso direto ao fisioterapeuta são as questões de influência da política médica.[16]

Na província de Alberta, Canadá, foi observado que as avaliações clínicas que incluíam fisioterapeutas no contato primário com pacientes revelaram um declínio de 80% no tempo de espera de pacientes, quase 90% no tempo de espera por cirurgias e de 30% no tempo de permanência hospitalar, sem aumento no custo por paciente.[17]

A *Canadian Physiotherapy Association* e o *College of Physical Therapist of Alberta* elencam as seguintes competências e habilidades que o fisioterapeuta apresenta para atuar em nível primário de assistência à saúde:[18]

- Prática avançada de triagem de doenças agudas e crônicas.
- Manejo de doenças crônicas.
- Educação em Saúde e autocuidado.
- Gerenciamento de casos.
- Promoção da saúde e prevenção de doenças de modo individual e coletivo.
- Educação permanente de outros profissionais.
- Pesquisa em educação e políticas.

Outros países vêm implantando o fisioterapeuta como provedor de cuidados primários em saúde, o que levou a ganhos na abrangência da resolutividade dos serviços de saúde e na redução dos custos dos mesmos.

EXPERIÊNCIA DA FISIOTERAPIA EM ATENÇÃO PRIMÁRIA NO BRASIL

No Brasil, a APS também é conhecida como atenção básica. Esta é prevista desde a Constituição Federal de 1988 e pela Lei nº 8.080, de 19 de setembro de 1990, que instituiu a criação do Sistema Único de Saúde.[19] Neste sistema de saúde, a APS é considerada a porta de entrada preferencial das redes de atenção à saúde, fundamentando-se no acesso universal, na territorialização, vínculo e responsabilização com a população adscrita, continuidade da assistência, integralidade de ações e desenvolvimento da participação social nas decisões de saúde.[20]

O principal mecanismo que representou a atenção primária em saúde no Brasil foi o Programa Saúde da Família, cuja implementação ocorreu em 1994 e hoje é reconhecido não mais como programa e sim como Estratégia Saúde da Família (ESF) por sua consolidação e ampliação de ações.[20] A ESF é composta por uma equipe que tem como elementos orgânicos o enfermeiro, o médico, o auxiliar de enfermagem, os agentes comunitários de saúde e a equipe de saúde bucal.[21] A presença na equipe de outros profissionais como o fisioterapeuta fica a cargo do gestor do município, que deve nortear sua decisão de acordo com as demandas epidemiológicas das localidades como também da capacidade de controle social dos conselhos de saúde.

Mesmo constatando uma realidade epidemiológica mundial de grande carga de condições crônicas ou que tende a cronicidade, um dos focos principais da fisioterapia na APS, o profissional desta classe não se encontra inserido como membro orgânico da ESF, sendo apenas 13% dos fisioterapeutas dos serviços de saúde utilizados na APS.[2] O que encontramos é a sua inserção na equipe do Núcleo de Apoio à Saúde da Família (NASF), que serve de apoio matricial à ESF juntamente com outros profissionais.[22,23]

A participação do fisioterapeuta na equipe do NASF torna-se seu principal *locus* de atuação na APS, em que ele pode executar suas habilidades e competência de provedor de cuidados primários. Embora essa faceta seja enviesada pela reprodução de práticas ambulatoriais de reabilitação por parte dos fisioterapeutas como também por gestores que não compreendem a verdadeira razão de ser do NASF,[22] o qual tem a proposta de realizar adensamento de recursos humanos na APS. Apesar de parecer ser válida, esta estratégia acaba por sobrecarregar os profissionais nela inseridos por causa da proporção elevada de equipes matriciais para cada equipe do NASF e a falta de propostas avaliativas que estime os efeitos dessa iniciativa. Soma-se ainda o grande problema epidemiológico de disfunções nutricionais e de mobilidade que acomete a população e que está sem a devida continuidade de assistência.

O que parece claro é que o adensamento precisa ocorrer na equipe orgânica da ESF assim como uma nova gestão do cuidado não mais centrada no uniprofissionalismo do médico e, sim, na divisão das responsabilidades para os componentes da equipe multiprofissional, cujas características são únicas, insubstituíveis e que agregam resolutividade aos problemas.[5]

Já existem algumas experiências importantes em cidades brasileiras em que o gestor inseriu o fisioterapeuta na ESF.[24,25] Mas, o que parece ainda reverberar na mente de alguns é: O que o profissional fisioterapeuta deve realizar para ocupar seu espaço no mercado de trabalho da atenção primária? Qual é a sistemática da minha prática profissional? Como devo agir em equipe? Como trabalhar com o indivíduo e o coletivo? Quais habilidades e conhecimentos devemos apresentar para trabalhar na ESF? Tenho capacidade de ser provedor de cuidados primários? Não vou mais reabilitar? Talvez essas perguntas estejam presentes há muito tempo e um dos propósitos desta obra é tentar esclarecer boa parte destes questionamentos e discutir outros.

No contexto brasileiro, como descrito antes, o fisioterapeuta tem dois cenários de atuação: ESF[24] e NASF.[22,23] No entanto, suas competências e habilidades da atenção primária também podem ser exercidas na saúde suplementar, tendo como norteadores as seguradoras de serviço de saúde ou da procura espontânea do profissional — embora, nesse contexto, o mais comum é que o profissional de primeiro contato seja o médico que, após a triagem, referencia o paciente para o fisioterapeuta.

PAPEL DO FISIOTERAPEUTA NA ATENÇÃO PRIMÁRIA

Tendo em vista a proposta do MACC para o manejo de condições crônicas, sendo essas passíveis de produzir incapacidades funcionais, assim como as experiências exitosas que a Fisioterapia apresentou em vários países, fica evidente o arcabouço técnico-científico que a profissão possui para atuar na APS do sistema de saúde brasileiro.

Portanto, para reconhecer o papel do fisioterapeuta nos cuidados primários em saúde, precisamos delimitar aquilo que um profissional de atenção primária deve conter no seu escopo de competências e será desenvolvido nesta obra. No **Quadro 6.1**, visualizamos essas características.

TABELA 6.1. Habilidades específicas para atuação fisioterapêutica na atenção primaria à saúde

Habilidades específicas	Descrição
Planejamento e gestão	Capacidade de planejar ações de combate aos condicionantes e agravos à saúde por meio de projetos de saúde com abordagens situacionais e com participação em equipe e popular.
Vigilância e rastreamento	Atuar na comunidade identificando famílias em vulnerabilidades e indivíduos em risco biológico, comportamentais, ambientais e laborais com ênfase nas condições crônicas de saúde.
Clínica	Conhecer a história natural das doenças que interferem na mobilidade e capacidade funcional dos indivíduos. Conhecimentos de farmacologia básica, diagnóstico por imagem e testes laboratoriais.
Primeiro contato e triagem	Executar escuta qualificada e exame propedêutico de avaliação dos sistemas corporais relacionados com a capacidade funcional, estabelecimento do diagnóstico e desenhar a linha de cuidado do usuário.
Tomada de decisão	Característica que possibilita ao profissional escolher a melhor via de resolução de problemas de saúde individual (tratar ou referenciar) e coletiva (políticas ou programas).
Terapêutica	Capacidade de elaborar planos terapêuticos singulares, cuidado compartilhado e uso de novas formas de assistência, como atenção compartilhada a grupo, autocuidado apoiado, atenção continuada e metodologias educativas de mudança comportamental.
Ciclo de vida e grupos populacionais	Acúmulo de conhecimento e experiência em lidar com grupos populacionais diversos, como crianças, adultos, mulheres, idosos e outros.
Liderança	Desenvoltura em trabalho em equipe, destacando-se pela proatividade e o gerenciamento de saberes.
Comunicação	Saber interagir com grupos sociais distintos e de modo inteligível, possibilitando que seus objetivos sejam atingidos.
Humanização e controle social	Competência de relacionar-se com indivíduos e coletividade das mais diferentes origens culturais, respeitando as peculiaridades de cada um, viabilizando o controle social das decisões.

Fonte: Elaboração própria do autor.

Podemos destacar no universo de características que o conhecimento da clínica de morbidades, habilidades para rastreamento de vulnerabilidade e doenças na comunidade, triagem de indivíduos com um espectro abrangente de disfunções, competência para assistir grupos populacionais diversos, como crianças, mulheres e idosos, comunicação e liderança nos trabalhos em equipes e comunidade, lidar com diversidades culturais da população e tomada de decisão para intervenções ou referenciamento para outros profissionais ou níveis de atenção são fundamentais para atuação em APS.

Considerações Finais

Observando as características apresentadas, as habilidades específicas desejadas no profissional de atenção primária em saúde são bem coerentes com o perfil profissional de graduação dos fisioterapeutas generalistas, expresso nas Diretrizes Curriculares Nacionais de Fisioterapia. Porém, muitos cursos de graduação são regidos por meio de projetos pedagógicos que necessitam de revisão na sua estrutura curricular e planos de ensino, almejando a integralidade do mesmo a fim de criar condições ideais para a formação generalista.[26]

Outra justificativa para a atuação do fisioterapeuta na APS está no abrangente conhecimento acerca dos sistemas orgânicos, como o neurológico, musculoesquelético, cardiopulmonar e vascular, tegumentar e uroginecológico, que são responsáveis pelo bem-estar cineticofuncional do indivíduo em todos os ciclos da vida.[11] Essa bagagem advinda do crescimento profissional e envolvimento em pesquisas possibilita à Fisioterapia um acúmulo adequado de conhecimento para ser profissional de primeiro contato.

Pelo fato de o fisioterapeuta apresentar alicerce formal e larga bagagem de evidências científicas como provedor de cuidados primários nas várias áreas da atenção à saúde, ele pode consolidar seu papel de protagonista em qualquer sistema de saúde que objetive a promoção da saúde, prevenção de doenças e recuperação de indivíduos enfermos associados à eficácia, à efetividade, à eficiência e à atenção centrada no paciente do processo sistematizado de trabalho.[5]

Referências Bibliográficas

1. College of Physical Therapist of Albert. Physiotherapists in Primary Health Care Teams. Physiother Alberta. 2011;(September):1–2.
2. Costa LR, Costa JLR, Oishi J, Driusso P. Distribuição de fisioterapeutas entre estabelecimentos públicos e privados nos diferentes níveis de complexidade de atenção à saúde. Rev. Bras. Fisioter. 2012;16(5).
3. Malta D. Panorama atual das doenças crônicas no Brasil. Brasília; 2011.
4. Schramm J, Leite I, Valente J, Gadelha A, Portela M, Campos M. Transição epidemiológica e o estudo de carga de doença no Brasil. Ciência & Saúde Coletiva 2004;9:897–908.
5. Mendes EV. O cuidado das condições crônicas na atenção primária à saúde: o imperativo da consolidação da estratégia da saúde da família. Brasília: Organização Pan-Americana da Saúde; 2012.
6. Mendes EV. 25 anos do Sistema Único de Saúde: resultados e desafios. Estud. Avançados. 2013;27(78):27–34.
7. Improving Chronic Illness Care. The chronic care model. 2010.
8. Ham C. Developing integrated care in the UK: adapting lessons from Kaiser. Birmingham; 2005.
9. Brock C. Self care: a real choice. 2005.
10. Organización Mundial de la Salud (OMS). Comisión sobre los Determinantes Sociales de la Salud. Subsanar las desigualdades en una generación: alcanzar la equidad sanitaria actuando sobre los determinantes sociales de la salud. Genebra; 2008.

11. Boissonnault WG. Primary care for Physical Therapist: Examination and triage. St. Louis: Saunders; 2005.
12. Benson C, Schreck R, Underwood F. The role of Army physical therapists a nonphysician health care providers who prescribe certain medications: observations and experiences. Phys. Ther. 1995;75:380–96.
13. Greathouse D, Schreck R, Benson C. The United States Army physical therapy experience: evaluation and treatment of patients with neuromusculoskeletal disorders. J. Orthop. Sport Phys. Ther. 1994;19:261–6.
14. Kaiser Permanente. KP learning works. Kaiser orientation handbook. Hayward; 2001.
15. Webster VS, Holdsworth LK. Direct acess to Physiotherapy in Primary Care: Now? and into the futture. 2002. p. 1–28.
16. Bury TJ, Stokes EK. Direct access and patient/client self-referral to physiotherapy: a review of contemporary practice within the European Union. Physiotherapy 2013 Dec;99(4):285–91.
17. Australian Physiotherapy Association. The Role of Physiotherapy in the Provision of Primary Health Care. 2007 p. 1–12.
18. College of Physical Therapist of Albert, Alberta Physiotherapy Association, Association CP. Primary health care: A resource guide for physical theraists. College of Physical Therapists of Albert Alberta Physiotherapy Associantion Canadian Physiotherapy Association. 2007;42.
19. Rezende M de, Moreira MR, Filho AA, Tavares M de FL. A equipe multiprofissional da "Saúde da Família": uma reflexão sobre o papel do fisioterapeuta "Family health" multiprofissional teams: a reflection on the physiotherapist's role. Cien. Saúde Colet. 2009;14(Supl 1):1403–10.
20. Ribeiro EM, Pires D. A teorização sobre processo de trabalho em saúde como instrumental para análise do trabalho no Programa Saúde da Família. Cad. Saúde Pública 2004;20(2):438–46.
21. Costa EMA da, Carbone MH. Saúde da Família. 2a ed. Rio de Janeiro: Rúbio; 2009.
22. Sousa ARB De. A rede assistencial em fisioterapia no Município de João Pessoa: uma análise a partir das demandas da atenção básica. Rev. Bras. Ciências da Saúde 2011;15(3):357–68.
23. Barbosa EG, Leite D, Ferreira S, Aparecida S, Furbino R, Eliane E et al. Experiência da Fisioterapia no Núcleo de Apoio à Saúde da Família em Governador Valadares, MG. Fisioterapia & Movimento. 2010;23(2):323–30.
24. Salete M, Wisniewski W. Inserção do fisioterapeuta no Programa Saúde da Família. Cien. Saúde Colet. 2011;16(Supl1):1515–23.
25. Portes LH, Alice M, Caldas J, Paula LT De, Freitas MS. Atuação do fisioterapeuta na Atenção Básica à Saúde: uma revisão da literatura brasileira. Rev. APS. 2011;14(1):111–9.
26. Brasil. Diretrizes curriculares nacionais dos cursos de graduação em Fisioterapia, Fonoaudiologia e Terapia Ocupacional. 2001 p. 1–33.

7

Planejamento e Gestão dos Serviços na Atenção Primária em Saúde

- Johnnatas Mikael Lopes
- Marcello Barbosa Otoni Gonçalves Guedes
- Heloisa Maria Jácome de Sousa Britto

APRESENTAÇÃO

Um dos maiores desafios dos serviços em saúde, sobretudo na atenção básica, é ter gestores qualificados para planejamento de ações e gerenciamento da equipe de trabalho. O presente capítulo abordará aspectos importantes sobre como traçar as ações de intervenções gerais e fisioterapêuticas na atenção primária junto à equipe multidisciplinar, o que possibilitará ao fisioterapeuta desenvolver os objetivos e metas coerentes ao contexto de saúde dos indivíduos e população da qual é corresponsável. Além disso, será apresentada a estratégia para as ações assistenciais dentro dos serviços de atenção primária e aspectos importantes para a gestão dos serviços.

Para tanto, será evidente a necessidade de desenvolver habilidades de liderança, organização, conhecimento epidemiológico e de relações humanas com a comunidade para realizar o planejamento das ações e, enfim, para que possa permitir o acolhimento dos usuários vulneráveis e/ou doentes de modo adequado.

INTRODUÇÃO

Em várias situações da nossa vida lançamos mão da capacidade de prever acontecimentos com certa margem de confiança a fim de minimizar erros e tornar mais alcançáveis os nossos desejos. Essa capacidade de previsão é chamada de planejamento e está bem ilustrada em nosso cotidiano quando, por exemplo, decidimos reformar nossa casa e precisamos saber o que comprar e quanto será investido, ou de maneira mais complexa, em uma empresa em que o diretor deverá saber quantos trabalhadores terá que contratar e como o produto será distribuído.

A falta de planejamento nessas situações apresentadas anteriormente poderia levar à compra de material desnecessário para a obra ou a contratação de funcionários em menor quantidade que o necessário para a empresa e, consequentemente, provocando gastos e baixa produção que comprometerão o resultado final.

Fica claro, nos exemplos anteriores, a importância do planejamento em detrimento de ações de improviso. Então, planejar é o ato de não improvisar, pensar antes de agir ou definir o que será feito com antecedência.[1] Segundo Matus, o ato de planejar deve conter a sistemática ou o método de elencar e analisar as vantagens e desvantagens das possibilidades disponíveis e, assim, propor objetivos que nortearão as ações coerentemente.[2] Não se repudia a improvisação, ela deve emergir em situações que necessitam de ações rápidas e que não se permita o planejamento adequado. Mas tão logo seja realizada, a improvisação deve dar lugar ao planejamento a fim de minimizar os erros que podem ser irreversíveis, como a invalidez ou morte de usuários de serviços que não tiveram seu problema corretamente assistido.

Na área de saúde, como nos hospitais, nas clínicas-ambulatórios, secretarias de saúde e até no Ministério da Saúde[3] e na práxis das diversas profissões de saúde, torna-se obrigatório reduzir a margem de erros possíveis, tendo em vista lidarmos com situações muito complexas, tanto na vida humana como em gastos elevados no setor de saúde. Logo, suas ações devem ser bem planejadas, tão melhor quanto em nossas casas e empresas.

Nós, fisioterapeutas, já executamos classicamente o ato de planejar. Ora, a prescrição terapêutica para nossos pacientes é totalmente embasada em um plano terapêutico, que é criado, fundamentalmente, a partir das informações adquiridas durante a aplicação do método clínico: anamnese e exame físico, e de acordo com o diagnóstico funcional. Ou seja, a prescrição é planejada e executada a partir de fatos previamente observados e monitorada para confirmação da sua efetividade. Caso não sejam atingidos os objetivos iniciais, exigem-se alterações no plano de tratamento para que os objetivos sejam atingidos e o paciente obtenha melhora do seu quadro clínico.

PLANEJAMENTO ESTRATÉGICO SITUACIONAL

Planejar em saúde apresenta alguns métodos para a sua realização.[4] Como este capítulo tenta ser conciso e apenas alicerçante no tema, logo, iremos nos deter em explicar um tipo de planejamento chamado de Planejamento Estratégico Situacional, que tem maior influência no trabalho em saúde e é de aplicação contemporânea e atualizada.

Pois bem, o objetivo deste capítulo é tentar transformar a habilidade clássica de planejar clinicamente dos fisioterapeutas para ações de planejar em equipe e na perspectiva de nível primário, com base em conhecimentos epidemiológicos, gestão e relações sociais a fim de obter um retrato fidedigno da realidade de saúde da comunidade.

O planejamento em saúde na América Latina teve origem no final da década de 1950, com os estudos de Testa sobre pensamento estratégico[1] e Matus sobre o Planejamento Estratégico Situacional (PES) propriamente dito.[2] Matus desenvolveu o PES e defendeu que o planejamento deve ser realizado e executado pelos atores inseridos na realidade em questão.[5] No âmbito da saúde e da atenção primária e, mais precisamente, na Estratégia de Saúde da Família (ESF), a equipe deve tomar posicionamento como atores juntamente com os usuários, secretaria municipal de saúde e outros que se sintam corresponsabilizados pela situação de saúde da comunidade.[6]

Antes de adentrar no processo de planejamento, existem alguns conceitos básicos que subsidiam a aplicação do PES. Destacamos, inicialmente, a estrutura do triângulo de governo que toda equipe em processo de planejamento deve conhecer e que explicita os conceitos de projeto de governo, governabilidade e capacidade de governo.[7]

O projeto de governo é o plano que possibilitará à equipe atingir seus objetivos, ou seja, é o projeto ou plano idealizado durante o planejamento.[4,7] A governabilidade são os recursos humanos, insumos ou infraestrutura necessários para implantar e implementar o plano. Como governabilidade, entende-se a participação da comunidade ou financiamento da secretaria municipal de saúde por meio de recursos humanos e insumos para a execução do plano.[8] Já a capacidade de governo ou governança é o acúmulo de conhecimento dos profissionais do serviço ou da gestão para executar o plano. Apenas um bom plano e recursos disponíveis não garantem o alcance das metas e objetivos almejados. É preciso profissionais com bagagem de conhecimento, articulação politica e/ou experiência para conduzir do processo.[4,9]

Outro conceito é o de estratégia, que também norteia o PES. Nesse conceito, busca-se utilizar as maneiras de gerenciar os conflitos de interesse dos atores sociais envolvidos. Por exemplo, conflitos entre comunidade e empresa ou profissionais e usuários devem ser gerenciados por meio da criação de caminhos técnicos, políticos e econômicos para atingir os objetivos almejados. Então, assim, a estratégia é a habilidade de encontrar soluções para as incongruências dos atores sociais.[10]

O conceito de situação também é importante, sua conotação está relacionada com o desenvolvimento do planejamento com base na realidade dos atores sociais e percebendo a diversidade de realidades desses atores. Estes são compostos pelos usuários, os profissionais de saúde ou equipe, empresas, comerciantes, escolas e outros que podem transformar a situação de saúde da sua comunidade. Por fim, temos que identificar os problemas que são o foco de insatisfação dos atores sociais e que precisam ser explicitados e estrategicamente trabalhados.[5]

PROCESSO DO PLANEJAMENTO ESTRATÉGICO SITUACIONAL

Após aprendermos os conceitos básicos que se implicam ao PES, estamos preparados para planejar na perspectiva estratégica e situacional. Pois bem, o processo de PES necessita de passos sequenciais a serem realizados, a saber: momento explicativo, normativo, estratégico e tático-operacional.[2]

O primeiro momento é o explicativo, que consiste no diagnóstico situacional em saúde. Esta fase contempla a participação de todos os atores sociais e isto inclui, principalmente, os usuários da comunidade, além dos profissionais e gestores. Entraremos em mais detalhes em um tópico a seguir.[11]

O momento normativo envolve o estabelecimento dos objetivos, diretrizes e metas, de acordo com o diagnóstico situacional, e que possibilitarão a resolução da situação-problema em saúde. Em seguida, tem-se o momento estratégico, em que serão levantados os obstáculos de governabilidade e capacidade de governo para a aplicação do plano assim como as possíveis maneiras de contorná-los.[1,12] Exemplo para este momento é quando identificamos que poucos profissionais são capazes de assistir indivíduos obesos na comunidade ou quando há ausência de recursos para a compra de frequencímetros cardíacos usados no monitoramento dos exercícios aeróbicos em espaços de prática de atividade física. A partir dessa observação, lançamos maneiras de contorná-las como cursos de capacitação para a equipe e mobilização de parceiros para a aquisição dos frequencímetros.

E, finalmente, executa-se o momento tático operacional cuja razão de ser está em colocar em prática o plano, assim como seu monitoramento constante, objetivando confirmar ou alterar pontos do planejamento a fim de que os objetivos e metas possam ser novamente alcançados.[13,14] Muitos pensam que, depois de elaborado o plano, finaliza-se o PES. Isto não é verídico, pois não sabemos se ele realmente funcionará na prática, sendo prudente monitorar sua operacionalização e resultados por meio de sistemas de informações do serviço, do município ou nacionais, como também por meio do o *feedback* daqueles que usam os serviços de saúde, a população.[15]

Visto todo esse processo, conscientizamo-nos de que o ato de planejar em saúde não é um trabalho fácil, rápido e até mesmo solitário, mas são necessárias habilidades técnicas e políticas, capacidade de refletir e esforço para que os problemas de saúde sejam solucionados. Portanto, o fisioterapeuta precisa conhecer este processo para desempenhar a contento seu trabalho em equipe na atenção primária em saúde e ser protagonista nas tomadas de decisão. Lembramos que nesse processo é vital não fragmentar ou hierarquizar os saberes, além de não centralizar as ações e tornar o planejamento o mais comunicativo/interativo possível.

DIAGNÓSTICO SITUACIONAL

Como ressaltado antes, o diagnóstico situacional em saúde ocorre no momento explicativo do PES e caracteriza-se como um trabalho participativo dos integrantes das equipes e dos usuários pertencentes à comunidade adstrita com o intuito de identificar e explicar, de modo coerente, os problemas da comunidade e permitir a construção de objetivos e metas na fase normativa do PES.[6,16] Para tanto, os profissionais da equipe de saúde, incluindo aqui o fisioterapeuta, precisam conhecer seu território de responsabilização de modo pormenorizado, ou seja, quem é a população a que estamos vinculados.

TERRITORIALIZAÇÃO E FONTES DE INFORMAÇÃO

As equipes de saúde que atuam na atenção primária têm uma responsabilização sanitária sobre determinada área geográfica e população adstrita.[17,18] Essa delimitação é chamada de territorialização. Tal caráter geográfico do planejamento se faz importante, pois sem esse planejamento territorial inviabiliza-se os pressupostos desse nível de atenção: porta de entrada do sistema, continuidade da assistência, coordenação e integralidade do cuidado e, portanto, o controle e o acompanhamento das famílias longitudinalmente pois, do contrário, não se terá limites para as ações.[17,19]

Todavia, não podemos encarar a territorialização como mera ação de estabelecimento de limites territoriais e cadastramento de famílias, recaindo em um planejamento de gabinete, em que o gestor ou a equipe de saúde não consegue enxergar além dos aspectos cartesianos de mapas e prontuários. A prática da territorialização é precedida pela territorialidade, que consiste em evidenciar as demandas sociais, econômicas, políticas e epidemiológicas do território a ser reconhecido e que têm repercussões na qualidade de saúde da população.[19] Isto possibilita aos profissionais de saúde apropriar-se das íntimas características da população e iniciar vínculos mais duradouros.

Junto com as ferramentas de georreferenciamento para mapear e cadastrar as famílias, usuários com vulnerabilidade e suas quantificações, ressalta-se a importância das informações sobre a condição de vida e saúde das famílias do território a fim de conhecer suas peculiaridades e estabelecer vínculos. Para tanto, existem instrumentos que auxiliam o trabalho na atenção primária, conhecidos como instrumentos de abordagem familiar, e destacam-se: o genograma,[20,21] o ciclo de vida das famílias, FIRO, o PRACTICE, APGAR familiar e os mapas de redes, que são utilizados na avaliação e caracterização de vulnerabilidade das famílias e faz parte do modelo de pirâmides de risco.[22] No próximo capítulo, nos aprofundaremos nesses instrumentos.

Como instrumento de apropriação do território, as fontes primárias de informações sobre o mesmo consistem em grande arsenal para o diagnóstico e podem ser obtidas a partir da realização de encontros nas unidades de saúde, grupos de convivência, igrejas, escolas e associações.[23] Outra fonte primária são as oficinas e visitas domiciliares, que permitem o estabelecimento de vínculos, aplicação das tecnologias de abordagem familiar e o reconhecimento de peculiaridades não verificadas em momentos formais de consulta ou cadastramento das famílias. Assim, ajudam a entender melhor o dinamismo da comunidade, evidenciando condicionantes sociais, recursos e parceiros intersetoriais que potencializem as ações em saúde.

Quando se almeja a obtenção de uma informação específica sobre determinada condição de saúde, o fisioterapeuta e a equipe podem desenvolver inquéritos epidemiológicos na comunidade a fim de rastrear ativamente casos de morbidades não diagnosticadas ou silenciosas, como o são a maioria das doenças crônicas.[24,25] Essa prática, que também sistematizará o processo de trabalho de nossas ações como fisioterapeutas na atenção primária, será bem abordada nos capítulos das Seções 3 e 4. Essas informações podem alimentar sistemas de informações locais a fim de constituírem base de dados para tomada de decisão no momento normativo e monitoramento durante o momento tático operacional.

Por fim, é salutar frisar que o processo de territorialização, apesar de ser uma maneira de escalonar a assistência, não equivale à criação de fronteiras intransponíveis entre as equipes de mesma escala, como as equipes da eSF vizinhas.[17] Isso implica ter um comportamento responsável e solidário entre as equipes, evitando assim o surgimento de iniquidades quando usuários necessitassem de assistência em territórios vizinhos. O mesmo deve ocorrer entre diferentes níveis de atenção, como as unidades da eSF e unidades de pronto atendimento (UPA), o que poderia facilitar o fluxo de integralidade da assistência.[19]

OUTRAS FONTES DE INFORMAÇÕES

No processo de territorialização existem outras fontes de informações que podem ser utilizadas durante a elaboração do diagnóstico situacional ainda no momento explicativo do PES. Destacamos também as bases de dados dos sistemas de informações locais dos serviços que podem ou não ser vinculadas às do município, as bases nacionais que nos propiciam respostas sobre perfil epidemiológico e resultados das ações em saúde do sistema. Essas fontes de informações, portanto, disponibilizam um retrato da acessibilidade, cobertura e resolubilidade da assistência. Na **Tabela 7.1**, mostramos os principais sistemas de informação.[26,27]

DOS PROBLEMAS À EXECUÇÃO DO PLANO

Dando prosseguimento ao nosso estudo sobre o PES, após a realização do diagnóstico situacional por meio do processo de territorialização, investigações epidemiológicas e uso dos sistemas de informação, seguiremos com o estabelecimento dos problemas da comunidade. É importante frisar que todas as etapas do PES se caracterizam por um trabalho participativo e colaborativo entre diversos atores sociais.

Os problemas identificados pela equipe e comunidade podem revelar um universo diversificado a ser solucionado, como: desemprego, vagas nas escolas, esgotos e lixo, problemas cardiovasculares muito prevalentes, acidentes de trânsito, filas de espera para marcar atendimento, falta de medicamentos, pessoas acamadas sem assistência, violência doméstica e outros. Nesse panorama, existem problemas de variável espectro e que devem ser analisados para se estabelecer prioridades.[4]

TABELA 7.1. Fontes de informações secundárias ao estabelecimento de diagnóstico situacional na comunidade

SIM	Sistema de Informação de Mortalidade
SINASC	Sistema de Informação sobre Nascidos Vivos
SINAN	Sistema de Informação de Agravos e Notificação
SIAB	Sistema de Informação da Atenção Básica
HIPERDIA	Sistema de Cadastro e Acompanhamento de Portadores de Hipertensão e Diabetes *Mellitus*
SIS PRÉ-NATAL	Sistema de Acompanhamento do Programa de Humanização Pré-Natal
SISCOLO	Sistema de Informação do Câncer de Colo do Útero
SISMAMA	Sistema de Informação do Câncer de Mama
SAI	Sistema de Informações Ambulatoriais
SIH	Sistema de Informações Hospitalares
IBGE	Instituto Brasileiro de Geografia e Estatística

Fonte: Elaboração própria dos autores.

Existem diversos modos para a priorização dos problemas, podemos ressaltar os seguintes:[28]

- Importância do problema: classificando-os em baixa, média e alta.
- Grau de urgência na resolução: atribuindo nota de 0 a 10.
- Capacidade de enfrentamento da equipe: cabe à equipe, cabe parcialmente e não cabe à equipe (ajuda intersetorial).

O desenvolvimento dessa classificação possibilita ao fisioterapeuta e demais profissionais estabelecer prioridades, ordenando o trabalho da equipe de acordo com a hierarquia estabelecida e, assim, descrever os problemas prioritários e deixar evidente qual o panorama de cada um a fim de compreender profundamente a situação e elencar explicações para a ocorrência dos mesmos.

A explicação dos problemas contemplará tanto argumentos sobre determinantes biológicos como os sociais, que serão combatidos pelas estratégias desenvolvidas pela equipe.[14] Citemos dois problemas prioritários para exemplificar. Um deles é o elevado risco cardiovascular de adultos e o outro são as filas de espera para agendar atendimento. Digamos que as causas para o elevado risco cardiovascular se encontram nos péssimos hábitos de vida e uso inadequado de anti-hipertensivo e, quanto às filas de espera, suponhamos que estejam relacionadas com o número de atendimentos reduzidos e com a população adstrita acima da capacidade da equipe. Além dessas possíveis explicações, podem-se utilizar ferramentas como o Diagrama de Causa e Efeito ou Diagrama de Ishikawa, para detalhamento da origem do problema, principalmente daqueles mais complexos. [14]

Com a definição e descrição das causas dos problemas prioritários, a equipe irá delinear as operações estratégicas de combate aos problemas (momento estratégico). Seguindo o exemplo dado antes, uma operação para o combate ao risco cardiovascular elevado poderia ser exemplificada por uma ação de modificação de hábitos de vida por meio da formação de um grupo operativo de mudanças de comportamento e melhor adesão à terapia medicamentosa, grupo de caminhada com supervisão e participações em programas de rádio na comunidade.

Além disso, é importante expor quais os resultados esperados ou metas atingidas, como a proporção de declínio no risco cardiovascular da população, e elencar os recursos necessários para consegui-los, como, por exemplo, profissionais para assistir ao grupo de caminhada ou espaço na emissora de rádio para realização de programas educativos. Ainda na elaboração das estratégias, avaliar a viabilidade dos recursos financeiros, organizacionais, políticos e outros para a execução das ações é fundamental.

Após a configuração de toda a estratégia, são estabelecidos os responsáveis por cada uma das operações como também é realizada a estimação de prazos para que os resultados esperados sejam alcançados por meio de um cronograma de ações. Essas determinações são de grande relevância, pois a gerência das operações permite um acompanhamento do andamento das ações e o cumprimento dos objetivos no prazo estipulado.[16,29]

Finalmente, chegamos ao momento tático-operacional em que executamos as operações, coordenado pelo profissional responsável que, ao mesmo tempo, monitora o uso dos recursos disponíveis para sua melhor eficiência e aplica oportunamente as modificações no plano executado. Lembre-se de que o plano não é algo estanque, mas um produto coletivo que pode ser modificado desde os objetivos e metas como também os recursos e responsabilização para alcançar os resultados ideais.

Esta etapa fecha um ciclo processual sistematizado e interligado de preparação de ações para enfrentar as situações de saúde da população.[15] Assim, as fases do PES produzem intersecção e que podem realizar movimentos reversos para aperfeiçoamento do plano de governo ou de ação. Na **Tabela 7.2** há um resumo das etapas do PES.

TABELA 7.2. Descrição das fases do planejamento estratégico situacional

Momento explicativo	Momento normativo	Momento estratégico	Momento tático-operacional
Diagnóstico e reconhecimento do território. Uso de instrumentos de estratificação de risco e caracterização de famílias.	Priorização dos problemas (Matriz de priorização). Por exemplo, taxa elevada de risco cardiovascular e filas de espera para consultas.	Estabelecer a governança da equipe. Por exemplo, os líderes ou responsáveis pelas ações.	Executar o plano.
Identificação dos problemas. Por exemplo, elevada taxa de risco cardiovascular, vagas em escolas, filas de espera no serviço, violência doméstica e outros.	Causas dos problemas (biológicas e sociais). Por exemplo, baixa adesão a medicamentos, hábitos de vida não saudáveis, atendimentos reduzidos e alta demanda.	Elaborar as ações. Por exemplo, grupo operativo de mudança de comportamento, grupos de caminhada supervisionada e criação de turnos extras de trabalho.	Avaliar as fortalezas e fragilidades do plano.
Uso de ferramentas informacionais.	Estabelecimento de objetivos e metas alcançáveis.	Elencar a governabilidade para a ação. Por exemplo, profissionais e recursos materiais necessários.	Modificar o plano à medida que for necessário.
Participação dos usuários.	Participação dos usuários.	Participação dos usuários.	Participação dos usuários.

Fonte: Elaboração própria dos autores.

GESTÃO DOS SERVIÇOS NA ATENÇÃO PRIMÁRIA

Gerenciamento do trabalho em equipe e liderança

Trabalho em equipe é o processo de pessoas trabalhando conjuntamente para alcançarem objetivos e metas comuns. Uma boa equipe deve ter tarefas claramente discriminadas entre seus membros, deve ter boa diversidade de habilidades e competências para que estas possam se complementar, deve estar motivada e entusiasmada em executar o objetivo comum. Seus membros devem ser comprometidos e utilizar, de maneira eficaz, da comunicação entre si.[30,31]

O gestor, por exemplo, deve ser capaz de manter um ambiente positivo, estabelecer uma direção bem definida das ações, construir entusiasmo, minimizar ações adversas ao objetivo comum, saber identificar habilidades dos demais membros e, assim, atribuir funções compatíveis para cada membro, descentralizando algumas tomadas de decisão.[30]

GERENCIAMENTO DA CAPACIDADE

Um dos maiores desafios da gestão dos serviços de saúde refere-se à gestão equilibrada entre oferta e demanda. A oferta é diretamente influenciada pelos recursos humanos, materiais, organização do tempo e do espaço, bem como questões relativas ao processo de trabalho, como vimos anteriormente.[30-32]

O controle adequado de materiais de consumo, medicamentos ou equipamentos é muito importante para que não haja desperdícios ou falta. A avaliação dos indicadores de consumo por períodos menores (consumo semanal, por exemplo) a períodos maiores (distribuição do consumo de determinado material em um ano, por exemplo) pode melhorar a percepção sobre a demanda.[31]

Outro ponto importante refere-se ao gerenciamento de recursos humanos: identificar pontos de necessidades prioritárias de profissionais, atrair e manter profissionais de excelência na equipe ou mesmo dispensar um profissional que não atenda às expectativas não é tarefa fácil. A falta de profissional é um dos problemas que aumentam a demanda reprimida em Unidades Básicas de Saúde (UBS) e hospitais, aumentando as filas, o tempo de espera e a insatisfação do usuário.[31,33]

Algumas vezes, em determinado horário do dia, a demanda eleva-se, em outro, a demanda praticamente não existe. E como podemos resolver isso para que não haja esse desequilíbrio entre "desperdício/ociosidade" de profissionais? O ponto inicial para resolver o problema é determinar a real capacidade instalada do serviço, ou seja, o que o serviço dá conta de atender hoje, no período de um dia inteiro, por exemplo. Em outras palavras, determinar a demanda diária e observar a relação entre capacidade e demanda. Estudos apontam que trabalhar com 80% da capacidade instalada em hospitais, por exemplo, é o ideal para que não haja nem desperdício (ociosidade) de mão de obra, nem uma incapacidade de resposta às flutuações de demanda que possam ocorrer. Esta proporção pode ser extrapolada para serviços de atenção primária. Quando a oferta não atende à demanda, algumas estratégias como aumentar a força de trabalho (contratações), pagar horas extras e reorganizar os horários de trocas de turnos ou rodízio de férias podem ser usadas.[31,33]

GERENCIAMENTO DO ESPAÇO

Outro aspecto que merece destaque é a organização do espaço. Por vezes nos deparamos com UBS improvisadas, em casas alugadas que não foram construídas para tal fim. Faltam consultórios, salas de procedimentos e de dispensação de materiais. Para minimizarmos esse problema, algumas ações podem ser importantes: apresentar um fluxograma de acolhimento na UBS para os usuários; distribuir as salas de consultórios de acordo com o horário de trabalho e não por profissional e otimizar o uso de espaços ociosos. Por exemplo, um profissional médico tinha um consultório exclusivo dentro da UBS, mas só trabalhava no período da manhã; à tarde o enfermeiro precisava de um consultório, mas teoricamente não havia nenhum disponível, o que foi corrigido com a distribuição de mais de um profissional para aquele consultório de acordo com os turnos de trabalho dos profissionais.

Um espaço bem organizado pode aumentar a capacidade de oferta do serviço, sem, muitas vezes, necessitar de modificações estruturais que necessitem de vultuosos investimentos.[33,34]

GERENCIAMENTO DO TEMPO

O planejamento adequado do tempo para as diversas ações nos serviços de saúde pode resultar em eficiência e melhoria no processo de trabalho. Por exemplo, numa Estratégia de Saúde da Família (ESF), uma agenda semanal bem organizada, com distribuição adequada do tempo para cada fim, que atenda à demanda espontânea, com consultas assistenciais, mas que também contemple as ações de promoção da saúde e prevenção de agravos (grupos operativos, programa de saúde na escola, pré-natal, dentre outros), bem como momento para o planejamento das ações, favorece o atendimento integral às demandas da comunidade.[30]

O cuidado programado merece destaque neste quesito no sentido de se atender uma demanda epidemiológica de doenças crônicas por sua necessidade de cuidado sempre longitudinal.

CONSIDERAÇÕES FINAIS

Neste capítulo, compreendermos a importância do planejamento em qualquer segmento de prestação de serviço ou da vida. Planejar é atuar de modo antecipado para minimizar erros e custos. Na área da saúde, o planejamento é uma ferramenta de gestão compartilhada com todos os atores sociais envolvidos na saúde da população, assim, destacam-se os gestores, profissionais da assistência, políticos e também usuários.

A estruturação dos serviços e processo de trabalho em saúde deve ser pautada nas ações de planejamento e gestão para e com a comunidade.[34,35] A participação dos usuários nos serviços de saúde possibilitará a implementação do controle social, determinado pelo processo de democratização dos serviços e, por que não dizer, dos saberes em saúde.

REFERÊNCIAS BIBLIOGRÁFICAS

1. Assistente P. Planejamento estratégico em saúde: Uma discussão da abordagem de Mário Testa. Cad. Saúde Pública 1990;6(2):129-53.
2. Azevedo CDS. Planejamento e gerência no enfoque estratégico-situacional de Carlos Matus. Cad. Saúde Pública 1992;8(2):129-33.

3. Brasil. Ministério da Saúde. Planejamento Estratégico do Ministério da Saúde 2011-2015: Resultados e Perspectivas. Brasília: Editora do Ministério da Saúde; 2015. 160 p.

4. Rivera F, Javier U, Artmann E. Planejamento e gestão em saúde: Conceitos, história e propostas. Rio de Janeiro: Fiocruz; 2012. 162 p.

5. Mattos RA de. (Re)visitando alguns elementos do enfoque situacional: um exame crítico de algumas das contribuições de Carlos Matus. Ciência & Saúde Coletiva. Scielo; 2010. p. 2327-36.

6. Vendruscolo C, Kleba ME, Krauzer IM, Hillesheim A. Planejamento situacional na Estratégia Saúde da Família: atividade de integração ensino-serviço na enfermagem. Rev. Gaúcha Enferm. 2010;31(1):183-6.

7. Artmann E. O Planejamento Estratégico Situacional: A Trilogia Matusiana e uma Proposta para o Nível Local de Saúde (Uma Abordagem Comunicativa) [Dissertação]. Rio de Janeiro: Escola Nacional de Saúde Pública, Fundação Oswaldo Cruz, 1993.

8. Javier F, Rivera U. A programação local de saúde, os distritor sanitários e a necessidade de um toque estratégico. Cad. Saúde Pública. 1999;5(1):60-81.

9. Rivera FJU, Artmann E. Planejamento e gestão em saúde: histórico e tendências com base numa visão comunicativa. Ciênc. Saúde Colet. 2010;15(5):2265-74.

10. Brasil. Ministério da Saúde. Fundação Nacional de Saúde. Planejamento com enfoque estratégico: uma contribuição para o SUS [Internet]. Assessoria de Comunicação Social, editor. Brasília: Ministérios da Saúde; 1999. 53 p.

11. Saturno PJ, Gutiérrez J, Armendáriz DM, Armenta N, Candia E, Contreras D, et al. Calidad del primer nivel de atención de los servicios estatales de salud. Diagnóstico estratégico de la situación actual. Cuernavaca: INSP-BID, 2014.

12. Sistema de Planejamento do SUS: Uma construção coletiva. 2009.

13. Melleiro MM, Tronchin DMR, Ciampone MHT. O planejamento estratégico situacional no ensino do gerenciamento em enfermagem. Acta. Paul. Enferm. 2005;18(2):165-71.

14. Kurcgant P, Ciampome MHT, Melleiro MM. O planejamento nas organizações de saúde da visão sistêmica. Rev. Gaúcha Enfermagem, Porto Alegre. 2006;27(3):351-5.

15. Rivera FJU, Artmann E. Planejamento e gestão em saúde: flexibilidade metológica e agir comunicativo. Ciênc. Saúde Colet. 1999;4(2):355-65.

16. Heredia-Martínez HL, Artmann E, Porto SM. Enfoque comunicativo del Planeamiento Estratégico Situacional en el nivel local: salud y equidad en Venezuela. Cad. Saúde Pública. 2010;26(6):1194-206.

17. Gondim MG de M. Territórios da atenção básica: múltiplos, singulares ou inexistentes? Fundação Oswaldo Cruz; 2011.

18. Faria RM de. A territorialização da atenção primária à saúde no sistema único de saúde e a construção de uma perspectiva de adequação dos serviços aos perfis do território. Hygeia 2013;9(16):131-47.

19. Rigotto RM, Carneiro FF, Cláudia A, Teixeira DA. Sentidos e métodos de territorialização na atenção primária à saúde. Ciênc. Saúde Colet. 2013;18(8):2253-62.

20. Musquim C, Araujo L, Bellato R, Dolina J. Genograma e ecomapa: desenhando itinerários terapêuticos de família em condição crônica. Rev. Eletrônica 2013;15(03):656-66.

21. Mello DF De, Viera CS, Simpionato É, Biasoli-Alves ZMM, Nascimento LC. Genograma e ecomapa: possibilidades de utilização na estratégia de saúde da família. Rev. Bras. Crescimento e Desenvolv. Hum. 2005;15(1):79-89.

22. Mendes EV. O cuidado das condições crônicas na atenção primária à saúde: o imperativo da consolidação da estratégia da saúde da família. Brasília: Organização Pan-Americana da Saúde; 2012. 512 p.

23. Leite LDO, Rezende DA. Modelo de gestão municipal baseado na utilização estratégica de recursos da tecnologia da informação para a gestão governamental: formatação do modelo e avaliação em um município. Rev. Adm. Pública. 2010;44(2):459-93.

24. Pereira APDS, Teixeira GM, Bressan CDAB, Martini JG. O genograma e o ecomapa no cuidado de enfermagem em saúde da família. Rev. Bras. Enferm. 2009;62(3):407-16.

25. Barros MBDA. A importância dos sistemas de informação e dos inquéritos de base populacional para avaliações de saúde. Epidemiol. e Serviços Saúde. 2004;13(4):2003-4.

26. Bernadete M, Eduardo DP. Sistemas de Informação em Saúde para Municípios. São Paulo: Faculdade de Saúde Pública da Universidade de São Paulo; 1998.

27. Vidor AC, Fisher PD, Bordin R. Utilização dos sistemas de informação em saúde em municípios gaúchos de pequeno porte. Rev. Saúde Pública 2011;45(1):24-30.

28. Ponce Sánchez Y, Pardo Fernández A, Arocha Mariño C, Rojas Fernández JC. Metodología de planificación estratégica para instituciones de salud a partir de valores compartidos. Rev. Cuba Salud. Pública 2009;35(3):1-9.

29. Ayres JRDCM. O Enfoque de Risco na Programação em Saúde: fundamentos e perspectivas. Saúde e Soc. 1995;4(1-2):72-4.

30. Lombardi DM, Schermerhorn JR, Kramer B. Gestão da assistência à saúde. Rio de Janeiro: LTC; 2009.

31. Paes LRA. Gestão de Operações em Saúde para Hospitais, Clínicas, Consultórios e Serviços de Diagnóstico. Rio de Janeiro: Atheneu; 2011.

32. Silva LAA et al. Desafios na gestão pública de saúde: realidade dos municípios de pequeno porte. Revista Eletrônica Gestão & Saúde 2014;5(4):2479-95.

33. André AM, Ciampone MHT, Santelle O. Tendências de gerenciamento de unidades de saúde e de pessoas. Rev. Saúde Pública. 2013;47(1):158-63.

34. Mendes JDV, Bittar OJN. Perspectivas e desafios da gestão pública no SUS. Rev. Fac. Ciênc. Méd., Sorocaba 2014;16(1):3539.

35. Santos EM. Gestão participativa: estratégia de consolidação do sistema único de saúde. Semina: Ciências Biológicas e da Saúde, Londrina, jul./dez. 2009;30(2):107-12.

8

Abordagem Familiar e do Apoio Social como Estratégia de Suporte ao Cuidado na Atenção Primária

- Marcello Barbosa Otoni Gonçalves Guedes
- Johnnatas Mikael Lopes

APRESENTAÇÃO

A transição demográfica e epidemiológica da população tem produzido novas demandas para os sistemas de saúde públicos e privados em todo o mundo. O caminho para o cuidado integral parece ainda não estar claro para os profissionais da saúde, gestores e para os usuários de nossos sistemas de saúde. Para elucidar esta questão, faz-se necessária a discussão sobre abordagens multidimensionais para o cuidado que considerem uma nova perspectiva do conceito de saúde, sob uma ótica mais ampla.[1]

Para a área da saúde, o processo de envelhecimento caracteriza-se por sua complexidade, para o qual é necessária uma abordagem interdisciplinar, buscando associar conteúdo das ciências médicas, sociais, da Psicologia e conhecimentos político-geográficos, entre outros, exigindo de seus profissionais uma qualificação específica para o tratamento deste segmento da população.[2,3]

Uma avaliação restrita às condições patológicas do ponto de vista biológico limita ação ampla no contexto de saúde da população, sobretudo em grupos vulneráveis (idosos, crianças, pessoas com doenças crônicas, dentre outros), no acesso aos serviços de saúde de qualidade e resolutivos. Como consequência, percebemos hoje ações reducionistas que negligenciam avaliações e intervenções integradas aos aspectos psicossomáticos, sociais, clínico e culturais. Nesta perspectiva, faz-se presente a importância em se abordar os determinantes sociais, dentre eles o apoio social e as abordagens familiares.

INTRODUÇÃO

Investigações vêm mostrando que a pobreza de relações sociais constitui fator de risco à saúde, comparável a outros que são comprovadamente nocivos, como o fumo, a pressão arterial elevada, a obesidade e a ausência de atividade física, que acarretam implicações clínicas para

Saúde Pública.[4] O apoio social enquadra-se como parte importante da atenção integral à saúde do idoso, sendo definido como a integração do suporte emocional, financeiro, instrumental e relacionamento social que pessoas ou instituições possam oferecer, neste caso, aos idosos.[4-8] Muitos são os autores que afirmam ser o suporte social um dos aspectos mais relevantes quando se pensa em melhorias de condições de vida e de saúde das pessoas, incluindo os idosos[9-11] e que sua importância aumenta com o decorrer do envelhecimento.[12]

Nessa direção, a avaliação deve ser ampliada para as redes sociais, com destaque também para a abordagem familiar. Em alguns momentos o fisioterapeuta, ou outro profissional da saúde, não conseguirá interferir de maneira eficiente nestes aspectos sociais, entretanto, saber rastreá-los e encaminhar ao profissional apropriado, como o assistente social ou psicólogo, poderá render excelentes resultados e potencializar a resolutividade dos problemas biológicos e psicossomáticos. Uma rede social bem articulada, somada ao apoio da família, favorece o autocuidado apoiado, o que direciona ao sucesso de ações de promoção, prevenção e de diversos tratamentos.

ABORDAGEM FAMILIAR

Os instrumentos de abordagem familiar, já citados no capítulo anterior, são ferramentas que ampliam o espectro de informações dos profissionais da APS para além da perspectiva biológica dos achados clínicos. Os instrumentos abordam aspectos sociais e psicológicos, difíceis de identificar apenas em consultas individualizadas, facilitando a compreensão das peculiaridades da principal unidade social dos indivíduos, que é a família.

Um instrumento bastante utilizado no conhecimento das características familiares é o genograma, ou árvore de família. Tal metodologia emprega a construção de representação gráfica para a compreensão dos laços familiares e sua complexidade. A pessoa que responde à entrevista é aquela que ocupa papel estruturante na família e também no genograma. Além disso, o genograma tem que obter informações sobre condições de saúde, estilo de vida, aspectos culturais, conflitos familiares, terapias e situação econômica.

Na elaboração do genograma de cada família são coletadas informações para a identificação da estrutura familiar, relacionamentos, conflitos, doenças e suas repetições, que serão armazenadas para a compreensão de eventos importantes em função do estado de saúde da família e de seus componentes. Estes serão representados no genograma com figuras geométricas e as linhas que as une são as relações estabelecidas. Veja a **Figura 8.1** para realizar as representações.

O genograma deve incluir: três gerações, os nomes de todos os membros da família, o ano de nascimento, informações sobre mortes, as doenças, casamentos e divórcios, os primeiros nascimentos de cada família à esquerda, com irmãos sequencialmente à direita; um código explicando todos os símbolos utilizados; e símbolos simples e visíveis.

Outra ferramenta útil para abordar as peculiaridades das famílias do território de responsabilização é o P.R.A.C.T.I.C.E. Esta metodologia significa *Problem, Roles and structures, Affect, Communication, Time in life, Illness in Family, Copy with stress, Enviroment or ecology*. Ele é direcionado à resolução dos problemas da família de modo multifacetado e de acordo com as condições clínicas, comportamentais e sociais.

A abordagem do P.R.A.C.T.I.C.E consiste em uma entrevista familiar e no registro de modo breve das informações sequenciais (**Tabela 8.1**).

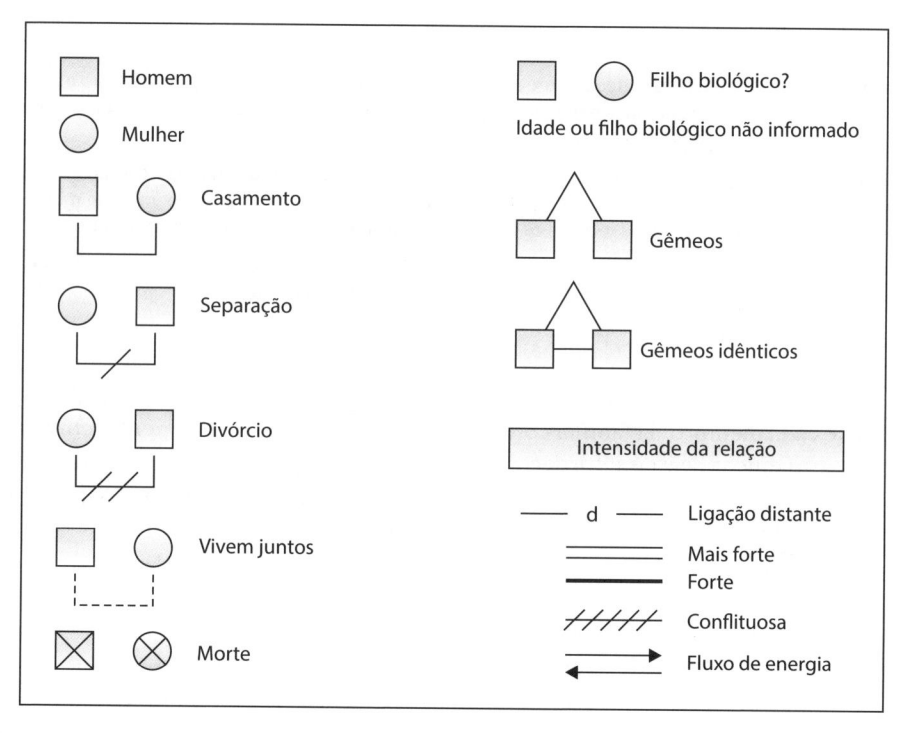

FIGURA 8.1. Representações para a construção de genogramas ou árvores familiares. (Fonte: Wright ML,Leahey M. Enfermeiras e famílias. Um guia para a avaliação e intervenção na família. 3.ed. São Paulo: Roca, 2002.)

TABELA 8.1. Instrumento P.R.A.C.T.I.C.E

Problema	Identificar o problema clínico ou social a partir do relato e autopercepção da família, assim como seu enfrentamento. Identificar vítimas, mas não tomar posicionamentos. Algumas perguntas norteadoras: Qual o problema? É um problema afetivo? A família já tentou resolver? Afetou a família ou apenas um membro?
Papéis e estrutura	Analisa os papéis de cada membro na família e como ele é afetado pelo problema. Perguntas-chave: Há autoritarismo ou permissividade dos que detêm poder? De quem é o poder? Como cada membro enfrenta o problema? Houve alteração com o problema? Qual a coesão da família?
Afeto	Identificar os sentimentos e afetos presentes e os esperados frente ao problema e como esses sentimentos entre os familiares interferem no problema. Perguntas-chave: O afeto é real? O afeto é aceitável? O afeto é expressado durante a entrevista?
Comunicação	Identificar os tipos de comunicação verbal e não verbal da família. Evitar o monopólio da fala durante a entrevista.
Etapa do ciclo de vida da família	Identificar a fase do ciclo de vida do membro da família e relacionar com o problema.

Continua

Continuação

Enfermidade na família	Identificar experiências prévias benéficas com morbidades para sua utilização e potencialização. Perguntas-chave: Qual o papel da família frente à doença? Existe padrão genético ou outras doenças? Quais as representações surgentes?
Lidando com o estresse	Analisar os valores e forças potencializados de crises anteriores para a coesão familiar. Como a família agiu diante de problemas anteriores? Como se enfrenta neste momento? Como a família promove os valores e forças internos e externos para resolver o problema?
Meio Ambiente	Identificar a rede de apoio social da família. Perguntas-chave: Quem ou o que pode ajudar a família? Quais recursos materiais ou afetivos tem a família?

Fonte: Elaboração própria dos autores.

O APGAR Familiar é um instrumento validado no Brasil e tem a função de estimar a satisfação de cada membro da família com o seu funcionamento. A ferramenta tem cinco perguntas objetivas autoaplicáveis e fornece uma perspectiva rápida de cada um dos membros a partir dos 10 anos de idade. O APGAR de cada membro da família deve ser comparado entre si para verificar a percepção única de todos os componentes.

Baixos escores no APGAR familiar são reflexos de problemas na relação familiar. Cada pergunta pode ter escore de 0 a 2 e somar um total de 10 pontos, que podem classificar as famílias em: altamente funcionais (7-10 pontos), moderadamente funcionais (4-6 pontos) e severamente disfuncionais (0-3 pontos). Veja na **Tabela 8.2** as perguntas.

TABELA 8.2. APGAR familiar

Questão	Quase nunca (0)	Às vezes (1)	Quase sempre (2)
Estou satisfeito com a atenção que recebo da minha família quando algo está me incomodando?			
Estou satisfeito com a maneira com que minha família discute as questões de interesse comum e compartilha comigo a resolução dos problemas?			
Sinto que minha família aceita meus desejos de iniciar novas atividades ou de realizar mudanças no meu estilo de vida?			
Estou satisfeito com a maneira com que minha família expressa afeição e reage em relação aos meus sentimentos de raiva, tristeza e amor?			
Estou satisfeito com a maneira com que eu e minha família passamos o tempo juntos?			

Fonte: Elaboração própria dos autores.

AVALIAÇÃO E MANEJO DO APOIO SOCIAL

É de suma importância que o fisioterapeuta e outros profissionais de saúde identifiquem a rede social que envolve cada família e as possíveis fontes de apoio social. As redes sociais podem produzir apoio social formal (realizado por instituições, órgãos ou profissionais, por exemplos) e informal (proveniente da família, amigos e vizinhos, por exemplo) em diferentes aspectos. Para avaliação do apoio social, uma série de questões é proposta em vários estudos. Os aspectos mais relevantes nesse sentido englobam uma avaliação da composição e tamanho da rede social, a durabilidade, a proximidade geográfica, a frequência do contato social, a intimidade e a reciprocidade, a qualidade do suporte social recebido, o suporte instrumental e emocional e a ajuda aos outros.[13-16]

Algumas ferramentas específicas podem ser usadas para avaliar o suporte informal e, consequentemente, analisar a rede em que o idoso está inserido, mostrando-se instrumentos importantes para pesquisas e avaliação da situação de saúde para intervenções que venham a contemplar os diversos aspectos de saúde, incluindo os sociais. Citaremos adiante uma proposta para avaliação desta temática. Para esse instrumento, o autor propõe um ponto de corte geral ideal de 42 pontos, com base na mediana da amostra de 259 respondentes. O instrumento foi desenvolvido para avaliar o apoio social informal para população brasileira de idosos. A cada resposta "sim" será atribuída a pontuação referente àquela questão.[17]

Estratégias como o autocuidado apoiado, a gestão de cuidado por pares, os grupos operativos presenciais e não presenciais e o uso de ferramentas interativas via internet, como as redes sociais e aplicativos de conversas com *smartphones* podem-se mostrar importantes instrumentos multiplicadores do apoio social na comunidade e fortalecedores das redes sociais.

TABELA 8.3. Questionário para avaliação do apoio social para idosos

Itens e fatores	Valor atribuído ao item	Sim	Não
Composição e Extensão da Rede Social			
Você pode contar com pessoas próximas?	4		
Você tem um amigo que veja frequentemente?	4		
Você tem alguém da família com que possa contar e more perto?	4		
Você tem um amigo que more perto?	4		
Você tem um vizinho com quem possa contar em caso de necessidade?	4		
Instrumental e Disponibilidade			
Você mora com muitas pessoas?	2		
Você recebe visitas com frequência?	2		
Você tem alguém para ajudar nas tarefas de casa?	2		
Você tem alguém para ajudar a sair de casa caso precise?	2		
Você tem alguém para ajudar caso esteja de cama ou doente?	2		
Caso você tenha dificuldade financeira, tem alguém para lhe ajudar?	2		
Você tem algum familiar que ajude nos seus cuidados caso precise?	2		
Reciprocidade e Longitudinalidade			
Você participa de alguma decisão familiar?	2		
A ajuda que você teve ou teria nos últimos 30 dias foi ou seria satisfatória?	2		
Ao longo da vida, você recebeu ajuda adequada de outras pessoas?	2		

Continua

Continuação

Itens e fatores	Valor atribuído ao item	Sim	Não
Emocional e Participação Social			
Você tem alguém com quem conversar?	2		
Você participa das decisões entre amigos?	2		
Você compartilha momentos de lazer com alguém?	2		
O seu contato social com outras pessoas é permanente?	2		
Quando você está triste ou com saudades, tem com quem falar sobre isso?	2		
TOTAL			

Fonte: Elaboração própria dos autores.

O manejo do apoio social por parte dos profissionais de saúde é incipiente. Em geral, os profissionais lançam mão do suporte formal. Iniciativas de capacitação dos próprios membros da comunidade como multiplicadores em programas de prevenção de doenças crônicas, por meio de comunidades ou instituições religiosas, podem-se tornar ferramentas importantes para o apoio social informal. Outra maneira proposta de manejo do suporte informal se dá por meio da participação de voluntários em programas sociais, incluindo-os nas escolas, por exemplo, a fim de que os mesmos possam contribuir na educação. A formação de "pontes" entre idosos por meio dos recursos da informática também é uma das experiências que demonstram como o próprio idoso pode mobilizar a rede de suporte informal.

ABORDAGENS COMPORTAMENTAIS

As abordagens para a mudança comportamental têm a função de auxiliar o indivíduo com condição crônica de saúde a reconhecê-las e enfrentá-las de modo processual, facilitando a adesão a tratamentos, estilo de vida saudável e autocuidado apoiado, a partir do suporte profissional ou equipe com habilidades específicas.[18]

As abordagens comportamentais também são estratégias para a promoção da saúde, auxiliando os usuários no combate aos determinantes sociais proximais como o estilo de vida relacionado à atividade física, hábito tabagista e alimentação, por exemplo, usando modelos psicológicos e sociais para explicar o paradigma do comportamento e também para intervir. Podemos citar a avaliação e a intervenção no apoio social de indivíduos e famílias, principalmente vulneráveis, visto anteriormente, como uma estratégia de mudança de comportamento baseada em uma concepção social do estilo de vida.[19]

Dentro do modelo psicológico de explicação do comportamento, existem vários métodos de abordagens comportamentais evidenciados na literatura, os quais buscam estimular a autonomia do indivíduo, motivando a mudança de modo cognitivo e emocional, e entendendo o contexto que as pessoas e as famílias estão inseridas.[19] Assim, será possível que portadores de comportamentos não saudáveis transformem a informação em prática cotidiana, o que parece ser fácil, mas não se configura na realidade. Qual o fumante que não tem conhecimento de que o seu habito tabagista é prejudicial? Poucos, provavelmente, não tem. A parte difícil é exatamente desenvolver a mudança. Infelizmente, as práticas profissionais em atenção primária se destacam maciçamente por ações educativas informacionais e evidências robustas vêm mostrando que apenas isso não funciona, é preciso atuar no processo de mudança das pessoas.

Podemos destacar algumas abordagens comportamentais aplicáveis no manejo individual e em grupo, que são baseadas em modelos psicológicos como o Modelo de Estágio de Mudanças de Comportamento,[20,21] a Entrevista Motivacional[22] e o Grupo Operativo,[23] por exemplo. Essas estratégias não apenas auxiliam na mudança de estilo de vida, como também no fortalecimento do autocuidado apoiado e tratamentos de longo prazo. Segundo o modelo de estágios, a mudança de comportamento se desenvolve em processos de etapas distintas, as que precisam ser identificadas para que as ações coerentes sejam executadas em cada estágio, caso contrário não serão efetivas.[20] Logo, articular as intervenções aos estágios de mudança do comportamento é o elemento-chave para se ter êxito na melhora do estilo de vida e condição de saúde. É importante salientar que tais estágios evoluem em forma de espiral, podendo o indivíduo apresentar características de mais de um estágio ao mesmo tempo.

Existem instrumentos psicométricos validados para a língua portuguesa e cultura brasileira que pode ser utilizados para identificar o estágio de mudança comportamental do indivíduo. Podemos destacar o Stages of Change Readiness and Treatment Eagerness Scale (SOCRATES)[24] e o University of Rhode Island Change Assessment (URICA).[25]

O Modelo de Estágios de Mudança do Comportamento estabelece seis fases de progressão, que são:

- Pré-contemplação;
- Contemplação;
- Preparação;
- Ação;
- Manutenção;
- Relapso.

No primeiro estágio, os indivíduos não reconhecem o problema e existe uma negação a sua mudança. Aqui, é fundamental a informação e conscientização através de uma interface problematizadora, procurando deixar o indivíduo ambivalente, ou seja, com a "pulga atrás da orelha" em relação aos benefícios e malefícios da sua atual condição. Devido ao grande acesso à informação promovido pelo acelerado avanço das tecnologias de informação e comunicação, a magnitude de indivíduos nesta situação de comportamento é menor que em tempos anteriores. Estratégia de educação popular em saúde, através de uma abordagem na perspectiva de Paulo Freire, seria uma ótima escolha para o manejo de indivíduos nesse estágio.

No estágio de contemplação, o indivíduo já reconhece a condição como um problema, mas está ambivalente, pois identifica os benefícios da mudança assim como as suas dificuldades e a comodidade de permanecer naquele comportamento. O profissional deverá desequilibrar esta ambivalência no sentido favorável aos hábitos saudáveis, motivando o indivíduo e sua autoconfiança através do aumento de expectativas positivas e da sua autonomia de decisão. Ferramenta para direcionar esta ambivalência é a Entrevista Motivacional e os Grupos Operativos que serão apresentados mais à frente.

Após a contemplação, o indivíduo pode apresentar o estágio da preparação, onde está convicto da mudança mas não sabe como fazê-la. Nesse momento, o profissional de saúde deve atuar conjuntamente com o usuário na elaboração de um plano que mostre meios e alternativas, assim como metas realísticas para se alcançar a mudança. Por exemplo, passos iniciais para o abandono do hábito tabagista, como reduzir a quantidade de cigarros diários e início de rotina de atividade física sistematizada para minimizar a desejo de fumar, como a prática de esporte no primeiro mês. É preciso lembrar que não se pode adotar uma conduta prescritiva, ofereça opções de solução e deixe que o usuário selecione a mais conveniente e atue de modo colaborativo. Nesse estágio, tanto as Entrevistas Motivacionais como os Grupos Operativos são ótimas escolhas para preparar o plano de mudança, assim como palestras específicas que oriente na seleção de estratégias.

Um plano bem elaborado facilita a mudança de comportamento e o estágio da ação onde serão postas em prática as estratégias do estágio de preparação, como também meios de solucionar problema de percurso. Oficinas de habilidades a serem desenvolvidas ao longo da mudança de comportamento são ferramentas importantes para capacitar o usuário na tarefa de mudar a sua condição de saúde. Como exemplo, uma oficina para ensinar formas de se exercitar e monitorar a frequências cardíaca para grupos de sedentários durante as atividades de caminhadas.

O penúltimo estágio é a manutenção dos novos comportamentos adquiridos e que já estão produzindo efeitos a médio e longo prazo. Por exemplo, uma frequência semanal de 150 minutos de atividade física na academia popular do bairro nos últimos seis meses. É preciso continuar motivando os usuários em processo de mudança por meio da modificação de exercícios ou novos desafios de valências físicas (velocidade ou distância) junto com monitoramento da aderência dos mesmos para evitar recaídas, assim como palestra sobre como aumentar o desempenho para participar de corridas de rua na cidade. É possível que ocorram recaídas que configurarão o estágio de relapso, exigindo do profissional de saúde compreender o retorno do problema, a fim de fornecer o suporte na retomada e na seleção das melhores estratégias.

Como relatado mais anteriormente, a Entrevista Motivacional é um método muito interessante para ser utilizado em vários estágios da mudança de comportamento, principalmente quando o indivíduo se encontra em contemplação, isto é, ambivalente. Nesse estágio, é possível verificar na fala dos indivíduos o uso de conjunções adversativas, como: "necessito perder peso, mas as dietas são horríveis de seguir."

A Entrevista Motivacional pode ser realizada em única sessão ou em até cinco encontros com o indivíduo. É importante que a conversa não seja realizada de maneira confrontativa, na tentativa de que o usuário aceite a condição ou seja rotulado. É dada ênfase à responsabilidade em decidir o comportamento futuro, sem rótulo patológico ou do estado atual. O profissional irá guiar e esclarecer as preocupações do usuário, sem menosprezar as negações dele, elaborando soluções conjuntamente com o indivíduo de modo não prescritivo.

Há três habilidades importantes na Entrevista Motivacional, que são o saber perguntar, estimulando a obtenção de informações mais precisas, principalmente com questionamentos abertos e fechados, auxiliado por ilustrações, escala para mensurar intenções (0-10 pontos) ou lista de opções, o que torna o usuário mais envolvido e propositivo; a segunda habilidade é a de escuta qualificada, onde o profissional revela ao usuário interesse pela fala dele, sem demonstrar juízo de valor ou confrontá-lo, o que estimula a empatia e receptividade, permitindo focar em temas importantes e também direcionar a conversa; a outra habilidade é informar sem ser prescritivo, sem gerar excesso de informação, linguagem acessível, ter o *feedback* do entendimento da informação e fornecer opção para ação de mudança como uma lista para completar alternativas. Essas três habilidades podem ser mescladas durante a entrevista a fim de gerar fluidez, autoeficácia, produzir empatia, resolução de incongruências e evitar discussão. Destaca-se também que a habilidade com a Entrevista Motivacional necessita de prática e supervisão, com *feedback* de tutores para tornar a ferramenta o mais precisa possível.

A outra ferramenta para auxiliar na mudança de comportamento é o Grupo Operativo. Esta metodologia consiste em uma estratégia desenvolvida inicialmente por Pichon-Rivière na Argentina, em 1958. Na área da saúde, o método consiste no trabalho em grupo de indivíduos geralmente heterogêneos quanto ao estadiamento ou enfrentamento de uma condição, a fim de desenvolver tarefas colaborativas e compartilhar o processo de mudança sob a tutela e programação de um coordenador e o acompanhamento de um observador. Este tem a função de realizar uma análise crítica do grupo e de seus integrantes durante os encontros.

Para se constituir como grupo, é preciso que os elementos constituintes, as pessoas, atendam aos princípios básicos de vínculo e tarefa. Estabelecer vínculo é a capacidade de identificar e se ver no outro, criando empatia e representatividade. A tarefa consiste no objetivo comum do grupo que enfrentará adversidades ao longo da sua existência. Os grupos podem ser caracterizados como centrado nos indivíduos, centrado no grupo ou centrado na tarefa. Geralmente, grupos centrados no indivíduo são utilizados em abordagens de psicoterapia, onde a individualidade é um quesito que aflora. Os grupos centrados na tarefa são mais comuns e se alicerçam em ações que se complementam para atingir o objetivo comum. Já o grupo centrado no grupo trabalha como unidades que realizam ações semelhantes entre seus integrantes para produzir, por exemplo, a mudança do comportamento ou adesão ao tratamento. Os grupos são compostos com até 15 integrantes durante os encontros na atenção primária no campo comunitário.

O desenvolvimento do Grupo Operativo buscará produzir comunicação entre os envolvidos, reflexão sobre o objetivo e as ações do grupo para possibilitar a autonomia e decisões democráticas na realização das tarefas. Assim, os integrantes são envolvidos na tarefa a partir de um disparador temático, baseado nos interesse dos mesmos, que alicerçará as ações do grupo e a elaboração de um projeto, facilitado pelo coordenador. Este deverá estabelecer um cronograma de encontros, local, materiais de trabalho e regras do grupo que precisarão ser respeitadas, dando fluidez às discussões, quebrando barreiras de seu funcionamento e mantendo o foco na tarefa a ser executada pelos integrantes.

Um exemplo de grupo operativo pode ser um com objetivo voltado para a adesão à terapia física de exercícios aeróbicos na forma de caminha/corrida. Ele pode ser instituído pelo fisioterapeuta devido à falta de assiduidade nos horários das práticas monitoradas. O convite pode ser realizado nas entrevistas motivacionais individuais, nos acolhimentos ou atendimentos ambulatoriais por qualquer profissional. Como a participação é voluntária, geralmente estes indivíduos estão no estágio de contemplação ou preparação do processo de mudança, sendo interessante planejar os primeiros encontros coletivos com a participação de indivíduos na fase de ação ou manutenção proporcionando a oportunidade de fala para aqueles em momentos distintos a fim de compartilhar experiências. Temas disparadores simples e chamativos são dicas importantes. Organizar os encontros com antecedência e com temas disparadores concatenados, como exemplo as dificuldades iniciais na manutenção do exercício e como monitorar o desempenho nas práticas de exercício. É necessário disponibilizar os matriais da tarefa ou viabilizá-los por apoiadores institucionais ou intersetoriais, como ter frequencímetros ou material educativo. É interessante finalizar os encontros com planos de vida ou de ação para os integrantes e permitir retroalimentação geral dos encontros.

CONSIDERAÇÕES FINAIS

Os desafios são enormes para se atender a uma necessária demanda mais complexa para o cuidado das pessoas. Dentre estes desafios, fazer perceber o apoio social e a família, como determinantes importantes da saúde das pessoas não somente nos serviços de saúde, mas também na comunidade, como instrumento transformador do processo saúde-doença, devendo ser realizado pelos diversos atores sociais envolvidos. Devemos, portanto, incluir neste processo o próprio paciente e demais membros da sociedade (familiares, amigos, vizinhos, grupos religiosos, profissionais de saúde e do serviço social, estudantes, dentre outros). A abordagem familiar e o apoio social é apenas uma das multifacetas que devem ser consideradas nesta nova perspectiva da atenção à saúde e não mais somente da atenção à doença.

REFERÊNCIAS BIBLIOGRÁFICAS

1. Paim JS, Almeida Filho N. Reforma Sanitária Brasileira em perspectiva e o SUS. In: Saúde Coletiva: teoria e prática. Rio de Janeiro: MedBook; 2014. Cap. 2. p. 13-27.
2. Medina-walpole A et al. The current state of geriatric medicine: a national survey of fellowship-trained geriatricians, 1990-1998. J. Am. Geriatr. Soc. 2002;50(5):949-55.
3. Stamm T. Education, graduate and continuing in geriatrics and geriatric rehabilitation. Z. Gerontol. Geriatr. 2001;34(Suppl 1):43-8.
4. Andrade GRB, Vaitsman J. Apoio social e redes: conectando solidariedade e saúde. Ciência & Saúde Coletiva 2002;7(4):925-34.
5. Melchiorre MG et al. Social Support, Socio-Economic Status, Health and Abuse among Older People in Seven European Countries. 2013 Jan.; 8(1):548-56.
6. Neri AL, Vieira LAM. Envolvimento social e suporte social percebido na velhice. Rev. Bras. Geriatr. Gerontol., Rio de Janeiro, 2013;16(3):419-32.
7. Vieira S. Como elaborar questionários. São Paulo: Atlas; 2009.
8. Marques CA et al. Associação entre depressão, níveis de dor e falta de apoio social em pacientes internados em enfermarias de clínica médica. J. Bras. Psiquiatr. 2013;62(1):1-7.
9. Freitas RPA, Andrade SC, Spyrides MHC, Micussi MTAC, Sousa MBC. Impacto do apoio social sobre os sintomas de mulheres brasileiras com fibromialgia. Rev. Bras. Reumatol. 2017;57(3): 197-203.
10. Johnson ER et al. Relationship Between Social Support and Body Mass Index Among Overweight and Obese African American Women in the Rural Deep South, 2011–2013. Prev. Chronic Dis. 2014;11:140340.
11. Letcher AS, Perlow KM. Community-Based Participatory Research Shows How a Community Initiative Creates Networks to Improve Well-Being. Am. J. Prev. Med. 2009;37(6):S292-299Suplemento 1.
12. Maia CML et al. Redes de apoio social e de suporte social e envelhecimento ativo. International Journal of Developmental and Educational Psychology INFAD. Revista de Psicologia 2016;1(1):293-303.
13. Gomide M, Schütz GE. Análise de Redes Sociais e práticas avaliativas: desafios à vista. Physis Revista de Saúde Coletiva, Rio de Janeiro 2015;25(3):819-42.
14. Thanakwang K et al. Mechanisms by which social support networks influence healthy aging among thai community-dwelling elderly. J. Aging Health 2011;23(8):1352-78.
15. Walter-Ginzburg A. Social factors and mortality in the old-old in Israel: the CALAS study. J. Gerontol. B. Psychol. Sci. Soc. Sci. 2002;57(5):S308-S318.
16. Chi I, Chou KL. Social support and depression among elderly chinese people in Hong Kong. Int. J. Aging Hum. Dev. 2001;52(3):231-52.

17. Guedes MBOG, Lima KC, Lima AL, Guedes TSR. Validation of a questionnaire for the evaluation of informal social support for the elderly: section 1. Rev. Bras. Geriatr. Gerontol. 2018; 21(6): 647-656.
18. Programa Conjunto das Nações Unidas sobre o HIV/SIDA. Mudança de comportamento sexual em relação ao HIV: até aonde nos levam as teorias? Genebra: ONUSIDA; 2001.
19. Mendes EV. O cuidado das condições crônicas na atenção primária à saúde: o imperativo da consolidação da estratégia da saúde da família. Brasília: Organização Pan-Americana da Saúde, 2012. 512 p.
20. Toral N, Slater B. Abordagem do modelo transteorético no comportamento alimentar. Cienc & Saude Colet. 2007; 12: 1641-1650.
21. Petrie KJ, Broadbent E. Assessing illness behavior: what contition is my condition in? J. Psychosom. Res. 2003; 54: 415-416.
22. Rollnick S, Miller WR, Butler CC. Entrevista motivacional no cuidado da saúde: ajudando pacientes a mudar comportamentos. Porto Alegre: Artmed; 2009.
23. Pichon-Reviere E. O processo grupal. São Paulo: Martins Fontes Editora, 8ª Ed; 2009.
24. Figlie NB, Dunn J, Laranjeira R. Factor structure of the Stages of Change Readiness and Treatment Eagerness Scale (SOCRATES) in alcohol dependent outpatients. Rev. Bras. Psiquiatr. 2004;26(2): 91-99.
25. Del Rio Szupszynski KP, Oliveira MS. Adaptação brasileira da University of Rhode Island Change Assessment (URICA) para usuários de substâncias ilícitas. Psico-USF. 2008;13(1), 31-39.

Capacitação de Agentes Comunitários de Saúde e Acolhimento de Usuários: Atuação da Fisioterapia na Equipe Multiprofissional

■ Heloisa Maria Jácome de Sousa Britto

INTRODUÇÃO

A atenção primária à saúde é assumida como proposta da Organização Mundial da Saúde (OMS) durante a Conferência Internacional sobre Cuidados Primários da Saúde, realizada em Alma-Ata em 1978. No Brasil, a busca pela reforma assistencial do sistema de saúde resultou na formação do Programa de Agentes Comunitários de Saúde (PACS) em 1990.[1] E só em 1994 foi criado o programa de Saúde da Família (PSF) com a finalidade de operacionalizar a implantação de equipes multiprofissionais nas Unidades Básicas de Saúde (UBS).[2] Em março de 2006, a partir da Portaria nº 648, o PSF deixa de ser considerado um programa e passa a ser considerado uma estratégia denominada Estratégia de Saúde da Família (ESF).[3] Cada equipe da ESF é composta, no mínimo, por um médico, um enfermeiro, um auxiliar de enfermagem e de quatro a seis Agentes Comunitários de Saúde (ACS), sendo este profissional inserido mediante o PACS.[4]

O PAPEL DO AGENTE COMUNITÁRIO DE SAÚDE

O ACS é o único profissional da ESF, obrigatoriamente, oriundo da comunidade, o que remete a aspectos de solidariedade, liderança e conhecimento da realidade social que o cerca, evidenciando um perfil mais social do que burocrático ou técnico.[5,6]

Dentre as funções do ACS, uma proposta ministerial prevê que esse profissional exerça atividades relativas ao cuidado nos espaços de vida cotidiana, para atuação na prevenção de doenças, promoção da saúde e identificação de necessidades especiais em tempo oportuno, de modo a viabilizar a abordagem para algum sinal de risco ou perigo na comunidade.[6,7]

Nas UBS, nos domicílios e na coletividade, esses profissionais estendem o acesso às ações e serviços de informação e promoção social e de proteção da cidadania, além de participar da orientação, acompanhamento e educação em saúde.[8]

Com a crescente ampliação das ações do ACS, surgiu a necessidade de reconhecer sua identidade profissional e seus direitos trabalhistas e sociais. Isso acarretou na edição do Decreto nº 3.189/99, que fixou as diretrizes para o exercício da atividade de agente comunitário de saúde[9] e, em 2002, na criação da profissão Agente Comunitário de Saúde, pela Lei nº 10.507.[10]

Na Portaria nº 1.886/GM,[6] o MS estabelece as atribuições básicas dos ACS. Porém, em 2006, esta portaria foi uma das que foram revogadas pela Portaria nº 648/GM,[3] a qual descreve as atribuições comuns a todos os profissionais que atuam na atenção básica, sendo caracterizadas por uma atuação vinculada à saúde da comunidade, que proporciona um atendimento humanizado e integral e se responsabiliza pela população. Essa portaria ainda reitera as competências do ACS descritas nas legislações citadas[8,5] e descreve, de maneira ampla, as atribuições específicas desse profissional, sendo elas: registrar as famílias de sua microárea; estar em contato permanente com a comunidade, desenvolvendo atividades de promoção da saúde, prevenção de doenças e vigilância à saúde, por meio da busca ativa em visitas domiciliares, e desenvolvendo ações educativas individuais e coletivas nos domicílios e na comunidade; manter a equipe informada de todos os dados coletados; acompanhar, por meio de visita domiciliar, todas as famílias e indivíduos sob sua responsabilidade e orientá-los quanto à utilização dos serviços de saúde disponíveis e desenvolver ações que busquem a integração entre a equipe de saúde e a comunidade.

Assim, as cartilhas formuladas pelo MS[4,6,11] descrevem as atividades do ACS e as agrupam em cadastramento/diagnóstico das pessoas da comunidade; mapeamento e identificação da localização das residências das áreas de risco; realização das visitas domiciliares, caracterizadas como o principal instrumento de trabalho dos ACS; ações junto à unidade; ações coletivas para mobilizar a comunidade, por meio de reuniões e encontros com diferentes grupos (gestantes, mães, pais, adolescentes, idosos, grupos de situação de risco ou de portadores de doenças comuns); atividades de prevenção de doenças e promoção da saúde, por meio de ações educativas, em conformidade com os princípios e diretrizes do Sistema Único de Saúde (SUS) e ações intersetoriais, como educação e cidadania/direitos humanos.

Mediante tantas atribuições no âmbito da equipe multiprofissional que atua sob a ESF, acredita-se que o ACS constitui elemento em posição privilegiada para a implementação de ações nesta área, o que justifica a importância de uma capacitação continuada[12] para melhor atuação profissional.

CAPACITAÇÃO CONTINUADA

Os cursos de capacitação voltados para o ACS buscam desenvolver novos conhecimentos e habilidades relacionadas a tarefas específicas e aumentar a capacidade dos mesmos para comunicar e servir a população local, desempenhando um papel de educador em saúde, uma vez que a competência com que ele realizará suas atividades depende desse atributo.[13,14]

O ACS, ao assumir seu cargo, passa por um treinamento introdutório, um pouco mais abrangente, e deve participar (quando elas acontecem) de discussões temáticas conduzidas por médicos e enfermeiros no nível local ou regional. No entanto, nesses espaços de educação continuada encontram-se, com frequência, os conteúdos tradicionais de conhecimento e prática na área da saúde, havendo dificuldade de dar-se conta da totalidade das finalidades colocadas para a ESF.[15]

93

Capítulo 9 - Capacitação de Agentes Comunitários de Saúde e Acolhimento de Usuários: Atuação da Fisio...

Assim, os ACS nem sempre dispõem de instrumentos, de tecnologia, aqui incluídos os saberes para as diferentes dimensões esperadas do seu trabalho. Essa insuficiência faz com que acabem trabalhando com o senso comum, com a religião e, mais raramente, com os saberes e os recursos das famílias e da comunidade.[16]

Por esse motivo, o Ministério da Saúde[17] enfatiza a necessidade de que, face ao perfil de atuação do ACS, sejam adotadas estratégias mais abrangentes e organizadas de aprendizagem, o que implica que os programas de capacitação desses trabalhadores devam adotar uma ação educativa crítica capaz de referenciar-se na realidade das práticas e nas transformações políticas, tecnológicas e científicas relacionadas à saúde e de assegurar o domínio de conhecimentos e habilidades específicas para o desempenho de suas funções.

Quando se coloca em questão o trabalho e o saber dos ACS, faz-se importante lembrar e ressaltar a propriedade do modelo sugerido, desde 1984 por meio do Projeto do Vale do Ribeira[18] que, segundo os coordenadores, visava atingir duas preocupações centrais: a primeira, fortalecer o compromisso e a solidariedade do agente de saúde com a comunidade e a segunda, prover condições para a apropriação, pelo ACS, do instrumental adequado e necessário para lidar com os problemas de saúde do grupo/comunidade.

FISIOTERAPEUTA COMO AGENTE CAPACITADOR

O processo de qualificação do ACS ainda é desestruturado, fragmentado, e, na maioria das vezes, insuficiente para desenvolver as novas competências necessárias para o adequado desempenho de seu papel. Os programas educacionais devem ser elaborados e fundamentados no desenvolvimento de competências, utilizando métodos de ensino-aprendizagem inovadores, reflexivos e críticos, centrados no estudante, e, quando possível, incluindo novas tecnologias, como a educação a distância.[19]

Nesse contexto, o fisioterapeuta, como membro integrante da equipe de saúde, deve também contribuir para melhorar a formação e o saber técnico do ACS, com o objetivo de facilitar a execução de seus afazeres perante a comunidade, instruindo esse profissional acerca de temáticas pertinentes ao conhecimento fisioterapêutico e ao mesmo tempo comuns na área de abrangência da UBS.

As Diretrizes Curriculares Nacionais (DCN)[20] para os cursos de graduação em Fisioterapia, situam-se no conjunto de mudanças no sistema de saúde que passaram a exigir um perfil diferenciado dos profissionais. Estes devem ser capazes de trabalhar em equipe, incorporar uma visão epidemiológica e valorizar a participação social da comunidade. Para integrar aos princípios propostos pelo SUS, a Fisioterapia, com base nas orientações das DCN, deve formar profissionais capacitados a lidar com promoção de saúde e prevenção de doenças, além da assistência curativa e reabilitadora.

Assim, o perfil do profissional fisioterapeuta, segundo as DCN do Curso de graduação em Fisioterapia, é um fisioterapeuta com formação generalista, humanista, crítica e reflexiva, capacitado a atuar em todos os níveis de atenção à saúde, tanto em nível individual como coletivo, e capaz de tomar decisões visando o uso apropriado, eficácia e custo-efetividade, sobre procedimentos e práticas.[21] Deve ter espírito de liderança, o que envolve compromisso, responsabilidade, empatia e habilidade, e saber administrar e gerenciar, tanto a força de trabalho quanto os recursos disponíveis, estando sempre apto a tomar iniciativa, educando permanentemente.[21]

Desse modo, é justificada a capacidade do fisioterapeuta de compreender as necessidades do ACS e poder contribuir para a sua capacitação.

Segundo Paulo Freire (1978),[22] o modo de ensino problematizador, a relação dialógica, horizontalizada, com comunicação, é aquela em que o professor e aluno podem opinar sobre as coisas, analisá-las e participar de decisões; bem diferente do ensino verticalizado, no qual o aluno é um mero receptor de conteúdos, em uma relação antidialógica, sem comunicação, na qual o professor sabe e tem a verdade absoluta sobre as coisas, já os alunos não.

Na atividade de capacitação de ACS, a metodologia de ensino problematizadora e horizontalizada é a melhor opção, visto que, apesar de pouco conhecimento técnico científico, o ACS dispõe de grande vivência prática, o que deve ser valorizado e otimizado. Desse modo, a melhor opção de ensinar é estar aberto ao intercâmbio entre professor-aluno, paciente-cuidador, fisioterapeuta-ACS, sempre pautado no saber ouvir. Neste sentido, o ato de ensinar pressupõe o de aprender. Ninguém educa ninguém, os homens educam-se entre si mediatizados por seu trabalho diário.[22]

A literatura já demonstra algumas metodologias lúdicas que facilitam o aprendizado dos ACS, como no caso do estudo de Andrade *et al.* (2008),[23] que aplicou um jogo educativo com 21 questões sobre doenças respiratórias infantis no grupo de ACS composto por 101 pessoas. Os ACS foram avaliados antes e após a capacitação e os resultados apontam que as respostas corretas no teste passaram de 59,5 para 79,3%, após terem participado do jogo — o que indica que o jogo educativo é um instrumento satisfatório na educação em saúde.

Outro exemplo pertinente é o estudo de Cardoso *et al.* (2011),[24] o qual realizou uma oficina de capacitação com 22 ACS para esclarecer sobre o seu papel no trabalho comunitário. Foram utilizadas dinâmicas pedagógicas, cujos temas foram: direitos e deveres, atribuições, comunicação, ética, trabalho em equipe, saúde da criança e do idoso e violência doméstica. O resultado demonstrou que os ACS adquiriram novos conhecimentos/habilidades e sentiram-se mais valorizados e como sujeitos ativos do processo ensino-aprendizagem.

A nossa experiência prática nos permite afirmar que a atividade de capacitação para educação continuada de ACS, realizada por fisioterapeutas e estudantes de Fisioterapia, conforme os preceitos da educação problematizadora e horizontalizada de Paulo Freire é uma prática pertinente e com múltiplos ganhos, de modo que o fisioterapeuta sente-se como membro integrante da equipe de saúde, executando uma das funções pertinentes aos profissionais de nível superior; e o ACS sente-se valorizado, grato e certo de que será capaz de desenvolver suas atividades perante a comunidade com mais empenho e convicção, sabendo identificar sinais e sintomas, bem como orientar encaminhamentos e práticas simples.

Além do mais, essa atividade de capacitação é uma oportunidade de estreitar o vínculo entre o ACS e o fisioterapeuta, em que o ACS pode discutir e sanar dúvidas, bem como o fisioterapeuta pode passar a conhecer casos omissos, não relatados pelos ACS por, simplesmente, falta de conhecimento prévio ou não reconhecimento da importância do caso.

As nossas práticas de capacitação podem ser realizadas com diversos instrumentos e metodologias, desde o uso de datashow, cartazes, rodas de conversa, dinâmicas de grupo, como perguntas e respostas, e atividades teórico-práticas. As **Figuras 9.1** a **9.3** ilustram algumas das práticas realizadas.

95

Capítulo 9 - Capacitação de Agentes Comunitários de Saúde e Acolhimento de Usuários: Atuação da Fisio...

FIGURA 9.1. Momento de conteúdo expositivo, no qual podem ser utilizados recursos como cartazes e datashow. (Fonte: Acervo do autor.)

FIGURA 9.2. Roda de conversa, espaço aberto para troca de experiências. (Fonte: Acervo do autor.)

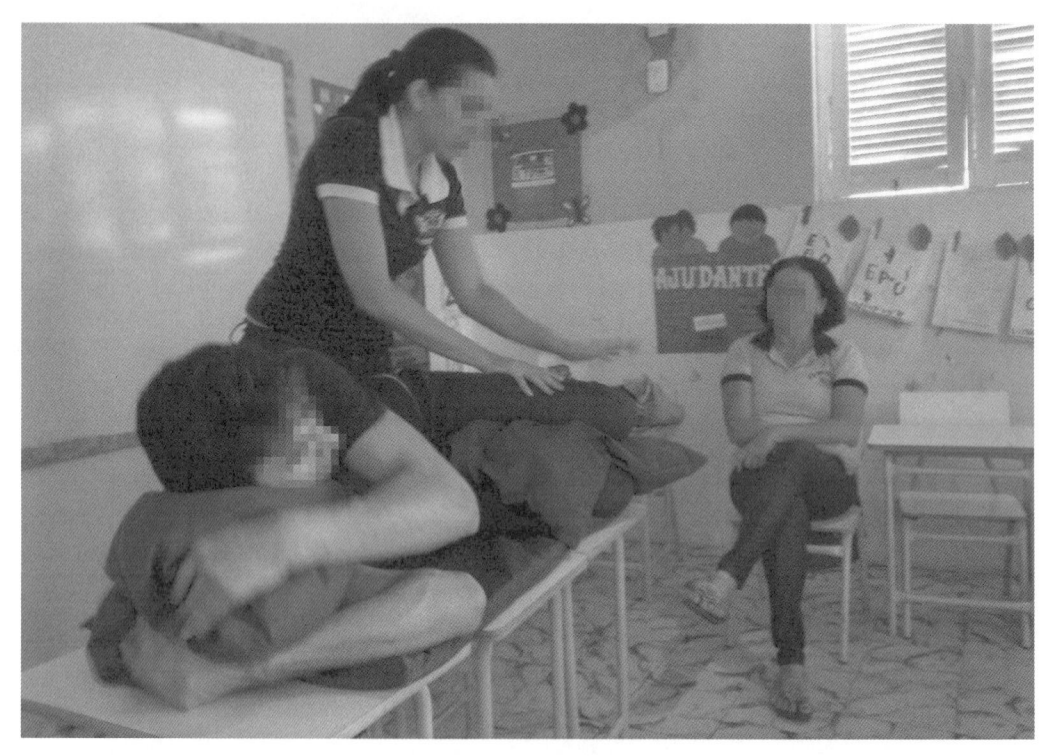

FIGURA 9.3. Aula teórico-prática, momento prático para fixação de conteúdo acerca de transferência de acidentados, realizada em uma capacitação sobre primeiros socorros. (Fonte: Acervo do autor.)

ACOLHIMENTO DE USUÁRIOS PELO FISIOTERAPEUTA

A Atenção Primária em Saúde (APS) é o primeiro nível de atenção à saúde e, portanto, definida como "a porta de entrada" preferencial do usuário ao sistema de saúde. Como mencionado anteriormente, a APS tem ênfase no trabalho em equipe e em ações de caráter individual e coletivo, que envolvem promoção da saúde, prevenção de doenças, diagnóstico, tratamento e reabilitação.[25] Nesta perspectiva, a Política Nacional de Humanização (PNH) da Atenção e Gestão no SUS, conhecida como Humaniza SUS, desenvolveu o acolhimento, como uma das diretrizes da PNH, a fim de determinar o acesso dos usuários como uma mudança no processo de trabalho e atender todos aqueles que necessitarem do serviço de saúde.

A atividade de acolhimento prioriza a atuação de toda a equipe de saúde no processo de atenção, criando espaços no serviço de saúde que permitam uma escuta qualificada, conduzindo à responsabilização pelo problema do usuário e dando-lhe uma resposta adequada,[26] de modo a solucionar seu problema efetivamente, encaminhando-o para o serviço ou profissional mais indicado. Em contrapartida, o acolhimento possibilita a eliminação de enormes filas criadas diariamente pelos usuários em busca de uma ficha para atendimento médico.

Neste sentido, especula-se que a inserção do fisioterapeuta como membro desta equipe inserido na atenção primária proporcionará um melhor fluxo e resolutividade dos problemas de saúde da comunidade adstrita à UBS, principalmente devido às suas competências e habilidades e ao perfil epidemiológico atual. De modo que o fisioterapeuta poderá atender o

Capítulo 9 - Capacitação de Agentes Comunitários de Saúde e Acolhimento de Usuários: Atuação da Fisio...

97

usuário diretamente, tomando a decisão de solucionar seu problema da maneira mais rápida por meio de condutas terapêuticas ou referenciamento para outros serviços ou profissionais e, assim, diminuir filas de espera e complicações oriundas da cronicidade dos casos.

O fisioterapeuta poderá atuar como membro da equipe do acolhimento, e como profissional técnico-capacitado para resolução de problemas/demandas a partir dele. Dentre as várias vertentes de atuação, destaca-se: rastreamento, triagem, terapêutica sob a forma de atendimentos domiciliares, atividades em grupos, atendimentos ambulatoriais individuais e planejamento de ações, todos com resultados relevantes.[27]

ATUAÇÃO FISIOTERAPÊUTICA COMO MEMBRO DA EQUIPE

Na perspectiva de implantar um protocolo de atendimento da Fisioterapia, a partir do acolhimento, é importante conhecer a comunidade e traçar fluxogramas que facilitem os encaminhamentos, como já elaborado pela secretaria de saúde de São Paulo, mas neste caso com encaminhamentos apenas para o profissional médico, enfermeiro e dentista.[28] A criação de protocolos de atendimento fisioterapêutico, bem como a atuação do profissional fisioterapeuta em cada UBS, tende a complementar os atendimentos já realizados e melhorar a qualidade do serviço.

A criação dos protocolos de atendimento fisioterapêutico na APS a partir do acolhimento deve ser baseada na formação desse profissional, por isso é muito adequado que o protocolo seja elaborado pelo próprio fisioterapeuta, a fim de introduzir as suas possibilidades de atuação em conjunto com os demais profissionais. Tendo em vista uma formação profissional generalista com conhecimento técnico para a assistência de disfunções neurológicas, ortopédicas, reumatológicas, respiratórias, cardiológicas, gineco-obstétricas, dentre outras, o fisioterapeuta atuante na APS trabalhará como profissional generalista.

Nos atendimentos ambulatoriais, a atuação fisioterapêutica seria voltada para orientações quanto a manobras terapêuticas e/ou hábitos a serem adotados pelos pacientes ou responsáveis a fim de tratar a disfunção e prevenir complicações específicas para cada caso, à exemplificar, esse tratamento é efetivo em um paciente com epicondilite crônica (ou outra patologia crônica, como síndrome do impacto do ombro, síndrome femoropatelar, lesão nervosa periférica, cefaleia tipo tensão, dentre outras) e, após a avaliação, o fisioterapeuta será capaz de receitar exercícios domiciliares e recursos analgésicos específicos para que sejam realizados em domicílio com data de retorno preestabelecida. É importante que ao prescrever os exercícios o fisioterapeuta ensine, demonstre e certifique-se que o usuário aprendeu e sairá do ambulatório apto a realizar adequadamente o exercício.

Como modo de facilitar o exercício domiciliar, a receita deve ser detalhadamente descritiva, para que não haja dúvida sobre os posicionamentos, ou mesmo a confecção de material educativo para as principais morbidades/enfermidades vivenciadas. Em situações mais complexas ou que fogem ao escopo da sua profissão ou nível de atenção, o fisioterapeuta pode encaminhar o usuário para um atendimento mais especializado com acompanhamento profissional presencial e um grande leque de recursos terapêuticos.

Em outros casos, nos quais a UBS apresenta diversos usuários com patologia e sintomatologia comum, é muito adequada outra estratégia: a criação de grupos terapêuticos de acompanhamento, nos quais há encontros frequentes para discutir sobre a patologia e para realizar intervenções terapêuticas específicas. A exemplificar, pode ser realizado um grupo terapêutico para acompanhamento de hipertensos e diabéticos, com foco em exercícios terapêuticos com característica aeróbica. Outro exemplo que se tem demonstrado ser efetivo em nossa prática é o grupo terapêutico para acompanhamento de vestibulopatias. Em ambos os casos os Agentes Comunitários de Saúde divulgam a proposta terapêutica, então os usuários procuram o serviço em data preestabelecida, é realizada uma avaliação prévia e então é dado início à terapêutica.

É também necessária a criação de grupos terapêuticos por categoria, como detectado em nossa experiência com grupo de idosos. Nesse grupo, tem-se visualizado efetivamente o conceito de saúde, "completo bem-estar biopsicossocial", visto que em grupos como este, o foco é a prevenção de diversas patologias, tratando sobre temas diversos e comuns aos idosos, esclarecendo e desmistificando conceitos, ou seja promovendo saúde, e com exercícios terapêuticos associados, muitas vezes acompanhados de dinâmicas e atividades lúdicas, o que proporciona a complementação do bem-estar psicológico e social.

Criar fluxogramas para os protocolos de atendimento, a fim de usá-los na implementação do acolhimento, é um trabalho árduo de planejamento estratégico. Para tentar esclarecer e desmistificá-los, segue um modelo adaptado. O modelo que segue foi adaptado a partir do 1º caderno de apoio ao acolhimento: orientações, rotinas e fluxos sob a ótica do risco/vulnerabilidade,[28] criado pela Secretaria de Saúde de São Paulo para implementação do acolhimento. As adaptações foram feitas no intuito de acrescentar o encaminhamento para o profissional de Fisioterapia, conforme achamos pertinente. (**Figura 9.4**)

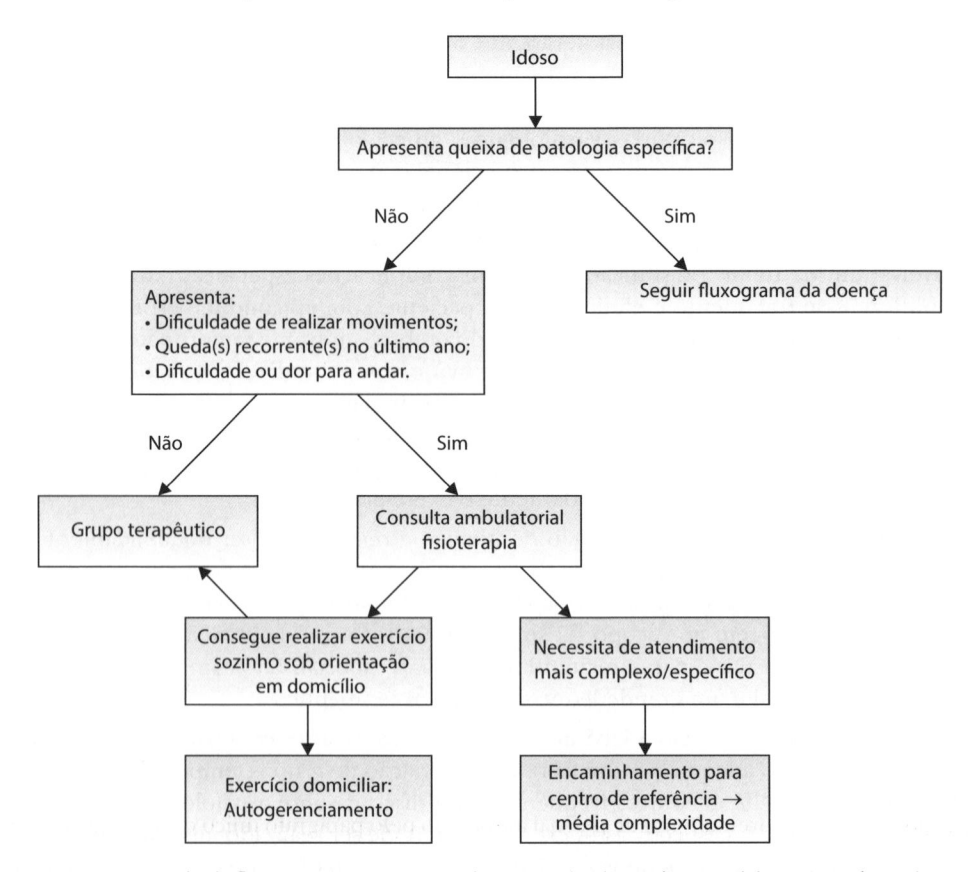

FIGURA 9.4. Exemplo de fluxograma para acompanhamento de idosos. (Fonte: Elaboração próprio do autor.)

Capítulo 9 - Capacitação de Agentes Comunitários de Saúde e Acolhimento de Usuários: Atuação da Fisio...

99

CONSIDERAÇÕES FINAIS

A formação e a qualificação de recursos humanos têm sido grande entrave para a efetiva consolidação do SUS19. Por isso, priorizar a capacitação, principalmente de ACS, o profissional que efetiva o vínculo entre a comunidade e a UBS, é fundamental para o melhor e apropriado acesso e a qualidade do serviço de saúde.

Assim, o profissional fisioterapeuta pode contribuir para essa formação de modo a proporcionar maior conhecimento técnico-cinético aos ACS. Na seção de assistência mostraremos mais especificadamente temas que podem ser abordados na capitação dos ACS e que auxiliam a atuação fisioterapêutica na atenção primária.

REFERÊNCIAS BIBLIOGRÁFICAS

1. Silva TL, Magalhães HLGO, Solá ACN, Rodrigues BC, Carneiro ACMO, Schechtman NP et al. Capacitação do Agente Comunitário de Saúde na Prevenção do Câncer de Colo Uterino. Revista Brasileira de Educação Médica 2012;36:155–160.
2. Brasil. Ministério da Saúde. Atenção Básica e a Saúde da Família. [site da Internet] Disponível em: http://dtr2004.saude.gov.br/dab/atencaobasica.php. Acesso em: 2007 abr. 2014.
3. BRASIL. Portaria 648, março de 2006. Aprova a política Nacional de Atenção Básica, estabelecendo a revisão de diretrizes e normas para a organização da Atenção Básica para o Programa Saúde da Família (PSF) e Programa Agentes Comunitários de Saúde (PACS). In: Diário Oficial da União. Disponível em: www.saude.sc.gov.br/gestores/Pacto_de_Gestao/portarias/GM648. html. Acesso em: 22 jan. 2008].
4. Brasil. Ministério da Saúde. Saúde da Família: uma estratégia para a reorientação do modelo assistencial. 1997 [site da Internet] Disponível em: http://bvsms.saude.gov.br/bvs/publicacoes/cd09_16.pdf. Acesso em: 22 maio 2007.
5. Brasil. Ministério da Saúde. Modalidade de contratação de agentes comunitários de saúde: um pacto tripartite. [site da Internet] 2002 Disponível em: http://dtr2001.saude.gov.br/editora/produtos/livros/pdf/02_0240_M.pdf. Acesso em: 22 maio 2007.
6. Brasil. Ministério da Saúde. Referencial curricular para curso técnico de agente comunitário de saúde: área profissional saúde. [site da Internet] 2004 Disponível em: http://bvsms.saude.gov. br/bvs/publicacoes/referencial_Curricular_ACS.pdf. Acesso em: 22 maio 2007.
7. Javanparast S, Baum F, Labonte R, Sanders D, Rajabi Z, Heidari G. The experience of community health workers training in Iran: a qualitative study. BMC Health Services Research 2012;12:291.
8. Brasil. Ministério da Saúde. Secretaria de Políticas de Saúde. Departamento de Atenção Básica. Instituto Materno Infantil de Pernambuco. Atenção básica à saúde da criança; texto de apoio para o agente comunitário da saúde. Brasília, DF; 2001.
9. Brasil. Decreto n° 3.189 de 4 de outubro de 1999. Dispõe sobre a fixação das diretrizes para o exercício da atividade de agente comunitário de saúde e dá outras providências. Diário Oficial da União 04 out. 1999.
10. Brasil. Lei n° 10.507 de 10 de julho de 2002. Dispõe sobre a criação da profissão de agente comunitário de saúde e dá outras providências. Diário Oficial da União 10 jul. 2002.
11. Brasil. Ministério da Saúde. Programa agentes comunitários de saúde (PACS). [Site da Internet] 2001Disponível em: http://bvsms.saude.gov.br/bvs/publicacoes/pacs01.pdf. Acesso em: 22 maio 2007.
12. Machado MCHS, Oliveira JS, Parada CMJL, Venâncio SI, Tonete VLP, Carvalhaes MABL. Rev. Bras. Saúde Matern. Infant. 2010;10(4):459-468.
13. Brasil. Lei n.11.350, de 05 de outubro de 2006. Regulamenta o § 5° do art. 198 da Constituição, dispõe sobre o aproveitamento de pessoal amparado pelo parágrafo único do art. 2° da Emenda Constitucional no 51, de 14 de fevereiro de 2006, e dá outras providências. Diário Oficial da União, Brasília, DF; 06 out. 2006. Seção 1, p. 1.

14. Ávila MMM. O Programa de Agentes Comunitários de Saúde no Ceará: o caso de Uruburetama. Ciência & Saúde Coletiva. 2011;16(1):349-360.

15. Silva JA, Dalmaso ASW. O agente comunitário de saúde e suas atribuições: os desafios para os processos de formação de recursos humanos em saúde. Comunic. Saúde Educ. 2002;6(10):75-96.

16. Silva JA. O agente comunitário de saúde do Projeto QUALIS: agente institucional ou agente de comunidade? São Paulo, 2001. Tese (Doutorado) Faculdade de Saúde Pública, Universidade de São Paulo.

17. Brasil, Ministério da Saúde. Coordenação Geral de Desenvolvimento de Recursos Humanos para o SUS/SPS/MS. Coordenação de Atenção Básica/SAS/MS. Diretrizes para elaboração de programas de qualificação e requalificação dos Agentes Comunitários de Saúde. Brasília, 1999.

18. Silva JA. Assistência Primária de Saúde: o agente de Saúde do Vale do Ribeira. São Paulo, 1984. Dissertação (Mestrado) Faculdade de Saúde Pública, Universidade de São Paulo).

19. Tomaz JBC. O agente comunitário de saúde não deve ser um "super-herói". Comunic. Saúde Educ. 2002;6(10):75-94.

20. Brasil. Resolução CNE/CES 4 de 19 de fevereiro de 2002. Diretrizes Curriculares Nacionais do Curso de Graduação em Fisioterapia. Disponível em: http://portal.mec.gov.br/cne. Acesso em: 10 dez. 2010].

21. Brasil. Ministério da Educação. Conselho Nacional de Educação. Resolução nº CNE/CES 4, de 19 de fevereiro de 2002. Diretrizes curriculares nacionais do curso de graduação em fisioterapia. Brasília: Diário Oficial da República Federativa do Brasil, 4 de março de 2002. Seção I, p. 1.

22. Freire P. Pedagogia do oprimido. São Paulo: Paz e Terra, 1983.

23. Andrade RD, Mello DF, Scochi CGS, Fonseca LMM. Jogo educativo: capacitação de agentes comunitários de saúde sobre doenças respiratórias infantis. Acta. Paul. Enferm. 2008;21(3):444-8.

24. Cardoso FA et al. Capacitação de agentes comunitários de saúde: experiência de ensino e prática com alunos de Enfermagem. Rev. Bras. Enferm. 2011;64(5):969-73.

25. Loures LF, Silva MCS. A interface entre o trabalho do agente comunitário de saúde e do fisioterapeuta na atenção básica à saúde. Ciência & Saúde Coletiva. 2010;15(4):2155-2164,.

26. Scholze AS, Duarte Junior CF, Silva YF. Trabalho em saúde e a implantação do acolhimento na atenção primária à saúde: afeto, empatia ou alteridade? Comunicação, Saúde, Educação 2009;13(31):303-14.

27. Portes L et al. Atuação do fisioterapeuta na Atenção Básica à Saúde:uma revisão da literatura brasileira. APS 2011;14(1):111-119.

28. Capozzolo AA, Pedro EEKO, Santos GER, Tubone MMT, Figueira Júnior N. 1º Caderno de Apoio ao Acolhimento. Prefeitura Municipal de São Paulo. Secretaria Municipal de Saúde. Acolhimento em Boas Mãos; 2004.

10

Atuação Fisioterapêutica nas Práticas Integrativas e Complementares em Saúde

- Marcello Barbosa Otoni Gonçalves Guedes
- Mércia Maria de Santi
- Andréa Viana Aguiar
- Flávio César Bezerra da Silva

APRESENTAÇÃO

Neste capítulo, abordaremos a Fisioterapia nas Práticas Integrativas e Complementares em Saúde, faremos uma breve retrospectiva dos aspectos históricos de implementação desta prática no Brasil. O leitor encontrará algumas das técnicas usadas, incluindo alguns resultados esperados e o benefício geral para a população, sobretudo no contexto da atenção primária em saúde. Esperamos assim nortear o fisioterapeuta e o profissional da saúde para uma nova área a ser explorada na atenção básica.

INTRODUÇÃO

Em 1947, a Organização Mundial da Saúde (OMS) divulgou o seguinte conceito: "Saúde é o estado do mais completo bem-estar físico, mental e social e não apenas a ausência de enfermidade." Atualmente, esse conceito está superado, e falamos em processo saúde-doença, condicionantes e determinantes. Reconhecemos, assim, a existência e a influência de outros aspectos nesse processo, e, que vão além dos mecanismos exclusivamente biológicos.[1]

Em 2004, foi implementado o Programa Nacional de Humanização (PNH) com a finalidade de proporcionar atendimento digno e humanizado aos usuários dos serviços oferecidos. O PNH preconiza o acolhimento no campo da saúde como diretriz ética constitutiva dos modos de se produzir saúde, principalmente para qualificar a escuta, construir vínculo e garantir resolutividade nos atendimentos. Para tanto, esse instrumento indica a necessidade de mudanças na relação profissional/usuário e sua rede social, mediante atitudes humanitárias e de solidariedade. Ainda nesse enfoque, o documento ministerial espera que o profissional de saúde reconheça o paciente como sujeito e participante ativo no processo de produção da saúde.[2]

A humanização desejada nesse documento do governo busca valorizar a queixa trazida pelo cidadão, bem como seus medos e expectativas, identificando riscos, vulnerabilidade e a autoavaliação do indivíduo com vistas a fornecer uma resposta ao problema. Assim, esse tipo de abordagem viabiliza a ação terapêutica a partir do contato inicial entre as pessoas envolvidas no processo do cuidar.[2]

O Ministério da Saúde criou a Política Nacional de Práticas Integrativas e Complementares[a] (PNPIC) em 2006, como modo de utilizar as práticas de conhecimento popular no nível institucional da rede do SUS, e motivado pela constante adoção de medidas alternativas nos atendimentos na rede pública estadual e municipal de maneira desigual, além da intenção de sistematizar práticas de cunho empírico já adotadas no país, incluindo a Medicina Tradicional Chinesa (MTC) e a *Yoga*. Assim, a referida política contribuiu para o fortalecimento dos princípios fundamentais do Sistema Único de Saúde (SUS).[3]

A seguir apresentamos um fluxograma que ilustra as possibilidades de atendimento no SUS (**Figura 10.1**).

A PNPIC surge fundamentada nas premissas da Organização Mundial de Saúde (OMS) quanto à necessidade de se instalar nas instâncias dos serviços de saúde disponibilizados à população, principalmente na Atenção Básica, condutas terapêuticas que abranjam as práticas culturais utilizadas ao longo das suas vivências. Segundo a OMS, o campo dessa Política de

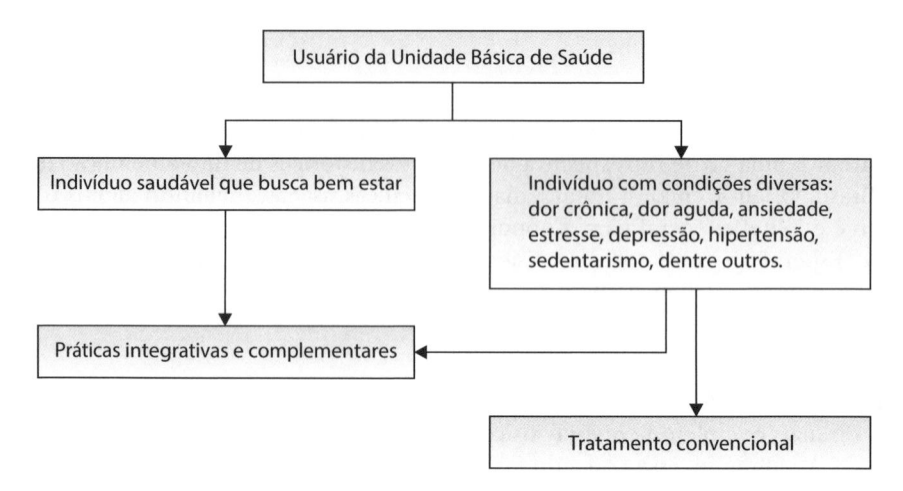

FIGURA 10.1. Fluxograma de acolhimento ao usuário na atenção primária em saúde para as práticas integrativas e complementares. (Fonte: Elaboração própria do autor.)

a   Esta política atende, sobretudo, à necessidade de se conhecer, apoiar, incorporar e implementar experiências que já vêm sendo desenvolvidas na rede pública de muitos municípios e estados [...]. Ao atuar nos campos da prevenção de agravos e da promoção, manutenção e recuperação da saúde baseada em modelo de atenção humanizada e centrada na integralidade do indivíduo, a PNPIC contribui para o fortalecimento dos princípios fundamentais do SUS. Considerando o indivíduo na sua dimensão global — sem perder de vista a sua singularidade, quando da explicação de seus processos de adoecimento e de saúde —, a PNPIC corrobora para a integralidade da atenção à saúde, princípio este que requer também a interação das ações e serviços existentes no SUS. Estudos têm demonstrado que tais abordagens contribuem para a ampliação da corresponsabilidade dos indivíduos pela saúde, contribuindo assim para o aumento do exercício da cidadania (BRASIL, 2008, p. 5,6).

Saúde contempla sistemas médicos complexos e recursos terapêuticos, os quais são também denominados de Medicina Tradicional e Complementar/Alternativa (MT/MCA).

Assim, a abordagem sobre a saúde incorpora novas discussões e inclui técnicas e práticas que antes eram apenas consideradas alternativas. Nesse cenário, as contribuições de Madel Luz (2005),[5] que cunhou o conceito de Racionalidades Médicas,[a] constituem o ponto de partida para uma mudança importante no campo da saúde. Cada vez é mais presente a promoção e a prevenção de agravos na saúde e, nesse contexto, inserem-se as Práticas Integrativas e Complementares (PICs).

A Política Nacional de Práticas Integrativas e Complementares em Saúde (2006a) assegura o direito de atendimento dessas racionalidades médicas aos usuários do Sistema Único de Saúde (SUS).

A PNPIC contempla as seguintes práticas: Homeopatia, Medicina Tradicional Chinesa/Acupuntura, Plantas Medicinais e Fitoterapia, Medicina Antroposófica e Termalismo Social/Crenoterapia. Cabe salientar que o Ministério da Saúde já estuda a inclusão de novas práticas como o *Reiki*, as práticas meditativas de origem indiana e a medicina ayurvédica, em virtude de se ter comprovação da eficácia das mesmas, bem como sua utilização em nosso país.

Os recursos terapêuticos da Medicina Tradicional Chinesa (MTC) incluem práticas corporais como *Lian Gong, Tai Chi Chua, Chi Gong* e *Tui-na*; Acupuntura; Eletroestimulação, Moxabustão e Ventosaterapia.

A Resolução número 380/2010 do COFFITO autoriza, por meio de suas atribuições legais, a prática do fisioterapeuta nas PICs. Diante dessa perspectiva, o objetivo deste capítulo é apresentar algumas dessas práticas mais executadas pelos profissionais da saúde, sobretudo os fisioterapeutas, oferecendo material informativo aos profissionais e estudantes de Fisioterapia sobre as mesmas, bem como discutir e/ou apresentar os efeitos benéficos destas práticas.

Acreditamos que o material aqui apresentado não pode por si só qualificar o leitor a desenvolver atividades referentes às Práticas Integrativas e Complementares em Saúde, uma vez que tal atuação exige um conhecimento aprofundado. No entanto, pensamos que seja importante a divulgação destas práticas que investem na abordagem holística do indivíduo, o que possibilita um novo e promissor campo de atuação profissional para os fisioterapeutas.

Práticas corporais

A civilização chinesa foi fundada entre os anos de 2852 a.C. a 2400 a.C., e contou com três imperadores: *FU XI*, o criador do casamento, descobridor da polaridade *yin-yang* e os 8 trigramas; *SHEN NUN*, o incentivador da agricultura, domesticação de animais e fitoterapia, e *HUANG DI*, o inventor da bússola, da medicina e dos ritos (exercícios, movimentos, danças). Os chineses consideram a vida como o bem de mais valia, e a longevidade como expressão má-

---

a   A categoria racionalidades médicas foi construída ao estilo de um tipo ideal weberiano, e estabelece que toda racionalidade médica supõe um sistema complexo, simbólico e empiricamente estruturado de cinco dimensões: uma morfologia humana (na medicina ocidental definida como anatomia); uma dinâmica vital (entre nós definida como fisiologia); uma doutrina médica; um sistema de diagnose e um sistema de intervenção terapêutica. Com o desenrolar da pesquisa descobriu-se uma sexta dimensão, que embasa as anteriores, e que pode ser designada como *cosmologia* (Luz, 2005, p. 84, grifos do autor).

xima de sabedoria: esses são elementos que contribuíram para que o povo chinês sobrevivesse a 5.000 anos de guerras, invasões, catástrofes de ordem natural e fome,[6] pois eles:

> *Contaram com a ajuda misericordiosa de inúmeros santos, sábios e médicos, que, ao longo da história chinesa, criaram, desenvolveram e ensinaram práticas que tinham por finalidade fortalecer a mente, o corpo e as emoções. Acumularam-se milhares de exercícios, movimentos, danças e artes guerreiras de todos os tipos, atendendo à miríade de finalidades e necessidades, os quais são praticados até hoje por toda a China nas manhãs ou no final do dia.*[6]

O povo chinês define estas práticas como patrimônio nacional, uma vez que asseguram a manutenção de um arquétipo de saúde para os chineses, o que significa mais de 20% da população mundial, ou seja, em torno de 1,3 bilhão de habitantes. Acreditamos que esse seja o principal motivo que levou os chineses a adotar diferentes práticas e cuidados que vão além dos métodos tradicionais muito difundidos nos países de cultura ocidental.

Todas essas práticas apresentam um princípio em comum, o *dao-in*, que significa a indução da circulação do qi e do sangue. Segundo o livro *Huang-Di Nei jing*, de autoria do imperador *Huan-Di* (Imperador Amarelo) o *dao-in* é definido da seguinte maneira: "O solo do distrito central é raso e úmido; assim, as doenças que nele ocorrem são: debilidade, cãibras, gripes e febres." O tratamento indicado é o *Dao-In* e o *Tuei-Na*.[6] Na sequência desse subitem, apresentaremos algumas práticas corporais oriundas da MTC.

Lian Gong

Aplicando o valor terapêutico do *dao-in* em exercícios para o fortalecimento do corpo físico, e considerando as necessidades do homem contemporâneo, o Dr. *Zhuang Yuen Ming* criou o *Lian Gong* em 18 terapias. Nascido em 1919, na cidade de Shangai, República Popular da China, ele é um renomado médico nas áreas de ortopedia e traumatologia da Medicina Tradicional Chinesa (MTC), especialista em *Tuei-na*.

Na década de 1960, o Dr. *Zhuang* atendia em um hospital de Shangai e observou um aumento significativo no número de casos de dores musculares e articulares em seus pacientes, em sua maioria trabalhadores de fábricas e escritórios da região. Tal fato estava relacionado com a mudança da economia chinesa de rural para industrial. Em virtude, da sua longa trajetória tratando as causas e sintomas de dores no corpo e doenças crônicas, Dr. *Zhuang* criou e aperfeiçoou técnicas de massagem e manobras manuais, atrelando a esse conhecimento milenar os conhecimentos da medicina atual.[7]

Ao longo desses 23 anos de criação, o *Lian Gong* tem-se difundido não apenas entre os chineses, mas por outros países como: Japão, Indonésia, Malásia, Hong-Kong, EUA, Canadá e Brasil.

Dr. *Zhuang* sintetizou, em um primeiro momento, um conjunto de 18 exercícios que atuassem no corpo humano, da coluna cervical aos dedos dos pés, a qual chamou de Série Anterior, cujo objetivo é prevenir e tratar das dores de pescoço, ombros, costas, na região lombar, glúteos e pernas.

Posteriormente, foram elaboradas mais duas sequências de 18 movimentos cada, a Série Posterior, com o objetivo de prevenir e tratar dores nas articulações dos membros, nos tendões e disfunções dos órgãos internos, tenossinovites e cotovelos de tenistas. A terceira série é intitulada de Continuação ou *I Qi Gong* e tem o objetivo de prevenir e tratar bronquites crônicas e debilidade das funções do coração e do pulmão.

Cada uma dessas séries tem duração de aproximadamente 12 minutos, ou seja, Dr. *Zhuang* defende a teoria de que com a prática de 12 minutos diários de exercícios uma pessoa pode prevenir-se da maioria dos problemas decorrentes de má postura ou de movimentos agressivos à lógica do corpo humano.[7]

> *Lian Gong é o trabalho persistente e prolongado de treinar e exercitar o corpo físico[a] com o objetivo de transformá-lo de fraco para forte e de doente para saudável. Os chineses comparam o treinamento de fortalecer e tornar saudável o corpo com o processo de forjar e refinar um metal. Nesse processo, são necessárias 'mil marteladas e centenas de refinações'. No treinamento do* Lian Gong *em 18 Terapias, as marteladas representam a prática diária dos exercícios, e as refinações são as transformações da qualidade do corpo físico, de fraco para forte e de doente para saudável, sob a atuação terapêutica do* zhen-qi (qi *verdadeiro).[6]*

O *Lian Gong* apresenta oito características, que explicitam e confirmam sua eficácia, a saber:

- **Movimentação global, objetivo específico:** consiste na especificidade do *Lian Gong* ser projetado para prevenir e tratar dores no corpo. Apesar dos exercícios serem propostos segundo as características anatômicas e fisiológicas de cada região, considera-se que estas partes fazem parte de um organismo. Assim, o *Lian Gong* é considerado uma prática individualizada, profilática e terapêutica, que atua no organismo de maneira global e tem objetivos definidos.

- **Mobilizar o Nei Jing[b] e obter a percepção sensorial do Qi[c]*:** na MTC, os 4 membros, os ossos, as 6 vísceras e os 5 órgãos[d] que compõem o corpo humano são alimentados pelo *qi* e pelo sangue, pois "o *qi* é o comandante do sangue, o seu movimento faz o sangue circular, o seu retardo leva o sangue a se estagnar".[6] Assim, a prática do *Lian Gong* mobiliza o *nei jing*.

- **A terapia e o exercício se ajudam mutuamente** é a terceira característica do *Lian Gong*, uma vez que sugere a combinação de tratamento médico com a prática do *Lian Gong*, tal atitude modifica a postura do paciente, que se torna partícipe ativo e responsável na recuperação de sua própria saúde. "Assim, a terapia e o exercício se ajudam mutuamente, potencializando o que há de melhor em cada um".[6]

- **Terapia para doença, profilaxia para a saúde:** "Um médico experiente trata a doença antes que apareça, um médico novato a trata depois que já ocorreu", diz um antigo provérbio chinês. A prática permanente do *Lian Gong* restaura a vitalidade fisiológica, fortalecendo o corpo e adiando a velhice.

---

a   O corpo físico nos textos clássicos do *I Jin Jing* (método de regeneração dos músculos e dos tendões) inclui pele, músculos, tendões, fáscias e ossos.

b   *Nei Jing* significa força interna.

c   Qi significa sopro vital.

d   A MTC classifica as partes internas do corpo em 5 órgãos (*zang*): coração, pulmão, fígado, rins e baço; 6 vísceras (*fu*): estômago, vesícula biliar, bexiga, intestino delgado, intestino grosso e triplo aquecedor.

- **Amplitude e abrangência do movimento dependente das articulações:** a prática contínua do *Lian Gong* prevê a conquista gradativa da amplitude, aspecto importante e necessário para a manutenção da saúde e conquista dos efeitos preventivos da prática.

- **Movimento lento, contínuo, equilibrado e natural:** quando se sente dores no corpo, perde-se a liberdade de movimentação. Assim, executar os exercícios de modo consciente e principalmente respeitando os limites é condição *sine qua non* para uma prática saudável.

- **Coordenação espontânea da respiração com o movimento:** antigamente "inspirar e expirar eram chamados de *tu-na* (soprar e aspirar), aspirar (*na*) o ar puro e soprar (*tu*) o ar viciado."[6] Na prática do *Lian Gong*, coordenar a respiração com o movimento resulta na melhora de saúde do praticante.

- **Exercícios simples e fáceis de executar, autoprevenção e terapia:** o *Lian Gong* proporciona aos seus praticantes a possibilidade de executar os exercícios passo a passo, constituindo-se em uma prática individualizada para o tratamento e prevenção de dores no corpo, bem como para longevidade.[6]

Dentre os benefícios atribuídos ao *Lian Gong* em 18 terapias podemos dizer que se trata de um dos mais completos sistemas de alongamento; propicia trabalhar as cadeias musculares superficiais e as mais profundas; pode complementar qualquer modalidade esportiva que exija força, velocidade e impacto e até a simples caminhada; ajuda a combater o estresse — considerado a porta de entrada das doenças; atua no campo das doenças osteomusculares e disfunções orgânicas; e pode ser instrumento interessante no campo da psicologia, uma vez que é praticado em grupo, o que propicia a criação de vínculos entre os seus praticantes.

Os 54 movimentos são realizados em pé, de preferência ao ar livre, mas não existe a obrigatoriedade da execução de toda a sequência, podendo-se escolher alguns exercícios que sejam mais fáceis e/ou atendam às necessidades de seus praticantes. O *Lian Gong* foi idealizado por Dr. Zhuang de modo didática, sendo oferecido material de apoio – vídeos, livro, imagem – que contribuem para uma prática segura e eficiente.

Tai Chi Chuan

O *Tai Chi Chuan* é considerado pelos chineses um modo de vida e é praticado há milhares de anos. Sua origem é povoada por lendas da China antiga. Os monges taoistas tiveram significativa participação, mas não se conhece o autor desta prática. Sabe-se que a família Chen foi praticante desta arte e que um dos seus empregados, *Yang Lu Chan*, aprendeu o *Tai Chi Chuan* observando às escondidas o treino de seus superiores. Sua destreza e habilidade o tornaram mestre, o que possibilitou que o *Tai Chi Chuan* fosse conhecido e praticado no ocidente. *Yang Lu Chan* teve um discípulo na guarda real, *Wu Quan Yu*, criador do estilo *Wu*. Assim, a partir das três famílias — *Chen, Yang* e *Wu* — o *Tai Chi Chuan* expandiu-se para o mundo, e outros estilos surgiram, como o *Sun, Wu Hao, Cheng Man Ching, Pai Lin* no Brasil e outros.[8]

> *O Tai Chi Chuan é uma eficiente arte de luta, mas também é eficaz na cura e na prevenção de doenças, orgânicas e psicóticas, como hipertensão, reumatismo, asma, gastrite, insônia, enxaqueca, depressão, nervosismo – exatamente as mesmas doenças que a medicina convencional considera incuráveis. Praticado adequadamente, pode prevenir ou aliviar dores nos joelhos. [...] Além disso, oferece um sistema suave de exercícios para promover a saúde e a vitalidade.*

Em outras palavras, não é preciso estar doente ou ser atacado por alguém para usufruir os maravilhosos benefícios do Tai Chi Chuan. [...] Apenas quinze minutos por dia, no conforto de casa, proporcionam todo o exercício de que precisamos, mas para o qual não temos tempo ou energia. Os benefícios não são só físicos. O aspecto meditativo do Tai Chi Chuan e sua ênfase nos movimentos relaxados contribuem para a serenidade da mente e a clareza do pensamento.[9]

Para compreendermos a história do *Tai Chi Chuan*, é necessário considerar três aspectos: o fundamento filosófico; o desenvolvimento do *Tai Chi Chuan* como uma arte marcial e o ensinamento do *Tai Chi Chuan* de geração para geração.

O *Tai Chi Chuan* integra movimentos circulares e marciais com técnicas do *Chi Kung*[a], combinando respiração com meditação e relaxamento. *Tai Chi Chuan* significa "o supremo", ou seja, progredir em direção ao ilimitado; a existência imensa e o grande eterno. O *Tai Chi Chuan* orienta-se pela teoria dos opostos: o *Yin* – o poder negativo (que cede) e o *Yang* – o poder positivo (ação) – princípio original. A interação dessas forças construtivas e destrutivas faz com que a essência da vida se materialize.[8]

Os poderes *yin* e *yang*, sendo opostos e complementares ao mesmo tempo, têm confundido as pessoas ao longo de nossa história. Estes dois poderes elementares do *Tai Chi Chuan* interagem harmoniosamente, trazendo um resultado de grande progresso e desenvolvimento ilimitados para a humanidade. O *Tai Chi Chuan* apresenta alguns estilos que, resumidamente, podem ser explicados como segue:[10]

- O estilo *Chen* é considerado a raiz principal da arte, sendo caracterizado pelos movimentos rápidos e lentos, saltos e explosões de energia. Na proposta do *Yang* tradicional, a execução dos movimentos deve ser lenta e constante, focada na saúde do praticante. A altura das posturas também é sempre mantida.

- No *Yang* antigo os movimentos são lentos também, mas ocorrem explosões de energia e altura alternada de movimentos. A combinação dos estilos *Yang* e *Chen* compõem o estilo *Wu*, no qual a execução dos movimentos é lenta e ocorre uma aparente inclinação.

- A combinação do estilo *Wu* com outras artes marciais constituem o estilo *Sun*. O estilo *Wu Hao* preconiza movimentos lentos e constantes com alteração na altura das posturas. O *Cheng Man Ching* foi criado com base no estilo yang, trata-se de um estilo simplificado para a vida moderna. Considera-se como a sua principal característica o relaxamento e a continuidade da ação que é transformada a cada movimento.

- E, finalizando, temos o *Pai Lin, estilo* introduzido no Brasil por *Liu Pai Lin*. Os movimentos assemelham-se aos estilos *Yang* e *Wu*, sendo lentos, constantes e fundamentados na meditação Taoista.

Com a prática sistematizada e constante do *Tai Chi Chuan*, podemos conquistar alguns benefícios, tais como: aumento da vitalidade — mais energia e disposição; fortalecimento do sistema nervoso; aumento da atenção e da concentração mental; desenvolvimento do potencial mental e espiritual; equilíbrio total de todos os sistemas orgânicos do corpo; conquista da

---

a Técnica milenar chinesa de treino interior, cujo objetivo é adquirir o equilíbrio nos aspectos físico, mental e espiritual. Esta prática é resultado de milhares de anos de experiência dos chineses no uso da energia (Qi) para tratar doenças, promover a saúde e a longevidade, expandir a mente, alcançar diferentes níveis de consciência e desenvolver a espiritualidade. Porém, para se obter os benefícios que esta prática proporciona, é necessário vários treinos regulares, disciplina e aplicação prática da sua filosofia no dia a dia.

serenidade e o equilíbrio das emoções; prevenção e redução do estresse e a sobrecarga mental; aumento da flexibilidade, proporcionando um relaxamento muscular em todo o corpo; fortalecimento do sistema imunológico contribuindo para a prevenção de doenças e superação de medos e limites.[10]

Yoga e meditação

Yoga é uma filosofia prática, uma filosofia de vida que visa a dissolução da ilusão de estarmos separados. É também uma prática corporal composta de variadas técnicas que auxiliam o alcance de um estado de aquietamento, tranquilidade e calma mental. Para Gharote,[11] "*Yoga* significa integração e tem como objetivo integrar os aspectos físico, emocional-mental e espiritual da personalidade humana".

Por continuar vivo e presente, esse método tem evoluído e se adaptado ao cotidiano do ser humano atual, porém, por mais distintas que possam parecer as novas metodologias, nenhuma delas se desvencilha do objetivo final proposto por Patañjali. Este sistema, denominado de *Raja Yoga*, apresenta um caminho descrito em oito etapas (*Ashtanga Yoga*), composto por uma série de regras e princípios estabelecidos, que fornecem campo para o desenvolvimento e avanço global do potencial humano.[12]

Portanto, de um modo mais abrangente podemos definir *yoga* como uma filosofia prática de vida, que apresenta um conjunto de técnicas, por intermédio das quais reduzimos preocupações e divagações da mente, nos apropriamos de um caminho para o autoconhecimento, estruturamos nossas emoções para lidar com as adversidades naturais da vida e resgatamos, da profunda delicadeza do nosso ser, uma pulsão transcendente para a serenidade e paz.[13]

Em um outro sentido, quando nos referimos a um conjunto de técnicas somos levados ao conhecimento tradicional do *Hatha Yoga*, em que se apresentam as práticas de limpeza, posturas e exercícios de respiração para o relaxamento e meditação.

Praticando *yoga*

As técnicas descritas no *Hatha Yoga Pradipka*, considerado o manual mais popular que contém as técnicas do *yoga* e configura o que se denomina de yogaterapia, despertam o interesse do praticante para a sua existência corpórea, tanto no que diz respeito à dimensão subjetiva quanto à fisiológica e energética de sua corporeidade. De acordo com esse manual, o estado de identificação do ser individual com a realidade transcendente se dá na existência física, sendo o corpo uma manifestação da realidade absoluta.[14]

Na condução de um trabalho com *yoga*, o corpo adquire uma importância nuclear para o desenvolvimento espiritual, pois o fato de se obter a liberação do sofrimento a partir da vida que se vive agora é aceito como uma condição possível, de modo que este mesmo corpo passa a ser visto como o instrumento mais perfeito para se alcançar esta liberdade. Um dado interessante é que, ao mesmo tempo que esse corpo é instrumento, ele é também início e fim, a própria manifestação existente da energia divina. Portanto, não se busca purificar o corpo para acessar uma luz divina que está fora, mas ele próprio se conhece, sutiliza e expressa o que já existe em si. Em uma outra apreciação, o que se busca por meio das práticas de *Hatha Yoga* é deixar que o corpo seja o que de fato em essência ele é.

Assim, podemos afirmar que o *yoga* é um caminho que oferece saberes para que o praticante siga com o aprendizado do cuidado, incorporando, por meio das ações purificadoras (*kriyas*), cuidamos da eliminação de toxinas; por intermédio das posturas (*asanas*) e dos exercícios respiratórios (*pranayamas*) cuidamos da vitalidade do corpo, amenizando as tensões musculares e o efeito das emoções destrutivas e, pela via da concentração (*dharana*) e meditação (*dhyana*), cuidamos dos sentimentos, pensamentos, sonhos, desejos e paixões. Porém, esse aprendizado não acontece de maneira linear como pode estar parecendo, mas de acordo com as necessidades e as condições inerentes de cada aspirante.

No planejamento de uma prática de *Hatha Yoga*, devemos iniciar com as posturas (*asanas*), dando preferência a uma condução que se inicia em pé, e/ou sentado e/ou deitado. Na opinião de Rojo (2006),[13] é importante que você inclua na sua série de posturas, pelo menos: uma extensão, uma flexão, uma inclinação lateral, uma postura de equilíbrio, uma posição invertida e uma postura para o abdome.

Se as posturas estiverem adequadas ao público-alvo, podem promover saúde, flexibilidade, autoconhecimento e o desenvolvimento de um refinamento do autocuidado. Aqui inicia-se o preparo do corpo para a meditação.

Praticando a meditação

Em seguida, conduzimos o relaxamento e, depois, em uma postura meditativa, orienta-se uma ou duas técnicas de *pranayama*. Nesse sentido, a condução do relaxamento 'propriamente dito' poderá ser feita deitado em *savasana* (postura do morto) ou sentado em uma cadeira. Deve-se conduzir a soltura do corpo (dos pés à cabeça) e enfatizar a atenção na respiração, no conforto, na entrega, enfim na descontração.

Na tradição do *Hatha Yoga*, Pranayama é o controle saudável da bioenergia por meio de exercícios respiratórios. Vale ressaltar que todo *pranayama* comporta um exercício respiratório, mas nem todo exercício respiratório é um *pranayama*. Segundo Gharote,[11] para ser *pranayama* há que se respirar contra uma resistência, respirando-se de mais lentamente que o habitual e incluindo uma pausa entre a inspiração e a expiração. A introdução de uma técnica de *pranayama* só deverá ser feita se o grupo estiver pronto, ou seja, é importante que as pessoas estejam confortáveis com a prática.

Por fim, após este momento, conduz-se o praticante a uma técnica meditativa, trabalhando o foco de sua atenção em uma direção, para organizar o fluxo dos pensamentos.

Trabalhar uma atitude, observar a si mesmo, o próprio corpo (respirando/sentindo), criar um propósito, ler uma poesia, trazer uma mensagem, repetir mentalmente afirmações positivas, 'respirar' atitudes etc. Aqui releva-se a importância de acolher o indivíduo como legítimo na sua necessidade de libertar-se do sofrimento, como preconiza a Política Nacional de Humanização, na sua diretriz ética constitutiva dos modos de se produzir saúde, principalmente para qualificar a escuta, construir vínculo e garantir resolutividade nos atendimentos. A intenção, durante esse processo de promover saúde e cuidar do corpo, é construir relações de vínculo, de corresponsabilidade, inovadoras, autônomas e socialmente inclusivas, como também propõe a Política Nacional de Práticas Integrativas e Complementares em Saúde (PNPIC).[4]

Consideramos que se torna muito importante que todos estes elementos estejam contextualizados na prática, estabelecidos nas atitudes, na orientação, na escuta, na linguagem e no cuidado.

É necessário realçar que, no estado de atenção plena, denominado por *Patañjali* de *dhyana*, experienciamos a verdadeira meditação, que se caracteriza por um estado de ampla percepção, com observação da natureza e do movimento do pensamento, denotando pontos de atenção e de não atenção.[16]

Na tradição do *yoga hindu*, os métodos de meditação mais utilizados são a meditação por meio da contemplação de imagens ou símbolos; a meditação auditiva, pela vocalização de mantras (sons) e a meditação vibratória, por meio da atenção na vibração interior, inclusive na respiração. Na tradição do *yogatibetano*, os métodos mais utilizados são a meditação com mantras e a meditação na respiração.[17,18]

Em ambas as tradições, o praticante procura concentrar-se no objeto de visualização, no mantra, na vibração interior ou na respiração, buscando alcançar o aquietamento mental. A finalidade dos exercícios de meditação é manter somente um objeto ou uma linha de pensamento diante da mente, com exclusão de qualquer outro objeto ou encadeado de ideias — enfim, aprender a tornar-se um observador, sem julgar. Para isso, é necessário manter-se em estado de alerta, mas com o corpo relaxado, estável e confortável, conduzindo-se com atenção e lucidez, evitando envolver-se com as fantasias mentais, apenas observando-as, sem forçar.

Ao meditar, fazendo da respiração o foco principal de atenção, percebemos o quanto a nossa mente vagueia invadida por pensamentos, juízos, sentimentos e acontecimentos desconexos. Daí nos vem a lembrança do que estamos a fazer e voltamos para o nosso foco de atenção. Na maioria das vezes descobrimos que estamos a pensar na respiração em vez de estarmos presentes na experiência da respiração e podemos nos dar conta de que há uma diferença real entre estar presente e não estar presente. Assim também acontece na vida diária. Tudo se transforma quando conseguimos transformar a nossa vida em uma verdadeira meditação, nos tornando presentes e envoltos em uma ampla percepção.

MEDICINA TRADICIONAL CHINESA: ACUPUNTURA E AURICULOTERAPIA

Segundo a PNPIC, a fonte de conhecimento da acupuntura remonta há pelo menos 3.000 anos. No ocidente essa técnica existe desde a segunda metade do século XX, tendo o apoio da Organização Mundial de Saúde (OMS) quanto ao uso da mesma nos seus Estados-membros. No Brasil essa terapêutica foi introduzida há cerca de 40 anos. Em termos legais, por meio da Resolução Nº 5/1988, da Comissão Interministerial de Planejamento e Coordenação (CIPLAN), foram fixadas normas para o atendimento nos serviços públicos de saúde do país. O documento considera que o desenvolvimento da MTC – acupuntura é de caráter multiprofissional para as categorias presentes no SUS, sendo necessário aos mesmos o título de especialista em acupuntura.[3]

No que tange aos trabalhadores da área de saúde no geral, frente à prática da acupuntura, o plenário do Conselho Nacional de Saúde (CNS) na 162ª Reunião Ordinária aprovou, por unanimidade, a inserção de sete profissões na PNPIC contemplando biomedicina, educação física, enfermagem, farmácia, fisioterapia, medicina e psicologia.[19]

Assim, no universo de ações vinculadas ao profissional de saúde, é imprescindível ser considerado que o mesmo deve atender o paciente de maneira holística, tendo como preocupação essencial envolver o contexto biopsicoemocional do indivíduo assistido, visto que o cidadão é formado essencialmente pelas camadas mencionadas. Mediante essa visão do ser humano, entendemos que as desarmonias desses níveis são responsáveis por sintomas de desconforto causadores do decréscimo no estilo de vida como: ansiedade, medo, tristeza, raiva e/ou dor.

Diante dessa problemática, o conhecimento da Medicina Tradicional Chinesa (MTC) emerge como alternativa para proporcionar resolutividade no tocante ao equilíbrio energético do corpo, sendo efetivo nas desarmonias anteriormente citadas, principalmente por meio das premissas da acupuntura. Nesse sentido, a terapêutica utilizada leva em consideração hábitos de vida, antecedentes pessoais e familiares, os dois polos *Yin* e *Yang* integrantes do comportamento e da resposta aos estímulos inerentes de cada história de vida quanto ao teor cognitivo do indivíduo, a força da vida conhecida por *Qi (tchi),* canais energéticos conhecidos por meridianos, sistema de órgãos e vísceras (*Zang/Fu*), bem como os elementos constitutivos de cada pessoa (fogo, terra, metal, água e madeira). Os dados colhidos visam diagnosticar padrões de desarmonia, deficiência, excesso, estagnação, frio, calor, interno e/ou externo.

Com o intuito de associar condutas auxiliares ao tratamento, é importante mencionar ainda a existência da prática de auriculoterapia como coadjuvante na terapia de acupuntura. Essa técnica adquiriu respaldo científico por meio da primeira publicação na França em meados da década de 50. O fundamento deste método terapêutico visa promover analgesia e diagnóstico mediante estímulo de pontos específicos na orelha para obter homeostase psicossomática e, assim, regular a energia nos meridianos.[20]

Vale destacar que, no conjunto de ações inerentes ao tratamento tendo como base o conhecimento da acupuntura, faz-se necessário combinar pontos para satisfazer as necessidades específicas de cada indivíduo. Seguindo esse raciocínio, o sucesso da técnica baseia-se no diagnóstico mais próximo da disfunção energética original do paciente, pois desta maneira, decisões serão tomadas quanto aos locais de aplicação de tratamento, necessidades de tonificação, dispersão e/ou harmonização, bem como o uso de moxa, ventosa, sangria e/ou eletroacupuntura.[21]

A título de esclarecimento, dispomos algumas características relevantes quanto aos elementos constitutivos e suas relações com os meridianos *Zang/Fu*, sentido marcante, tecido mais propenso a danos, emoção prevalente, preponderante, sabor, estação e clima preferencial, fundamentados no texto de Hecker et al. (2007)[21] (**Tabela 10.1**). Existe literatura vasta que deve ser consultada sobre os mapas ilustrativos auriculares e dos meridianos principais.

MASSAGEM

A massagem é um tipo de recurso terapêutico manual usado há milhares de anos nas diversas culturas pelo mundo. Relatos vêm desde 2.000 anos a.C., provenientes da medicina tradicional chinesa, mas também da medicina indiana, egípcia, persa, grega e japonesa. Esta diversidade, em sua origem, possivelmente remete-se ao fato da massagem ser uma ação identificada desde um simples comportamento animal, como esfregar e lamber, até no mecanismo reflexo de autocura, como se esfregar após uma contusão. Assim, massagear ou se massagear é um meio natural e intuitivo de aliviar a dor e o desconforto.[23]

A massagem como recurso terapêutico vem sendo reconhecida como uma terapia eficaz para alívio de dores e prevenção de doenças. Tem como proposta de trabalho, dentro de uma visão holística, tornar o indivíduo consciente do seu corpo e suas tensões.[24] Os efeitos

TABELA 10.1. Características relevantes dos elementos constitutivos

Elemento / Características	Madeira	Fogo	Terra	Metal	Água
Órgão (ZANG)	Fígado	Coração CS – Função	Baço/Pâncreas	Pulmão	Rim
Víscera (FU)	Vesícula biliar	Intestino delgado TA – Função	Estômago	Intestino grosso	Bexiga
Sentido	Visão	Fala	Gustação	Olfato	Audição
Tecido	Tendões Músculos	Vaso	Tecido conjuntivo	Pele e pelos	Osso
Emoção	Raiva	Alegria	Preocupação	Tristeza	Medo
Sabor	Azedo	Amargo	Adocicado	Picante	Salgado
Estação	Primavera	Verão	Interestação	Outono	Inverno
Clima	Vento	Calor	Umidade	Secura	Frio

benéficos sobre essa prática no organismo têm sido bem descritos na literatura, dentre eles destacaremos alguns mecanismos:

- Analgesia em decorrência da ativação proprioceptiva, de maior velocidade, de interneurônios no corno posterior da medula espinal, em detrimento da ação do estímulo nocivo, de menor velocidade ("teoria das comportas").[25]

- Aumento do fluxo sanguíneo e alterações benéficas no processo inflamatório, atenuando lesões secundárias ao processo de reparação tecidual em lesões musculares e potencializando o processo de cicatrização.[24]

- Relaxamento muscular, redução do espasmo e consequente atenuação da dor aguda[26] e crônica[27,28] em situações de tensões musculares aumentadas, favorecendo outros aspectos, como o sono e as emoções.[26]

- Redução de fatores (níveis de cortisol salivar, por exemplo) que potencializam as doenças psicossomáticas, como estresse, ansiedade e depressão,[29-32] e pela produção de respostas motoras, neuroendócrinas, emocionais, comportamentais e percepção corporal, controladas pelo sistema límbico.[25]

- Atenuação sobre a disfunção miofascial: técnicas de deslizamento, amassamento e rolamento, que objetivam a reorganização do tecido colágeno e pequena resposta inflamatória terapêutica.[23,33,34]

- Terapia de ponto-gatilho: estímulo da área de hiperirritabilidade, promovendo a desativação destes pontos por meio de posicionamento, pressão, alongamento e energia muscular integrada.[23,34]

Assim, percebe-se um efeito positivo da massagem sobre diversas patologias, como a osteoartrose,[28] dor crônica cervical,[27,33] condições agudas de dor[24], hipertensão arterial, depressão, ansiedade,[32,34] síndrome da dor miofascial e da fibromialgia[32,33], estresse[29,31] e lesões musculares diversas.[24]

No contexto da atenção primária em saúde, diversos tipos de massagens podem ser aplicados, dentre eles: a massagem clássica (deslizamentos superficiais e profundos, amassamento, rolamento, fricção, vibração, percussão, tapotagem e movimentos articulares), o *shiatsu* (compressão em pontos energéticos encontrados entre os meridianos da acupuntura), a reflexologia, a automassagem, a liberação miofascial, a inibição de pontos-gatilhos (*trigger-points*), dentre outras possibilidades. Os procedimentos justificam-se neste nível de atenção à saúde por se tratarem-se de um recurso prático, de baixo custo, em que os usuários, após treinamento prévio, podem até mesmo realizar a automassagem em grupos operacionais ou mesmo no ambiente domiciliar e laboral, usando a massagem como ferramenta complementar na prevenção e no controle de diversas doenças e na promoção do bem-estar físico e mental.

Uma metanálise realizada por Moyer e pesquisadores (2004)[31] quanto à frequência e à duração das sessões da massagem concluiu que os protocolos benéficos mais comuns entre as pesquisas analisadas tiveram sessões de 2 vezes por semana, que variaram de 15 a 40 minutos, sendo o tempo de 30 minutos o mais comum entre os estudos. Adams et al. (2010)[25] adotaram um tempo de duração de 15 a 45 minutos, já Moraska et al. (2010),[30] em revisão da literatura, identificaram que os tempos que mais se repetiram entre as pesquisas foram de 20 a 30 minutos, por 2 vezes na semana, na maioria dos 25 estudos analisados. Assim sendo, a menor duração efetiva foi de 15 minutos[26,32] e a maior duração efetiva foi de 60 minutos entre os estudos aqui analisados.[27,28]

Para se determinar os parâmetros do tratamento, o mais importante é levar em conta a dimensão da área que receberá a massagem, a intensidade dos sintomas dolorosos, o tipo de massagem que será realizada e outros fatores intrapessoais, como nível de ansiedade do indivíduo, para somente a partir daí traçar a modalidade de massagem (p. ex., se individual ou automassagem em grupo), a frequência e a duração das sessões.

É interessante lembrar que a prática da massoterapia pode exceder as ações restritas meramente ao ambiente da unidade básica de saúde. A massagem pode ser estimulada para o usuário realizar em casa ou no ambiente profissional com a Massoterapia Laboral (ML). A ML trata-se da massagem realizada antes ou após o trabalho, podendo ser realizada pelo profissional ou dirigida pelo mesmo, em que o indivíduo realiza a automassagem com finalidade de melhorar o desempenho das atividades, atenuar o estresse e os prejuízos musculares advindos do trabalho.

Podemos afirmar que a massagem é uma das práticas que se associam às novas demandas do processo saúde-doença, voltadas não somente para o tratamento, mas também para a promoção da saúde e bem-estar e prevenção de agravos. Sugerimos que nosso leitor realize uma leitura complementar com livros de massoterapia e de recursos terapêuticos em fisioterapia e, sempre que possível, vivencie a massoterapia por meio de cursos teórico-práticos para qualificação das técnicas.

Considerações finais

Acupuntura, *Lian Gong*, Massagem, *Tai Chi Chuan* e *Yoga* são práticas de dois sistemas complexos de terapia complementar integrativa, a Medicina Tradicional Chinesa[a] e a Medicina

---

a Segundo a PNPIC (2006), fazem parte da Medicina Tradicional Chinesa (MTC) as práticas corporais (*Lian Gong, Tai Chi Chuan, Chi Gong e Tui-Na*); a acupuntura; a eletroestimulação, a moxabustão e a ventosa.

Tradicional Ayurvédica[a] solicitam a necessidade de uma formação específica. Esta, por sua vez, integra os conteúdos das terapêuticas mediante uma compreensão de corpo multidimensional e uma adoção de cuidados que amplie as possibilidades de encontros, observações, mobilização e escuta sensível para as pessoas adoecidas e saudáveis.

Acreditamos que a prática da acupuntura, a auriculoterapia e a massagem pelo profissional de fisioterapia pode contribuir muito para o cenário da Atenção Básica. A implantação de PNPIC objetiva proporcionar aos usuários uma alternativa de tratamento no universo do SUS. As Práticas Integrativas e Complementares em Saúde, prestadas por profissionais da rede devidamente capacitados, utilizando o conhecimento da Medicina Tradicional e Complementar/Alternativa (MT/MCA), buscam sanar e/ou minimizar disfunções energético-organicoemocionais, restabelecendo o bem-estar e, consequentemente, conquistando qualidade de vida, com técnicas de baixo custo relativo e que podem oportunizar a redução ou a eliminação de terapias medicamentosas.

Para oferecer as práticas de *Lian Gong, Yoga,* Meditação e *Tai Chi Chuan* aos usuários da Atenção Básica, pode-se fazer as adaptações que forem necessárias, de acordo com as necessidades dos participantes, sendo possível a escolha de alguns movimentos de cada prática, de acordo com as necessidades do grupo. Entendemos que essas práticas corporais são de baixo custo, mas com alta efetividade, atuando na prevenção dos agravos na saúde, bem como tornando o usuário partícipe do seu tratamento, responsabilizando-o, juntamente com a equipe que o assiste, pela manutenção da sua qualidade de vida, oferecendo a ele mais uma opção no seu cuidado.

Assim, acreditamos na importância de disseminar a atuação dos fisioterapeutas nas PICs, constituindo assim uma nova e promissora possibilidade de cuidado de modo integral aos usuários do SUS. Acreditamos que as Práticas Integrativas e Complementares em Saúde asseguram a promoção e a prevenção dos agravos na saúde, adotando uma abordagem holística. Durante o processo de promover saúde e cuidar do corpo, constroem-se relações de vínculo, de corresponsabilidade, inovadoras, autônomas e socialmente inclusivas, como propõe a Política Nacional de Práticas Integrativas e Complementares em Saúde.

REFERÊNCIAS BIBLIOGRÁFICAS

1. Ciosak SI, Braz E, Costa MFBNA, Nakano NGR, Rodrigues J, Alencar RA et al. Senescência e senilidade: novo paradigma na atenção básica de saúde. Rev. Esc. Enferm. USP. 2011;45(2):1763-8.
2. BRASIL. Ministério da Saúde. Secretaria-Executiva. Núcleo Técnico da Política Nacional de Humanização. Humaniza SUS: Política Nacional de Humanização: a humanização como eixo norteador das práticas de atenção e gestão em todas as instâncias do SUS. Brasília: Ministério da Saúde, 2004.
3. BRASIL. Ministério da Saúde. Secretaria de Atenção à Saúde. Departamento de Atenção Básica. Política Nacional de Práticas Integrativas e Complementares no SUS – PNPIC-SUS. Brasília: Ministério da Saúde, 2006.
4. BRASIL. Ministério da Saúde. Secretaria de Atenção à Saúde. Departamento de Atenção Básica. Política Nacional de Práticas Integrativas e Complementares no SUS: PNPIC: atitude de ampliação de acesso. Brasília; 2008.
5. Luz MT. Novos Saberes e Práticas em Saúde Coletiva: Estudos sobre Racionalidades Médicas e Atividades Corporais. São Paulo: Ed. Hucitec, 2005.

---

a A Medicina Ayurvédica ainda não está contemplada na PNPIC (2006), mas contempla as práticas de *yoga* e massagem e deverá, em breve, fazer parte da política.

6. Lee ML. Lian Gong em 18 terapias. São Paulo: Editora Pensamento, 1997.
7. Ming ZY. Lian Gong Shi Ba Fa. São Paulo: Editora Pensamento, 2001.
8. Oliveira RF. Efeitos do treinamento de Tai Chi na aptidão física de mulheres adultas e sedentárias. Revista Brasileira de Ciência e Movimento, Brasília, 1 jul. 2001;9(3):15-22.
9. Kit WK. O livro completo de Tai Chi Chuan. 3. ed. São Paulo: Pensamento, 2006.
10. Liao W. Clássicos do Tai Chi. São Paulo: Editora Pensamento, 2003.
11. Gharote ML. Técnicas de Yoga. São Paulo: Ed. Phorte, 2000.
12. Taimni IK. A ciência do yoga. Brasília: Ed. Teosófica, 1996.
13. Aguiar ACVV. A alquimia da corporeidade em êxtase: perspectivas para uma educação transpessoal. Tese de Doutorado em Educação. Universidade Federal do Rio Grande do Norte. Natal, 2003.
14. Souto AA. Essência do Hatha Yoga: Goraksha Shataka, Hathapradipika e Gheranda Samhita. São Paulo: Phorte, 2009. Trad. Daniela T. Barbosa e Danilo F. Santaella.
15. Mehta R. Yoga: a arte da integração. Brasília: Teosófica, 1995.
16. Goleman D. A mente meditativa. São Paulo: Ática, 1997.
17. Tarthang T. O conhecimento da liberdade. São Paulo: Instituto Nyingma do Brasil/Palas Athena. A mente oculta da liberdade. 4. ed. São Paulo: Pensamento, 1991.
18. BRASIL. Ministério da Saúde. Conselho Nacional de Saúde. ATA da Centésima Sexagésima Segunda Reunião Ordinária do Conselho Nacional de Saúde – CNS. Brasília: Ministério da Saúde, 2006.
19. Das Mas WD. Auriculoterapia: auriculomedicina na doutrina brasileira. Rio de Janeiro: Roca, 2005.
20. Ross J. Combinações dos pontos de acupuntura: a chave para o êxito clínico. São Paulo: Roca, 2003.
21. Hecker HUl. Prática de acupuntura. Rio de Janeiro: Guanabara Koogan, 2007.
22. Sandy Fritz BS. Fundamentos da massagem terapêutica. Barueri: Manole; 2002.
23. Waters-Banker C, Dupont-Versteegden EE, Kitzman PH, Butterfield TA. Journal of Athletic Training. 2014;49(2):266–73.
24. Gosling AP. Mecanismos de ação e efeitos da fisioterapia no tratamento da dor. Rev. Dor São Paulo 2013;13(1):65-70.
25. Adams R, White B, Beckett C. The effects of massage therapy on pain management in the acute care setting. International Journal of Therapeutic Massage and Bodywork 2010;3(1):4-11.
26. Sherman KJ et al. Five-week outcomes from a dosing trial of therapeutic massage for chronic neck pain. Annals of Family Medicine 2014;12(2):112-20.
27. Perlman AI, Ali A, Njike VY, Hom D, Davidi A, Gould-Fogerite S et al. Massage therapy for osteoarthritis of the knee: a randomized dose-finding trial. Plos One. 2012;7(2):1-9.
28. Nunes LF, Nunes SH, Kuplich MMDK. Massagem com conchas no alívio dos sintomas de estresse e de dores musculares. RIES. 2013;2(2):107-19.
29. Moyer CA, Seefeldt L, Mann ES, Jackley LM. Does massage therapy reduce cortisol? A comprehensive quantitative review. Journal of Bodywork & Movement Therapies 2011;15(1):3-14.
30. Moraska A, Pollini RA, Boulanger K, Brooks MZ, Teitlebaum L. Physiological adjustments to stress measures following massage therapy: a review of the literature. eCAM 2010;7(4)409–18.
31. Moyer CA, Rounds J, Hannum JW. A meta-analysis of massage therapy research. Psychological Bulletin: the American Psychological Association, Inc. 2004;130(1):3–18.
32. Li Y, Wang F, Feng C, Yang X, Sun Y. Massage therapy for fibromyalgia: a systematic review and meta-analysis of randomized controlled trials. PLOS ONE 2014;9(2):1-9.
33. Batista JS, Borges AM, Wibelinger LM. Tratamento fisioterapêutico na síndrome da dor miofascial e fibromialgia. Rev. Dor São Paulo 2012;13(2):170-4.
34. Bampi R, Almeida CG, Keller, Fontes CFQ, Costa IG. Avaliação do estresse percebido dos profissionais de saúde antes e após sessões de massoterapia laboral. REMENFE, 2010. p.16-30.

Seção 3

Saúde da Mulher
e da Criança

11

Atenção Fisioterapêutica na Saúde da Mulher: Manejo Primário na Gestação e Mastologia

■ Thais Sousa Rodrigues Guedes

■ Luíza Braga

APRESENTAÇÃO

A Fisioterapia na Saúde da Mulher foi reconhecida como especialidade pelo COFFITO em 2009 por meio da resolução n° 372. Porém, no Brasil, as práticas realizadas nessa área já acontecem há aproximadamente duas décadas. Inicialmente tinha apenas o caráter reabilitador, mas atualmente vem se inserindo na atenção primária em saúde diante da necessidade de atender a mulher de modo integral no que diz respeito às disfunções e patologias mais prevalentes. Assim, o objetivo desse capítulo é apresentar ferramentas para detecção, avaliação e intervenção fisioterapêutica na saúde da mulher no contexto da atenção primária, além de ações de educação e promoção em saúde e prevenção de agravos nessa população.

INTRODUÇÃO

A maior parte da população brasileira é constituída por mulheres. De acordo com dados do último senso do IBGE (2010),[1] elas representam 51% da população. Além disso, são as principais usuárias do Sistema Único de Saúde (SUS) e, por esse motivo, são alvo das políticas de saúde do governo federal.

No Brasil, a saúde da mulher foi incorporada às políticas públicas de saúde no início do século XX, sendo que a atenção era restrita às demandas relativas à gestação e ao parto.[2] Assim, a temática da sexualidade bem como o contexto social em que as mulheres estavam envolvidas eram negligenciados.

Nesse contexto, o Ministério da Saúde elaborou, no ano de 2004, o documento "Política Nacional de Atenção Integral à Saúde da Mulher – Princípios e Diretrizes (PNAISM)".[2] Entre os objetivos do Plano de Ação estão a redução da morbidade e da mortalidade feminina no Brasil, especialmente por causas que podem ser prevenidas. Segundo as diretrizes do PNAISM, o SUS deve estar capacitado para prestar assistência integral à saúde da mulher, incluindo ações de promoção da saúde. Além disso, deve garantir o controle de patologias mais prevalentes e direito ao acesso à saúde em todos os ciclos de vida.

Sendo o SUS um sistema organizado de maneira hierarquizada e regionalizada em níveis crescentes de complexidade (primário, secundário e terciário), o acesso da população à rede ocorre por meio dos serviços de nível primário.[3] A atenção primária à saúde (APS) ou atenção básica (AB) é constituída por uma equipe multidisciplinar. Essa equipe é responsável por integrar e coordenar ações de caráter individual ou coletivo que envolvam a promoção da saúde, a prevenção de doenças, o diagnóstico, o tratamento e a reabilitação dos usuários.[4] Assim, é apropriado que o cuidado à saúde da mulher se inicie na AB e alcance níveis mais altos de complexidade somente quando necessário.

A intervenção fisioterápica na Saúde da Mulher para a população atendida no nível primário pode contribuir para a redução dos gastos públicos em saúde. Isso é afirmado porque diversos estudos controlados e randomizados têm mostrado que o tratamento fisioterápico tem baixo custo, baixo risco e alta eficácia. Assim, pode-se reduzir o número de cirurgias e internações bem como a sobrecarga sobre a atenção secundária e terciária. Porém, pouco tem sido descrito na literatura sobre como a assistência fisioterápica pode ser oferecida nesse nível de atenção.

ATUAÇÃO FISIOTERAPÊUTICA NA GESTAÇÃO E PERÍODO PUERPERAL NO NÍVEL PRIMÁRIO

O governo federal instituiu, no ano de 2000, o Programa de Humanização no Pré-Natal e Nascimento. Esse programa foi fundamentado nas análises das necessidades de atenção específica à gestante, ao recém-nascido e à mãe no período pós-parto. Seu principal objetivo é assegurar a melhoria do acesso, da cobertura e da qualidade do acompanhamento pré-natal e da assistência ao parto e puerpério.[5] Nesse sentido, o Ministério da Saúde recomenda que ações educativas sejam desenvolvidas durante a gestação e após o parto para informar as mulheres e suas famílias sobre os diversos temas que acompanham o ciclo gravídico-puerperal.[6]

A gravidez é um momento especial na vida da mulher, em que seu corpo passa por diversas adaptações fisiológicas preparando-se para receber o feto em crescimento. Diante de tantas adaptações, aquelas que ocorrem nos sistemas cardiovascular, respiratório, urinário e musculoesquelético são de grande interesse para a atuação fisioterapêutica.

As mudanças causadas nesses sistemas podem levar a dores musculares, alterações posturais, instabilidades articulares, edema em membros superiores e inferiores, veias varicosas, dispneia e disfunções do assoalho pélvico (DAP),[7,8] o que pode comprometer diretamente a qualidade de vida e o rendimento laboral das gestantes.

O período puerperal também é caracterizado por intensas modificações musculoesqueléticas e emocionais que merecem atenção de todos os profissionais de saúde, inclusive do fisioterapeuta.

ACOLHIMENTO E TRIAGEM DE GESTANTES E PUÉRPERAS

A abordagem fisioterapêutica às gestantes e puérperas é iniciada nos centros de saúde com o ato de acolher, escutar e oferecer resposta resolutiva para a maioria dos problemas de saúde da população. Tal proposta reduz danos e sofrimentos e responsabiliza-se pela efetividade do cuidado garantindo a sua integralidade.[9] Assim, o acolhimento torna-se uma etapa importante no atendimento ao usuário e na efetividade da proposta do SUS. No campo de atendimento da saúde feminina, o vínculo implica estabelecer relações tão próximas que impulsiona o profissional na responsabilização pela promoção da saúde e pelo bem-estar da usuária.[10]

No período gestacional as disfunções mais prevalentes são de natureza musculoesquelética, como lombalgia e dor pélvica.[11,12] Já no pós-parto as principais queixas relacionam-se às tendinites, dores na coluna (cervical, torácica e lombar).[13] Além das disfunções do assoalho pélvico (DAP), existentes tanto na gravidez quanto no puerpério, sendo a incontinência urinária (IU) a mais prevalente nessa população.[14-16]

Sendo assim a presença ou ausência dessas disfunções deve ser detectada pelos profissionais de saúde no primeiro contato com essa mulher na Unidade Básica de Saúde (UBS). Para tanto, os profissionais precisam estar capacitados para oferecer o cuidado integral. Essa capacitação decorre de estratégias de educação permanente da equipe por meio de ações de qualificação das práticas de cuidado, gestão e participação popular.[9]

A partir de então o acolhimento deve direcionar-se seguindo duas linhas de ação: a detecção de DAP e/ou a detecção de disfunções musculoesqueléticas. Em um primeiro momento as gestantes e puérperas devem ser identificadas em relação à presença ou à ausência de DAP. Aquelas com disfunção devem passar por uma avaliação fisioterapêutica detalhada. Além disso, serão orientadas em relação ao tratamento a ser realizado, sobre ações de prevenção e educação em saúde, e, quando necessário, serão encaminhadas para a atenção secundária. Já as usuárias que não têm DAP serão encaminhadas para ações de promoção e educação em saúde (**Figura 11.1**).

Entre os fatores de risco para o desenvolvimento da IU durante a gestação e após o parto, podemos citar idade materna avançada, obesidade, sedentarismo, a própria gestação, presença de IU antes e durante a gravidez, tabagismo, constipação intestinal, parto e ingestão de cafeína.[17,18] Segundo a Sociedade Internacional de Continência (*International Continence Society — ICS*) os três níveis de prevenção podem ser praticados na UBS em relação à IU. A prevenção primária refere-se à prevenção dos fatores de risco para reduzir a incidência de IU. A prevenção secundária envolve a detecção precoce de pessoas com disfunções assintomáticas. A prevenção terciária objetiva a reabilitação e a cura de uma disfunção já instalada.[6,15]

Em um segundo momento as usuárias devem ser alocadas de acordo com a presença ou ausência de disfunção musculoesquelética. Aquelas com alguma disfunção podem receber atendimento coletivo supervisionado pelo fisioterapeuta, além de instruções para a realização de exercícios autogerenciados. Entretanto, as gestantes ou puérperas com quadro álgico agudo devem ser referenciadas para a atenção secundária, onde receberão atendimento especializado. No nível secundário as mulheres poderão beneficiar-se de recursos adjuvantes ao tratamento como: termoterapia, eletroterapia, terapia manual e o uso de órteses, caso seja indicado.[7] Todas as usuárias devem participar de ações de educação, promoção em saúde e prevenção de agravos (**Figura 11.2**).

AVALIAÇÃO DO ASSOALHO PÉLVICO EM GESTANTES E PUÉRPERAS

Dentre as disfunções mais prevalentes na gestação e no pós-parto está a incontinência urinária (IU), definida pela Sociedade Internacional de Continência (*International Continence Society – ICS*)[19] como a queixa de qualquer perda involuntária de urina. Essa disfunção atinge

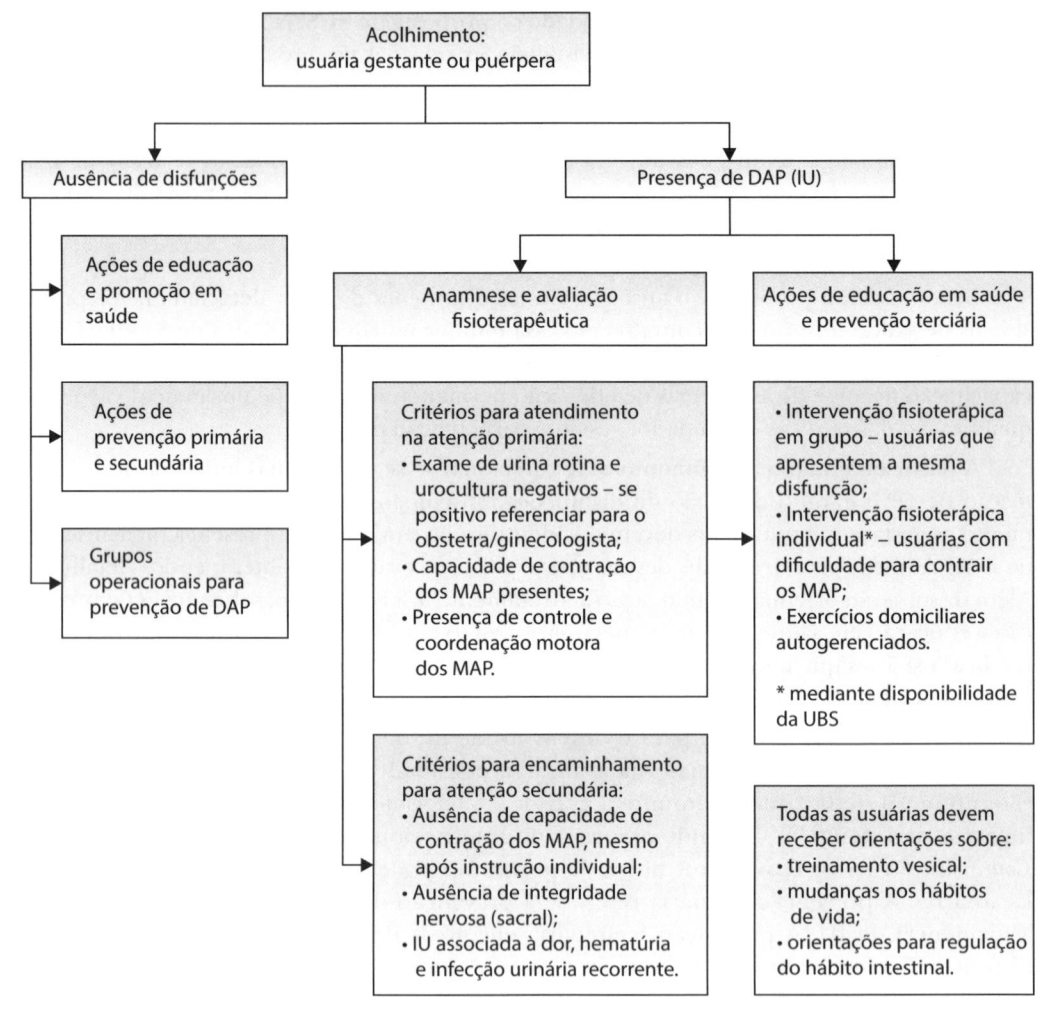

FIGURA 11.1. Fluxograma para acolhimento e triagem de gestantes e puérperas para DAP na atenção primária em saúde. DAP: disfunções do assoalho pélvico; IU: incontinência urinária; MAP: músculos do assoalho pélvico. (Fonte: Elaboração própria dos autores.)

de 25 a 75% das gestantes, e de 6 a 38% das mulheres após o parto.[20-22] Apesar dessa condição não estar associada à mortalidade, sua existência afeta o bem-estar físico, psicológico e social, o que provoca um impacto negativo na qualidade de vida dessas mulheres.[19,23]

A atuação fisioterapêutica inclui avaliação, diagnóstico, planejamento e intervenção. Na atenção básica, a avaliação das disfunções do assoalho pélvico (DAP) em gestantes e puérperas pode ser realizada por meio de questionários para a identificação de sintomas e seu impacto na qualidade de vida das pacientes. A avaliação física pode ser realizada por meio da inspeção da correta contração dos MAP.

Dentre os questionários mais utilizados pelo fisioterapeuta, estão o *International Consultation on Incontinence Questionnaire-Short Form (ICIQ-SF)*, o *King's Health Questionnaire* e

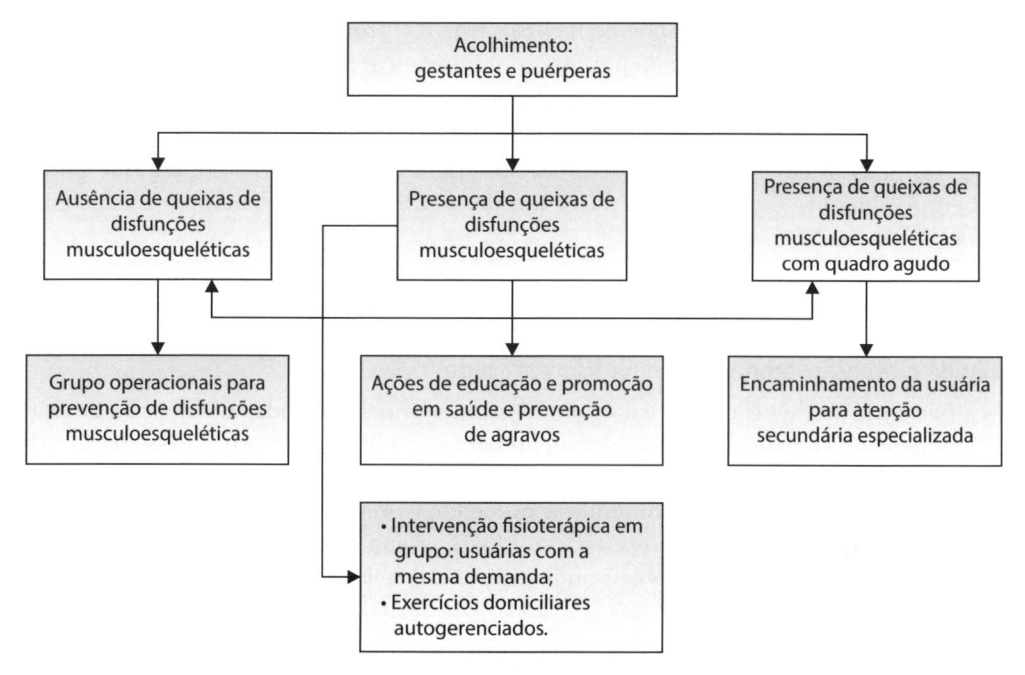

FIGURA 11.2. Fluxograma para acolhimento e triagem de gestantes e puérperas para disfunções musculoesqueléticas na atenção primária em saúde. (Fonte: Elaboração própria dos autores.)

o *Quality of Life in persons with urinary incontinence (I-QOL)*, todos traduzidos para o português e adaptados para nossa cultura. O ICIQ-SF é um questionário simples, utilizado para classificar os pacientes em continentes e incontinentes e avaliar o impacto da IU na qualidade de vida, qualificando a perda urinária dessas pacientes de acordo com sua gravidade.[24] O *King's Health* é um instrumento que avalia tanto a existência de sintomas de IU quanto seu impacto na qualidade de vida. Além disso, avalia os domínios: percepção da saúde, limitações das atividades diárias, limitação física, limitação social, relacionamento pessoal, sono, disposição, emoções e medidas de gravidade.[25] O I-QOL é um questionário que avalia a qualidade de vida por meio dos domínios de limitação do comportamento, impacto psicossocial e constrangimento social.[26]

Antes de iniciar o treinamento dos MAP todas as usuárias devem ser avaliadas individualmente. Para isso, elas serão orientadas acerca dos procedimentos da avaliação e instruídas sobre a anatomia e correta execução da contração dos MAP. Essa correta contração pode ser exemplificada por meio de orientação verbal como "apertar a vagina e o ânus como se fosse segurar o xixi". Recursos como figuras e modelos anatômicos também podem auxiliar no aprendizado motor.[7,27]

Após esses procedimentos, a usuária deve ser posicionada em decúbito dorsal com os joelhos fletidos, para a inspeção dos MAP. O fisioterapeuta deve observar o movimento do centro tendíneo do períneo em direção cranial sem uso de musculatura acessória (glúteos, abdominais e adutores de quadril).[27,28] Essa avaliação deve ser realizada por cima da roupa íntima e não pela palpação vaginal, por tratar-se de um procedimento a ser realizado no nível primário de atenção que não dispõe de recursos físicos e profissionais especializados. Assim, essa avaliação pode ser reproduzida por um fisioterapeuta generalista que trabalhe na APS.[29]

Vários autores têm mostrado que mais de 30% das mulheres não são capazes de contrair voluntariamente os MAP em sua primeira consulta mesmo depois de instrução individual.[15,27] Nesses casos, as usuárias devem ser referenciadas para o nível secundário, em que podem receber atendimento especializado e fazer uso de outros recursos fisioterapêuticos, como a eletroestimulação.[30]

ESTRATÉGIAS DE ATUAÇÃO FISIOTERAPÊUTICA NA GESTAÇÃO E PUERPÉRIO

Ações de prevenção, promoção e educação em saúde

A realização da assistência pré-natal é uma das práticas desenvolvidas na atenção primária que, por meio do cuidado multiprofissional, prepara a gestante para vivenciar esse período de intensas transformações. A atuação do fisioterapeuta nos programas de preparação pré-natal visa promover práticas saudáveis, diminuir a ansiedade e prevenir ou minimizar os desconfortos durante a gravidez, o parto e o pós-parto.[31] Esses programas podem incluir atividades de educação e promoção em saúde objetivando informar e esclarecer as usuárias sobre questões importantes nesse período.

As temáticas mais comumente abordadas no período gestacional são: sexualidade, gravidez na adolescência, gravidez de risco, importância do pré-natal, adaptações corporais e emocionais da gestação, preparação para o parto, dor e trabalho de parto, aleitamento materno, cuidados com o recém-nascido, fatores de risco para DAP, cuidados no puerpério, hábitos de vida saudável (prática de atividade física, alimentação e fatores psicossociais), violência doméstica e sexual, planejamento familiar e suporte social.[7]

Na AB, ações de promoção, educação e prevenção podem ser utilizadas para abordar os temas citados, entre elas destacam-se:

- Palestras educativas na sala de espera.
- Atividades em ambientes públicos da comunidade, como praças, quadras públicas e academias da cidade.
- Palestras educativas entre escolares, abordando temas como prevenção de gravidez na adolescência e uso de preservativos.
- Educação em saúde durante a visita domiciliar.
- Capacitação dos Agentes Comunitários de Saúde.
- Grupos operacionais com gestantes e puérperas.

As estratégias de educação em saúde devem abranger todos os profissionais que trabalhem na UBS a fim de capacitá-los para a realização das ações de promoção em saúde.[15] Portanto, o fisioterapeuta deve ser agente motivador e facilitador desse processo.

INTERVENÇÃO FISIOTERAPÊUTICA

Entre as intervenções fisioterápicas na gestação e no pós-parto na APS estão as atividades coletivas supervisionadas, atividades autogerenciadas e intervenção domiciliar.

Durante a gravidez deve ser realizada a preparação global do corpo proporcionando à mulher uma melhor percepção do seu próprio corpo, bem-estar, segurança e confiança no momento do parto e alívio da dor quando existente. Deve-se destacar ainda a preparação dos músculos do assoalho pélvico para prevenir e tratar DAP na gravidez e no pós-parto, além do incentivo à prática de exercício físico regular. O trabalho das gestantes em grupo permite o fortalecimento das relações interpessoais e a valorização da saúde.[32] Assim, o grupo de gestantes permite à mulher um momento íntimo dela com o seu próprio corpo bem como dela com o bebê, sem deixar de incluir os companheiros e os familiares em momentos específicos.

Recomenda-se que o trabalho em grupo para gestantes seja realizado por usuárias que apresentem a mesma demanda como, por exemplo, presença ou não de disfunções musculoesqueléticas. O treinamento físico deve focar no fortalecimento e no alongamento de grupos musculares específicos, exercícios aeróbicos orientados, conscientização corporal, correção de posturas inadequadas nas atividades de vida diária, exercícios respiratórios, de relaxamento e treinamento dos músculos do assoalho pélvico. Esses exercícios ajudam na preparação para o parto e auxiliam na prevenção de disfunções do assoalho pélvico na gravidez e no pós-parto.[6]

Além disso, exercícios domiciliares devem ser preconizados pelo fisioterapeuta, que deverá orientar as gestantes sobre a maneira correta para a realização desses exercícios, enfatizando a importância do treinamento automonitorado pela usuária.

No pós-parto, as puérperas também devem ser atendidas pelo fisioterapeuta na própria UBS ou em domicílio, nos casos em que as mulheres ainda não estejam aptas para se deslocar até o centro de saúde. O objetivo do atendimento consiste na reeducação postural e do assoalho pélvico e na preparação para o retorno às atividades físicas habituais.

Por isso, nesse momento essas mulheres devem ser orientadas sobre os cuidados com a mama, orientações ergonômicas acerca dos cuidados com o bebê, como: o posicionamento para a amamentação, a troca de fraldas, banho e como carregar o bebê. Também devem ser instruídas sobre a prevenção e o tratamento de edema e disfunções musculoesqueléticas, além do treinamento dos MAP.[13]

O treino global deve envolver o fortalecimento de estabilizadores de tronco e da pelve. No primeiro trimestre pós-parto, os exercícios devem ser realizados isometricamente, a fim de prevenir o aumento da diástase do músculo reto abdominal. Também deve ser realizado o fortalecimento de extensores de tronco e glúteos e o alongamento de peitorais, extensores cervicais, iliopsoas, isquiotibiais e paravertebrais,[13] além do treinamento para os MAP. Exercícios domiciliares também devem ser prescritos visando maximizar os ganhos obtidos no treinamento em grupo.

Exercícios aeróbicos na gestação

De acordo com o Colégio Americano de Obstetrícia e Ginecologia (2003), exercícios regulares devem ser recomendados para gestantes, incluindo as sedentárias, pelos benefícios à saúde materna e fetal.[33] Ademais, todas as mulheres sem contraindicações deveriam ser encorajadas a participar de programas de treinamento aeróbico e fortalecimento muscular na gravidez[34,35] (**Tabela 11.1**).

TABELA 11.1. Contraindicações relativas e absolutas para a realização de exercícios aeróbicos na gestação

Contraindicações relativas	Contraindicações absolutas
Aborto espontâneo prévio	Ruptura de membranas
Parto pré-termo prévio	Parto pré-termo
Distúrbios cardiovasculares ou respiratórios leves/moderados	Distúrbios hipertensivos da gravidez
Anemia (Hb < 100 g/L)	Incompetência cervical
Má nutrição ou distúrbios alimentares	Crescimento fetal restrito
Gravidez gemelar após 28ª semana	Gestação múltipla (≥ 3)
Outras condições clínicas significativas	Placenta prévia após a 28ª semana
	Sangramento persistente no 2º e 3º trimestres
	Diabetes tipo I incontrolado, distúrbio tireoidiano ou outros distúrbios sérios cardiovasculares, respiratórios ou sistêmicos
	Infecção aguda

Fonte: Elaboração própria dos autores.

O segundo semestre é o melhor momento para iniciar-se um programa de exercícios. Nesse período, já cessaram os sintomas de náusea, vômito e fadiga comuns do primeiro trimestre e a gestante não apresenta as limitações físicas do terceiro trimestre.[35] Antes de iniciar o atendimento, o fisioterapeuta deve realizar a avaliação dos riscos para a realização de exercícios. Para tanto, é de fundamental importância o acompanhamento pré-natal e a troca de informações entre os profissionais envolvidos, como médicos, enfermeiros, nutricionista, assistente social, entre outros.

Ao iniciar os exercícios, o fisioterapeuta deve monitorar os sinais vitais da gestante, principalmente se houver variação da pressão arterial.[7] Os exercícios aeróbicos mais recomendados são aqueles de intensidade leve a moderada, como caminhada, bicicleta estacionária, natação e hidroginástica, que apresentam baixo impacto e menor risco de trauma fetal. O treino tem como objetivo a manutenção do condicionamento, sem o intuito de condicionamento para competições de alto desempenho.[7,33,35] A frequência cardíaca recomendada deve alcançar níveis entre 60 e 70% da frequência cardíaca máxima. Gestantes previamente sedentárias devem iniciar os exercícios 3 vezes por semana durante 15 minutos, aumentando gradativamente para 30 minutos 4 vezes por semana. Todas as atividades devem incluir um período de aquecimento e desaquecimento.[7,35]

Alguns instrumentos de fácil aplicação e entendimento podem ser utilizados para monitoramento do treino aeróbico na APS, como o *Talk Test* e a Escala de Percepção Subjetiva de Esforço de Borg.[33,35] O primeiro sugere que o exercício está sendo realizado em uma intensidade desejável se a mulher consegue conversar durante o treinamento. Já o segundo é uma escala de classificação visual de percepção de esforço. Segundo a Sociedade Canadense de Obstetrícia e Ginecologia, a pontuação ideal para gestantes está entre 12-14, em uma escala de 6 a 20 pontos.[35]

O treino de fortalecimento muscular é uma importante estratégia de manutenção da saúde, uma vez que auxilia no controle de peso corporal, bem como reduz os desconfortos musculoesqueléticos.

Os músculos estabilizadores do tronco devem ser enfatizados, uma vez que o centro de gravidade da gestante é deslocado para frente, aumentando a sobrecarga sobre a coluna lombar. Os músculos abdominais, portanto, não podem ser esquecidos. Devem ser trabalhados sem causar hiperpressão abdominal. O profissional também deve alertar as gestantes para que a manobra de Valsalva seja evitada, reduzindo assim o risco de baixa oxigenação fetal durante a execução dos exercícios.

Após a 16ª semana de idade gestacional, a posição supina deve ser evitada por período prolongado, inclusive durante o treinamento. Isso é afirmado porque o peso do útero gravídico pode comprimir a veia cava inferior, reduzindo o retorno venoso.[35] Por isso, a gestante também deve ser orientada a evitar essa posição para dormir, privilegiando o decúbito lateral esquerdo ou o decúbito dorsal, desde que esse não seja por tempo prolongado.[7]

É importante ressaltar que não existem contraindicações para a realização da fisioterapia, pois ela atua com o objetivo de prevenir e tratar dores e desconfortos ocasionados pela gestação, utilizando técnicas que não se restringem apenas ao exercício físico.

TREINAMENTO DOS MÚSCULOS DO ASSOALHO PÉLVICO

O treinamento dos MAP é uma das maneiras de reduzir a IU por meio da melhora da função muscular. Em 2005 o tratamento fisioterápico foi recomendado pela ICS como a opção de primeira linha para IU por causa do baixo custo, baixo risco e eficácia comprovada.[36,37] O treinamento dos MAP é também um importante mecanismo de prevenção da IU.[36,38,40] Segundo a *ICS*, primigestas continentes deveriam realizar um programa de treinamento dos MAP supervisionado na gravidez para prevenir IU no pós-parto (Nível de Recomendação grau A).[15]

As mulheres que após a avaliação fisioterapêutica apresentarem capacidade de contração estão aptas para realizar o treinamento dos MAP na própria UBS. Esse atendimento pode ser oferecido coletivamente, ou seja, em grupo composto por mulheres que apresentem a mesma disfunção ou um atendimento em grupo que vise à prevenção dessas disfunções.

O treinamento dos MAP pode ser realizado na posição deitada, ajoelhada, sentada ou em ortostatismo com as pernas afastadas para enfatizar o treino específico dos MAP e o relaxamento de outros músculos. A literatura recomenda o número mínimo de 24 e máximo de 200 contrações diárias para ganho de força desse grupo muscular.[27]

Durante o atendimento coletivo para gestantes e puérperas, Morkved sugere contrações submáximas sustentadas por 6 a 8 segundos, seguidas por 3 a 4 contrações rápidas ao final. Após cada contração sugere-se um intervalo de descanso de 6 segundos.[38] O mesmo protocolo também foi aplicado em um estudo brasileiro no atendimento de mulheres na atenção primária e mostrou-se efetivo na redução dos sintomas urinários. Porém, a prescrição dos exercícios deve ser adaptada de acordo com as necessidades de cada usuária.

Exercícios de consciência corporal, respiração, relaxamento e fortalecimento de grupos musculares específicos também podem ser realizados durante as atividades coletivas. Para aumentar a adesão aos exercícios automonitorados, o fisioterapeuta pode utilizar um diário de frequência de realização dos exercícios, que será preenchido pelas usuárias, adesivos de cores diferentes, que serão colocados em locais estratégicos para servir de lembrete para realização dos exercícios, além do envolvimento familiar para ajudar na conscientização da importância do treinamento dos MAP.[39,41]

Vaz,[29] em seu estudo realizado com mulheres que apresentavam queixa de IU em duas Unidades Básicas de Saúde (UBS) no município de Belo Horizonte/MG, relatou a efetividade de dois tipos de tratamento: o domiciliar e o tratamento em grupo associado à intervenção domiciliar. Ambos os grupos reduziram a quantidade de urina perdida, a frequência de perda e o impacto da IU na qualidade de vida; resultado que corrobora com os descritos na literatura. Os autores concluíram que a intervenção foi capaz de reduzir os sintomas de IU e, consequentemente, melhorar a qualidade de vida dessas mulheres, independente da opção terapêutica.[29] Esse resultado mostra a efetividade da intervenção domiciliar automonitorada em mulheres com queixa de IU.

Como parte do tratamento conservador, as usuárias também devem receber orientações sobre o treinamento vesical, mudanças nos hábitos de vida (redução do consumo de cafeína, cessação do tabagismo, controle de peso) e orientações para regulação do hábito intestinal. Essa abordagem também contribui para prevenção e tratamento dos sintomas referentes à IU.[6]

O protocolo de treinamento dos MAP para gestantes citado anteriormente aplica-se às puérperas e deve ser incentivado.

Atuação fisioterapêutica em mastologia no nível primário

O câncer de mama tem importância epidemiológica no Brasil e no mundo devido aos elevados índices de incidência e mortalidade especialmente entre as mulheres. É o tipo de câncer que mais acomete mulheres tanto em países desenvolvidos quanto em países em desenvolvimento. No Brasil, a estimativa para o ano de 2014, aplicável também para o ano de 2015, indica a ocorrência de 57 mil novos casos de câncer de mama em mulheres.[42,43]

O câncer de mama é um tipo considerado de relativo bom prognóstico. Porém, no Brasil, o diagnóstico muitas vezes é tardio, o que incide no aumento das taxas de mortalidade.[42] Além disso, por ser um dos graves problemas de saúde pública brasileira, é de fundamental importância a elaboração e implementação de políticas públicas na atenção básica enfatizando a atenção integral à Saúde da Mulher.[43] Nesse sentido, a atuação intersetorial e multidisciplinar deve buscar o alinhamento de ações para promoção da saúde, prevenção e detecção precoce de novos casos.

Os principais fatores de risco para o câncer de mama relacionam-se à idade, fatores genéticos e hormonais; sendo a idade o principal deles. O risco de ocorrência do câncer de mama, assim como o de mortalidade, aumenta com a idade. Destacam-se ainda a menarca precoce, a menopausa tardia, nuliparidade, exposição à radiação, gravidez após os 30 anos, terapia de reposição hormonal, obesidade, ingestão regular de álcool, sedentarismo e história familiar.[43]

Infelizmente, alguns fatores de risco para o câncer de mama, como por exemplo a idade, não são passíveis de mudança. Contudo, grupos específicos como de gestantes e puérperas devem ser alertados sobre o efeito protetor da amamentação. Estudos apontam uma redução do risco relativo para o câncer de mama de 4,3% a cada 12 meses de aleitamento materno. Além disso, é conhecido que a paridade também apresenta esse efeito protetor.[44]

ACOLHIMENTO E TRIAGEM DE MULHERES COM CÂNCER DE MAMA

Segundo Mendonça et al.,[10] os objetivos do acolhimento são: ampliar o acesso dos usuários ao serviço, humanizar o atendimento e funcionar como dispositivo para a reorganização do processo. Portanto, acolher não se limita apenas a uma triagem qualificada ou uma escuta interessada, mas sim a um conjunto de etapas constituído por escuta, identificação de problemas e intervenções resolutivas para responder às demandas dos usuários.

No que diz respeito ao câncer de mama, o acolhimento e a triagem das usuárias deve dividir-se entre mulheres que não apresentam a patologia, mulheres que estão na fase de pré-operatório e aquelas que se encontram no pós-operatório (**Figura 11.3**).

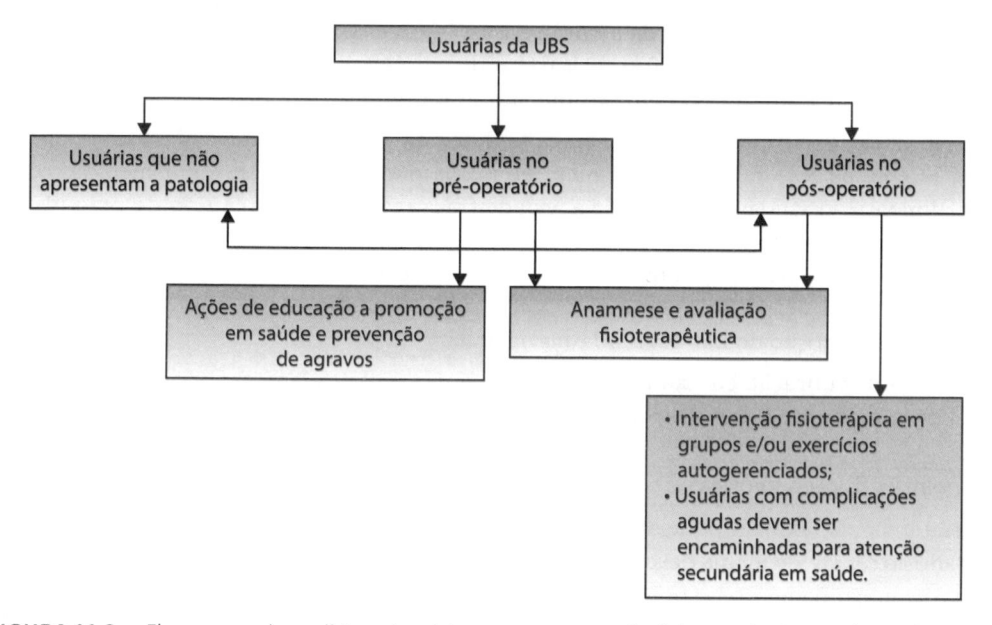

FIGURA 11.3. Fluxograma de acolhimento e triagem para a atuação fisioterapêutica no câncer de mama. (Fonte: Elaboração própria dos autores.)

ESTRATÉGIAS DE ATUAÇÃO FISIOTERAPÊUTICA NO CÂNCER DE MAMA

Ações de prevenção, promoção e educação em saúde

As ações de promoção e prevenção são medidas fundamentais na abordagem à saúde da mulher. Na atenção básica, os profissionais devem empenhar-se na busca de meios que promovam o acesso à informação de maneira clara, consistente e culturalmente apropriada. A prevenção primária, relacionada ao controle de fatores de risco para o desenvolvimento do câncer de mama, é ainda limitada.

Contudo, o fisioterapeuta pode e deve ser um agente motivador nesse processo, visto que geralmente esse profissional tem acesso a um grande número de pessoas por meio de atendimentos coletivos nos centros de saúde. Ações de educação e promoção em saúde podem ser sugeridas para o trabalho do fisioterapeuta durante o atendimento a mulheres com câncer de mama, dentre eles podemos citar:

- Atividades lúdicas e gincanas que abordem temas como fatores de risco para o desenvolvimento do câncer, cuidados com a mama no pós-operatório, prevenção de complicações no pós-operatório como o surgimento de linfedema, entre outros.

- Debates interativos que podem ser promovidos abordando-se a temática, o que permite a troca de experiências e a extinção de mitos e estigmas.

- O incentivo à adesão a programas para redução de peso e prática regular de exercícios físicos.

- Palestras educativas para esclarecimento sobre a importância das consultas periódicas ao ginecologista, realização do autoexame das mamas, entre outros.

A estrutura organizacional da atenção básica favorece encontros que podem ser produtivos e esclarecedores entre profissionais de saúde e usuárias. Nesse sentido, o fisioterapeuta pode também incentivar ativamente o combate ao sobrepeso, obesidade e sedentarismo.

No Brasil, os níveis de atividade física no lazer na população adulta são baixos, apenas 15%.[45] Cerca de 30% dos casos de câncer de mama podem ser evitados por medidas como uma alimentação saudável, prática de atividade física regular e manutenção do peso ideal.[42] Assim, o incentivo à prática de exercícios físicos pode dar-se por meio de atendimento coletivo por meio dos grupos comumente existentes nos centros de saúde, como os grupos de hipertensão e diabetes. É importante ressaltar que a parceria com a equipe de nutrição é essencial para adoção de hábitos saudáveis na dieta.

Ações de educação em saúde e informação têm papel fundamental, potencializando assim a promoção de hábitos de vida saudáveis e, consequentemente, da saúde.

Intervenção fisioterapêutica

O fisioterapeuta também pode atuar no atendimento a mulheres mastectomizadas na AB. O cuidado ao câncer de mama deve iniciar-se no pré-operatório, quando são obtidos parâmetros para o acompanhamento no pós-operatório. Dados em relação à funcionalidade, à amplitude de movimento dos ombros e cintura escapular, à força dos membros superiores, à perimetria e à postura dos membros superiores auxiliam também na elaboração de um prognóstico de recuperação da usuária. Além disso, é um momento em que o profissional deve conscientizar a paciente sobre a importância da adesão à reabilitação no pós-operatório.[6,46]

No pós-operatório, os objetivos da fisioterapia incluem prevenção de complicações, promoção de adequada recuperação funcional e melhora da qualidade de vida. Assim, o profissional pode orientar sobre exercícios mais adequados para prevenção de incapacidades e disfunções como capsulite adesiva, cuidados com o braço ipsilateral e a mastectomia para evitar linfedema, além de orientações sobre posicionamento do membro.[6]

Nessa fase, o trabalho em grupos operacionais deve ser voltado para o alongamento da musculatura cervical, escapular e dos membros superiores, além de exercícios para ganho de amplitude de movimento, treinamento de força muscular de membros superiores, tronco e abdome, e reeducação postural.[46-48]

As pacientes submetidas à intervenção fisioterapêutica diminuem seu tempo de recuperação e retornam mais rapidamente às atividades físicas, cotidianas e ocupacionais. Da mesma maneira, o ganho de amplitude de movimento, força, coordenação e reeducação postural também garantem elevação da autoestima, o que impacta positivamente na qualidade de vida dessas mulheres.[49,50]

Estudo realizado por Amaral et al. (2005) objetivou comparar a eficácia de um programa de reabilitação física domiciliar *versus* exercícios supervisionados em mulheres pós-mastectomia. O primeiro grupo seguiu instruções de um manual ilustrado de exercícios. Já o segundo, realizou um programa de exercícios supervisionados por um fisioterapeuta visando à recuperação funcional do ombro e à prevenção de complicações decorrentes da imobilização. O estudo concluiu que as intervenções foram efetivas em ambos os grupos. Isso sugere que o protocolo domiciliar pode ser utilizado como ferramenta na recuperação pós-operatória do câncer de mama.[51] Visto que a intervenção domiciliar constitui uma estratégia de atuação da fisioterapia na atenção primária, as usuárias que não estiverem aptas a comparecer ao centro de saúde também podem ser beneficiadas com essa abordagem.

Atualmente, as políticas públicas em saúde têm dirigido sua atenção não somente ao processo reabilitador e curativo. Cada vez mais tem-se observado a necessidade de estudar o indivíduo como um todo, como um ser biopsicossocial, sua interação com o meio, suas relações interpessoais e sua relação com o ambiente. Faz-se necessária a priorização da promoção da saúde e ações de prevenção de doenças. Nessa dimensão do cuidado, os fisioterapeutas e demais profissionais de saúde precisam ser dotados de atitudes proativas, estimulando a adesão pela mulher desde as ações preventivas até o tratamento da doença.

CONSIDERAÇÕES FINAIS

No Brasil, as políticas públicas em saúde direcionadas às mulheres vêm transformando-se ao longo dos anos. Isso em acompanhamento às mudanças da sociedade, que absorve cada vez mais as mulheres para o mercado de trabalho. Elas são gestoras de seus próprios lares, muitas vezes provedoras, além de cuidadoras de filhos ou outros membros da família. As mulheres vivem mais do que os homens, porém adoecem mais frequentemente. Daí a importância de o SUS estar capacitado para prestar assistência integral à saúde da mulher. O sistema deve garantir o acesso humanizado e de qualidade em todas as dimensões da saúde feminina em uma perspectiva que contemple a promoção da saúde e a prevenção de doenças.

A provisão desses direitos está assegurada constitucionalmente e a porta de entrada da mulher à assistência à saúde se dá pelas UBSs. A equipe multiprofissional que acolhe a mulher deve estar habilitada para atendê-la em qualquer ciclo de sua vida. Nesse contexto, o fisioterapeuta é um profissional capaz de intervir com ações de alcance imediato visando resolubilidade, mas também com ações de educação em saúde.

Infelizmente, a prática fisioterapêutica ainda é muito voltada à conduta reabilitadora apenas. E o modelo de atendimento individualizado, valorizado em consultórios, muitas vezes é pouco viável na atenção primária. Em contrapartida, a fisioterapia apresenta, nesse nível de assistência, um vasto potencial de alcance das estratégias de vigilância epidemiológicas, educação em saúde e de autogerenciamento apoiado. E essas são essências para o reconhecimento de fatores de risco de doenças, sinais e sintomas, possibilidades terapêuticas para a comunidade. Assim, a informação pode estimular condutas que ocasionem, por exemplo, a detecção precoce de um câncer de mama.

No que tange especificamente à Saúde da Mulher na APS, o fisioterapeuta generalista é apto ao cuidado continuado de gestantes e puérperas, assim como abordar disfunções mais prevalentes na população feminina como a IU. Vale destacar que é importante valorizar práticas de interação do fisioterapeuta com os demais membros da equipe multiprofissional. Um agente comunitário de saúde, por exemplo, pode ser capacitado pelo fisioterapeuta para informar as gestantes sobre a importância de participarem de grupos na UBS. Nesses grupos, além da realização de terapia física, as gestantes podem ser orientadas sobre o reconhecimento do trabalho de parto, as técnicas respiratórias para redução da dor durante o trabalho de parto, auxílio social e psicológico, dentre outros.

Diante do que foi exposto, o modelo de alinhamento das ações entre os diversos profissionais converge para uma prestação de assistência integral às mulheres. Os benefícios da fisioterapia na saúde da mulher são bem documentados na literatura científica e estes podem ser multiplicados no contexto da atenção primária a partir da participação ativa de toda equipe multidisciplinar e da comunidade.

REFERÊNCIAS BIBLIOGRÁFICAS

1. Instituto Brasileiro de Geografia e Estatística – IBGE. Pesquisa Nacional de Amostra por Domicílio PNAD. 2010. Disponível em: http://www.ibge.gov.br/home/estatistica/populacao/trabalhoerendimento/pnad2012/brasil_defaultpdf_dados.shtm. Acesso em: 8 maio 014.
2. Brasil. Política nacional de atenção integral à saúde da mulher: princípios e diretrizes – 2011. Ministério da Saúde. Secretaria de Atenção à Saúde. Departamento de Ações Programáticas Estratégicas. Disponível em: http://bvsms.saude.gov.br/bvs/publicacoes/politica_nacional_mulher_principios_diretr izes.pdf. Acesso em: 8 maio 2014.
3. Brasil. Ministério da Saúde. Secretaria Nacional de Assistência à Saúde. ABC do SUS: doutrinas e princípios. Brasília: Ministério da Saúde, 1990.
4. Brasil. Ministério da Saúde. Conselho Nacional das Secretarias Municipais de Saúde. O SUS de A a Z: Garantindo Saúde nos Municípios. Brasília: Ministério da Saúde, 2009.
5. Brasil. Programa de Humanização do Parto: Humanização no Pré-Natal e Nascimento. Brasília: Ministério da Saúde, 2002.
6. Baracho E, Vaz CT, Felicíssimo M, Baracho S. Atuação da fisioterapia relacionada à saúde da mulher na atenção básica. In: Baracho E. Fisioterapia aplicada à saúde da mulher. 5. ed. Rio de Janeiro: Guanabara Koogan, 2012. p. 193-200.
7. Baracho, E. Fisioterapia aplicada à saúde da mulher. 5. ed. Rio de Janeiro: Guanabara Koogan, 2012.
8. Artal R, O´toole M. Guidelines of the American College of Obstetricians and Gynecologists for exercise during pregnancy and the postpartum period. Br J Sports Med. 2003;37:6-12.
9. Brasil. Política Nacional de Atenção Básica. Brasília: Ministério da Saúde. Secretaria de Atenção à Saúde. Departamento de Atenção Básica. 2012.
10. Mendonça FAC, Sampaio LRL, Linard AG, Silva RM, Sampaio LL. Acolhimento e vínculo na consulta ginecológica: concepção de enfermeiras. Rev Rene. 2011;12(1):57-64.
11. Borg-Stein J, Dugan S, Gruber J. Musculoskeletal aspects of pregnancy. Am J Phys Med Rehabil. 2005;84:180–92.
12. Kanakaris NK, Roberts CS, Giannoudis PV. Pregnancy-related pelvic girdle pain: an update. BMC Medicine. 2011;9-15.
13. Pires JLVR, Onofre NSC. Fisioterapia no puerpério remoto. In: Baracho E. Fisioterapia aplicada à saúde da mulher. 5 ed. Rio de Janeiro: Guanabara Koogan, 2012. p. 201-15.
14. Torrisi G, Minini G, Bernasconi F, Perrone A, Trezza G, Guardabasso V et al. A prospective study of pelvic floor dysfunctions related to delivery. European Journal of Obstetrics & Gynecology and Reproductive Biology. 2012;160:110–15
15. Abrams P, Cardozo l, Khoury S, Wein, A. 4th International Consultation on Incontinence. 4. ed. Paris: Edition 21, 2009.

16. Scarpa KP, Herrmann V, Palma PCR, Riccetto CLZ, Morais SS. Prevalence and correlates of stress urinary incontinence during pregnancy: a survey at UNICAMP Medical School, São Paulo, Brazil. Int Urogynecol J. 2006;17:219–23.

17. Wesnes SL, Lose G. Preventing urinary incontinence during pregnancy and postpartum: a review. Int Urogynecol J. 2013;23 .

18. Frederice CP, Amaral E, Ferreira NO. Urinary symptoms and pelvic floor muscle function during the third trimester of pregnancy in nulliparous women. J Obstet Gynaecol Res. 2013;39(1):188–194.

19. Milsom I, Altman D, Lapitan MC, Nelson R, Sillén U, Thom D. Epidemiology of urinary (IU) and faecal (FI) and pelvic organ prolapse (POP). In: Abrams P, Cardozo l, Khoury S, Wein. Incontinence: 4th International Consultation on Incontinence. 4. ed. Paris: Health Publication; 2009. p. 35-112.

20. Valeton CT, Amaral VF. Evaluation of urinary incontinence in pregnancy and postpartum in Curitiba Mothers Program: a prospective study. Int Urogynecol J. 2011;22:813–18.

21. Martins G, Soler ZASG, Cordeiro JA, Ama JL, Moore KN. Prevalence and risk factors for urinary incontinence in healthy pregnant Brazilian women. Int Urogynecol J. 2010;21:1271–77.

22. Dinc A, Beji, NK, Yalcin O. Effect of pelvic floor muscle exercises in the treatment of urinary incontinence during pregnancy and the postpartum period. Int Urogynecol J. 2009;20:1223–31.

23. Sensoy N, Dogan N, Ozek B, Karaaslan L. Urinary incontinence in women: prevalence rates, risk factors and impact on quality of life. Pak J Med Sci. 2013;29(3):818-22.

24. Tamanini JTN, Dambros M, D'Ancona CAL, Palma PCR, Netto NR. Validação para o português do "International Consultation on Incontinence Questionnaire – Short Form" (ICIQ-SF). Rev. Saúde Pública 2004;38(3):438-44.

25. Fonseca ESMF, Camargo ALM, Castro RA, Sartori MGF, Fonseca MCM, Lima GR et al. Validação do questionário de qualidade de vida (King's Health Questionnaire) em mulheres brasileiras com incontinência urinária. Rev Bras Ginecol Obstet. 2005;27(5):235-42.

26. Souza CCC, Rodrigues AM, Ferreira CE, Fonseca ESM, Bella ZIKJ, Girão MJBC et al. Portuguese validation of the Urinary Incontinence-Specific Quality-of-Life Instrument: I-QOL. Int Urogynecol J Pelvic Floor Dysfunct. 2009;20:1183–89.

27. Bo K, Morkved S. Motor Learning. In: Bo K, Berghmans B, Morkved S, Van Kampen M. Evidence-based physical therapy for the pelvic floor. bridging science and clinical pratice. Edinburg: Churchill Livingstone-Elsevier, 2007. p. 317-33.

28. Figueiredo EM, Cruz MC. Avaliação Funcional do assoalho pélvico feminino. In: Baracho E. Fisioterapia aplicada à saúde da mulher. 5. ed. Rio de Janeiro: Guanabara Koogan, 2012, p. 231-41.

29. Vaz CT. Assistência fisioterapêutica a mulheres com incontinência urinária na atenção básica. Dissertação (Mestrado). Programa de Pós-Graduação em Ciências da Reabilitação da Escola de educação Física, Fisioterapia e Terapia Ocupacional – Área de Concentração em Desempenho Funcional Humano. Universidade Federal de Minas Gerais. Belo Horizonte, 2012. 73p.

30. Correia GN, Pereira VS, Hirakawa HS, Driusso P. Effects of surface and intravaginal electrical stimulation in the treatment of women with stress urinary incontinence: randomized controlled trial. European Journal of Obstetrics & Gynecology and Reproductive Biology. 2014;173:113–18.

31. Miquelutti MA, Cecatti JG, Makuch MY. Evaluation of a birth preparation program on lumbopelvic pain, urinary incontinence, anxiety and exercise: a randomized controlled trial. Pregnancy and Childbirth. 2013;13:154.

32. Frigo LF, Silva RM, Mattos KM, Manfi F, BoeiraGB. A importância dos grupos de gestante na atenção primária: um relato de experiência. Rev Epidemiol Control Infect. 2012;2(3):113-14.

33. Artal R, O'Toole M. Guidelines of the American College of Obstetricians and Gynecologists for exercise during pregnancy and the postpartum period. Br J Sports Med. 2003;37:6–12.

34. Kramer MS, McDonald SW. Aerobic exercise for woman during pregnancy. Cochrane Database of Systematic Reviews. In: The Cochrane Library. 2011; 3.

35. Davies GA, Wolfe LA, Mottola MF, MacKinnon C. Exercise in pregnancy and the postpartum period. Joint SOGC/CSEP Clinical Practice Guideline Canada 2003;25(6):516-29.

36. Abrams P, Andersson L, Birder, L, Brubaker L, Cardozo L, Chapple C et al. Fourth internacional consultation on incontinence recommendations of the international scientific committee: evaluation and treatment of urinary incontinence, pelvic organ prolapse, and fecal incontinence. Neurourol Urodyn 2010;29:213-40.

37. Neumann PB, Grimmer KA, Grant RE, Gill VA et al. Physiotherapy for female stress urinary incontinence: a multicentre observational study. Aust N Z J Obstet Gynaecol. 2005;45:226-32.

38. Mørkved S, Bø, K, Schei B, Salvesen K. Pelvic floor muscle training during pregnancy to prevent urinary incontinence – a single blind randomized controlled trial. Obstetrics and Gynecology 2003;101:313–19

39. Chiarelli P, Cockburn J. Promoting urinary continence in women after delivery: randomised controlled trial. BMJ. 2002;324:1241–46.

40. Mørkved, S.; Bø, K. Effect of postpartum pelvic floor muscle training in prevention and treatment of urinary incontinence: a one-year follow up. British Journal of Obstetrics and Gynaecology. 2000;107:1022–28.

41. Chiarelli P, Murphy B, Cockburn J. Acceptability of a urinary continence promotion programme to women in postpartum. BJOG. 2003;110:188–196.

42. Brasil. Ministério da Saúde. Instituto Nacional de Câncer José Alencar Gomes da Silva (INCA). Estimativa 2014: incidência de câncer no Brasil. Rio de Janeiro: INCA, 2014.

43. Brasil. Ministério da Saúde. Secretaria de Atenção à Saúde. Controle dos cânceres do colo do útero e da mama. Brasília: Ministério da Saúde, 2013.

44. Collaborative group on hormonal factors in breast cancer. Breast cancer and breastfeeding: collaborative reanalysis of individual data from 47 epidemiological studies in 30 countries, including 50 302 women with breast cancer and 96 973 women without the disease. Lancet. 2002;360:187-195.

45. Brasil. Ministério da Saúde. Secretaria de Vigilância em Saúde. Plano de ações estratégicas para o enfrentamento das doenças crônicas não transmissíveis no Brasil. Brasília: Ministério da Saúde, 2011.

46. Monteiro SE, Resende LV. Abordagem fisioterapêutica em mastologia oncológica. In: Baracho, E. Fisioterapia aplicada à saúde da mulher. 5. ed. Rio de Janeiro: Guanabara Koogan, 2012. p. 400-09.

47. Tatham B, Smith J, Cheifetz O, Gillespie J, Snowden K, Temesy J et al. The efficacy of exercise therapy in reducing shoulder pain related to breast cancer: A systematic review. Physiotherapy Canada. 2013;65(4):321–330.

48. Rezende LF, Franco RL, Gurgel MSC. Fisioterapia aplicada à fase pós-operatória de câncer de mama: o que considerar. Rev Ciên Med. Campinas. 2005;14(3):295-302.

49. Galantino ML, Stout NL. Exercise Interventions for Upper Limb Dysfunction Due to Breast Cancer Treatment. Phys Ther. 2013;93:1291-97.

50. Silva MPP, Derchain SFM, Rezende, L. Movimento do ombro após cirurgia por carcinoma invasor da mama: estudo randomizado prospectivo controlado de exercícios livres versus limitados a 90° no pós-operatório. Rev Bras Ginecol Obstet. 2004;26(2):125-30.

51. Amaral MTP, Teixeira LC, Derchain SFM, Nogueira MD, Silva MPP, Gonçalves AV. Orientação domiciliar: proposta de reabilitação física para mulheres submetidas à cirurgia por câncer de mama. Rev Ciên Med. Campinas. 2005;14(5):405-413.

Atenção Fisioterapêutica na Saúde da Mulher: Manejo nas Disfunções do Assoalho Pélvico

- Karla Veruska Marques Cavalcante da Costa
- Thaíssa H. M. Dantas
- Érika Medeiros Lopes

APRESENTAÇÃO

Neste capítulo, abordaremos, sucintamente, sobre uma das patologias mais prevalentes que comprometem a cinética dos músculos do assoalho pélvico (MAP): a incontinência urinária (IU).

Nos dias atuais, a aplicação da fisioterapia em proctouroginecologia vem ampliando sua área de atuação, necessitando, cada vez mais, de uma formação fisioterapêutica generalista voltada para prestar uma assistência de qualidade aos portadores de disfunções do assoalho pélvico desde a atenção primária, atuando na detecção precoce, educação continuada em saúde, prevenção e reabilitação, em virtude das disfunções do MAP serem de grande impacto na saúde da população adulta e idosa.

INTRODUÇÃO

As demandas por serviços de saúde voltadas às disfunções do assoalho pélvico tendem a crescer significativamente nas próximas décadas e, na busca por uma visão integradora do indivíduo, o entendimento mais aprofundado da anatomofisiologia do trato urinário inferior e os mecanismos de suporte pélvico são fundamentais para o profissional da área e, precede o entendimento da estática e dinâmica pélvica, da fisiologia da micção e da fisiopatologia da IU, incontinência fecal, prolapso dos órgãos pélvicos (POP) e outras disfunções cineticofuncionais dos MAP.

A IU é uma das novas epidemias do século XXI, agravada pelo contínuo aumento da esperança média de vida. É um problema urológico, definido pela *Sociedade Internacional de Continência* como qualquer perda involuntária de urina.[1] É considerado um problema de saúde mundial, com maior prevalência entre as mulheres, representando um alto custo para a saúde pública,[2] atingindo cerca de 200 milhões de pessoas em todo o mundo.[3]

No Brasil, estima-se que 11 a 23% das mulheres sejam incontinentes, com aumento da prevalência para 20 a 35% com o avançar da idade, adicionado o valor desconhecido que corresponde aos casos de IU que continuam a ser subdiagnosticados e subtratados.[4]

Os Prolapsos dos Órgãos Pélvicos (POP) também têm uma ocorrência relativamente comum, podendo atingir cerca de 40% das mulheres, principalmente aquelas com idade mais avançada, multíparas e da raça branca.[5]

Referente às disfunções sexuais femininas, uma revisão sistemática constatou uma prevalência de 35% com disfunção de orgasmo e 26% de dispareunia.[6] No estudo de Abdo,[7] feito no Brasil, avaliando 1.219 mulheres, observou-se que 49% tinham pelo menos uma disfunção sexual, sendo 23% dispareunia e 21% disfunção do orgasmo, enquanto o vaginismo acomete apenas cerca de 1 a 6% das mulheres em vida sexual ativa.[8]

As disfunções defecatórias também ficam comprometidas com a disfunção dos MAP. Referente à incontinência fecal, sua real prevalência é considerada subestimada, os valores variam entre 1,9% e 21,3% na população, aumentando com o avançar da idade.[9] Na população brasileira, um estudo realizado no Ambulatório de Geriatria do Hospital das Clínicas de São Paulo encontrou prevalência de 10,9%.[4] Tamanha variação está, em grande parte, associada aos métodos de avaliação inconsistentes utilizados nos estudos, à relutância dos indivíduos em relatar os sintomas e às distintas faixas etárias consideradas.[10]

Apesar de não ser considerado um grave problema de saúde, a perda involuntária de urina apresenta forte impacto social, causando muitas vezes marginalização do convívio, frustrações psicossociais[11] e institucionalização precoce, interferindo na sexualidade[12] e repercutindo negativamente sobre a qualidade de vida das pessoas acometidas.[11]

O progressivo aumento da expectativa de vida da população se não estiver associado à melhoria da saúde e da qualidade de vida, pode causar elevação de gastos públicos. A partir disso, considera-se que a possibilidade de maior atenção ao manejo da IU pode ocorrer por meio de programas e políticas públicas que incentivem a promoção da saúde e a prevenção desta disfunção.[13]

Neste capítulo, será dado um maior enfoque à atenção fisioterapêutica para os quadros de incontinência urinária, enfatizando os mecanismos de triagem e tratamento que atendam a necessidade de manejo dos usuários da atenção primária, e que apresentem resultados confiáveis.

ESTRUTURA E FUNCIONAMENTO DO APARELHO URINÁRIO

O trato urinário inferior é composto pela bexiga e uretra, as duas unidades funcionais responsáveis pelo armazenamento (a bexiga) e eliminação (colo da bexiga e uretra) do conteúdo vesical.[14] A bexiga, para atuar como reservatório, precisa relaxar para armazenar a urina na fase de enchimento e contrair para eliminar a urina na fase de esvaziamento. Enquanto a uretra precisa estar contraída durante o enchimento vesical, mantendo a continência e relaxada na fase de esvaziamento, e assim permitir a micção.[15]

Os circuitos neurais atuam como um complexo integrado de reflexos que regula a micção, comandado pelo SNC, que permitem que o trato urinário inferior e os músculos do assoalho pélvico coordenem os processos de armazenagem, complacência e eliminação do conteúdo vesical mediante ações facilitadoras e inibitórias do sistema nervoso periférico.[16] Este controle é exercido perifericamente pela inervação dos sistemas simpático (nervo hipogástrico e pélvico) durante a continência, parassimpático (nervo pélvico) na fase de esvaziamento vesical e somático (nervo pudendo) controlando a contração e relaxamento dos MAP.[17]

As estruturas ósseas da pelve, interligadas por fibras musculares, ligamentos densos e pelas condensações das fáscias, fecham a pelve e apoiam as vísceras em posição vertical. A pelve óssea oferece estabilidade funcional suficiente para resistir às forças tracionais e compressivas durante a locomoção.[18]

O sistema de suporte é um sistema inter-relacionado, equilibrado, sinérgico e formado por tecido conjuntivo e muscular e por componentes do sistema nervoso que circundam, sustentam e inervam as vísceras pélvicas, ou seja, mantêm as relações anatômicas entre o colo e a vagina, a bexiga e a uretra e o reto e o canal anal entre si e nos limites da pelve. A manutenção das relações em um padrão de normalidade permite que estes órgãos preservem suas funções primárias. Por exemplo, esse suporte anatômico da junção uretrovesical é o responsável pela manutenção da posição intra-abdominal do colo vesical e, portanto, responsável pela continência.[15]

O suporte mecânico é exercido principalmente pelo diafragma urogenital (períneo), fáscia endopélvica e diafragma pélvico, que suportam as vísceras resistindo às pressões exercidas pelo aumento da pressão abdominal.[19]

O diafragma pélvico e urogenital, formado pela musculatura do assoalho pélvico (MAP), são músculos esqueléticos que se dispõem superficial e profundamente, contêm principalmente fibras de contração lenta e que dão suporte às vísceras, estabilizam o tronco, cóccix e sacro e atuam na manutenção da pressão de fechamento da uretra e ânus.[20,21]

O diafragma urogenital (períneo) refere-se tanto à área de superfície quanto ao compartimento raso do corpo e está limitado superiormente pelos músculos levantadores do ânus. O períneo tem um formato losangular delimitado anteriormente pelo arco púbico, posteriormente pelo cóccix e lateralmente pelas tuberosidades isquiáticas[18,19,21,22] (**Figura 12.1**).

Uma linha imaginária entre as tuberosidades isquiáticas divide o períneo formando dois trígonos, o anterior chamado trígono urogenital e o posterior de trígono anal.[19,21,22] A base

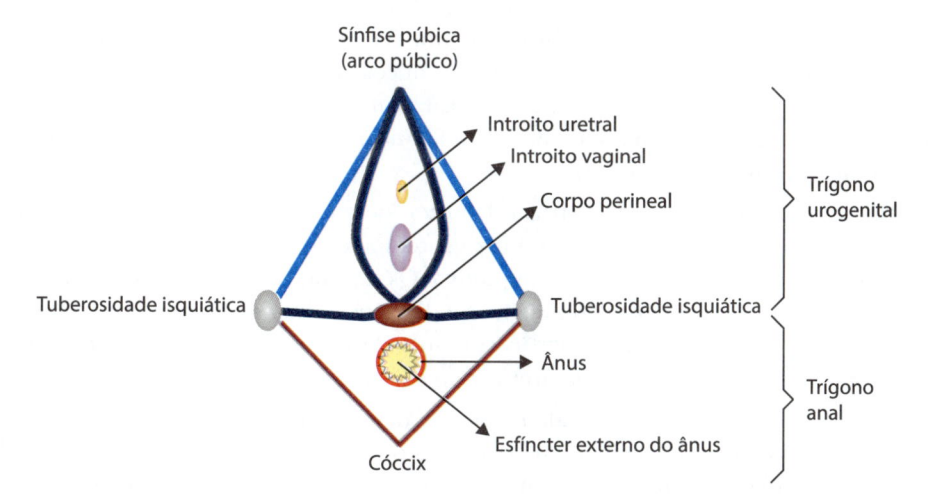

FIGURA 12.1. Representação esquemática da visão inferior do períneo dividido em trígono urogenital (superior) e anal (inferior) e suas limitações anatômicas. (Fonte: Própria do autor.)

dos trígonos é limitada pelo músculo transverso superficial do períneo, que sai de cada tuberosidade isquiática até o centro tendíneo do períneo, também chamado corpo perineal, o qual constitui o ponto de maior resistência do assoalho pélvico, uma estrutura fibromuscular compacta e de confluência dos músculos superficiais e profundos responsáveis pelo suporte das estruturas internas.[18]

O diafragma pélvico é o maior grupo muscular do assoalho pélvico, está em um compartimento mais profundo, é formado pelo músculo levantador do ânus (m. pubococcígeo, m. puborretal e m. iliococcígeo) e o músculo coccígeo e constitui o principal suporte dos órgãos pélvicos em situações de esforço. O músculo levantador do ânus é o componente mais importante responsável pela manutenção do tônus basal constante.[18]

Durante a micção ocorre o relaxamento dos grupos musculares cujo vetor de força é anterior, possibilitando que o colo da bexiga gire para baixo, até o limite das inserções faciais, liberando a base da uretra e possibilitando a micção.[19,21]

Segundo a Teoria de Enhorning, também conhecida como a Teoria de Equalizações das Pressões, para que haja continência é necessário que a pressão uretral exceda a pressão vesical. O assoalho pélvico é um sistema inter-relacionado, equilibrado, mantido em situações estáveis em consequência de um equilíbrio de forças, exercendo importante função no mecanismo de continência, suporte dos órgãos pélvicos[20,21] e função sexual.[23]

Quando normais, os MAP devem apresentar um tônus de relaxamento e uma habilidade de contrair e relaxar, tanto de modo reflexo como também voluntariamente e, ainda, atuar na ação dos esfíncteres da uretra, reto e vagina.[23] Entretanto, a composição, a espessura, a resistência e a elasticidade desses tecidos variam de acordo com as necessidades de suporte mecânico e fisiológico.[15]

INCONTINÊNCIA URINÁRIA E FATORES RELACIONADOS

Estudos com pacientes incontinentes mostraram que o suporte normal do assoalho pélvico não é suficiente para assegurar a continência. A discussão do mecanismo de continência é muito mais ampla e complexa, e os fatores anatômicos e constitucionais, como o esfíncter uretral, topografia do colo vesical, coaptação da mucosa uretral, coxim vascular periuretral, os ângulos de inclinação da uretra e uretrovesical, diafragma pélvico e urogenital e as fibras colágenas periuretrais, formam uma unidade funcional e apresentam uma importante contribuição no mecanismo de continência.[19]

A teoria da integralidade de Petrus e Ulmsten defende, como princípio fundamental, que o reestabelecimento da forma se traduz no reestabelecimento da função.[21] Essa teoria está baseada na composição do tecido conjuntivo. Os sintomas urinários teriam sua etiologia relacionada à frouxidão da parede da vagina ou dos seus músculos e ligamentos. O mecanismo de continência depende da interação conjunta de vários sistemas, incluindo o sistema nervoso e a integridade da bexiga, da uretra e do assoalho pélvico.[22]

Existe uma relação direta entre alterações na anatomia do assoalho pélvico e alterações na fisiologia da micção.[24] Um assoalho pélvico hipotônico impede a transmissão correta dessa pressão, a qual será propagada para a junção uretrovesical e provocará perda de urina.[1]

Em situações de lesão nos pontos de sustentação, fixação ou suporte, altera-se a eficácia do equilíbrio muscular, causando com isso uma disfunção tanto de fechamento como de aberturas. Perturbações dessas relações podem provocar disfunções como a IU, fecal ou prolapsos dos órgãos pélvicos.[21]

A etiologia da incontinência urinária (IU) é multifatorial,[25] e os fatores de risco geralmente se concentram em disfunções ou rupturas dos MAP e fraqueza do tecido conjuntivo ou lesões nervosas.[26,30] Estudos apontam a fisiopatologia da IU como algo complexo e afirmam que diferentes fatores podem influenciar na gênese da IU, como o tipo de parto,[26] a gestação,[31] o aumento da idade (período pós-menopausal), tabagismo crônico, aumento da pressão intra-abdominal (obesidade e constipação crônica)[26,27] e fatores genéticos,[28,29] os quais vêm sendo bastante estudados na população feminina.

No homem, os principais fatores de risco encontrados na literatura são: idade avançada, sintomas do trato urinário inferior, infecções urinárias, déficit cognitivo, distúrbios neurológicos e, principalmente, sequela pós-prostatectomia.[30,15]

Os sinais e sintomas clínicos mais citados na prática clínica são: urgência, urgeincontinência, polaciúria, noctúria, enurese noturna, perda aos esforços, hesitação, retenção ou sensação de esvaziamento vesical incompleto e disúria.[31]

A IU é mais frequentemente dividida em três subtipos: incontinência urinária de esforço (IUE), IU de urgência (IUU) e IU mista (IUM).[32] Sendo a IUE a mais comum e ocorre com a perda involuntária de urina durante ou imediatamente após esforços físicos, tosse ou espirro, quando a pressão intravesical ultrapassa a pressão intrauretral, provocando perda de urina na ausência de contração do músculo detrusor. A IUU é a perda involuntária de urina associada à urgência urinária, acompanhada ou não de urgeincontinência, que ocorre na contração vesical durante a fase de enchimento, desencadeada espontaneamente ou em resposta a estímulos. A IUM é a perda involuntária de urina associada à urgência e aos esforços.[32]

No entanto, existem outros tipos de incontinência, como a IU por transbordamento, que geralmente ocorre em pacientes que não percebem o desejo miccional, com retenção crônica de urina na bexiga ou como consequência da hiperplasia prostática benigna; as IU funcionais, que acometem principalmente idosos e ocorrem geralmente quando não conseguem chegar a tempo ao banheiro, despir-se para urinar devido a deficiências funcionais como equilíbrio, descoordenação ou deficiência visual. Na IU contínua, ocorre perda incessante de urina devido à fístula vesicovaginal, abertura ectópica na vulva ou deficiência esfincteriana grave.[33]

RECURSOS ÚTEIS NA IDENTIFICAÇÃO, AVALIAÇÃO E DIAGNÓSTICO DA INCONTINÊNCIA URINÁRIA

Na IU, por apresentar fisiopatologia complexa, possibilitando a intervenção de distintas abordagens terapêuticas, é muito importante que se estabeleça um diagnóstico preciso, a localização e as estruturas lesionadas antes de se traçar qualquer conduta terapêutica ou cirúrgica.[21]

É possível realizar um diagnóstico clínico preciso fundamentado em uma história clínica minuciosa e exame físico detalhado e criterioso.[34] A história clínica e o exame físico precedem qualquer outro método de avaliação e diagnóstico e embasam o diagnóstico clínico e tratamento subsequente, embora possa existir a necessidade de ser confirmado por meios auxiliares de exames complementares.[35]

O valor dos exames complementares recai sobre pacientes que necessitam de investigação mais aprofundada e, atualmente, o diagnóstico urodinâmico é o padrão-ouro para o estudo da IU.[36] A realização de estudo urodinâmico fica cada vez mais restrita aos casos em que, após estes testes, ainda não tenha sido possível estabelecer qual tipo de IU, assim como pacientes que não têm uma resposta esperada ao tratamento proposto ou se a opção for a cirurgia.[37]

Apesar de ser um exame rico em informações e necessário em alguns casos, a avaliação urodinâmica é um recurso tecnológico que apresenta custo elevado e a solicitação, como método diagnóstico financiado pelo Sistema Único de Saúde — SUS, não reflete a realidade de muitas regiões deste país nos diferentes níveis de atenção à saúde.

Após o diagnóstico clínico, em se optando pelo tratamento conservador, faz-se necessária uma nova avaliação conduzida pelo fisioterapeuta, que deve explorar e identificar as disfunções cineticofuncionais para uma precisão diagnóstica. Isso determina uma condição diferencial para se traçar uma intervenção terapêutica[38] (**Tabela 12.1**).

TABELA 12.1. Método de avaliação e classificação funcional dos MAP de acordo com o esquema PERFECT e graduação de força muscular segundo Oxford

Esquema PERFECT	
Power	*Power* (força muscular): avalia a presença e a intensidade da contração voluntária do assoalho pélvico, graduando-se de 0 a 5, conforme o sistema de Oxford: 0 – ausência de resposta muscular perivaginais. 1 – esboço de contração muscular não sustentada. 2 – contração de pequena intensidade, mas que se sustenta. 3 – contração moderada, sentida como um aumento da pressão intravaginal, que comprime os dedos do examinador com pequena elevação cranial da parede vaginal. 4 – contração satisfatória: aperta os dedos do examinador com elevação da parede vaginal em direção à sínfise púbica. 5 – contração forte: compressão firme dos dedos do examinador com movimento em direção à sínfise púbica.
Endurance	*Endurance* (manutenção da contração): é uma função do tempo (em segundos) em que a contração voluntária é mantida e sustentada (o ideal é mais de 10 segundos) e seria resultado da atividade de fibras musculares lentas.
Repetition	*Repetition* (repetição das contrações mantidas): número de contrações com duração satisfatória (cinco segundos) que a paciente consegue realizar após período de quatro segundos de repouso entre as mesmas; o número obtido sem comprometimento da intensidade é registrado.
Fast	*Fast* (número de contrações rápidas): medida da contratilidade das fibras musculares rápidas determinadas após dois minutos de repouso. Anota-se o número de contrações rápidas de um segundo (até dez vezes).
Every Contractions Timed	É a medida do examinador para monitorar o progresso por meio da cronometragem das contrações. Permite demonstrar de maneira prática o progresso.
Coordenação	É importante monitorar a habilidade de relaxar de maneira rápida e completa. Um relaxamento parcial ou muito lento significa uma coordenação insatisfatória e um relaxamento total e rápido significa uma coordenação satisfatória: esse teste completa o exame vaginal

Fonte: Elaboração própria dos autores.

A avaliação deve contemplar a história clínica e o exame físico. A anamnese deve abordar os dados sobre a história ginecológica, obstétrica, predisposição genética, antecedentes pessoais e familiares de doenças crônicas, cirurgias (histerectomia, perineoplastia), hábitos de vida (profissão, lazer, atividade física, fumo) e uso de medicação de maneira regular que possa ter implicação sobre o sistema urinário resultando em incontinências temporárias ou agravo dos sintomas e fármacos utilizados para tratamento da IU.[39]

Indispensavelmente, o paciente deve realizar um exame de urina ou uma urocultura para excluir outras possíveis alterações urinárias,[40] como hematúria, glicosúria e infecções urinárias ocultas, o que inviabiliza o início do tratamento fisioterapêutico.[19]

É imprescindível identificar as circunstâncias de perdas: se ocorrem aos esforços, em situação de emergência/urgência ou na associação de ambas; bem como as características das perdas, a frequência e a quantidade destas, para que se possa diferenciar o tipo de incontinência urinária.[18,41]

Além disso, devem ser investigados os aspectos geniturinários, intestinais e sexuais implicados no processo, como o início dos sintomas, duração, frequência de perdas, gravidade, se faz uso de protetor (absorvente, toalha), a quantidade diária e razão da troca dos protetores, fatores precipitantes, frequência urinária, noctúria, hesitação, esvaziamento incompleto, disúria, uso de manobras para esvaziar a bexiga, infecções urinárias recorrentes, hábito intestinal, disfunções anorretais e dispareunia.[31,41]

Para realizar o exame físico, o terapeuta, devidamente paramentado com os equipamentos de proteção individual e mãos higienizadas, inicia a investigação pela avaliação postural, enfatizando uma avaliação mais específica da estática pélvica e possíveis desequilíbrios lombopélvicos que podem modificar os vetores musculares e repercutir nos sintomas urinários.[42] Sequencialmente, pede ao paciente para deitar-se na posição de litotomia, e inicia a inspeção e a palpação da região do abdome observando e registrando o tônus muscular (hipo, hiper ou normotonia), a existência de hérnias, cicatrizes, diástase de reto abdominal, impactação fecal e dor.[39]

A inspeção da região perineal deve ser minuciosa, registrando possíveis alterações cutâneas, tróficas, sensoriais, POP ou perdas urinárias durante estímulos simulados, como a contração voluntária ou a tosse.[18] A ausência de respostas a estímulos sensoriais específicos pode representar diferentes níveis de lesões ou estiramentos dos nervos pélvicos e/ou pudendo, resultando no comprometimento do tônus muscular perineal e instalações de complicações associadas.[15,41]

A avaliação funcional do assoalho pélvico por meio do método manual apresenta alta sensibilidade e especificidade, possibilitando, além da análise inicial, a possibilidade de um prognóstico após terapêutica.[23] Os principais métodos de avaliação funcional da musculatura do assoalho pélvico e que apresentam evidências comprovadas são a palpação bidigital e o *biofeedback*.[34,43] Pelo perfil cinético funcional dos músculos esqueléticos é possível intervir nesta musculatura de maneira preventiva ou com técnicas de reabilitação evitando, com isto, a progressão e o agravo dos sintomas.[44]

O teste bidigital é indispensável à avaliação clínica e este procedimento é restrito a mulheres não virgens. Para realizar o teste bidigital, é muito importante o rigor na avaliação e na capacitação do avaliador.[45] Nesse teste, a paciente deve ser previamente informada sobre o procedimento a ser realizado e deve ter preservada sua privacidade, evitando exposições desnecessárias. Para que se obtenha um resultado fidedigno dessa avaliação é importante que o paciente compreenda os comandos verbais para atender o que está sendo solicitado a cada teste.

Na palpação e na avaliação funcional do assoalho pélvico (AFA), o fisioterapeuta, fazendo uso de luvas estéreis e lubrificante, pede que a paciente fique relaxada e introduz no canal vaginal o dedo médio, faz uma leve depressão e introduz o dedo indicador no eixo vaginal até aproximadamente a segunda falange, com o antebraço em posição neutra. Em seguida, realiza uma pronação do antebraço, abdução dos dedos (que estão no canal vaginal) para impor resistência, e solicita à paciente que realize uma contração dos MAP (toque bidigital).[46]

De acordo com a *International Continence Society* (ICS), a função adequada dos MAP é definida como habilidade em realizar contração voluntária forte, que resultam em fechamento circular da vagina, uretra e ânus em movimento cranioventral do períneo e elevação dos órgãos pélvicos.[47]

O objetivo dessa avaliação é quantificar e qualificar a capacidade da paciente contrair e relaxar os MAP de maneira correta, mensurar a habilidade de manter a contração e executar contrações repetidas, avaliar tônus de repouso, a capacidade de relaxamento após contrações, identificar a simetria das contrações, além de dor, aderências e prolapsos.[22]

É importante nesse momento perceber se a paciente está realizando alguns movimentos indesejados, como a manobra de Valsalva ou contrações de músculos acessórios (abdominais, adutores e glúteos). Nesse momento, o fisioterapeuta deve ensinar e treinar a conscientização e percepção dos MAP e músculos acessórios para que se tenha uma avaliação confiável e reprodutiva.[22]

No exame físico, é possível mensurar a força (classificando-a segundo escalas de Ortiz ou Oxford),[20] potência, coordenação e a resistência da contração voluntária dos MAP, tanto para as fibras fásicas quanto para as tônicas. Essa avaliação pode ser realizada segundo o critério de classificação denominado PERFECT, proposta por Bo e Larsen, e referenciado por Coletti em 2005, que permite quantificar a intensidade, o número de contrações, tanto rápidas como lentas, além do tempo de sustentação das contrações,[48] conforme é descrito detalhadamente na **Tabela 12.1**.

CONSIDERAÇÕES FINAIS

O Sistema Único de Saúde deve promover a atenção integral à saúde, contemplando a promoção, proteção, assistência e recuperação em seus diferentes níveis de atenção. No entanto, a incontinência urinária continua afetando de maneira significativa a qualidade de vida dos portadores desta afecção. O número de procedimentos cirúrgicos para estes fins, nos últimos anos, continua elevado, no entanto, a inserção da terapia conservadora começa a ser mais aceita pela população e comunidade científica.[22]

Com isso, a inserção do fisioterapeuta na equipe multiprofissional da atenção básica torna-se uma perspectiva promissora, que ocorre objetivando a reorientação das práticas preventivas e assistenciais dentro de uma abordagem integral, possibilitando, assim, elaborar novas estratégias e condutas voltadas à saúde, buscando técnicas de baixo custo e menor risco, como discutimos neste capítulo.

Como proposta de atuação, sugerimos o algoritmo para manejo das disfunções do assoalho pélvico na atenção primária em saúde na **Figura 12.2**.

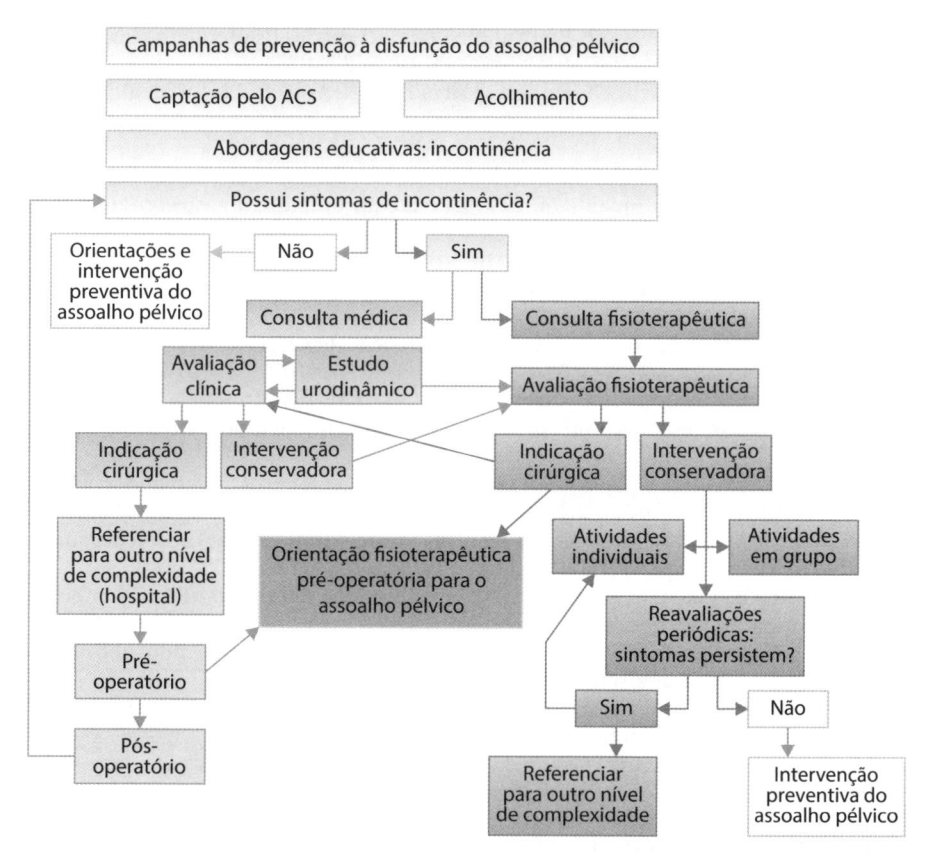

FIGURA 12.2. Algoritmo para captura, educação continuada em saúde e direcionamento para avaliações clínicas e fisioterapêutica, identificação, diagnóstico, intervenções e reavaliações de pacientes com incontinência.[48] (Fonte: Própria dos autores.)

REFERÊNCIAS BIBLIOGRÁFICAS

1. Almeida PP, Machado LRG. A prevalência de incontinência urinária em mulheres praticantes de jump. Fisioter Mov. 2012;25(1):55-65.
2. Figueiredo EM, Baracho SM, Vaz CT, Sampaio RF. Educação de funcionárias de unidade básica de saúde acerca da atenção fisioterapêutica na incontinência urinária: relato de experiência. Fisioter Pesq. 2012;19(2):103-8.
3. Koike Y et al. Pathophysiology of urinary incontinence in murine models. International Journal of Urology. 2013;20:64–71.
4. Torrealba FCM, Oliveira LDR. Incontinência urinária na população feminina de idosas. Ensaios e Ciências: Ciências Biológicas, Agrárias e da Saúde. 2010;14(5):159-75.
5. Rortveit G, Brown JS, Thom DH, Van Den Eeden SK, Creasman J, Subak LL. Symptomatic pelvic organ prolapse: prevalence and risk factors in a population-based, racially diverse cohort. Obstet Gynecol. 2007;109(6):1396-403.
6. West SL, Vinikoor LC, Zolnoum. A systematic review of the literature on female sexual dysfunction prevalence and predictors. Annu Rev Sex Res. 2004;15:40-172.
7. Abdo CH, Oliveira WM, Moreira ED, Fittipaldi JAS. Prevalence of sexual dysfunction and correlated conditions in a sample of Brazilian women: results of the Brazilian study on sexual behavior (BSSB). Int J Impot Res. 2004;16:160-6.

8. Aveiro MC, Garcia APU, Driusso P. Efetividade de intervenções fisioterapêuticas para o vaginismo: uma revisão da literatura. Fisioter Pesq. 2009;16(3):279-83.
9. Zaslavsky C, Jurach MT, Barros CP, Saute L, Carvalho ME, Alves R, Link C et al. Epidemiologia da incontinência anal em população assistida em serviços de saúde de Porto Alegre/RS. Rev AMRIGS. 2012;56(4):289-94.
10. Alsheik EH, Coyne T, Hawes SK, Merikhi L, Naples SP, Kanagarajan N et al. Fecal incontinence: prevalence, severity, and quality of life data from an outpatient gastroenterology practice. Gastroenterol Res Pract. 2012:1-7.
11. Yusuf SAI, Jorge JMN, Habr-Gama A, Kiss DR, Rodrigues JG. Avaliação da qualidade de vida na incontinência anal: validação do questionário FIQL (Fecal Incontinence Quality of Life). Arq Gastroenterol. 2004;41(3):202-8.
12. Quintão MG, Oliveira SAS, Guedes HM. Incontinência fecal: perfil dos idosos residentes na cidade de Rio Piracicaba, MG. Rev Bras Geriatr Gerontol. 2010;13(2):191-201.
13. Berlezi EM, Bem AD, Antonello C, Leite MT, Bertolo EM. Incontinência urinária em mulheres no período pós-menopausa: um problema de saúde pública. Rev Bras Geriatr Gerontol. 2009;12(2):159-73.
14. Yoshimura N, Chancellor MB. Physiology and pharmacology of the bladder and urethra. Urology. 2011;10(3):1786–833.
15. Palma PCR (Ed.) Aplicações clínicas das técnicas fisioterapêuticas nas disfunções miccionais e do assoalho pélvico. Campinas, SP: Personal Link Comunicações, 2009.
16. Leñero E, Castro R, Viktrup L, Bump R.C. Neurofisiología del tracto urinario inferior y de la continencia urinaria. Rev Mex Urol. 2007;67(3):154-9.
17. Mahony DT, Laferte RO, Blais DJ. Integral storage and voiding reflexes: neurophysiologic concept of continence and micturition. Urology. 1977;9(1):95–106.
18. Chiarapa, TR, Cacho, DP, Alves AFD. Incontinência urinária feminina: Assistência fisioterapêutica e multidisciplinar. São Paulo: Livraria médica Paulista, 2007.
19. Bent AE, Ostergard DR, Cundiff GW, Swift SE. Uroginecologia e disfunções do assoalho pélvico. 5. ed. Rio de Janeiro: Guanabara Koogan; 2006.
20. Sanches PRS et al. Correlação do escore de Oxford modificado com as medidas perineométricas em pacientes incontinentes. Rev HCPA. 2010;30(2):125-130.
21. Petros P, Ricetto C. Aplicações clínicas da teoria integral da continência. In: Palma P. Urofisioterapia: aplicações clínicas das técnicas fisioterapêuticas nas disfunções miccionais e do assoalho pélvico. Campinas: Personal Link Comunicações; 2009. p. 39-49.
22. Moreno AL. Fisioterapia em uroginecologia. São Paulo: Manole, 2004.
23. Moreira ECH, Arruda PB. Força muscular do assoalho pélvico entre mulheres continentes jovens e climatéricas. Semina: Ciênc. Biol Saúde. 2010;31(1):53-61.
24. Ferreira CHJ. Fisioterapia na saúde da mulher: Teoria e prática. Rio de Janeiro: Guanabara Koogan; 2011.
25. Mourão FAG, Lopes LN, Vasconcellos NPC, Almeida MBA. Prevalência de queixas urinárias e o impacto destas na qualidade de vida de mulheres integrantes de grupos de atividade física. Acta Fisiatr. 2008;15(3):170-5.
26. Bump RC, Norton PA. Epidemiology and natural history of pelvic floor dysfunction. Obstet Gynecol Clin North Am. 1998;25(4):723-46.
27. Nygaard I. Urinary incontinence: is cesarean delivery protective? Semin Perinatol. 2006;30(5):267-71.
28. Hannestad Y, Lie RT, Rortveit G, Hunskaar S. Familial risk of urinary incontinence in women: Population based cross sectional study. BMJ. 2004;329(7471):889–91.
29. Nikolova G, Lee H, Berkovitz S, Nelson S, Sinsheimer J, Vilain E, Rodríguez LV. Sequence variant in the laminin gamma1 (LAMC1) gene associated with familial pelvic organ prolapse. Hum Genet. 2007;120(6):847-56.
30. Azevedo MJ, Azevedo H, Alves C, Vivas J, Cruz BM. Efeitos da reabilitação do soalho pélvico na incontinência urinária. Rev Soc Port Med Fis Reab. 2013;23(1):23-8.

31. Figueiredo EM, Lara JO, Cruz MC, Quintão DMG, Monteiro MVC. Perfil sociodemográfico e clínico de usuárias de Serviço de Fisioterapia Uroginecológica da rede pública. Rev Bras Fisioter. 2008;12(2):136-42.

32. Martin DG. Avaliação da força muscular e ativação pressórica do assoalho pélvico de mulheres climatéricas com incontinência urinária de esforço (dissertação). Pelotas: Universidade Católica de Pelotas; 2008.

33. Berek JS. Tratado de ginecologia. 13. ed. Rio de Janeiro: Guanabara Koogan; 2005.

34. Glisoi SFN, Girelli P. Importância da fisioterapia na conscientização e aprendizagem da contração da musculatura do assoalho pélvico em mulheres com incontinência urinária. Rev Bras Clin Med. 2011;9(6):408-13.

35. Swift SE, Bent AE. Avaliação básica da paciente com incontinência. In: Bent AE, Ostergard DR, Cundiff GW, Swift SE. Uroginecologia e disfunções do assoalho pélvico. 5. ed. Rio de Janeiro: Guanabara Koogan, 2006. P. 53-4.

36. Martin JL, Williams KS, Abrams KR, Turner DA, Sutton AJ, Chapple C et al. Systematic review and evaluation of methods of assessing urinary incontinence. Health Technol Assess.2006;10(6).

37. Resende Jr JAD, Dornas MC, Figueiredo e Filho RT, Carrerette FB, Damião R. Incontinência urinária feminina: da medicina baseada em evidências para clínica diária. Revista do Hospital Universitário Pedro Ernesto – UERJ. 2008;7:108-115.

38. Alves AT, Almeida JC. Diagnóstico clínico e fisioterapêutico da incontinência urinária feminina. In: Palma P. Urofisioterapia: aplicações clínicas das técnicas fisioterapêuticas nas disfunções miccionais e do assoalho pélvico. Campinas: Personal Link Comunicações; 2009. p. 71-9.

39. Berlezi EM, Martins M, Dreher DZ. Individualized exercise program for urinary incontinence performed in the home space. Sci Med. 2013;23(4):232-38.

40. Feldner Jr PC, Sartori MGF, Lima GR, Baracat EC, Girão MJBC. Diagnóstico clínico e subsidiário da incontinência urinária. Rev Bras Ginecol Obstet. 2006;28(1):54-62.

41. Smith PP, McCrery RJ, Appel RA. Current trends in the evaluation and management of female urinary incontinence. CMAJ 153 (Suppl):2006;175 (10):1223-40.

42. Lind LR, Lucente V, Kohn, N. Thoracic kyphosis and the prevalence of advanced uterine prolapse. Obstet Gynecol. 1996;87(4):605-9.

43. Nascimento SM. Avaliação fisioterapêutica da força muscular do assoalho pélvico na mulher com incontinência urinária de esforço após cirurgia de Wertheim-Meigs: revisão de literatura. Rev Bras Cancerol. 2009;55(2):157- 63.

44. Frare JC, Souza FT, Silva JR. Perfil de mulheres com incontinência urinária submetidas a procedimento cirúrgico em um hospital de ensino do sul do país. Semina: Ciênc. Biol. Saúde. 2011;32(2):185-98.

45. Micussi MTABC, Soares EMM, Lemos TMAM, Brito TNS, Silva JB, Maranhão TMO. Correlação entre as queixas de incontinência urinária de esforço e o padtest de uma hora em mulheres na pós-menopausa. Rev Bras Ginecol Obstet. 2011;33(2):70-4.

46. Sousa JG, Ferreira VR, Oliveira RJ, Cestari CE. Avaliação da força muscular do assoalho pélvico em idosas com incontinência urinária. Fisioter Mov. 2011;24(1):39-46.

47. Messelink B, Benson T, Berghmans B, Bø K, Corcos J, Fowler C et al. Standardization of terminology of pelvic floor muscle function and dysfunction: report from the pelvic floor clinical assessment group of the international continence society. Neurourol Urodyn. 2005;24:374-80.

48. Coletti SH, Haddad JM, Barros JPF. Avaliação funcional do assoalho pélvico. In: Amaro JL, Haddad JM, Trindade JCST, Ribeiro RM. Reabilitação do assoalho pélvico nas disfunções urinárias e anorretais. São Paulo: Segmento Farma; 2005.

49. Bo K, Hay-Smith EJC, Berghmans LCM. Pelvic floor muscle training for urinary incontinence in woman. Cochrane Database. Sys Rev. 2001;(2):CD001407.

50. Ministério da Saúde. Secretaria de Atenção à Saúde. Política Nacional de Atenção Integral à Saúde da Mulher: Princípios e Diretrizes. Brasília: Ministério da Saúde; 2004; 82p.

13

Atenção Fisioterapêutica no Manejo da Osteoporose e Fraturas de Baixo Impacto em Mulheres

■ Johnnatas Mikael Lopes

APRESENTAÇÃO

Neste capítulo, abordaremos a atuação fisioterapêutica no controle dos riscos de desenvolvimento da osteoporose e fraturas de baixo impacto na população feminina. Nosso objetivo principal é expor o grande inconveniente que estas morbidades têm na saúde pública e mostrar as metodologias necessárias ao fisioterapeuta generalista para identificar precocemente os indivíduos em risco e as estratégias de prevenção primária e secundária utilizadas com base nas melhores evidências científicas disponíveis.

INTRODUÇÃO

Nosologicamente, a osteoporose é uma doença metabólica oriunda do desequilíbrio entre as funções anabólicas e catabólicas sobre a mineralização do tecido ósseo, causando a redução de sua densidade mineral[1] e, consequentemente, fragilidade na manutenção da integridade do osso.[1,2] As causas mais evidentes da modelação no tecido osteoporótico são as alterações hormonais, nutricionais e biomecânicas que ocorrem na população em envelhecimento.[3]

A osteoporose atinge ambos os sexos, todavia, estimativas apontam que as mulheres são mais acometidas, na proporção de uma em cada duas mulheres com osteoporose após os 50 anos, enquanto nos homens essa relação é de 1:5 no mundo.[4] Dados divulgados pelo Ministério da Saúde brasileiro mostram que cerca de 10-18% das mulheres e 3-6% dos homens acima dos 50 anos sofrem de osteoporose. Afirma, ainda, que a quantidade de pessoas que possuem essa doença chega a 10 milhões e os gastos do governo em assistência à saúde foi de aproximadamente 81 milhões em 2010.[5]

De acordo com a Sociedade Brasileira de Reumatologia, estima-se que no ano de 2050 haverá um crescimento absurdo de 400% no número de fraturas de quadril em relação a 1950, tanto em homens como mulheres entre as idades de 50 e 60 anos, e aproximadamente 700% de aumento nas idades superiores a 65 anos. A fratura de quadril, como as de coluna lombar, geralmente é decorrente da fragilidade óssea e deficiência na capacidade de equilíbrio de pessoas idosas, que acabam sofrendo quedas de baixo impacto e, como consequência dela e da fragilidade óssea, desenvolvem fraturas de baixo impacto.[6]

O crescente aumento da população idosa vem desencadeando, ao longo do tempo, elevação na ocorrência de osteoporose, o que torna esses indivíduos mais propensos a sofrerem fraturas, sendo as mais comuns no fêmur, vértebras e antebraço.[7] Proporcionalmente à alta prevalência de osteoporose, enfatiza-se o aumento do risco de quedas em idosos, que vem se configurando também como um problema de saúde pública e que resulta em uma das principais causas de morbimortalidade no Brasil, com consequente custo econômico e social.[5]

Segundo o Ministério da Saúde do Brasil, aproximadamente 30% dos idosos caem uma vez por ano, repercutindo na ocorrência de fraturas, declínio na qualidade de vida e na mudança das rotinas de seus familiares, que passam a assumir novas funções, como dedicar suas vidas a cuidados especiais na incapacidade e vulnerabilidade do indivíduo após a queda.[7,8]

Os fatos epidemiológicos mencionados acima justificam a necessidade de atuação fisioterapêutica em nível primário a fim de planejar e executar o manejo adequado de população de risco, principalmente mulheres idosas quanto à condição osteoporótica e prevenir também eventos de quedas e fraturas de baixo impacto, bastante comuns neste grupo.

MULHERES: GRUPO DE RISCO

Essa maior ocorrência de osteoporose nas mulheres se deve às alterações hormonais que se iniciam no período perimenopausa e geralmente ocorre após os 40 anos.[4] Nessa época, a redução dos níveis dos hormônios sexuais leva à concomitante perda de massa óssea. Os hormônios estrogênio e progesterona controlam a remodelação óssea por meio de receptores nas células osteoblásticas e osteogenitoras, aumentando a formação de matriz mineral e colagenosa, assim como a absorção de cálcio no intestino.[9]

As mulheres no período pré, peri e pós-menopausa são acometidas pelos efeitos dos baixos níveis de estrógeno. Um dos efeitos causados pelo hipoestrogenismo é a perda gradual da densidade mineral óssea, podendo ser combatida por meio de exercícios com sobrecarga gradual de peso, com o objetivo de melhorar sua densidade mineral, e exercícios de equilíbrio e sensoriomotores com o intuito de redução das chances de queda e, consequentemente, o risco de fraturas de baixo impacto.[10]

As medidas assistenciais de identificação de mulheres com vulnerabilidade e as estratégias de promoção da saúde e prevenção que visem reduzir os fatores condicionantes para a osteoporose e fraturas de baixo impacto resultariam na redução desses eventos e mitigação de suas complicações secundárias.[11]

POR QUE NA ATENÇÃO PRIMÁRIA?

Em virtude do panorama epidemiológico de ocorrência da osteoporose e a carga de morbidade e mortalidade indireta causada por ela em nossa população, exigem-se ações concretas de identificação de risco ou da disfunção em momentos anteriores às complicações secundárias, assim como medidas preventivas de intervenção que minimizem sua ocorrência.[11]

Outro ponto de destaque é a importância que a Fisioterapia tem neste processo de redução da carga mórbida, pois essa profissão de saúde se apropria de conhecimentos científicos capazes de planejar e executar intervenções impactantes no combate à osteoporose e suas comorbidades. A Fisioterapia vem modificando seu paradigma reabilitador e se inserindo na atenção primária à saúde numa perspectiva de prevenção e manejo de condições crônicas que afetam a funcionalidade humana. Nesse novo contexto, a Fisioterapia lança mão de ações que focam a atenção à saúde de modo articulado na equipe multidisciplinar e intervindo não apenas no indivíduo, mas também no coletivo familiar e comunitário.[12]

IDENTIFICAÇÃO DE VULNERABILIDADE

Como estratégia de identificação das usuárias vulneráveis, realiza-se rastreamento na população adscrita que o serviço de atenção primária assiste.[13] Esta busca ativa necessita da colaboração dos Agentes Comunitários de Saúde (ACS), durante as visitas domiciliares, para conhecer o perfil familiar de risco e estabelecer um vínculo de confiança com as mesmas. O rastreamento também pode ser realizado durante as consultas de primeiro contato por demanda espontânea com a Enfermagem, o Médico ou a Fisioterapia (**Figura 13.1**).

Como instrumento de diagnóstico e prognóstico para o rastreamento, utilizado nas buscas ativas e triagem clínica de primeiro contato, recomenda-se o uso da ferramenta *São Paulo Osteoporosis Risk Index* (SAPORI). O SAPORI foi desenvolvido no projeto *São Paulo Osteoporosis Study* (SAPOS) e apresenta grande facilidade de aplicação, sem custos e, principalmente, validade diagnóstica e prognóstica para a população feminina brasileira com idade acima de 40 anos.[14]

O SAPORI possibilita a identificação de mulheres com risco de desenvolver osteoporose como também de sofrer fratura de baixo impacto no período de pré, peri e pós-menopausa. Este instrumento possui sensibilidade de 91,4% e especificidade de 52% para osteoporose femoral, e sensibilidade de 81,5% e especificidade de 50% para osteoporose da coluna lombar, tendo como padrão-ouro a densitometria óssea.

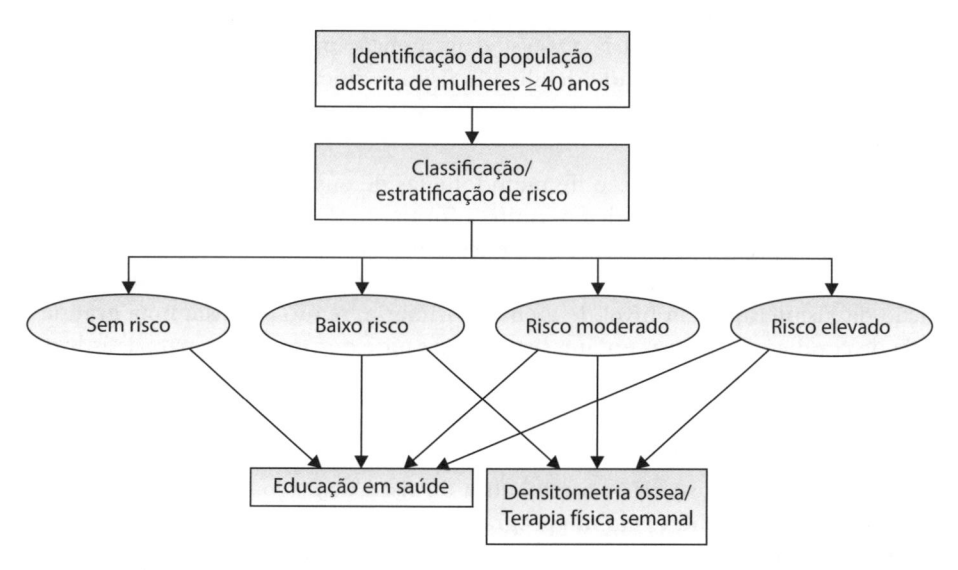

FIGURA 13.1. Fluxograma de identificação e intervenção para o risco de ocorrência de osteoporose e fraturas de baixo impacto em mulheres no período pré, peri e pós-menopausa. Desenvolvido por alunos de Fisioterapia da Faculdade de Ciências da Saúde/UFRN 2013.2. (Fonte: Elaboração própria dos autores.)

Com relação ao prognóstico para fratura de baixo impacto, a sensibilidade é de 71% e especificidade de 52%.[14] Logo, constitui-se método diagnóstico-prognóstico ideal para rastreamento na comunidade em decorrência de sua alta sensibilidade.

O SAPORI utiliza como indicadores de risco as características de hábito de fumo atual, idade elevada, raça branca, uso de corticosteroides, baixo peso e fratura de baixo impacto prévia. Apenas a prática de atividade física no último ano e o uso de terapia de reposição hormonal foram identificados como fatores de proteção.[14] Essas características passaram por modelagem estatística a fim de se estimar o "peso" de contribuição de cada uma delas na predição da osteoporose e fraturas de baixo impacto. O modelo final de predição pode ser obtido na forma de planilha, que fornece um escore para osteoporose do fêmur, da coluna e fratura de baixo impacto (http://www.unifesp.br/dmed/reumato/sapori).

Após a coleta das informações, é alimentada a planilha de dados criada para a estimativa do risco e, em seguida, feita a formulação de um cadastro de dados para monitoramento contínuo da população. A partir desses dados, as usuárias são classificadas quanto à presença de risco de osteoporose no fêmur, na coluna lombar e fratura de baixo impacto quando seu resultado no instrumento assumir valores maiores que zero.[14]

A identificação do risco de osteoporose implica necessidade de se encaminhar para a realização de densitometria óssea, a fim de confirmar o diagnóstico, pois o SAPORI apresenta baixa especificidade em todos os seus campos. Aquelas com diagnóstico confirmado passam a receber assistência multidisciplinar para o manejo de sua condição de saúde e as que tiverem diagnóstico negativo serão periodicamente acompanhadas para avaliação de suas características de risco.

Como estratégia organizacional e de controle/acompanhamento de risco, as usuárias vulneráveis podem ser avaliadas também quanto à necessidade de suporte profissional intensivo e sua possibilidade de autocuidado apoiado.[15] As usuárias com demonstração de capacidade de mudança de condição com abordagem de autocuidado apoiado são assistidas pelo próprio serviço de atenção primária. Caso se exija atenção profissional mais intensiva, como pacientes acamados ou com grande debilidade física e dificuldade de compreensão da sua condição e manejo, estes devem ser referenciados aos cuidados de maior atuação profissional, como centros de reabilitação.

Entendemos que a introdução de metodologias de ensino e práticas fisioterapêuticas em uma perspectiva epidemiológica permite a formação de profissionais capacitados para identificar indivíduos vulneráveis e executar ações de prevenção e controle de modo efetivo e eficiente. Logo, o fluxograma de acolhimento/intervenção aqui exposto busca disseminar a atuação da Fisioterapia em nível de atenção primária, tendo em vista uma grande carga mórbida de condições crônicas em um sistema de saúde despreparado para assistir os usuários de modo preventivo.

ESTRATÉGIAS DE INTERVENÇÃO

Após a identificação das usuárias e a estimativa do risco de osteoporose e fraturas de baixo impacto, alocamos as mulheres em um programa de intervenção de educação em saúde e de terapia física a fim de prevenir agravos e tratar da sua condição.[16,17]

As mulheres sem risco devem participar de encontros com programação elaborada em conjunto com as usuárias, onde se abordem as necessidades das mesmas para obterem orientações quanto às morbidades secundárias e bons hábitos de vida, como: práticas alimentares adequadas, orientações sobre a prática de atividade física regular e estímulo ao uso de aparelhos comunitários para caminhada e outros exercícios com o intuito de se manter o estado de saúde saudável.[17]

As usuárias com risco devem realizar densitometria óssea, como já mencionado, e participar também do programa de educação em saúde coordenado pelo fisioterapeuta ou outro membro da equipe, além de serem integradas ao programa de terapia física semanal.[18] As mulheres em risco de desenvolver ou com a osteoporose instalada e capacidade suficiente de autocuidado devem ser cuidadas na própria atenção primária.

ABORDAGEM DE EDUCAÇÃO EM SAÚDE

O início das intervenções se dá pelo programa de educação em saúde com foco nas usuárias e nos ACS (**Figura 13.2**). A participação das usuárias em rodas de conversa ou em oficinas de atendimento coletivo é necessária para compreender as peculiaridades das participantes e, assim, estabelecer ações educativas direcionadas aos fatores de riscos e morbidades associadas à osteoporose e fraturas em regiões corporais específicas, desenvolvimento de hábitos alimentares adequados, orientações ergonômicas domiciliares e uso de medicações para o manejo da fragilidade óssea.[11] Ressalta-se a importância da participação de profissionais como nutricionistas, enfermeiros e médicos que contribuem com pontos específicos na abordagem interdisciplinar do problema.

FIGURA 13.2. Programa de educação em saúde para usuárias e capacitação de agentes comunitários de saúde quanto ao manejo e acompanhamento de mulheres com risco de osteoporose e fraturas de baixo impacto. (Fonte: Acervo dos autores.)

ABORDAGEM DE TERAPIA FÍSICA

O programa de terapia física deve conter um conjunto de treinos para as diversas valências físicas, como: capacidade aeróbica, flexibilidade, força e equilíbrio. Segundo a revisão de Barros e Hitti-Dias,[19] identificou-se efeito positivo da atividade física na diminuição da prevalência de osteoporose, embora existam evidências que não revelem tal potencialidade.

O estresse contínuo provocado pelo exercício físico resulta em adaptações morfológicas, como: aumento da espessura cortical e maior conteúdo ósseo na inserção musculotendínea.[20] O exercício físico na osteoporose aumenta de 3 a 5% a densidade mineral óssea, reduzindo o risco de fraturas na ordem de 20 a 30%.[21] Estas alterações fisiológicas podem ser resultado de um fator positivo e controlador da osteoporose.

O programa físico pode iniciar com a realização de exercícios de alongamento muscular ativo em posição ortostática mantida por 30 segundos para a musculatura flexora e extensora dos membros superiores e inferiores, a fim de aumentar a flexibilidade e não para prevenção de lesão durante ou pós-exercício. Os alongamentos objetivam o aumento da extensibilidade do tecido mole conectivo e muscular por meio da manipulação das propriedades reológicas do tecido, aumentando também sua resistência[22] (**Figura 13.3**).

O grupo também precisa realizar treino aeróbico por caminhadas com 5 minutos de aquecimento, mínimo de 30 minutos contínuos de treino pleno e 5 minutos de desaquecimento[23] (**Figura 13.4A e 13.4B**). Para o treino aeróbico, previamente, estima-se a frequência cardíaca de trabalho a fim de monitorar a progressão da carga de exercícios. Também se controla sinais vitais de modo esporádico, a saber: pressão arterial, frequência respiratória

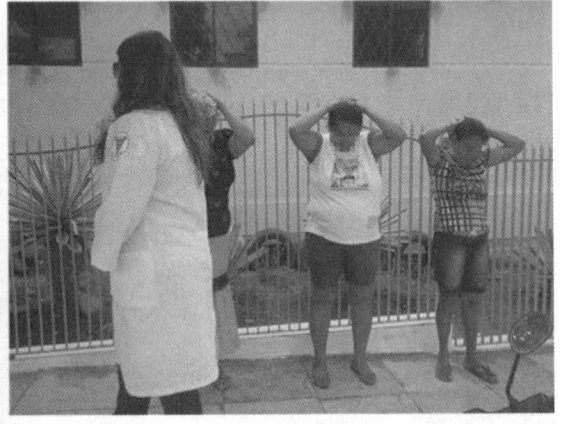

FIGURA 13.3. Exercícios de alongamento no início e fim da terapia física. (Fonte: Acervo dos autores.)

e saturação periférica de oxigênio de todos os participantes, se possível, antes, durante e após o exercício. Recomenda-se o uso de frequencímetros e oxímetro de dedo, que permitem acompanhamento com precisão do estado vital e são de baixo custo para o serviço de atenção primária.

O aumento da densidade mineral óssea é linearmente proporcional ao estímulo causado no tecido ósseo; nesse sentido, a carga nos exercícios aeróbicos é aplicada pela ação gravitacional sobre a massa corporal e tração muscular na junção osteotendínea.[22,24-26] Verificou-se que atletas praticantes de esportes de alto impacto apresentam densidade mineral óssea semelhante a praticantes de exercícios aeróbicos, sendo estes resultados superiores quando comparados aos indivíduos não praticantes de atividades físicas.[27]

FIGURA 13.4. **A e B.** Exercício aeróbico na modalidade caminhada. **C e D.** Exercícios de fortalecimento com faixas elásticas. (Fonte: Acervo dos autores.)

Estudos ainda especulam qual o tipo de exercício que mais contribui para o aumento da densidade mineral óssea: exercícios de caminhada, corrida, aquáticos ou resistidos.[28,29] Kemper *et al.*[30] compararam o aumento da densidade mineral óssea entre indivíduos que realizaram terapia aquática e indivíduos que realizaram exercícios resistidos, não sendo encontrada diferença significativa entre os dois grupos no período de seis meses. É importante frisar que o tempo mínimo para o surgimento dos resultados não foi estimado.

A atividade da caminhada destaca-se como sendo a modalidade de exercício físico mais acessível à parte significativa da população e que pode conferir multiplicidade de adaptações metabólicas, funcionais e morfológicas que interagem entre si, capazes de atuar favoravelmente no elenco dos fatores de risco predisponentes às doenças cardiovasculares.[31] A caminhada é o exercício mais indicado para a prevenção da osteoporose e deve ser realizada por aproximadamente 40 minutos, antecedidos por aquecimento e finalizados com um alongamento muscular.[28] Além disso, tem excelente capacidade de autogerenciamento pelos praticantes.

O treino de força também é outro componente do programa.[25,29] Também com capacidade de autogerenciamento, recomenda-se uma variação nos tipos e evolução dos exercícios para não tornar o programa enfadonho. As musculaturas focadas são aquelas responsáveis tanto pelo controle postural quanto pelo movimento de grande amplitude.[31] Todos os exercícios devem ter um protocolo de progressão das repetições e cargas. Como dispositivo de exercício, preconiza-se o uso de faixas elásticas, que permitem ao fisioterapeuta graduar com precisão a carga e sua progressão, além de sua facilidade de transporte em área de uso comunitário e baixo custo para o serviço. Caso exista dificuldade financeira, podem-se utilizar alternativas como garrafas PET preenchidas com areia. Essa situação dificulta a progressão do programa (**Figura 13.4C e 13.D**).

Os exercícios resistidos, por meio do treinamento de exercícios de contração dinâmica, com cargas adequadas à força do praticante, têm sido utilizados com sucesso na profilaxia de incapacidade em idosos, além de serem considerados muito seguros, mesmo para pessoas idosas.[25]

O treino de equilíbrio, com base em tarefas sensoriomotoras, foca em exercícios que abordam a redução da base de sustentação, como o apoio unipodal e posição semitandem; redução da informação visual; superfícies de apoio desafiantes como calçadas, areia, degraus e ladeiras; treino de marcha com mudanças no comprimento da passada e outros que estimulem as estratégias de recuperação do equilíbrio por meio da manipulação dos sistemas visuais, somatossensorial e vestibular[32] (**Figura 13.5**). A identificação de idosos com risco de quedas é abordada no Capítulo 22 .

As abordagens sensoriomotoras contribuem para a redução da incapacidade funcional dos idosos, já que o envelhecimento promove diminuição da sensibilidade proprioceptiva dos membros inferiores e a transmissão mais lenta das informações responsáveis por manterem o equilíbrio, o que contribui, de modo significativo, para o aumento do número de quedas[32] e, associado à fragilidade óssea, causa alto risco de mortalidade. Os exercícios sensoriomotores revelam bons resultados, porém, é necessário que sua prática seja efetuada de continuamente para a geração de aprendizado motor.[34]

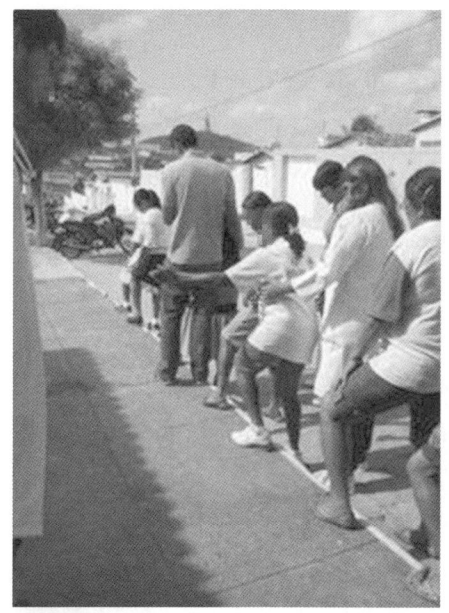
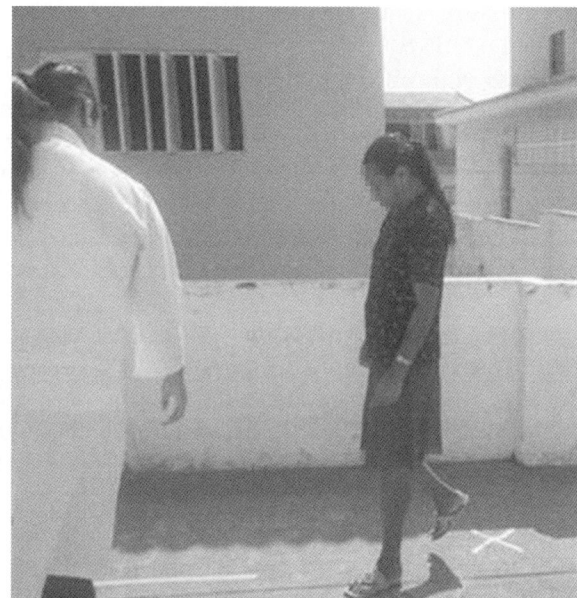

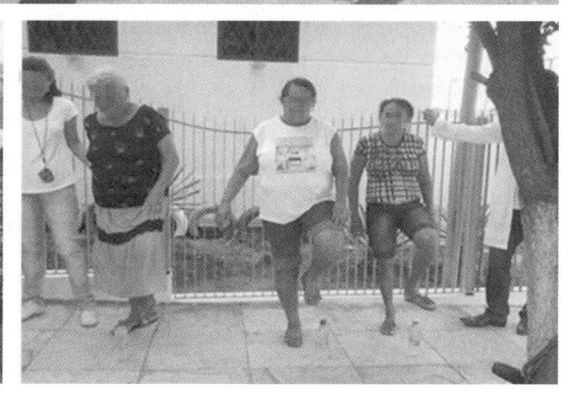

FIGURA 13.5. Exercícios de equilíbrio e sensoriomotores. (Fonte: Acervo dos autores.)

CONSIDERAÇÕES FINAIS

O Brasil apresenta uma transição epidemiológica com tripla carga mórbida, convivendo, principalmente, com grande carga de condições crônicas de saúde, que causam bastante impacto na funcionalidade da população, influenciando nos gastos dos sistemas de saúde e previdenciário.

Segundo Schmidt et al.,[35] os serviços de saúde brasileiros não estão estruturados para assistir usuários com disfunções crônicas. Isso ocorre, talvez, em virtude da carga de doenças infectocontagiosas e da ausência de profissionais nos serviços primários com formação científica para lidar com o novo perfil, a saber, os fisioterapeutas, nutricionistas e psicólogos. Acreditamos que esses profissionais atuam tanto na execução de ações de prevenção como no controle das morbidades instaladas e, no caso do fisioterapeuta, são profissionais de primeiro contato.

O rastreamento de risco de osteoporose e fraturas de baixo impacto, por meio do instrumento SAPORI, parece um método eficaz e que traz resolutividade na atenção primária. Podemos observar como pontos positivos sua fácil aplicabilidade, validade e baixo custo, fornecendo a oportunidade de rastrear mulheres com riscos de osteoporose e fraturas de baixo impacto e traçar estratégias de proteção à saúde, diminuindo os custos com exames de difícil acesso à população e de alto custo, como a densitometria óssea e, por vezes, desnecessários. Assim, deve-se iniciar a prevenção precoce. Reduzir futuros gastos nos tratamentos de comorbidades que a osteoporose e as fraturas de baixo impacto possam causar é papel do fisioterapeuta em equipe de atenção primária.

REFERÊNCIAS BIBLIOGRÁFICAS

1. Cadore EL, Arias M, Fernando L, Kruel M. Efeitos da atividade física na densidade mineral óssea e na remodelação do tecido ósseo. Rev Bras Med Esporte. 2005;11(51):373-9.
2. Neto P, Soares A, Urbanetz A. Brazilian Consensus on Osteoporosis 2002. Rev Bras Reumatol. 2002;42(6):346-35. Disponível em: http://biomedgerontology.oxfordjournals.org/content/61/2/ 196.short. Acesso em: 6 set. 2013.
3. Ocarino N de M, Serakides R. Efeito da atividade física no osso normal e na prevenção e tratamento da osteoporose. Rev Bras Med Esporte. 2006;12(3):164-8.
4. Zerbini CA, Latorre MR, Jaime PC, Tanaka T, Pippa MG. Bone mineral density in Brazilian men 50 years and older. Braz J Med Biol Res [Internet]. 2000 Dec;33(12):1429-35. Disponível em: http://www.ncbi.nlm.nih.gov/pubmed/12242319
5. Ministério da Saúde. Prevenção à osteoporose deve começar na infância. Disponível em: <http://portalsaude.saude.gov.br/portalsaude/noticia/2743/162/prevencao-a-osteoporose-deve-comecar-na-infancia.html>. Acesso em: 30 ago. 2013.
6. Cruz DT, Ribeiro LC, Vieira MT, Teixeira MTB, Bastos RR, Leite ICG. Prevalência de quedas e fatores associados em idosos. Rev Saúde Pública. 2012;46(1):138-46.
7. Bortolon PC, Andrade CLT, Andrade CAF. O perfil das internações do SUS para fratura osteoporótica de fêmur em idosos no Brasil: uma descrição do triênio 2006-2008. Cad Saúde Pública. 2011;27(4):733-42.
8. Tavares DMS, Gomes NC, Dias FA, Santos NMF. Fatores associados à qualidade de vida de idosos com osteoporose residentes na zona rural. Esc Anna Nery. 2012;16(2):371-8.
9. Kakehasi AM, Carvalho AV, Maksud FAN, Barbosa AJA. Níveis séricos de vitamina B12 não se relacionam com baixa densidade mineral óssea em mulheres brasileiras na pós-menopausa. Rev Bras Reum. 2012;52(6):863-9.
10. Howe TE, Shea B, Dawson LJ, Downie F, Murray A, Ross C et al. Exercise for prenventing and treating osteoporosis in postmenopausal women. Cochrane Database Syst Rev. 2011 July 6; (7).
11. Pinheiro MM, Ciconelli RM, Jacques NO, Genaro PS, Martini LA. Ferraz MB. O impacto da osteoporose no Brasil: dados regionais das fraturas em homens e mulheres adultos – The Brazilian Osteoporosis Study (BRAZOS). Rev Bras Reumatol. 2010;50(2):113-20.
12. Aveiro MC, Aciole GG, Driusso P, Oishi J. Perspectivas da participação do fisioterapeuta no Programa Saúde da Família na atenção à saúde do idoso. Ciência & Saúde Coletiva. 2011;16(1):1467-78.
13. Emmett CL, Redmond NM, Peters TJ, Clarke S, Shepstone L, Lenaghan E et al. Acceptability of screening to prevent osteoporotic fractures: a qualitative study with older women. Fam Pract [Internet]. 2012 Apr [cited 2013 Oct 3]; 29(2):235-42. Disponível em: http://www.ncbi.nlm.nih.gov/pubmed/21908537.
14. Pinheiro MM, Reis Neto ET, Machado FS, Omura F, Szejnfeld J, Szejnfeld VL. Development and validation of a tool for identifying women with low bone mineral density and low-impact fractures: the São Paulo Osteoporosis Risk Index (SAPORI). Osteoporos Int [Internet]. 2012 Apr [cited 2014 June 15]; 23(4):1371-9. Disponível em: http://www.ncbi.nlm.nih.gov/pubmed/21769663.

15. Costa-Paiva L, Horovitz AP, Santos AO, Fonsechi-Carvasan GA, Pinto-Neto AM. Prevalência de osteoporose em mulheres na pós-menopausa e associação com fatores clínicos e reprodutivos. Rev Bras Ginecol Obstet. [serial on the Internet]. 2003 Aug [cited 2013 Nov 14];25(7):507-12.

16. Journal T, North T, Menopause A, Vol S. Management of osteoporosis in postmenopausal women: 2010 position statement of The North American Menopause Society. Menopause [Internet]. 2010 [cited 2013 Sep 30]; 17(1):25–54; quiz 55-6. Disponível em: http://www.ncbi.nlm.nih.gov/pubmed/20061894

17. Kanis JA, McCloskey EV, Johansson H, Cooper C, Rizzoli R, Reginster J-Y. European guidance for the diagnosis and management of osteoporosis in postmenopausal women. Osteoporos Int [Internet]. 2013 Jan [cited 2013 Sep 23]; 24(1):23-57. Disponível em: http://www.pubmedcentral.nih.gov/articlerender.fcgi?artid=3587294&tool=pmcentrez&rendertype=abstract

18. Grossman JM. Osteoporosis prevention. Curr Opin Rheumatol [Internet]. 2011 Mar [cited 2013 Oct 3]; 23(2):203-10. Disponível em: http://www.ncbi.nlm.nih.gov/pubmed/21252680

19. Barros HR, Ritti-Dias RM. Relação entre atividade física e densidade mineral óssea/osteoporose: uma revisão da literatura nacional. Motriz: Rev Educ Fis. 2010;16(3):723-9.

20. Krahl H, Michaelis U, Pieper HG, Quack G, Montag M. Stimulation of bone growth through sports. A radiologic investigation of the upper extremities in professional tennis players. Am J Sports Med. 1994;22(6):751-7.

21. Plapler PG. Osteoporose e exercícios. Rev Hosp Clin Fac Med Univ São Paulo. 1997;52(3):163-70.

22. Andreoli A, Monteleone M, Van Loan M, Promenzio L, Tarantino U, De Lorenzo A. Effects of different sports on bone density and muscle mass in highly trained athletes. Med Sci Sports Exerc. 2001;33(4):507-11.

23. Silverman NE, Ryan AS. Addition of aerobic exercise to a weight loss program increases BMD, with an associated reduction in inflammation in overweight postmenopausal women. Calcif Tissue Int. 2009;84(4):257-65.

24. Kelley GA, Kelley KS, Tran ZV. Resistance training and bone mineral density in women: a meta-analysis of controlled trials. American Journal of Physical Medicine & Rehabilitation. 2001;80(1):65-77.

25. Kelley GA, Kelley KS. Efficacy of resistance exercise on lumbar spine and femoral neck bone mineral density in premenopausal women: a meta-analysis of individual patient data. J Womens Health (Larchmt). 2004;13(3):293-300.

26. Moura M, Pedrosa M, Costa E, Filho PB, Sayão L, Sousa T. Efeitos de exercícios resistidos, de equilíbrio e alongamentos sobre a mobilidade funcional de idosas com baixa massa óssea. Rev Bras Ativ Fis e Saúde. 2012; 17(6):474-84.

27. Vuillemin A, Guillemin F, Jouanny P, Denis G, Jeandel C. Differential influence of physical activity on lumbar spine and femoral neck bone mineral density in the elderly population. J Gerontol A Biol Sci Med Sci. 2001;56(6):B248-53.

28. Guimarães LA, Regina C, Gomes DG. Importância da atividade física na prevenção da perda de massa e na Osteoporose. Arq Mudi. 2006;10(1):11-6.

29. Ribeiro AC, Barbosa RR, Vasconcelos JW. Exercício físico, densidade mineral óssea e osteoporose. Revista Ciências da Saúde. 2010;12(10):122-8.

30. Kemper C, Moreno R, Guido M. Efeitos da natação e do treinamento resistido na densidade mineral óssea de mulheres idosas. Rev Bras Med Esporte. 2009; 15(1):10-3.

31. Canovas D, Guedes D. Impacto de diferentes intensidades de caminhada em fatores de risco cardiovasculares em mulheres sedentárias. Revista Saúde e Pesquisa. 2012;5(1):217-24.

32. Liu-Ambrose TY, Kham KM, Eng JJ, Gillies GL, Lord SR, Mckay HA. The beneficial effects of group-based exercises on fall risk profile and physical activity persist one-year post-intervention in older women with low bone mass: follow-up after withdrawal of exercise. J Am Geriatr Soc. 2005;53(10):1767-73.

33. Madureira MM. Efetividade de um programa de treino de equilíbrio no estado funcional e na frequência de quedas em mulheres idosas com osteoporose: estudo randomizado e controlado. 2006.

34. Kenneth A, Behm D. O impacto do treino de resistência à instabilidade no equilíbrio e estabilidade. Sports Med. 2005;35:43-53.
35. Schmidt MI, Duncan BB, Silva GA, Menezes AM, Monteiro CA, Barreto SM et al. Doenças crônicas não transmissíveis no Brasil: Carga e desafios. The Lancet. 2011 May; 61-74.

Atenção Fisioterapêutica no Manejo do Risco de Atraso no Desenvolvimento Neuropsicomotor

- Silvana Alves Pereira
- Johnnatas Mikael Lopes
- Marina Pegoraro Baroni
- Cristiane Aparecida Moran

APRESENTAÇÃO

O cuidado com a saúde da criança melhorou drasticamente nas últimas décadas no Brasil, o que refletiu na queda vertiginosa dos indicadores de mortalidade infantil, como já comprovado na literatura científica. Entre os contribuintes para esse panorama, estão os avanços na assistência pré-natal, obstétrica e sanitária e no suporte medicamentoso.

Atualmente, as atenções são mantidas para a sobrevivência da criança nos primeiros anos de vida, crescendo os olhares para a prevenção e o manejo de morbidades que têm as causas na gestação e na primeira infância, que acarretam complicações para o resto da vida das crianças. Entre as principais consequências encontramos as disfunções do desenvolvimento neuropsicomotor, cuja assistência tem início com o acompanhamento pré-natal da gestante, rastreamento precoce no pós-natal, em ambiente de maternidade, e serviços de atenção primária, como a Estratégia de Saúde da Família. Este último dará acompanhamento à criança em toda sua trajetória desenvolvimental, e será todo esse percurso que veremos neste capítulo.

INTRODUÇÃO

Os fatores de risco para o atraso neuropsicomotor englobam uma série de condições biológicas ou ambientais, sendo as causas mais comuns no período neonatal o baixo peso ao nascer, asfixia perinatal, hemorragia peri-intraventricular, doenças cardiovasculares, respiratórias e neurológicas. Além disso, as infecções neonatais, baixas condições socioeconômicas e nível precário de vida dos pais, como escolaridade, também predispõem riscos no desenvolvimento neuropsicomotor da criança.[1,2]

Diante dos fatores de risco apresentados, a asfixia perinatal que acomete, principalmente, os recém-nascidos a termo, é evidenciada por meio de informações cliniconeurológicas que auxiliarão na avaliação de possíveis lesões centrais. Esta situação constitui casos de encefalopatia hipóxico-isquêmica, no entanto, para alguns autores, tal relação ainda é controversa.[1,3]

O desenvolvimento neuropsicomotor refere-se a mudanças nas habilidades comportamentais e, em geral, começa ao nascer e evolui até a vida adulta, pois está relacionado com a idade e também com a influência do ambiente.[4] Seu desenrolar parte da interação constante entre as características do indivíduo com o ambiente em que está inserido.[5] Desse modo, os aspectos individuais de características físicas determinadas pelo genótipo, juntamente com as sociais e de contexto, moldam o desenvolvimento da criança.[5]

Nesse aspecto, um ambiente desfavorável do ponto de vista físico ou psicossocial pode restringir as possibilidades de aprendizado, interferindo, de maneira negativa, no ritmo e nos padrões das aquisições motoras.[6,7] Estudos têm demonstrado que bebês hospitalizados na primeira infância apresentam desempenho motor inferior aos bebês não hospitalizados.[7,8] A presença de agentes mediadores sociais no desenvolvimento é tão importante quanto a organização estrutural do ambiente físico, o que pode interferir no processo de desenvolvimento.[4]

INTERAÇÃO ENTRE INDIVÍDUO, AMBIENTE E TAREFA COMO MODULADORES DO DESENVOLVIMENTO

O processo de desenvolvimento motor da criança necessita de estímulos para que a aprendizagem de novas habilidades ocorra e, com isso, possa propiciar condições de auto-organização do bebê, que provêm das interações entre as capacidades do lactente e a influência do ambiente ao qual está exposto.[9-11]

O desenvolvimento é interativo e depende das diversidades das tarefas que são ofertadas às crianças. Dessa maneira, a motivação, as características e percepções intrínsecas do bebê, juntamente com as condições ambientais, oferecem oportunidades e/ou limitações diante da realização de uma tarefa motora.[12] Nobre *et al.*[5] mostraram que a tipologia dos espaços existentes nas casas, os tipos de solos, a variedade de brinquedos e objetos, assim como as roupas que usam, a presença de outras pessoas no ambiente da criança, entre outros, constituem fatores que podem interferir no desenvolvimento normal do indivíduo.

Mudanças críticas em qualquer desses subsistemas podem resultar em grandes transformações nos padrões de comportamento cognitivo e motor da criança. Observa-se que o ritmo de surgimento dos padrões motores nas crianças pode ser variável dependendo dos fatores externos e internos que ocorrem durante seu desenvolvimento.[13]

A aquisição e o desenvolvimento de habilidades ocorrem em ritmos diferenciados entre os indivíduos, porém, é na primeira infância que se observa a grande variabilidade entre os desempenhos das atividades. Isso ocorre em razão da maturação neurológica, maior plasticidade cerebral, especificidades da tarefa e oportunidades que o ambiente oferece.[14] Por ser uma manifestação importante da integridade e funcionalidade do sistema nervoso central, seus desvios comportamentais podem ser o primeiro sinal de desordem.[15]

Historicamente, os estudos sobre desenvolvimento colocavam as características biológicas da população infantil como determinante principal dos atrasos no desenvolvimento da criança. Porém, nas últimas décadas, inúmeros estudos têm observado o impacto que os fatores biológicos, psicossociais (individuais e familiares) e ambientais causam no desenvolvimento infantil.[2,16] Diversos fatores, como prematuridade, baixo peso ao nascer, distúrbios cardiovasculares, respiratórios e neurológicos, infecções neonatais, desnutrição, baixas condições socioeconômicas, nível educacional precário dos pais, inexistência de ambientes de lazer e de convivência social, podem colocar em risco o curso normal do desenvolvimento de uma criança.[17] Além disso, as crianças que vivem em países em desenvolvimento estão expostas a vários riscos, entre eles o de apresentarem alta prevalência de doenças, de nascerem de gestações desfavoráveis e/ou incompletas e de viverem em condições socioeconômicas adversas.[16,18,19] A exposição dessas crianças a tais eventos negativos aumenta as chances de apresentarem atrasos em seu potencial de crescimento e desenvolvimento neuropsicomotor.[16,18,19]

Esses fatores podem colocar em risco o curso normal do desenvolvimento, mas o que será mais importante na apresentação de atrasos e prejuízo para a criança é o maior número de fatores de risco contribuintes e não a intensidade ou tipo de risco.[14,16] Em razão das interações existentes entre os diversos fatores, tanto de risco como os de proteção, que influenciam de maneira mais marcante o desenvolvimento infantil, estas devem ser avaliadas em conjunto e não de modo isolado.

A identificação de crianças com atraso e déficits neuropsicomotores sutis pode ser um desafio para os clínicos, visto que a avaliação do desenvolvimento motor infantil pode ser ineficaz quando utilizada apenas a descrição clínica.[20] O desenvolvimento motor é uma habilidade que recebe influências multifatoriais, devendo a intervenção terapêutica estar voltada não apenas aos riscos biológicos de crescimento, mas também à influência dos fatores sociodemográficos.[16] Desse modo, a investigação do desempenho da motricidade e do comportamento individual e social é importante para avaliar o desenvolvimento neuropsicomotor.[21,22]

Na fase pós-natal, período em que os recém-nascidos possuem reduzida permanência no ambiente hospitalar mesmo apresentando ou não os fatores de risco anteriormente relatados, é importante a realização de uma avaliação simples, rápida, de baixo custo e alta sensibilidade a fim de detectar, oportunamente, alterações no sistema neurológico. Isso nos permite um diagnóstico precoce e proporciona assistência das crianças com suspeita de desenvolvimento de complicações futuras irreversíveis. Da mesma maneira, crianças apresentando fatores de risco pré e pós-natais devem ser acompanhadas até o fim da primeira infância quanto ao surgimento de alterações neuropsicomotoras, pois outros condicionantes, principalmente ambientais, atuarão na modulação do seu desenvolvimento.[23] Portanto, os fisioterapeutas de serviços de nível primário necessitam de habilidades e competências para prevenção, identificação e manejo das alterações encontradas.

A partir de agora, abordaremos as estratégias de identificação por meio de ferramentas simples e validadas como também intervenções para prevenir ou manejar as alterações no desenvolvimento neuropsicomotor.

AVALIAÇÃO DO DESENVOLVIMENTO INFANTIL

Dentre os fatores ambientais influenciadores do desenvolvimento, a internação no período neonatal é uma constante em estudos que comparam diferentes populações.[9] Bebês prematuros são mais suscetíveis a prejuízos no desenvolvimento motor, no aspecto comportamental, assim como no desempenho escolar.[24]

Estudos já têm demonstrado alguns instrumentos como opções de avaliação da complexidade do processo de desenvolvimento infantil a fim de prevenir, detectar desvios e estabelecer estratégias de intervenção tanto no contexto hospitalar como comunitário.[25,26]

A avaliação no período de internação é o principal meio para identificação precoce e início do acompanhamento com o intuito de recuperação da função de vários sistemas.[26] Igualmente, os serviços de atenção primária, a exemplo das equipes da Estratégia Saúde da Família, são responsáveis pelo acompanhamento de crianças em ambiente comunitário, assim como rastrear não apenas os aspectos neuromotores, mas também os comportamentos psicossociais e do ambiente que mereçam cuidado.[27]

Na maternidade, no período pós-natal, o fisioterapeuta pode lançar mão da *Alberta Infant Motor Scale* (AIMS), utilizada em diversos estudos e considerada um instrumento confiável, válido, relativamente simples, de baixo custo e capaz de detectar possíveis alterações do desempenho motor, possibilitando estabelecer uma intervenção precoce.[23,28]

Outra ferramenta diagnóstica é a avaliação do desempenho oculomotor — método também simples e de baixo custo para o rastreamento no contexto hospitalar.[26] A possibilidade de detectar oportunamente alterações funcionais por meio da avaliação oculomotora está na relação de reciprocidade entre função motora visual e corporal.[29,30] Esta reciprocidade oculomotora é representada por um conjunto complexo de interdependência entre sistema sensorial, sistema motor e sua integração no sistema nervoso central.[30-32]

Por fim, nos serviços de atenção primária, o fisioterapeuta tem como instrumento o Denver II, que é um método de rastreamento que permite ao profissional identificar com alta sensibilidade o comportamento pessoal, social, linguagem e habilidades motoras de crianças até os 6 anos.[18]

Nas próximas seções exploraremos a fundo a estrutura, a aplicação e a interpretação desses instrumentos de rastreamento tanto no ambiente hospitalar como na comunidade.

ALBERTA INFANT NEUROMOTOR SCALE

Para a avaliação da aquisição de habilidades neuromotoras, ainda no ambiente hospitalar, emprega-se a *Alberta Infant Neuromotor Scale* (AIMS), elaborada por Piper e Darrah em 1992. Ela é destinada à avaliação de crianças a termo e pré-termo de 0 a 18 meses.[33] A AIMS é composta por 58 itens agrupados em quatro subescalas que examinam a movimentação espontânea e as habilidades neuromotoras. Essas subescalas são aplicadas em quatro posições básicas: prono, supino, sentado e em pé.[12,14,15,34,35] Em cada item das subescalas estão incluídas as descrições detalhadas do suporte de peso, postura e movimentos antigravitacionais que devem ser observados em cada posição (**Figura 14.1**).

Ao término da avaliação é realizado o somatório das quatro subescalas a fim de classificar o desempenho neuromotor da criança. Cada item em que a criança apresentar a habilidade esperada, ela será creditada com 1 (um) ponto e, quando ausente, com 0 (zero). O total da pontuação figurará entre 0 a 58 pontos que, posteriormente, necessitará ser enquadrado em um percentil de distribuição, onde o normal/esperado se encontra superior a 25% na curva percentílica, o suspeito entre 25 e 5% e, anormal, percentil abaixo de 5%.[36,37]

Nesta avaliação, o bebê deve ser posicionado em uma bancada livre de obstáculos e dentro de um ambiente livre de ruídos. A avaliação do desempenho motor deve ocorrer tão logo o recém-nascido estabilize seu quadro hemodinâmico, sendo que a estabilização ou ganho de peso devem ser referências para tal aplicação prática. O procedimento deve durar, em média, de 10 a 15 minutos e, caso o bebê faça uso de oxigenoterapia, o auxílio deve ser mantido durante toda a avaliação (**Figura 14.2**).

Representação das posturas	Posição	Descrição	Sustentação de peso	Postura	Movimentos antigravitários
PRONO					
	Rastejar recíproco	• Movimentos recíprocos de MsSs com rotação de tronco	• Peso em MS e MI opostos	• Flexão de quadril e extensão do outro • Flexão dos MsSs • Cabeça a 90° Rotação do tronco	• Movimentos recíprocos de MsSs e MsIs com rotação de tronco
	Ajoelhado em quatro apoios (2)	• Quadris alinhados abaixo da pelve • Retificação da coluna lombar	• Peso em mãos e joelhos	• MsIs flexionados, quadris alinhados sob a pelve • Retificação da coluna lombar	• Ativação de músculos abdominais • Balança para frente e para trás e diagonalmente
SUPINO					
	Deitado em decúbito dorsal – supino (1)	• Flexão fisiológica • Rotação da cabeça: mão na boca • Movimentos "primários" de MsSs e MsIs	• Peso na face, ao lado da cabeça e tronco	• Cabeça rotada para um lado • Flexão fisiológica	• Rotção da cabeça • Mãos na boca • Movimentos "primários" de MsSs e MsIs
	Rotar de supino para prono em rotação	• Endireitamento lateral da cabela • Tronco se move em bloco	• Peso de um lado do corpo	• Cabeça elevada • Alongamento de tronco no lado da sustentação de peso • Ombros alinhados com a pelve	• Endireitamento lateral da cabeça • Rolar iniciado pela cabela, ombros e quadril • Tronco se move em bloco
SEDESTAÇÃO					
	Sentar com sustentação	• Eleva e mantém a sustentação brevemente na linha média	• Peso nas nádegas e MsIs	• Flexão de quadril • Flexão de tronco	• Eleva e mantém brevemente a cabeça na linha média • Extensão de coluna cervical superior
	Puxado para sentar	• Retração do queixo, cabeça alinhada ou em frente ao corpo	• Peso nas nádegas e coluna lombar	• MsSs flexionados • Quadris e joelhos flexionados • Pés podem estar fora da superfície	• Retração de queixo e cabeça allinhada ou em frente ao corpo • Pode auxiliar movimento com músculos abdominais e flexores de MsSs
ORTOSTASE					
	Ficar em pé sozinho	• Fica em pé sozinho momentaneamente • Reações de equilíbrio nos pés	• Peso nos pés	• Adução de escápulas • Lordose lombar • Quadris abduzidos e rotados externamente	• Foca em pé sozinho momentaneamente • Reações de equilíbrio nos pés
	Fica em pé a partir da posição quadrúpede	• Empurra-se rapidamente com as mãos para assumir a posição ortostase	•Peso nas mãos e nos pés	• Mãos e pés	• Assume a ortostase independentemente • Empurra-se rapidamente com as mãos para elevar-se à ortostase sem apoio

FIGURA 14.1. Escala de *Alberta Infant Neuromotor Scale* (AMIS). Adaptada de Saccani.[23]

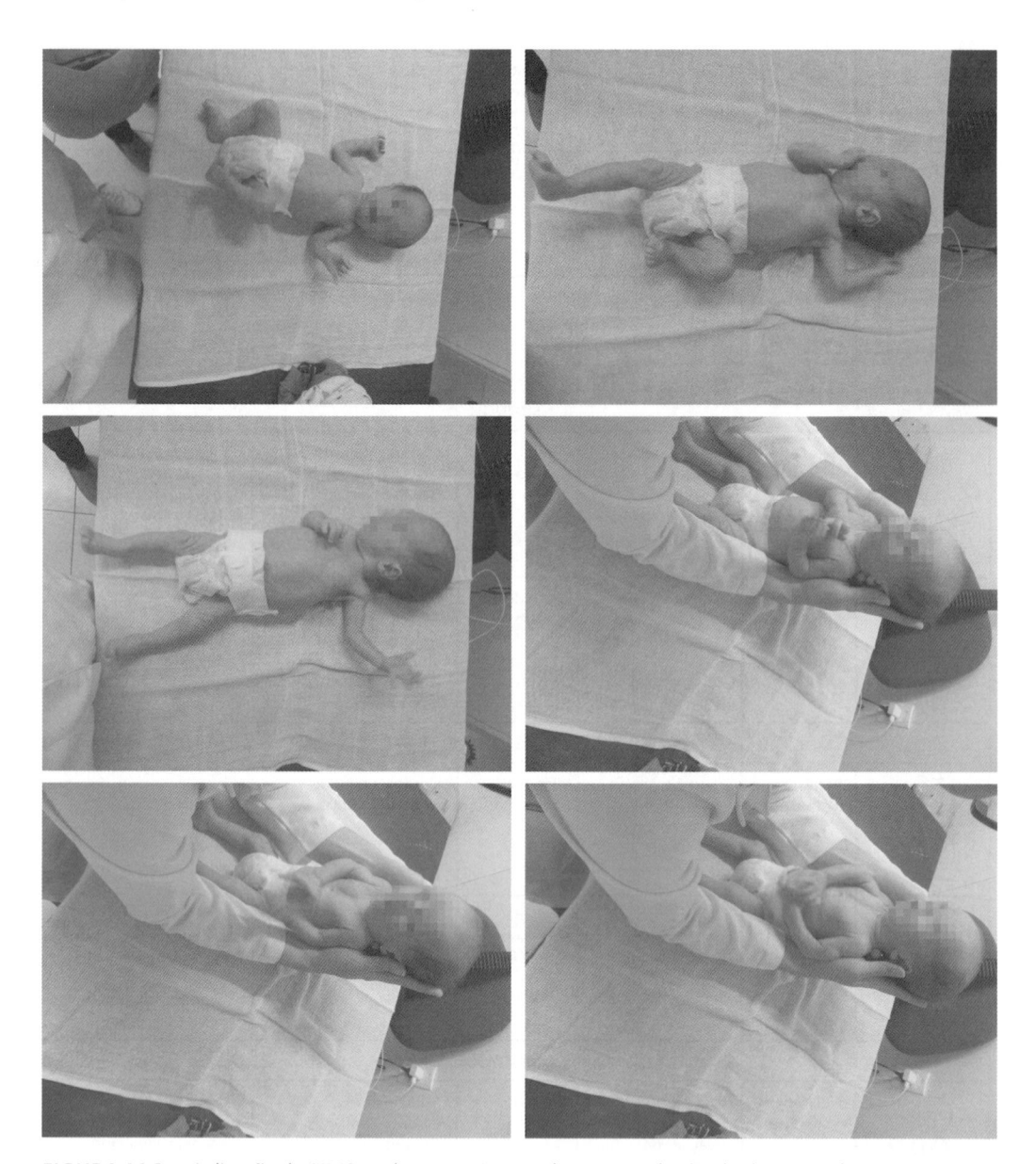

FIGURA 14.2. Aplicação da AIMS em lactentes internados para avaliação do desempenho motor em ambiente hospitalar. (Fonte: Acervo dos autores.)

O exame deve ser conduzido por profissional capacitado para utilização da escala e, se possível, as avaliações devem ser registradas em vídeos para que os desempenhos motores sejam reavaliados e pontuados em um segundo momento.

AVALIAÇÃO DO DESEMPENHO OCULOMOTOR

Após a avaliação do desempenho motor, pode ser realizada a avaliação funcional do desempenho oculomotor com o lactente sentado confortavelmente na bancada de apoio ou berço com o tronco apoiado pelo fisioterapeuta (**Figura 14.3**). Para essa avaliação, um alvo em forma de tambor, com listras brancas e pretas intercaladas com cerca de 20 a 30 cm de distância, similar ao tambor optocinético de Bárány, deve ser apresentado ao lactente.[30] O tambor é girado na frente do lactente na tentativa de atrair a atenção e avaliar o movimento ocular (**Figura 14.3**). Os movimentos do tambor devem ser na vertical, com as listras girando para esquerda e para direita como também na horizontal, com as listras girando para cima e para baixo. O movimento-alvo da avaliação é o chamado nistagmo optocinético, que é um reflexo fisiológico e gerado por estímulos visuais em movimento. Caso o movimento da fóvea ocular não seja observado durante o exame, considera-se o movimento ausente, e esta característica pode representar baixa acuidade visual.

A baixa acuidade visual influencia negativamente no desenvolvimento motor. Criança com deficiência visual tem prejudicada a capacidade de comunicação por conta dos gestos e condutas sociais a serem aprendidos pela retroalimentação visual.[38] Assim, um diagnóstico precoce de alterações no desenvolvimento neuromotor possibilita a elaboração de estratégias e programas para acompanhamento e recuperação que incluam estimulação visual, posturais e comportamentais precoces, resultando em melhoria motora e da qualidade de vida, pois permitem maior interação entre ação e reação da criança com seu meio.[29] No entanto, os

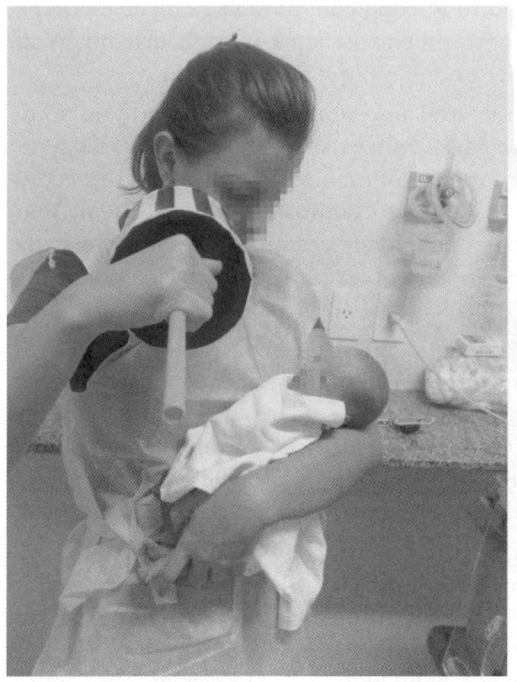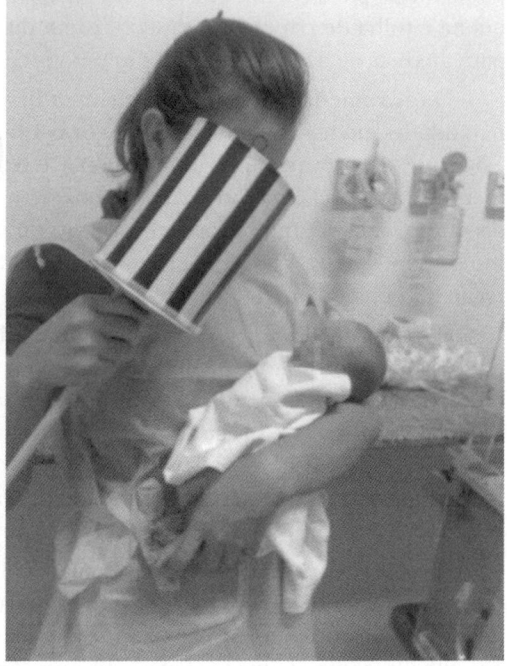

FIGURA 14.3. Avaliação do desempenho oculomotor pela observação do nistagmo optocinético com as listras horizontais (foto da esquerda) e verticais (foto da direita). (Fonte: Acervo dos autores.)

movimentos oculares como preditores do *status* neurológico e oftalmológico no período neonatal ainda são pouco explorados.

Ao término das avaliações, o bebê deve ser confortavelmente posicionado em seu leito e
o resultado deve ser discutido com a equipe multiprofissional e familiares a fim da elaboração
de diagnóstico, prognósticos e orientações.

AVALIAÇÃO NEUROPSICOMOTORA NO AMBIENTE COMUNITÁRIO

Na comunidade, as crianças já estão inseridas em seu contexto familiar e social. Aqui, além
das habilidades motoras, é necessário também avaliar outras questões comportamentais que
influenciam seu desenvolvimento. Cabe ao fisioterapeuta guiar a equipe no gerenciamento
desses assuntos pelo seu acumulado conhecimento científico acerca do comportamental motor e psicossocial.

Como metodologia de identificação de crianças na comunidade com possíveis atrasos no
desenvolvimento neuropsicomotor, recomenda-se o instrumento Denver II, que é um recurso
adequado para o rastreamento de crianças em risco, pois avalia os domínios de comportamento pessoal-social, linguagem e habilidades motoras finas e grosseiras, contendo ao todo
125 itens para idades até 6 anos.[27] Ele pode ser aplicado no serviço de atenção primária ou,
preferencialmente, no ambiente escolar.

A aplicação do Denver II é um pouco mais rebuscada que a AIMS e exige do fisioterapeuta o uso de alguns utensílios para ajudar no exame, como: lã vermelha, chocalho de cabo
fino, lápis vermelho, figuras de gato, cachorro, pássaro e menino, como também sino, boneca
pequena de plástico, bola de tênis, 8 blocos coloridos, copo com boca larga, mamadeira pequena e folha de papel em branco.[18] Além disso, recomenda-se a presença da mãe ou do pai
para auxiliar na avaliação e também para receber orientação quanto aos achados.

O instrumento é composto por uma ficha de avaliação onde existe uma progressão de
habilidades em forma de degraus (**Figuras 14.4 e 14.5**). Para cada aspecto do comportamento
existe um degrau que apresenta uma parte hachurada e outra branca, indicando, respectivamente, a proporção das crianças que possuem a habilidade examinada e a que não tem. Além
disso, em cada degrau haverá a indicação de que a habilidade examinada pode ser relatada,
indicada pela letra R, ou deve seguir uma instrução para observação referenciada por nume-
ração que possui correspondência no verso da folha.[27]

Como procedimento, o fisioterapeuta, inicialmente, informa-se com o responsável a respeito da idade da criança e, em seguida, traça uma linha vertical sobre a idade mencionada da
base até o ápice do formulário. Essa linha passará sobre degraus de todos os quatro domínios
do instrumento e que precisarão ser avaliados. Os degraus avaliados serão aqueles nos quais a
linha vertical tocar na zona hachurada e que representa a proporção de 90% das crianças da
mesma idade que apresenta a habilidade destacada.[39]

Para exemplificar, citaremos um exemplo: se uma criança com idade de 3 anos for tria-
da quanto à competência pessoal-social, a linha vertical tocará a zona hachurada do degrau
referente à habilidade de nomear amigos. Caso a criança apresente esta habilidade, ela estará
adequada, assim como os 90% da mesma idade que apresentam tal comportamento e será
classificada como P (passou). Se não apresentar a habilidade, ela será classificada como F
(falhou) ou poderá estar entre os 10% que adquirem a habilidade mais tarde no desenvolvimento. A criança pode ser classificada como NO (sem oportunidade) ou R (recusa).

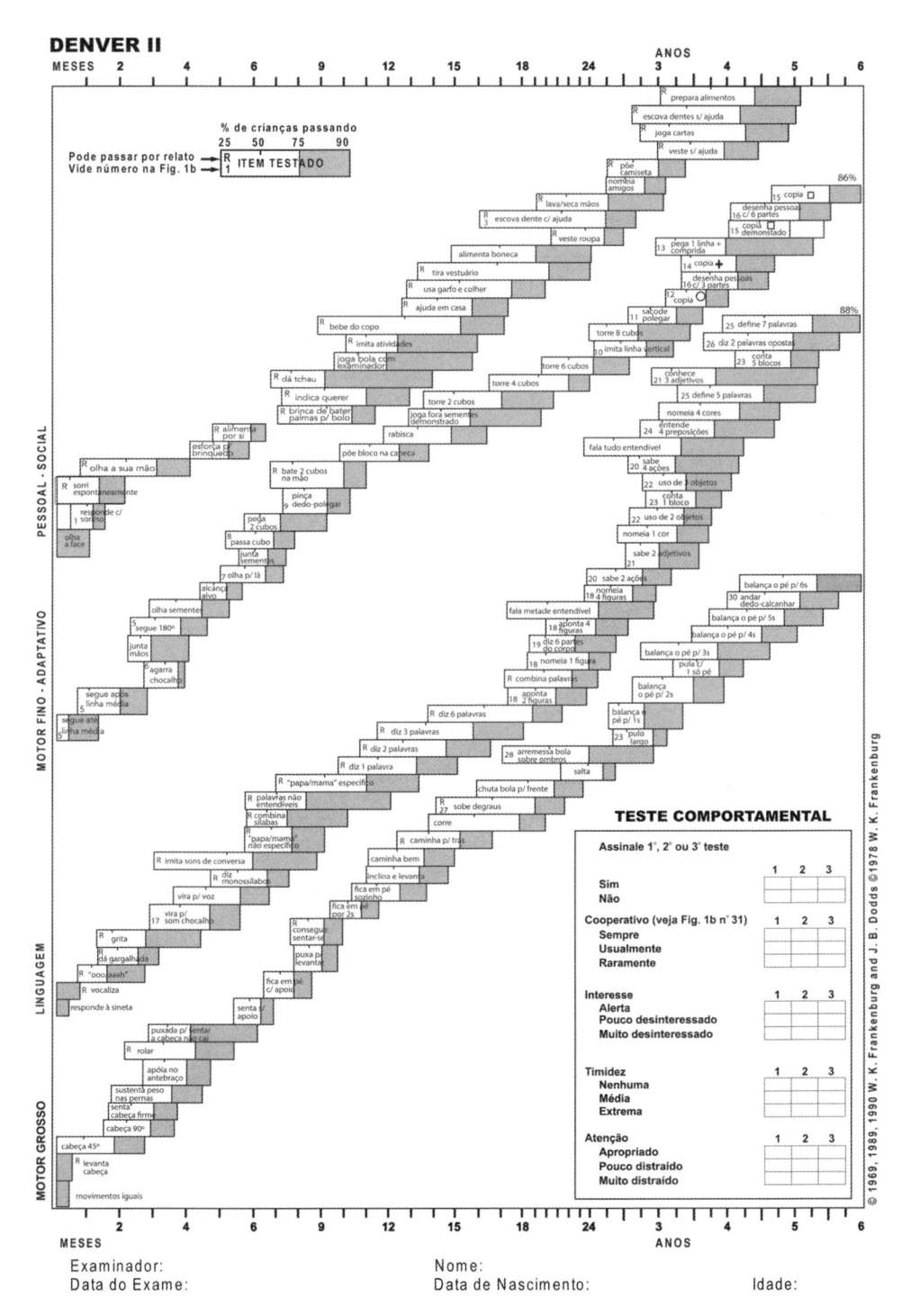

FIGURA 14.4. Teste de Denver II é utilizado para a avaliação neuropsicomotora em crianças na comunidade. Adaptada de Souza *et al*.[27]

INSTRUÇÕES PARA UTILIZAÇÃO

1. Tente fazer a criança sorrir, sorrindo, falando ou acenando. Não toque nela.
2. A criança deve fixar as mãos por vários segundos.
3. Os pais podem ajudar a criança a escovar os dentes, colocando o creme dental na escova.
4. A criança não tem que ser capaz de amarrar os sapatos, abotoar ou fechar o zíper nas costas.
5. Mover a lã devagar em um arco de um lado para o outro, próximo 30 cm da face da criança.
6. Passa se a criança segura o chocalho quando ele toca o dorso ou a ponta dos dedos.
7. Passa se a criança tenta ver onde a lã foi. A lã deve desaparecer rapidamente na mão do examinador sem movimento do braço.
8. A criança deve transferir o cubo de uma mão para a outra sem ajuda do corpo, boca ou mesa.
9. Passa se a criança pega a semente com uma parte do polegar e outro dedo.
10. A linha pode variar somente 30° ou menos da linha do examinador.
11. Faça um sinal positivo com o polegar e sacode somente o polegar. Passa se acriança imita e não move outro dedo além do polegar.

○	‖	+	□
12. Passa uma forma fechada. Falha se for círculos contínuos.	13. Que linha é + longa? (Não a maior). Vire o papel e repita (passa 3/3 ou 5/6).	14. Passa se as linhas se cruzam ao meio.	15. Peça para copiar se não conseguir, demonstre.

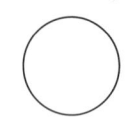   

19. Usandoboneca,diga:mostre-menariz,olhos,ouvido,boca,mãos,pés,barriga,cabelo.Passa6/8.
20. Usando figuras, pergunte: quem voa? Mia? Fala? Late? Galopa? Passa 2/5, 4/5.
21. Pergunte à criança: o que você faz quando está com frio? Cansado? Faminto? Passa 2/3, 3/3.
22. Pergunte à criança: o que você faz com um copo? Para que serve uma cadeira/lápis? Palavras de ações podem ser incluídas nas perguntas.
23. Passa se a criança corretamente coloca e diz quantos blocos estão no papel, (1 bloco, 5 blocos).
24. Diga à criança: coloque o bloco sobre a mesa, em baixo, em frente, atrás. Passa 4/4. (Não ajude a criança apontando, movendo cabeça ou olhos).
25. Pergunte à criança: o que é uma bola? Rio? Carteira? Casa? Banana? Cortina? Cerca? Telhado? Passa se definida em termos de uso, formas, do que é feito, categoria (banana é fruta, não só amarela). Passa 5/8 ou 7/08.
26. Pergunte à criança: se um cavalo é grande, um rato é .... Se o fogo é quente, o gelo é .... Se o sol brilha durante o dia, a lua brilha durante a ....? Passa 2/3.
27. A criança pode usar a parede ou suporte somente, nunca pessoa. Não deve cair.
28. A criança deve atirar a bola sobre o ombro em 3 tentativas e atingir os braços do examinador.
29. A criança deve pular um papel de 8 e meia polegadas de largura (20cm).
30. Peça à criança para caminhar para frente com o hálux encostado no calcanhar. O examinador pode demonstrar. A criança deve dar 4 passos consecutivos.
31. No segundo ano, metade das crianças não são cooperativos.

Observações:

FIGURA 14.5. Instruções para utilização do Denver II. Adaptada de Souza *et al.*[27]

Ao fim da aplicação do Denver II, o fisioterapeuta estratifica como normal aquelas crianças que apresentaram todos os comportamentos para a sua idade, como suspeita de atraso aquelas em que pelo menos um item não teve sua habilidade constatada, e instável quando a criança se recusa (R) a colaborar em um ou mais itens, sendo necessário fazer nova avaliação. É importante relatar o resultado para os responsáveis da criança e iniciar as orientações sobre acompanhamento e intervenção que podem ser realizadas a fim de prevenir danos.

Além da aplicação durante a permanência do bebê na maternidade, o Denver II é um instrumento de acompanhamento da criança na comunidade. Portanto, sua utilização em ambiente escolar é de grande importância para o fisioterapeuta em suas ações de puericultura e estratificação de risco daquelas crianças inicialmente sem história de complicações obstétricas.

ESTRATÉGIAS DE INTERVENÇÃO

As experiências culturais e ambientais durante os primeiros estágios da vida podem levar o desenvolvimento neuromotor para uma ou outra direção em suas habilidades, o que ajuda na promoção ou inibição do processo de maturação da criança.[9]

Comportamentos específicos por meio dos quais as mães ou cuidadores realizam suas tarefas no cuidado diário dos lactentes podem influenciar no desenvolvimento tanto de crianças saudáveis como das crianças com algum tipo de alteração.[9] Assim, uma das principais estratégias que o fisioterapeuta precisa abordar são os aspectos biológicos assim como os contextuais da família, comunidade e escolas, que são os locais de maior convívio das crianças.

ABORDAGEM DE MANEJO HOSPITALAR

As intervenções desenvolvidas no ambiente hospitalar na maternidade consistem em abordagens para minimizar danos e potencializar a recuperação do recém-nascido precocemente e que, em seguida, poderá ser acompanhado apenas na atenção primária ou conjuntamente nos centros de reabilitação.

A atuação fisioterapêutica nos serviços hospitalares consistirá em procedimentos para redução de dor ou desconforto durante a internação hospitalar, estimulação sensoriomotora e organização postural, que possibilitam a modulação da neuroplasticidade cerebral até a alta hospitalar, de onde a criança sairá contrarreferenciada para o serviço de atenção primária da comunidade e realizar seu acompanhamento com possível suporte dos serviços de reabilitação (**Figura 14.6**).

ABORDAGEM PREVENTIVA

As crianças com fatores de risco biológico como prematuridade, baixo peso ou pequeno para a idade gestacional e características de fragilidade familiar e social constatadas em estratificação de risco da família devem ser acompanhadas com o intuito de desenvolver intervenções preventivas que estimulem suas aptidões comportamentais. Estas intervenções podem ter como *locus* a unidade de saúde, creches e associações de bairros.

As intervenções devem contemplar inicialmente os aspectos de motricidade grossa, como controle postural, prosseguindo para as habilidades motoras finas e cognitivas e também de

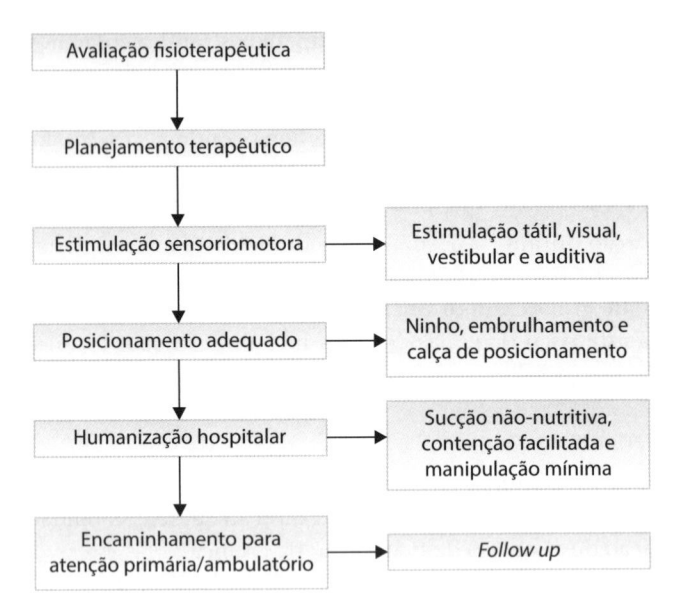

FIGURA 14.6. Fluxograma da assistência fisioterapêutica em ambiente hospitalar e em unidade de terapia intensiva neonatal, visando a intervenção precoce e início do acompanhamento do recém-nascido de risco. (Fonte: Elaboração dos próprios autores.)

interação social. Logo, orientações de brincadeiras que envolvam movimentos espontâneos e estimulados almejados são de grande valia, assim como o posicionamento no leito ainda nos primeiros meses de vida. Após o primeiro ano de vida, jogos lúdicos e projetados para solicitar habilidades motoras específicas, como também desenvolvimento de aspectos cognitivos e de interação social, configuram o planejamento das ações.

O fisioterapeuta, junto à equipe, deve realizar nova triagem das crianças com suspeita de atraso e avaliar a necessidade de referenciamento para serviços especializados ambulatoriais de clínica neurológica, para diagnóstico de lesão estrutural encefálica e de reabilitação a fim de fornecer assistência intensiva que estimule o potencial de neuroplasticidade da criança.

Ao mesmo tempo, deve permanecer como coordenador da linha do cuidado, oferecendo suporte à criança e à família por meio de orientações sobre o cuidado e a reabilitação, assim como suporte social.

As situações de identificação de suspeita de atraso neuropsicomotor de crianças em idade escolar e que já estão em ambiente comunitário exigem da equipe multidisciplinar, responsável pela comunidade, um acompanhamento longitudinal para observar a evolução do comportamento neuropsicomotor e minimizar sequelas por meio de planos terapêuticos singulares. Para tanto, é preciso avaliar também a necessidade de referenciamento para serviço especializado de neurologia, psicologia ou fisioterapia.

Todavia, o manejo pode ser conduzido no próprio nível primário pelo cuidado aos pais e abordagens de terapias físicas e psicocomportamentais auxiliadas por profissionais de equipes de apoio matricial, como psicólogos.

O trabalho de manejo das crianças com suspeita de atraso incluirá ações semelhantes às desenvolvidas com aquelas em risco. Ações conjuntas com psicólogos para elaboração de atividades que envolvam tanto tarefas cognitivas de distinção de cores, formas, articulação de ideias e palavras, como tarefas que exijam habilidades motoras grossa e fina são fundamentais para as ações de controle postural antecipatório e ações manuais de acordo com a fase cronológica de ocorrência e de sociabilidade.

CONSIDERAÇÕES FINAIS

A implementação das práticas assistenciais aqui sistematizadas viabiliza uma atenção integralizada na saúde da criança com o intuito de prevenir danos à saúde que poderiam ter efeitos tanto a curto como a longo prazo. É importante que as ações de controle do risco de atraso neuropsicomotor aconteçam a partir da assistência pré-natal na unidade de saúde da comunidade, pós-natal na maternidade e, novamente, no nível primário, para acompanhamento.

Tanto no hospital como na eSF, o fisioterapeuta precisa desenvolver ações de identificação precoce e de recuperação, avaliando a necessidade da assistência de maior complexidade ou a continuação do cuidado no serviço da eSF. Para esta última, as bases da reabilitação são as mesmas dos centros especializados, ou seja, a estimulação da neuroplasticidade por meio de modulações do ambiente e tarefas. Todavia, o perfil da criança reabilitada na ESF é aquele que não precisa dos cuidados intensos de reabilitação e sim de cuidado apoiado pelo fisioterapeuta junto aos familiares.

REFERÊNCIAS BIBLIOGRÁFICAS

1. Resegue R, Puccini RF, Silva EMR. Fatores de risco associados a alterações no desenvolvimento da criança. Pediatria (São Paulo). 2007;29:117-28.
2. Willrich A, Azevedo CCF, Fernandes JO. Desenvolvimento motor na infância: influência dos fatores de risco e programas de intervenção. Rev Neurocienc. 2009;17(1):51-6.
3. Halpern R, Giugliani ER, Victora CG, Barros FC, Horta BL. Fatores de risco para suspeita de atraso no desenvolvimento neuropsicomotor aos 12 meses de vida. J Pediatr. 2000;76(6):421-8.
4. Zajonz R, Muller AB, Valentini NC. A influência de fatores ambientais no desempenho motor e social de crianças da periferia de Porto Alegre. Rev Educ Fís/UEM. 2006;19(2):159-71.
5. Nobre FSS, Costa CLA, Oliveira DL, Cabral DA, Nobre GC, Caçola P. Análise das oportunidades para o desenvolvimento motor (affordances) em ambientes domésticos no Ceará-Brasil. Rev Bras Crescimento Desenvolv Hum. 2009;19(1):9-18.
6. Silva PL, Santos DCC, Golçalves VMG. Influências de práticas maternas no desenvolvimento motor de lactentes do 6º ao 12º meses de vida. Rev Bras Fisioter. 2006;10(2):225-31.
7. Panceri C, Pereira KRG, Valentini NC, Sikilero RHAS. A influência da hospitalização no desenvolvimento motor de bebês internados no Hospital de Clínicas de Porto Alegre. Rev HCPA. 2012;32(2):61-8.
8. Araújo ATC, Eickmann SH, Coutinho SB. Fatores associados ao atraso do desenvolvimento motor de crianças prematuras internadas em unidade de neonatologia. Rev Bras Saúde Matern Infant. 2013;13(2):119-28.
9. Silva PL, Santos DCC, Gonçalves VMG. Influência de práticas maternas no desenvolvimento motor de lactentes do 6º ao 12º meses de vida. Rev Bras Fisioter. 2006;10(2):225-31.
10. Formiga CKMR, Pedrazzani ES, Tudella E. Desenvolvimento motor de lactentes pré-termo participantes de um programa de intervenção fisioterapêutica precoce. Rev Bras Fisioter. 2004;8(3):239-45.
11. Souza ES, Magalhães LC. Desenvolvimento motor e funcional em crianças nascidas pré-termo e a termo: influência de fatores de risco biológico e ambiental. Rev Paul Pediatr. 2012;30(4):462-70.

12. Moraes MW, Weber APR, Santos COM, Almeida FA. Denver II: evaluation of the development of children treated in the outpatient clinic of project Einstein in the community of Paraisópolis. Einstein. 2010;8(2 pt 1):149-53.
13. Rezende MA, Costa PS, Pontes, PB. Triagem de desenvolvimento neuropsicomotor em instituições de educação infantil segundo teste de Denver II. Esc Anna Nery R Enferm. 2005;9(3):348-55.
14. Saccani R, Valentini NC. Análise do desenvolvimento motor de crianças de 0 a 18 meses de idade: representatividade dos itens da Alberta Infant Motor Scale por faixa etária e postura. Rev Bras Crescimento Desenvolv Hum. 2010;20(3):753-64.
15. Saccani R, Valentini NC. Reference curves for the Brazilian Alberta Infant Neuromotor Scale: percentiles for clinical description and follow-up over time. J Pediatr. 2012;88(1):40-7.
16. Moura DR, Costa JC, Santos IS, Barros AJ, Matijasevich A, Halpern R et al. Risk factors for suspected developmental delay at age 2 years in Brazilian birth cohort. Paediatr Epidemiol. 2010;24(3):211-21.
17. Resegue R, Puccini RF, da Silva EMK. Risk factors associated with developmental abnormalities among high-risk children attended at a multidisciplinary clinic. São Paulo Med J. 2008;126(1):4-10.
18. Moraes MW, Weber APR, Santos COM, Almeida FA. Denver II: evaluation of the development of children treated in the outpatient clinic of project Einstein in the community of Paraisópolis. Einstein. 2010; 8(2 pt 1):149-53.
19. Majnemer A, Barr RG. Influence of supine sleep positioning onearly motor milestone acquisition. Dev Med Child Neurol. 2005;47(6):370-6.
20. Bezerra IFD, Torres VB, Dantas L, Louyse C, Marques H, Pereira SA. Uso da rede de dormir em lactentes: dados preliminares. [Resumo 129] In: Revista ASSOBRAFIR Ciência, 2012: Apresentado I Congresso Nordestino e IV Pernambucano de Fisioterapia Cardiorrespiratória e Fisioterapia em Terapia Intensiva – ASSOBRAFIR, 2012 Dez 3(Supl), Recife, PE. Brasil, 2012. p. 39-87.
21. Formiga CKMR, Linhares MBM. Motor development curve from 0 to 12 months in infants born preterm. Acta Paediatr. 2011;100(3):379-84.
22. Mancini MC, Teixeira S, de Araújo LG, Paixão ML, Magalhães LD, Coelho JA et al. Estudo do desenvolvimento da função motora aos 8 e 12 meses de idade em crianças nascidas pré-termo e a termo. Arq Neuropsiquiatr. 2002;60(4):974-80.
23. Saccani R, Valentini NC. Cross-cultural analysis of the motor development of Brazilian, Greek and Canadian infants assessed with the Alberta Infant Motor Scale. Rev Paul Pediatr. 2013;31(3):350-8.
24. Moreira RS, Magalhães LC, Alves CRL. Effect of preterm birth on motor development, behavior, and school performance of school-age children: a systematic review. J Pediatr (Rio J). 2014;90(2):119-34.
25. Gagliardo HGRG. Contribuições de terapia ocupacional para detecções de alterações visuais na fonoaudiologia. Saúde Rev. 2003;5(9):89-93.
26. Pereira SA, Torres VB, Bezerra IFD, Baroni MP, Lopes JM, Moran CA. Motor and oculomotor performance assessment in infants in primary health care level: A cross-sectional study. Global Journal of Medical Research. 2014;14(1).
27. Souza SC, Leone C, Takano OA, Moratelli HB. Desenvolvimento de pré-escolares na infantil, Mato Grosso, Brasil. Cad Saúde Pública. 2008;24(8):1917-26.
28. Pin T, Darrer T, Eldridge B, Galea MP. Motor development from 4 to 8 months corrected age in infants born at or less than 29 weeks' gestation. Dev Med Child Neurol. 2009;51(9):739-45.
29. Pereira SA. Avaliação precoce do comportamento oculomotor em bebês com displasia broncopulmonar [Tese]. São Paulo: Universidade de São Paulo; 2011.
30. Cassidy L, Taylor D, Harris C. Abnormal supranuclear eye movements in child: a practical guide to examination and interpretation. Surv Ophthalmol. 2000;44(6):479-506.
31. Gagliardo HGRG, Gonçalves VMG, Lima MCMP. Método para avaliação da conduta visual de lactentes. Arq Neuropsiquiatr. 2004;62(2-A):300-6.

32. Mezzalira R, Neves LC, Maudonnet OAQ, Bilécki MMC, Ávila FG. Oculomotricidade na infância: o padrão de normalidade é o mesmo do adulto? Rev Bras Otorrinolaringol. 2005;71(5):680-5.
33. De Kegel A, Peersman W, Onderbeke K, Baetens T, Dhooge I, Van Waelvelde H. New reference values must be established for the Alberta Infant Motor Scales for accurate identification of infants at tisk for motor developmental delay in Flanders. Child Care Health Dev. 2013;39(2):260-7.
34. Saccani R. Validação da Alberta Infant Motor Scale para aplicação no Brasil: análise do desenvolvimento motor e fatores de risco para atraso em crianças de 0 a 18 meses [Dissertação]. Porto Alegre: Universidade Federal do Rio Grande do Sul; 2009.
35. Souza ES, Magalhães LC. Desenvolvimento motor e funcional em crianças nascidas pré-termo e a termo: influência de fatores de risco biológico e ambiental. Rev Paul Pediatr. 2012;30(4):462-70.
36. Saccani R, Valentini NC. Análise do desenvolvimento motor de crianças de 0 a 18 meses de idade: representatividade dos itens da Alberta Infant Motor Scale por faixa etária e postura. Rev Bras Crescimento Desenvolv Hum. 2010;20(3):753-64.
37. Almeida KM, Dutra MVP, de Mello RR, Reis ABR, Martins PS. Concurrent validity and reliability of the Alberta Infant Motor Scale in premature infants. J Pediatr (Rio J). 2008;84(5):442-8.
38. El Hassan S, Guzman PV, Zeigelboim BS, Murback VF, Frazza MM, Ganança MM. Exercícios optovestibulares na reabilitação vestibular. Acta AWHO. 2001;20(2):70-3.
39. Frankenburg WK, Dodds JB, Fandal A. Denver developmental screening test. Denver, CO: Ladoca Publishing; 1975.

Atenção Fisioterapêutica no Manejo da Escoliose

■ Johnnatas Mikael Lopes

APRESENTAÇÃO

Neste capítulo, trabalharemos uma temática muito comum dos consultórios e ambulatórios de Fisioterapia, mas que necessita ser assistida, inicialmente, na atenção primária que são os jovens com condições escolióticas. Essa morbidade atinge, principalmente, a população de crianças e adolescentes, acarretando danos à estrutura vertebral e, dependendo de sua magnitude, pode gerar incapacidades permanentes que atingem outros sistemas corporais.

Aqui, trataremos da atuação fisioterapêutica em uma perspectiva de cuidado precoce e permanente de grupos de risco, ou seja, as crianças e adolescentes, identificando-os e impedindo que o problema venha evoluir para quadros clínicos incapacitantes. Veremos também os motivos de a assistência às crianças e adolescentes com escoliose ser realizada na atenção primária e que o controle desta disfunção passa pela aplicação de recursos assistenciais de baixo custo.

INTRODUÇÃO

A escoliose é uma disfunção musculoesquelética da coluna vertebral que consiste na alteração tridimensional do posicionamento das vértebras em virtude dos micromovimentos de inclinação lateral e rotação dos corpos vertebrais.[1] Apesar dessa conformação, ela é mais comumente referida como um desvio da coluna no plano coronal ou frontal do corpo, criando convexidades e concavidades que podem ser visíveis durante o exame físico e, no estágio mais avançado, trazer deficiências fisiológicas e estéticas.[2]

Estudos epidemiológicos sobre a escoliose evidenciaram uma prevalência de aproximadamente 2 a 4% na população geral.[3,4] O grupo populacional de maior risco são os jovens, principalmente aqueles que se encontram no período de maturação e crescimento corporal.[2] No Brasil, a prevalência entre escolares varia de 1,4 a 5,3%.[5,6] A escoliose também apresenta distinções entre o sexo masculino e feminino, sendo este mais comumente afetado assim como aqueles jovens de 14 anos em relação aos mais novos.[5,7]

ETIOLOGIA E CLASSIFICAÇÃO

Podemos identificar dois tipos de escoliose de acordo com a etiologia. Quando a escoliose é subjacente às malformações fetais, traumatismo, distúrbios neuromusculares, infecções ou tumores, dizemos que há um agente etiológico conhecido como base para o desenvolvimento da disfunção, e esta situação corresponde a menos de 20% dos casos registrados, que necessitam do monitoramento da atenção primária e da atenção de nível secundário.[8] Já nas situações clínicas onde não se evidencia claramente um agente causador ou de base para o problema, dizemos que se trata de casos de escoliose idiopática, que representa aproximadamente 80% das escolioses tratadas e que devem ser foco das ações em serviços de atenção primária.[2,9]

Na escoliose idiopática, o que existe é um conjunto de fatores que contribuem para sua ocorrência e evolução. As melhores evidências mostram que um dos principais fatores de predisposição é a herança poligênica, que revela vários padrões de expressão e, consequentemente, localização e gravidade diversificada da escoliose.[10,11]

Estudos em gêmeos homozigotos dão respaldo a estes argumentos, embora existam proporções de variabilidade do fenótipo da escoliose nos mesmos gêmeos homozigotos que não são explicadas pela expressão gênica e sim pela ação de fatores ambientais/comportamentais sobre a expressão gênica, o que ganha força, atualmente, como um componente da etiologia da escoliose.[12]

O estudo das interações entre os fatores ambientais/comportamentais e genéticos na modulação da expressão de genes e, portanto, traduzido em fenótipos distintos de escoliose em gêmeos homozigotos, se configura no chamado efeito epigenético.[15] Este novo ramo de estudo, a Epigenética, procura averiguar como alterações somáticas geradas pelo ambiente modificam a expressão gênica e também sua transmissão às gerações futuras que não pelo meio convencional de herança. O principal marcador epigenético de modulação da expressão gênica ou de herança é a metilação do ácido desoxirribonucleico (DNA), que pode ser a interface entre genoma e ambiente na regulação do fenótipo escoliótico.[15]

Outro modo de classificar as escolioses idiopáticas diz respeito a saber se ela é estrutural ou funcional e isto tem grande importância para nós, fisioterapeutas, na tomada de decisão quanto às condutas e referenciamento.[13] Por conseguinte, as escolioses estruturais apresentam alterações morfológicas de algum elemento da coluna como os corpos vertebrais, disco intervertebral ou tecido conectivo, e suas causas podem ser de origem idiopática, neuromuscular, congênita ou osteogênica.[9] Por outro lado, as escolioses funcionais ou não estruturais caracterizam-se por apresentar morfologia normal dos componentes da coluna, todavia a biomecânica ou a estrutura anormal de outros segmentos corporais, como a discrepância de membro, ocasiona atitudes de compensação vertebral, resultando em curvas escolióticas que desaparecem com a retirada da sobrecarga corporal ou fator causador quando o paciente adota posturas deitada ou sentada, respectivamente.[14] Este tipo de escoliose pode ser corrigido com a prescrição de órteses, como as palmilhas, ou o encaminhamento para centros de reabilitação, que devolverão a biomecânica correta por meio de cuidados mais intensivos.

Concernente à escoliose idiopática, ainda a classificamos em infantil, juvenil e adolescente. A distinção está na idade em que a escoliose é identificada. A escoliose infantil caracteriza-se pelo surgimento antes dos 3 anos de idade, e a do tipo juvenil quando a escoliose aprece entre os 3 e 10 anos de vida. Já a escoliose do adolescente se manifesta nos jovens acima de 10 anos até o fim da idade maturacional. Estudos epidemiológicos mostram que a escoliose no adolescente é responsável por quase 90% dos casos, seguido por mais de 9% de casos juvenis e menos de 1% para os casos infantis.[16,17]

Uma teoria desenvolvida por Hueter-Volkmann sobre a progressão das curvas escolióticas retrata a ocorrência de um ciclo vicioso que está por trás da evolução da escoliose idiopática. Foi proposto que a presença de uma cunha nos discos intervertebrais dá origem a achatamentos no corpo vertebral, assimetrias de descarga e, consequentemente, crescimento assimétrico do corpo vertebral. Isto acontece em virtude da sobrecarga exagerada em pontos da vértebra que leva à redução do crescimento nos locais que ocorre, assim como aceleração do crescimento nos locais de redução da sobrecarga. Apesar de tudo, não se conhece a origem das alterações em cunha do disco vertebral.[7,16]

Depois desse panorama etiológico e classificatório, em que parece existir uma verdadeira diversidade de escolioses, agora cabe ao fisioterapeuta aplicar as suas competências técnicas a fim de identificar os grupos de risco e selecionar as intervenções mais coerentes para o manejo dessa disfunção musculoesquelética.

RASTREAMENTO E DIAGNÓSTICO

Apesar do vasto desenvolvimento de métodos conservadores e invasivos para o manejo da escoliose, a medida de combate mais efetiva é o diagnóstico precoce.[18] Larson[19] frisa a necessidade de um acompanhamento rotineiro de crianças e adolescentes como prática de cuidados primários a serem adotados. Embora o rastreamento da escoliose em escolas seja uma política adotada em vários países,[20] não existem ainda estimativas precisas de quão eficiente são essas estratégias.[21]

O trabalho na atenção primária relacionado com o manejo de condições escolióticas, assim como para outras condições crônicas não transmissíveis, está intimamente atrelado à identificação precoce dos casos, ou possíveis casos, a fim de proceder o manejo imediato e acompanhamento para que a disfunção não se acentue. Diferentemente dos serviços ambulatoriais, o que buscamos é uma assistência integral e vigilância constante para interromper a história natural de danos evitáveis aos usuários.

Nessa perspectiva, o fisioterapeuta e a equipe podem elaborar um programa de rastreamento e acompanhamento para crianças e adolescentes, que são grupo de risco para a escoliose. O local de melhor acesso a esse público são as escolas da comunidade, principalmente aquelas de ensino fundamental, onde a equipe deve desenvolver corriqueiramente as ações de rastreamento, intervenções e acompanhamento.

Uma estratégia de rastreamento simples, rápida, precisa e válida torna-se necessária em virtude do nível de atenção em que nos encontramos e baseado no modelo de atenção às condições crônicas. Os procedimentos consistem na realização, principalmente, do teste de Adams e a mensuração do grau de rotação vertebral pelo escoliômetro.[22-24]

O teste de Adams (**Figura 15.1**) é uma técnica de exame ortopédico que permite a exacerbação de curvas escolióticas ao solicitar ao indivíduo, na posição em pé, que incline o tronco anteriormente, fazendo com que os membros superiores fiquem pendentes em direção ao chão.[25] Nesse momento, é possível visualizar se o examinado apresenta gibosidade em algum segmento lombar, toracolombar ou torácico, que são locais de ocorrência da escoliose. A gibosidade consiste na convexidade da coluna que rotaciona homolateralmente à giba.

A aplicação do escoliômetro (**Figura 15.1**) permite ao fisioterapeuta mensurar a rotação vertebral nos ápices das gibosidades e serve como parâmetro de diagnóstico e monitoramen-

FIGURA 15.1. Execução do teste de Adams para exacerbação e identificação de curvas escolióticas com aplicação do escoliômetro. (Fonte: Acervo dos autores.)

to da evolução dessa condição.[23] Os valores rotacionais medidos no escoliômetro acima de 5° apresentam alta sensibilidade (87%) para diagnóstico de escoliose de 10° de ângulo de Cobb.[23] O escoliômetro ainda possui confiabilidade intra e interexaminador de muito boa a excelente, o que o torna um instrumento reprodutível em suas aferições.[24] Atualmente é possível obter aplicativos para *smartphones* que utilizam o acelerômetro desses aparelhos com o intuito de estimar a rotação vertebral também de modo preciso.[26]

Como se trata de uma metodologia de alta sensibilidade e baixa especificidade, existe considerável chance de diagnosticarmos falsos positivos nos jovens rastreados.[27] Portanto, faz-se necessário que os jovens positivos na avaliação com o escoliômetro sejam encaminhados para um exame radiográfico a fim de estimar o ângulo de Cobb[9,28] em algum serviço de apoio diagnóstico da rede de atenção.

As indicações de radiografia devem ser feitas para os jovens com inclinação no escoliômetro acima de 10° e que realizarão uma radiografia anteroposterior e em bipedestação. Os que apresentarem valores entre 5° e 9° no escoliômetro serão reavaliados a cada seis meses até a maturação púbere com o intuito de monitorar o perfil de evolução.[9,27] Nesta mesma radiografia é verificada a existência de estruturalização das curvas escolióticas, o que tem grande implicação na elaboração dos programas de intervenção e encaminhamento.

Uma radiografia pélvica também deve ser realizada para verificar a maturação óssea e classificar a maturidade por meio do sinal de Risser.[29] Este estadiamento consiste na visualização da maturação da cartilagem de crescimento na crista ilíaca, que desaparece, inicialmente, na região da espinha ilíaca anterossuperior em direção à espinha ilíaca posterossuperior (**Figura 15.2**). Quanto maior a maturação, menor será a possibilidade de controle ou

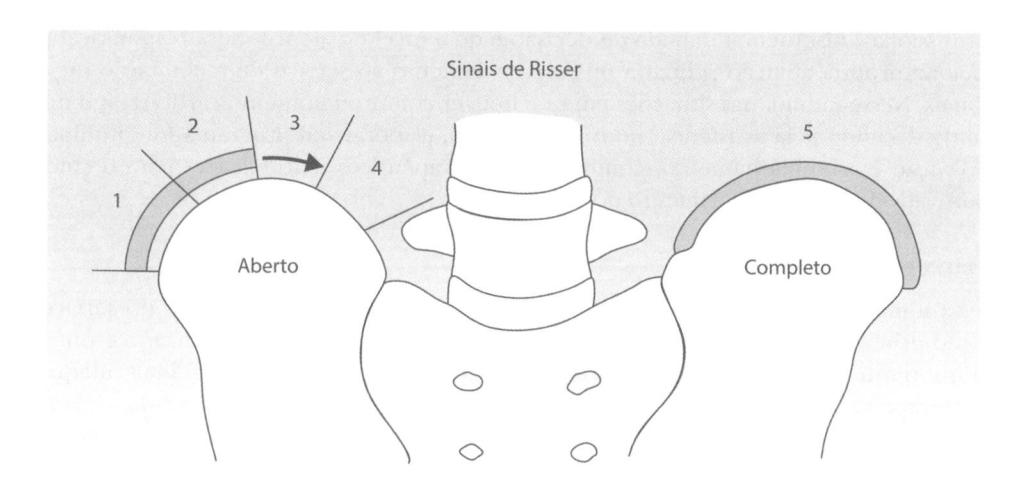

FIGURA 15.2. Estadiamento da maturação óssea de adolescentes de acordo com a classificação de Risser. (Fonte: Hacquebord JH, Leopold SS. The Risser classification: a classic tool for the clinician treating adolescent idiopathic scoliosis. Clin Orthop Relat Res. 2012;470(8):2335-8.)

reversão com estratégias de cuidado autoapoiado, o que exigirá atenção especializada como manejo individualizado em serviço ambulatorial.

Esses exames devem ser realizados apenas uma vez para evitar exposição exagerada à radiação, mas ao mesmo tempo permitir o registro de todo o quadro anatômico e biomecânico para a progressão das curvas escolióticas.[9] É preciso, também, discutir com a equipe a existência de bandeiras vermelhas em casos de relato de quadro alérgico.

É também necessário obter algumas informações a respeito de fatores geralmente contribuintes para o surgimento e a progressão da escoliose. Um deles é o estado puberal, avaliado antes da classificação de Risser, em que se encontra o jovem no momento do rastreamento e pode ser feito pelo estadiamento de Tanner, [27] cuja finalidade é identificar a maturação pelo nível de surgimento dos pêlos pubianos em ambos os sexos e dos seios nas mulheres. Outras medidas antropométricas, como o comprimento dos membros inferiores e suas subunidades, altura corporal, peso corporal, circunferência abdominal[30] e medidas ergonômicas, como mobiliário escolar de cadeira (altura e tamanho do assento, altura do encosto e distância encosto-coluna) e mesa ou apoio de braço (altura da superfície, distância horizontal e lateral da cadeira), atuam como fatores ambientais da biomecânica defeituosa e que podem contribuir para efeitos epigenéticos. Soma-se também a investigação da alimentação e a prática de atividade física que envolveria a participação de outros profissionais como nutricionistas e educadores físicos no rastreamento e intervenções. Essas medidas estimam alguns fatores ambientais que contribuem para escoliose idiopática e funcional.

Após rastreamento e estabelecimento do perfil mórbido da população rastreada, o fisioterapeuta e equipe têm em mãos informações suficientes para elaborar um projeto terapêutico que contemple várias ações coletivas, assim como planos terapêuticos singulares para aqueles identificados com escoliose a fim de recuperar e acompanhá-los. Para tanto, os profissionais instituem a tomada de decisão e qual nível de atenção será responsável pelo manejo: a própria atenção primária ou referenciamento ao serviço de reabilitação ou para hospitais. Nesse último, nas situações em que houver comprometimento cardiorrespiratório. Quando decidido pela assistência no nível primário, elaborar um programa longitudinal de intervenção e acompanhamento, como recursos terapêuticos mais eficazes para o cuidado durante atividades de planejamento do serviço.

TOMADA DE DECISÃO

Fazer a tomada de decisão sobre como o jovem com escoliose será assistido no serviço de atenção primário ou se é necessário referenciá-lo para um serviço especializado é um dilema importante que o fisioterapeuta precisa analisar. Para chegar à decisão mais adequada, o fisioterapeuta levará em consideração o quadro clínico do paciente, capacidade de resolução do seu nível de atenção e o grau de autocuidado aplicado pelo usuário e responsável ao seu problema.[19]

O primeiro aspecto analisado é se as curvas escolióticas idiopáticas são estruturais ou funcionais. Para tanto, o fisioterapeuta necessita do parecer radiológico que leva em consideração a classificação de Lenke.[13] Esta baseia-se no tipo da curva escoliótica e no modificador sagital torácico e lombar, produzindo informação para a diferenciação entre escoliose estrutural e funcional, assim como na maturação puberal pela classificação de Risser ou Tanner.

Identificando-se escolioses funcionais, o terapeuta incluirá o jovem em um programa de tratamento no próprio serviço primário ou secundário de reabilitação. As curvas escolióticas funcionais apresentam a oportunidade de solução a partir da correção da biomecânica vertebral e outros segmentos, utilizando recursos terapêuticos manuais para o realinhamento articular[31] e exercícios autogerenciados para controle motor correto[32] e, quando necessário, o uso de órteses corretivas,[33] conforme veremos mais à frente. A escolha pelo referenciamento ou resolução na própria atenção primária dependerá da capacidade técnica do fisioterapeuta e, em menor proporção, da infraestrutura do serviço.

Nas situações de curvas escolióticas se apresentarem estruturadas, devemos observar a possibilidade de progressão. Aqueles jovens com ângulos de Cobb maiores ou iguais a $45°$ são de indicações cirúrgicas e a equipe deve referenciar para especialistas com o intuito de avaliarem o melhor método de correção. Angulações inferiores a $45°$ devem ser assistidas com métodos conservadores, como órteses e exercícios terapêuticos específicos para a contenção da progressão e acompanhamento nos serviços de atenção primária para monitorar o retorno da progressão (**Figura 15.3**).

Quando o jovem tem ângulo de Cobb inferior a $45°$, é necessário acompanhar a evolução da curva escoliótica a fim de impedir a progressão. A **Tabela 15.1** mostra um esquema de estimação de risco de progressão da curva com base no gênero, maturação sexual, ângulo inicial da curvatura e idade de diagnóstico. Identifica-se que jovens do sexo feminino e com ângulo de Cobb, no momento diagnóstico, superior a $25°$ apresentam grande chance de progressão e são pacientes que precisam de um acompanhamento mais intensivo e referenciado para níveis de maior complexidade, como centros de reabilitação.[13,16] Por outro lado, aqueles com angulação inferior a $25°$ têm plenas condições de ter a estabilização das curvas escolióticas nos serviços de atenção primária, principalmente pelo autocuidado apoiado no ambiente escolar e domiciliar.

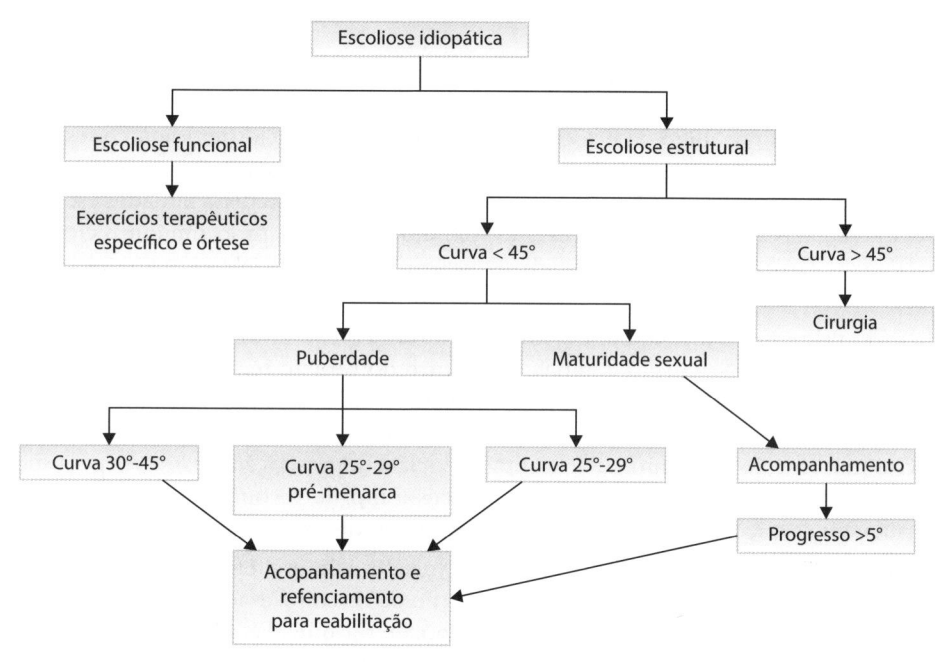

FIGURA 15.3. Fluxograma de acolhimento de jovens com risco de progressão da escoliose e seu manejo. (Fonte: Elaboração dos próprios autores.)

TABELA 15.1. Probabilidade de progressão da curva escoliótica de acordo com o sexo, maturidade sexual e ângulo de diagnóstico[13,16]

Sexo	Puberdade	Ângulo de diagnóstico > 25°	Idade de diagnóstico < 12 anos	Probabilidade de superar 30°
Masculino	Sim	Não	Não	2,39
			Sim	2,83
		Sim	Não	40,25
			Sim	44,42
	Não	Não	Não	5,30
			Sim	6,22
		Sim	Não	60,59
			Sim	64,59
Feminino	Sim	Não	Não	5,85
			Sim	6,87
		Sim	Não	63,09
			Sim	66,97
	Não	Não	Não	12,42
			Sim	14,41
		Sim	Não	79,59
			Sim	82,23

Fonte: Adaptada de Edgar M. A new classification of adolescent idiopathic scoliosis. Lancet. 2002; 360:270-1; Tan K, Moe M, Vaithinathan R, HK W. Curve progression in idiopathic scoliosis: follow-up study to skeletal maturity. Spine. (Phila Pa 1976) 2009;34:697-700.

ESTRATÉGIAS DE INTERVENÇÃO

A assistência fisioterapêutica comumente fornecida aos pacientes com escoliose caracteriza-se pela aplicação de métodos que tentam a correção das curvas escolióticas e minimizar a progressão das mesmas por meio da prescrição de órteses ou exercícios terapêuticos específicos para derrotação das vértebras.[34-36] Todavia, atualmente as evidências ainda são fracas sobre qual o recurso terapêutico é o mais eficaz e eficiente em conter as deformidades escolióticas. Sabe-se que apenas as curvas superiores a 45° são indicadas para procedimentos cirúrgicos e que, às demais, deve-se utilizar modalidades conservadoras, principalmente no nível primário de atenção quando existir a possibilidade de realizar um autocuidado apoiado eficiente.

A nível primário, temos como objetivo, além do rastreamento dos casos de escoliose e monitoramento de sua evolução, estabelecer, dentro do projeto terapêutico, condutas capazes de contribuir para a recuperação da disfunção como também possibilitar o autocuidado apoiado. Entre as estratégias de intervenção, adotamos as modalidades terapêuticas de exercícios de controle neuromuscular e autogerenciáveis, prescrição de órteses para suporte biomecânico assim como abordagens educacionais a fim de reconhecer e evitar condições comportamentais que favorecem a evolução da curva escoliótica em indivíduos em risco.

A resolução dos defeitos artrocinemáticos vertebrais por métodos da terapia manual ainda não revelou fortes evidências para a correção das escolioses idiopáticas,[31] todavia, em se tratando de tipologias funcionais, há que se considerar que elas podem produzir resultados interessantes.[14] As técnicas manuais são representadas pelas mobilizações intra-articulares e manipulações articulares, que precisam ser administradas em poucos encontros com o terapeuta e são técnicas cuja evidência revela apenas efeitos imediatos à aplicação e que terão seus efeitos potencializados por meio dos exercícios autogerenciados de estabilização segmentar articular ou de controle motor. Essas últimas prescrições possuem extensas evidências na geração de engramas motores e resultados de longo prazo, além de serem autogerenciadas pelo usuário.

Se o fisioterapeuta possui habilidade em algum método de manipulação articular, pode resolver o desarranjo artrocinemático em poucos encontros e prosseguir com exercícios autogerenciados para o desenvolvimento de controle muscular dinâmico dos segmentos vertebrais e outros segmentos. Por outro lado, se o fisioterapeuta não se considera habilitado com tais recursos, pode utilizar as mobilizações intra-articulares, pois elas apresentam efeitos terapêuticos semelhantes às manipulações quando o objetivo é devolver a cinemática articular adequada. Soma-se ainda o compromisso com o ensino e aplicação do programa de exercícios autogerenciados para o controle motor adequado.

Concernente aos exercícios, temos um grande arsenal que pode ser prescrito, progredido e ensinado aos jovens, principalmente aqueles com características de autocuidado apoiado efetivo.[37] Dessa maneira, existe ótima possibilidade de extrapolarmos o programa terapêutico além do contato com o fisioterapeuta na unidade de saúde ou escolas e monitorar a aderência ao programa.

Os exercícios almejam desenvolver a valência de flexibilidade, força e coordenação neuromuscular que facilitam a extensibilidade do tecido mole, estabilidade dinâmica e possível derrotação vertebral, respectivamente, impedindo assim que as curvas apresentem progressão. Tais objetivos são alcançados com exercícios que realizam, principalmente, a ativação da musculatura profunda da coluna e, em seguida, dos músculos superficiais.

Exercícios com movimentos lentos, repetitivos, com *feedback* verbal e manual, e com padrões de direção inversos da curva escoliótica, como a inclinação homolateral à gibosidade e à rotação contralateral, facilitam o aprendizado motor. Recomendamos, para esses objetivos, exercícios provenientes do método Pilates, SEAS (*Scientific Exercises Approach to Scoliosis*), método Klapp ou similares que possuam as características anteriormente mencionadas e que sejam facilmente autogerenciados depois de ensinados individualmente ou em ações coletivas.[37]

Como exemplo, descrevemos um exercício que contempla os princípios anteriormente ressaltados e que fazem parte do Método Pilates, como o *roll down* e *roll up*. Na postura em pé, o paciente inclina seu tronco para frente, semelhante ao teste de Adams, com um envolvimento sequencial dos segmentos vertebrais cervicais em direção à lombar e quadril, passando pela torácica. O movimento de retorno realiza-se na sequência inversa. Adicionam-se os movimentos de rotação contralateral à gibosidade nesses segmentos, acionando contrações excêntricas nas musculaturas que permaneciam em insuficiência ativa em decorrência da curva escoliótica. O movimento de retorno para a postura ereta deve promover contrações concêntricas dos músculos que são mantidos em insuficiência passiva de modo que o movimento de rotação continuará para o lado contralateral à gibosidade na elevação, com movimento inicial dos segmentos lombares e, em seguida, os segmentos superiores.

Com variações do descrito acima, os exercícios que podem ser ensinados aos jovens com escoliose são aqueles que contemplam rotações do tronco junto com atividades lúdicas. Outro tipo de exercício que pode ser realizado é aquele na posição sentada ou em decúbito ventral com movimento do tronco em flexão ou extensão, respectivamente, ativando a musculatura extensora em contração excêntrica e retorno concêntrico (**Figura 15.4**) que exigem tanto da musculatura profunda de estabilização como da superficial para executar o movimento. Pode, também, adicionar os torques rotacionais desenvolvidos pelos músculos oblíquos a fim de estimular a derrotação vertebral e o controle muscular adequado do

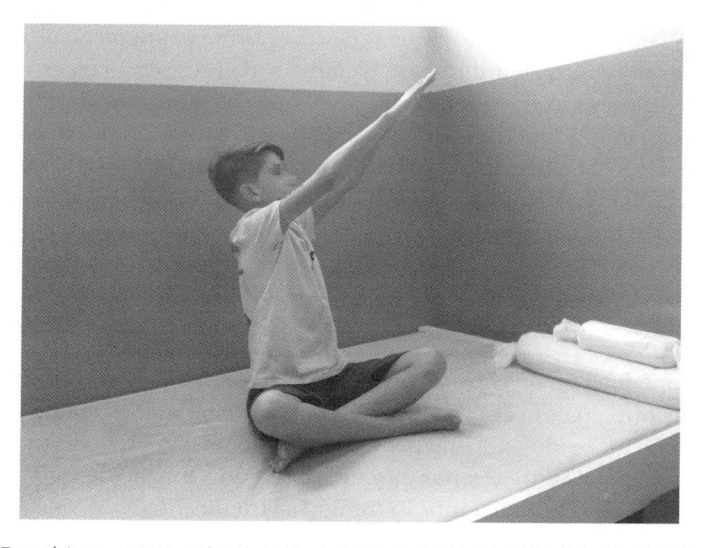

FIGURA 15.4. Exercício para treino da musculatura extensora do tronco por meio de contrações concêntricas e excêntricas. (Fonte: Acervo dos autores.)

tronco. Além desses exercícios, pode-se exercitar todo o conjunto de músculos do tronco, trabalhando sua coordenação por meio de exercícios de estabilização segmentar na posição de quatro apoios (**Figura 15.5**).

FIGURA 15.5. Exercício na posição de quatro apoios para treino sensoriomotor dos estabilizadores do tronco, na tentativa de aperfeiçoar a coordenação da musculatura. (Fonte: Acervo dos autores.)

No tocante ao uso de órteses, o fisioterapeuta possui habilidades específicas para a avaliação e prescrição adequada de coletes e bandagens para a correção dos desvios posturais. Não faz parte do escopo desta obra retomar os princípios da prescrição e seleção da órtese correta. Todavia, ressaltamos que este recurso terapêutico, principalmente as órteses rígidas, são aqueles de melhor evidência científica para o controle da progressão da escoliose.[33] Fazemos a ressalva de que órteses são tratamentos passivos, que, ao final, não produzem melhora no desempenho dos estabilizadores ativos durante a fase de maturação óssea, quando são comumente prescritos. Logo, sua prescrição deverá ser associada a exercícios terapêuticos.

Recomendamos a busca de literatura específica para o aprofundamento na prescrição de órteses, pois tal competência está entre aquelas que o generalista deve possuir ao fim do bacharelado.

CONSIDERAÇÕES FINAIS

A prática fisioterapêutica no nível primário para a assistência a jovens com condições escolióticas está entre as principais ações desenvolvidas para o combate às condições crônicas que atinge a saúde da criança e do adolescente. O fisioterapeuta não pode deixar de frequentar o ambiente escolar a fim de rastrear e monitorar, exercendo a função de vigilância em saúde, e evitar complicações que reduzam a função fisiológica e a qualidade de vida.

REFERÊNCIAS BIBLIOGRÁFICAS

1. Kapandji I. Fisiologia articular: tronco e coluna vertebral. 5. ed. Rio de Janeiro: Guanabara Koogan; 2000.
2. Weinstein SL, Dolan LA, Cheng JCY, Danielsson A, Morcuende JA. Adolescent idiopathic scoliosis. Lancet [Internet]. 2008 May 3;371(9623):1527-37.
3. Lima Júnior PC, Pellegrino L, Caffaro MFS, Meves R, Landim E, Avanzi O. Escoliose idiopática do adolescente (EIA): perfil clínico e radiográfico da lista de espera para tratamento cirúrgico em hospital terciário de alta complexidade do sistema público de saúde brasileiro. Coluna. 2010;10(2):111-5.
4. Suh S-W, Modi HN, Yang J-H, Hong J-Y. Idiopathic scoliosis in Korean schoolchildren: a prospective screening study of over 1 million children. Eur Spine J. 2011;20(7):1087-94.
5. Galera MF. Prevalência de escoliose idiopática e variáveis associadas em escolares do ensino fundamental de escolas municipais de Cuiabá, MT, 2002. Prevalence of Idiopathic Scoliosis. 2011;14(2):347-56.
6. Nery LS, Halpern R, Nehme KP. Prevalence of scoliosis among school students in a town in southern Brazil. São Paulo Med J. 2010;128(2):69-73.
7. Soucacos PN, Zacharis K, Gelalis J, Soultanis K, Kalos N, Beris A et al. Assessment of curve progression in idiopathic scoliosis. Euro Spine J. 1998;7:270-7.
8. Mullender M, Blom N, De Kleuver M, Fock J, Hitters W, Horemans A et al. A Dutch guideline for the treatment of scoliosis in neuromuscular disorders. Scoliosis. 2008;3:14.
9. Wong H-K, Tan K-J. The natural history of adolescent idiopathic scoliosis. Indian J Orthop. 2010;44(1):9-13.
10. Gorman KF, Julien C, Moreau A. The genetic epidemiology of idiopathic scoliosis. Eur Spine J. 2012;21(10):1905-19.
11. Grauers A, Rahman I, Gerdhem P. Heritability of scoliosis. Eur Spine J. 2012;(6):1069-74.
12. Chen Z, Tang NLS, Cao X, Qiao D, Yi L, Cheng JCY et al. Promoter polymorphism of matrilin-1 gene predisposes to adolescent idiopathic scoliosis in a Chinese population. Eur J Hum Genet. 2009;17(4):525-32.
13. Edgar M. A new classification of adolescent idiopathic scoliosis. Lancet. 2002;360:270-1.
14. Raczkowski JW, Daniszewska B, Zolynski K. Functional scoliosis caused by leg length discrepancy. Arch Med Sci. 2010;6(3):393-8.
15. Burwell RG, Dangerfield PH, Moulton A, Grivas TB. Adolescent idiopathic scoliosis (AIS), environment, exposome and epigenetics: a molecular perspective of postnatal normal spinal growth and the etiopathogenesis of AIS with consideration of a network approach and possible implications for medical therapy. Scoliosis. 2011;6(1):26.
16. Tan K, Moe M, Vaithinathan R, HK W. Curve progression in idiopathic scoliosis: follow-up study to skeletal maturity. Spine (Phila Pa 1976). 2009;34:697-700.
17. Busscher I, Wapstra FH, Veldhuizen AG. Predicting growth and curve progression in the individual patient with adolescent idiopathic scoliosis: design of a prospective longitudinal cohort study. BMC Musculoskelet Disord. 2010 Jan;11:93.
18. Gabriele A, Guzzanti V, Falciglia F, Giordano M, Peruzzi M, Lorenzo A. Is the screening able to lower morbidity in the territory? Scoliosis 2013 [cited 2014 May 11];8(Suppl 2):O5.
19. Larson N, Hill R, Associates P. Early onset scoliosis: What the primary care provider needs to know and implications for practice. J Am Acad Nurse Pract. 2011;23:392-403.
20. Grivas TB, Hresko MT, Labelle H, Price N, Kotwicki T, Maruyama T. The pendulum swings back to scoliosis screening: screening policies for early detection and treatment of idiopathic scoliosis – current concepts and recommendations. Scoliosis. 2013;8(1):16.
21. Beauséjour M, Goulet L, Parent S, Feldman DE, Turgeon I, Roy-Beaudry M et al. The effectiveness of scoliosis screening programs: methods for systematic review and expert panel recommendations formulation. Scoliosis. 2013;8(1):12.
22. Chowanska J, Kotwicki T, Rosadzinski K, Sliwinski Z. School screening for scoliosis: can surface topography replace examination with scoliometer? Scoliosis. 2012;7(1):9.

23. Coelho DM, Bonagamba GH, Oliveira AS. Scoliometer measurements of patients with idiopathic scoliosis. Brazilian J Phys Ther. 2013;17(2):179-84.

24. Bonagamba GH, Coelho DM, Oliveira AS De. Confiabilidade interavaliadores e intra- avaliador do escoliômetro. Brazilian J Phys Ther. 2010;14(5):1-6.

25. Magee DJ. Avaliação musculoesquelética. 5. ed. Manole, 2010.

26. Izatt MT, Bateman GR, Adam CJ. Evaluation of the iPhone with an acrylic sleeve versus the Scoliometer for rib hump measurement in scoliosis Evaluation of the iPhone with an acrylic sleeve versus the Scoliometer for rib hump measurement in scoliosis. Scoliosis. 2012;7(14):1-7.

27. Álvarez LI, Quesada G De, Giralda AN. Escoliosis idiopática. Rev Pediatría Atencíon Primaria. 2011;XIII(49):135-46.

28. Sanders JO. Cobb angle progression in adolescent scoliosis begnis at the intervertebral disc. Spine (Phila Pa 1976). 2010;34(25):2782-6.

29. Hacquebord JH, Leopold SS. The Risser classification: a classic tool for the clinician treating adolescent idiopathic scoliosis. Clin Orthop Relat Res. 2012;470(8):2335-8.

30. Wei-Jun W, Xu S, Zhi-Wei W, Xu-Sheng Q, Zhen L, Yong Q. Abnormal anthropometric measurements and growth pattern in male adolescent idiopathic scoliosis. Eur Spine J. 2012;21(1):77-83.

31. Romano M, Negrini S. Manual therapy as a conservative treatment for adolescent idiopathic scoliosis: a systematic review. Scoliosis. 2008;3:2.

32. Romano M, Minozzi S, Zaina F, Saltikov JB, Chockalingam N, Kotwicki T et al. Exercises for adolescent idiopathic scoliosis: a Cochrane systematic review. Spine (Phila Pa 1976). 2013;38(14):E883-93.

33. Schiller JR, Thakur NA, Eberson CP. Brace management in adolescent idiopathic scoliosis. Clin Orthop Relat Res. 2010;468(3):670-8.

34. Bulthuis GJ, Veldhuizen AG, Nijenbanning G. Clinical effect of continuous corrective force delivery in the non-operative treatment of idiopathic scoliosis: a prospective cohort study of the TriaC-brace. Eur Spine J. 2008;17(2):231-9.

35. Morningstar MW, Joy T. Scoliosis treatment using spinal manipulation and the Pettibon Weighting System: a summary of 3 atypical presentations. Chiropr Osteopat. 2006;14:1.

36. Mello DB De, Daoud R. Efeitos da reeducação postural global em escolares com escoliose. Global posture reeducation effects in students with scoliosis. 2011;18(4):329-34.

37. Alves de Araújo ME, Bezerra da Silva E, Bragade Mello D, Cader SA, Shiguemi Inoue Salgado A, Dantas EHM. The effectiveness of the Pilates method: reducing the degree of non-structural scoliosis, and improving flexibility and pain in female college students. J Bodyw Mov Ther. 2012;16(2):191-8.

Seção 4

Saúde do Adulto e do Idoso

Atenção Fisioterapêutica no Manejo de Lesões do Membro Inferior

■ Johnnatas Mikael Lopes

APRESENTAÇÃO

As lesões em articulações do membro inferior geralmente são dependentes de outras do mesmo segmento em virtude da atuação do membro em cadeia cinética fechada, e se caracterizam, na maioria das vezes, por serem disfunções funcionais e posturais que levam a desgastes e consequências tardias como osteoartrite, a principal condição crônica de saúde musculoesquelética.

Neste capítulo, iremos identificar grupos vulneráveis em que o fisioterapeuta pode atuar na sua triagem e no estabelecimento de projetos terapêuticos por meio de intervenções físicas a fim de impedir ou corrigir complicações, como síndrome da dor patelofemoral, lesões ligamentares e meniscais do joelho e pé pronado, as quais futuramente contribuem para o aparecimento de osteoartrite de joelho e/ou quadril. Como essas condições de saúde atingem principalmente jovens, ela está inserida nesta secção de ciclo da vida.

INTRODUÇÃO

As disfunções articulares do membro inferior causam preocupações pela grande quantidade de ocorrência, incapacidade imediatas e a longo prazo, custo elevado com cirurgias e reabilitação.[1] Tanto as condições agudas, como um rompimento ligamentar ou laceração de menisco, quanto condições crônicas, como as degenerações articulares representadas principalmente pela síndrome da dor patelofemoral (SDP), apresentam forte tendência para o desenvolvimento de osteoartrite.[2]

Entre as disfunções mais corriqueiras que atingem as articulações do membro inferior, estão aquelas que se localizam no joelho, uma articulação sinovial intermediária e responsável por amortecimento das forças de ação e reação que acontecem no membro inferior.[1,3] Destaca-se a grande incidência no joelho de SDP,[3] osteoartrite,[4] lesões ligamentares[5] e de menisco do joelho.[6]

No capítulo sobre osteoartrite temos um aprofundamento maior sobre esta morbidade em um público com o problema já instalado. Logo, não ensejaremos esse assunto neste momento. Aqui daremos ênfase à prevenção de condições que propiciam o surgimento da osteoartrite, por exemplo, a SDP, lesão ligamentar e menisco de joelho e o pé pronado em indivíduos jovens, como mulheres, escolares e atletas.

Como dito antes, o joelho é a articulação do membro inferior com maior frequência de lesões, principalmente, em pessoas ativas em virtude do seu uso excessivo como articulação intermediária do segmento.[7] Existem muitos relatos epidemiológicos de estudos prospectivos e retrospectivos que evidenciam o uso exagerado do joelho, todavia um dos principais responsáveis para este abuso está na má função das articulações adjacentes, como o quadril,[7,8] superiormente, e do complexo tornozelo-pé,[2,9,10] inferiormente, os quais participam das atividades funcionais em cadeia cinética fechada juntamente com o joelho.

A seguir, iremos entender como a estabilidade inadequada de articulações das extremidades do membro inferior e sua atuação prioritariamente em cadeia cinética fechada danificam a biomecânica do joelho, ocasionando lesões agudas e condições crônicas degenerativas no futuro. É extremamente necessária uma abordagem dessas condições de saúde na atenção primária, a partir de um modelo de atenção baseado em estratificação de risco e no autocuidado apoiado, a fim de ter resultados positivos para os usuários e o sistema de saúde.

RELAÇÃO ENTRE AS ARTICULAÇÕES DO MEMBRO INFERIOR

O segmento apendicular inferior é composto por várias articulações sinoviais, como o quadril, o joelho e o complexo do tornozelo, além de outras intrínsecas do pé.[11] A principal função deste segmento é o trabalho em cadeia cinética fechada com o intuito de sustentar o peso corporal nas situações funcionais de ficar em pé e mobilidade no andar, correr, subir escadas, levantar-se de uma cadeira, as quais exigem coordenação dos movimentos de cada uma das articulações sinoviais e uma interdependência entre elas.[12,13]

Isso se traduz perfeitamente nas observações clínicas de que o mau funcionamento na estabilização de uma articulação pode produzir problemas no movimento e estabilidade de outras tanto inferior como superiormente a ela.[13,14] Nos últimos tempos, as evidências vêm apontando que tanto lesões agudas, como ruptura de ligamento cruzado anterior do joelho ou laceração meniscal, quanto condições crônicas, como disfunção patelofemoral, apresentam como mecanismo primário de lesão as alterações biomecânicas no quadril[7,15] e no complexo tornozelo-pé.[2,16]

FATORES DE RISCO PARA LESÃO DE JOELHO

Na extremidade proximal do membro inferior, déficits na força e na sincronia de ativação da musculatura abdutora e nos rotadores externos do quadril permitem o surgimento de um sinal biomecânico conhecido por valgismo dinâmico (VD), que aparece durante as atividades como marcha, agachamento e aterrissagem em saltos.[9,17,18] O VD ocorre por meio de um torque valgo sobre o joelho em movimentos excessivos de adução e rotação interna no quadril, sobrecarregando as estruturas passivas de contenção como os ligamentos, os meniscos e a cápsula articular.[8,17]

Em situações de alta demanda sobre a musculatura do quadril e que não estão adequadamente aptos a suportá-la, como nas desacelerações dos saltos ou descidas de escadas, as estruturas passivas de estabilização acabam assumindo prioritariamente o papel de estabilização.[7,8] Soma-se também o efeito neuromotor da dependência visual, característico do grupo de risco, que fica vulnerável devido ao déficit de informações proprioceptivas do movimento. Quando a atenção visual do indivíduo está sendo direcionada ao ambiente externo, como em um jogo esportivo, desencadeia uma deficiência de controle motor durante as atividades, predispondo à lesões. Caso a demanda de tensão supere a sua resistência elástica ou de absorção das estruturas passivas, faz surgir lesões de maneira abrupta, como nas rupturas de ligamento cruzado anterior, colateral medial e menisco medial.[15] Em outros casos, ocorre um desgaste contínuo das facetas da articulação patelofemoral, tanto patelares como femorais, devido ao movimento em rotação interna do fêmur e a recíproca lateralização da patela, caracterizando o quadro biomecânico principal da SDP.[7,19]

Na outra extremidade do esqueleto apendicular, verifica-se que a capacidade de estabilizar a porção do médio-pé à altura da articulação subtalar e manutenção de sua neutralidade em pronossupinação tornam-se fundamentais para a função correta do joelho.[2,10] A estabilização subtalar é realizada pelos ligamentos mediais de maneira passiva e pelo músculo tibial posterior, que é responsável pelo amortecimento podal durante as fases de suporte de peso unipodal no ciclo de marcha.[11]

Posturas dos pés em pronação exagerada acabam predispondo a rotação externa da tíbia e interna do fêmur, também favorecendo um torque valgo no joelho e ocorrência de estresse valgo excessivo.[20] Lembramos que o movimento de pronação na articulação subtalar durante as fases de apoio médio é necessário para a absorção do peso corporal no ciclo de marcha.[11,10] Contudo, seu excesso e ocorrência durante o suporte bipodal torna-se um real problema biomecânico, visto que nessa situação funcional ocorre menor impacto mecânico que a postura unipodal.

Outras características influenciam as lesões do joelho. A degeneração do menisco é fortemente condicionada pela elevada massa corporal, idade superior a 60 anos, sexo masculino, trabalho relacionado a agachamento e a ajoelhar-se, dirigir por mais de 4 horas, subir mais de 30 lances de escadas por dia e levantar ou transportar mais de 10 kg por mais de dez vezes por semana.[6,21,22] As lacerações agudas de menisco sofrem grande influência de atividades como jogar futebol e rugby, além de corrida e da existência de lesões ligamentares como o LCA.[6,23]

Portanto, devido à peculiaridade das atividades em cadeia cinética fechada, o membro inferior, e principalmente o joelho, tornam-se susceptíveis a lesões agudas e crônicas de estruturas articulares e seus estabilizadores por compensação à má biomecânica de todo o segmento. Em vista disso, é importante a identificação precoce dos condicionantes primários em indivíduos jovens e ativos a fim de traçar ações de prevenção para as rupturas ligamentares, lacerações meniscais e SDF a fim de impedir que danos mais graves aconteçam em momentos futuros na vida das pessoas que reduziriam sua funcionalidade e qualidade, assim como oneraria os sistemas de saúde com cirurgias e reabilitações evitáveis e outros seguros sociais, como o previdenciário com absenteísmo e aposentadorias precoces.

IDENTIFICAÇÃO DO RISCO DE LESÕES DO JOELHO

Um planejamento para a identificação e o acolhimento de usuários sob a responsabilidade do fisioterapeuta e equipe a fim de instituir programas e intervenções preventivas ou o manejo de condições já instaladas como a SDP faz-se necessário, tendo em vista a sua alta prevalência e consequências graves para a integridade articular e funcionalidade geral do indivíduo. As ações também voltadas para prevenção de lesões abruptas como esgarçamento ou ruptura ligamentar e laceração meniscal também são justificáveis em virtude dos impactos na saúde das pessoas e nos custos diretos e indiretos com correção e reabilitação, principalmente em jovens atletas em idade escolar.

O rastreamento de pessoas com risco de desenvolver lesões no membro inferior ou com elas já em fase inicial pode ser realizado em vários ambientes sociais, desde escolas até clubes recreacionais ou equipes esportivas de alto rendimento. Os serviços de atenção primária realizam essas ações de busca ativa principalmente em indivíduos jovens, em idade escolar, para evitar que as lesões agudas graves e aquelas degenerativas tenham condições favoráveis para surgirem ou se manterem atuantes.

A estratégia de rastreamento é baseada em achados biomecânicos de predisposição à ocorrência de lesões no joelho, como o VD,[9,24] a postura pronada excessiva do pé[25] e informações antropométricas e laborais. A existência de VD é reconhecida por meio de um simples teste diagnóstico com aterrissagens de saltos verticais (*Vertical Drop test*), em que o indivíduo avaliado salta de uma superfície com altura em torno de 30 cm e aterrissa no chão, realizando agachamento, para em seguida saltar novamente no mesmo local com energia potencial elástica acumulada[24] (**Figura 16.1**). Nesse teste, o fisioterapeuta tenta observar a existência de VD por meio da aproximação das faces mediais dos joelhos, representando a ultrapassagem da porção central do joelho em relação à borda medial do hálux, proporcionada pelo torque adutor passivo na própria articulação em decorrência da deficiência dos estabilizadores dinâmicos do quadril.[7]

Essa metodologia observacional apresenta boa validade diagnóstica quando comparada com avaliações computadorizadas tridimensionais do mesmo teste, estimando-se uma sensibilidade de até 87% e uma especificidade de 72% para uma classificação de baixo e alto risco,[24] a qual é fornecida pela magnitude de aproximação dos joelhos. Outro estudo que classificou o controle frontal do joelho em pobre, regular e bom em relação ao VD, também revelou uma acurácia de discriminação elevada entre esses níveis, em que a área sob a curva ROC (Receiver-Operating-Characteristic) esteve entre 0,85-0,89. Logo, o teste de salto vertical e aterrissagem mostra-se uma ótima ferramenta de rastreamento de VD e estratificação de risco.[9]

Quanto à postura e estabilidade podal, o fisioterapeuta pode lançar mão de outro teste diagnóstico para estimar a pronossupinação do pé com base na posição mediolateral do osso navicular em relação à postura neutra, a qual é determinada por uma linha que liga à cabeça do primeiro metatarso e à tuberosidade do calcâneo. Tal metodologia é chamada de teste da linha do pé (*foot line test*).[25]

Nesta avaliação, o indivíduo triado deve ficar em pé, com peso devidamente distribuído sobre os membros inferiores. Abaixo de cada pé, uma folha em branco, em que será traçado

FIGURA 16.1. Teste de salto-aterrissagem para exacerbação e identificação do valgismo dinâmico a partir de visualização do deslocamento do joelho além da linha da borda medial do pé homolateral. (Fonte: Acervo dos autores.)

o contorno da borda medial do pé, iniciando no calcâneo e finalizando no hálux. Marca-se na folha as estruturas da cabeça do primeiro metatarso, da tuberosidade do calcâneo e do navicular por meio de um asterisco, sem retirar o pé. Todo esse procedimento de contorno é realizado com o dispositivo simples mostrado na **Figura 16.2**. Este dispositivo deve ter forma retangular para manter sua orientação perpendicular com o solo e uma altura inferior ao maléolo medial para que este não produza desvio no momento de contorno do pé.[25]

Em seguida, retira-se a folha sob o pé do indivíduo e, com uma régua, traça-se uma linha reta, unindo os pontos de identificação da tuberosidade do calcâneo e a cabeça do primeiro metatarso. Esta será a linha de referência para medir o deslocamento do navicular na direção mediolateral. Mede-se com uma régua a distância entre a marcação referente a tuberosidade do navicular até a linha de referência em milímetros. Se o navicular localizar-se medialmente à linha de referência, adotamos valores positivos e detectamos um pé pronado. Em situações em que o navicular posiciona-se lateralmente à linha de referência, obtemos valores negativos na medição e identifica-se um pé supinado. Valores normativos para jovens encontram-se entre –2,4 e 2,0 mm.[25]

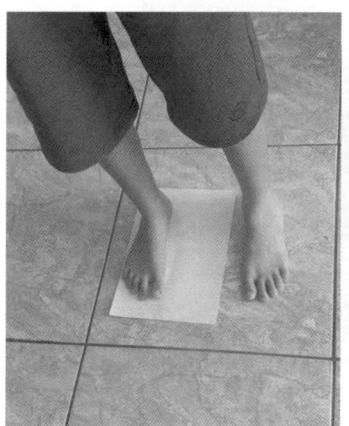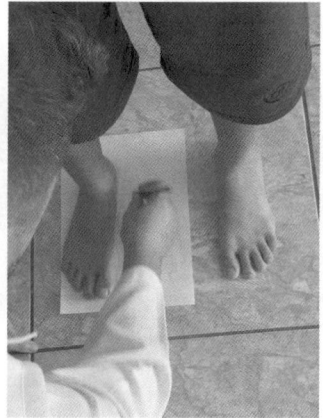

FIGURA 16.2.   Execução do *foot line test* para identificação de pronação do pé. (Fonte: Acervo dos autores.)

PROGRAMA DE INTERVENÇÃO

Assistir indivíduos com risco de apresentar lesões do joelho ou com uma condição em estágio inicial é bem característico de serviços de fisioterapia com foco na prevenção de morbidades tanto em regime comunitário como em escolas ou em ambientes de alto rendimento em equipes esportivas, por exemplo.

Após o rastreamento válido e rápido descrito acima, o fisioterapeuta tem condições de traçar um programa de intervenção com terapia física e modificação de hábitos comportamentais que objetivam o controle muscular adequado das articulações do membro inferior e a prevenção e manejo de condições crônicas de saúde.

Para alcançar uma boa estabilidade articular durante as atividades funcionais e não sobrecarregar o joelho, ocasionando lesões, é preciso treinar o controle dos músculos que atuam sobre o quadril,[26] o joelho e o médio-pé.[2] Os exercícios precisam ser realizados prioritariamente em cadeia cinética fechada a fim de coordenar a ativação muscular, pois são nessas circunstâncias que a biomecânica defeituosa aparece.[27] Os exercícios em cadeia aberta podem ser realizados, principalmente, quando o objetivo é fortalecer músculos como o glúteo médio e as fibras superiores do glúteo máximo, que são antagonistas do movimento de adução e rotação interna do quadril durante o valgismo dinâmico.[28]

Entre os exercícios em cadeia fechada, indicamos a realização daqueles que otimizam a força e a coordenação muscular do glúteo médio e máximo na articulação do quadril, como pontes bilaterais e unilaterais[29] (**Figura 16.3A**), arremetidas ou avanço com o tronco ereto,[29] agachamentos bilaterais (**Figura 16.3B**) e unilaterais (**Figura 16.3C**) e passos laterais agachados e resistidos ou não com faixa elástica ao redor do joelho (**Figura 16.3D**). Tais exercícios, principalmente o agachamento e arremetidas, também visam sincronizar a ativação do vasto medial e lateral na elevação da patela durante a extensão do joelho. Em todos os exercícios, o fisioterapeuta orientará para que o joelho não ultrapasse o limite da borda medial do pé como também não avançar além dos limites das falanges distais dos pododáctilos.

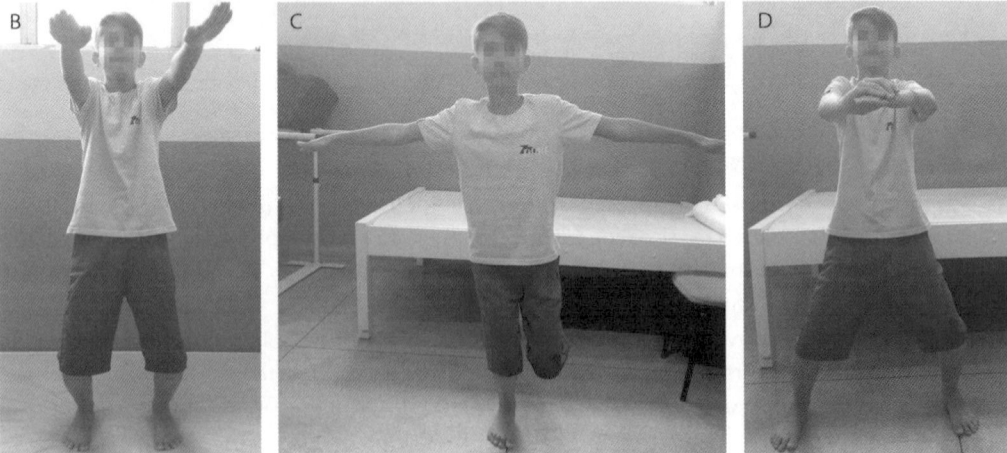

FIGURA 16.3. Exercícios em cadeia cinética fechada para coordenação da ativação da musculatura do quadril, minimização do valgo dinâmico e excursão normal da patela. **A.** Ponte bilateral. **B.** Agachamentos bilaterais. **C.** Agachamentos unilaterais. **D.** Passos laterais com agachamento. (Fonte: Acervo dos autores.)

Fonseca *et al.*[31] verificaram que indivíduos com lesão de LCA apresentam déficit na co-contração dos músculos isquiotibiais e quadríceps, o que favorece a sobrecarga no ligamento devido a alterações na ativação neuromuscular. Esta condição exige a utilização de treinos proprioceptivos como os expostos acima, com o incremento de modificações nos estímulos somatossensoriais. Willson *et al.*,[32] por outro lado, identificaram que a ativação do glúteo médio e máximo fica descoordenada durante a corrida em mulheres com SDF, e Powers[33] também identificou tal característica biomecânica também em indivíduos acometidos de lesão de LCA.

Os exercícios em cadeia aberta, diferentemente dos anteriores, são menos funcionais e objetivam mais o ganho de força de músculos que sofrem altas demandas, como aqueles do quadril. Destacamos aqui a extensão do quadril na posição de quatro apoios com o joelho estendido ou flexionado (**Figura 16.4A**) e a rotação externa e a abdução do quadril em decúbito lateral com joelho a 90° e quadril a 45° (**Figura 16.4B**).[29] Ressaltamos que, assim como os exercícios em cadeia cinética fechada, este devem prezar pelo alinhamento e pela estabilização dos segmentos não envolvidos no movimento a fim de não produzirem compensação.

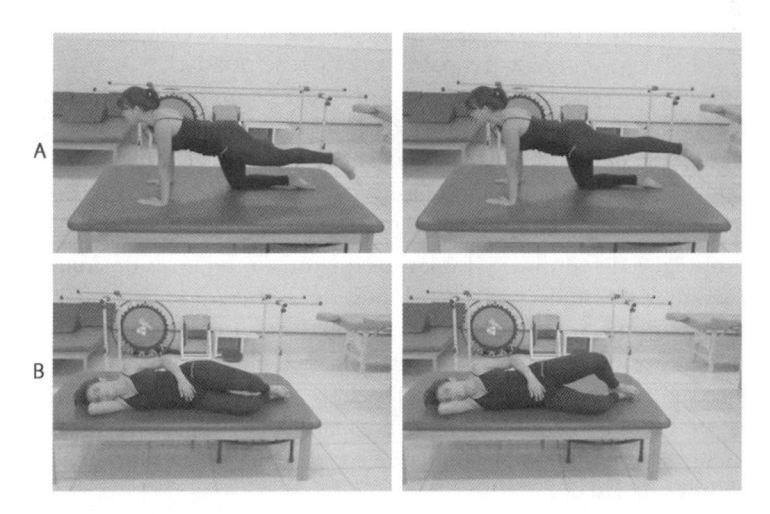

FIGURA 16.4. Exercícios em cadeia cinética aberta para fortalecimento de musculatura extensora e rotadora externa do quadril. **A.** Extensão do quadril com joelho estendido (não realizar hiperextensão lombar). **B.** Rotação externa e abdução do quadril (não realizar rotação da pelve e da coluna lombar). (Fonte: Acervo dos autores.)

Na parte mais inferior, os exercícios para o tibial posterior, estabilizador ativo do amortecimento do pé na marcha, inicialmente realiza-se na posição sentada e progredindo para a postura ortostática bi e unipodal. Com o pé a ser tratado na posição neutra, realiza-se o movimento de elevação do arco sem retirar a cabeça do primeiro metatarso do contato com o solo, assim como o hálux (**Figura 16.5**).[30] Posteriormente, pode-se solicitar que o indivíduo ative o mesmo músculo, mantendo a postura neutra subtalar, e desenvolva ciclos de marcha lentificada com o intuito de treinar funcionalmente o tibial posterior para as suas demandas.

Todos os exercícios precisam gerar não apenas desempenho muscular, mas também aprendizado motor, que possibilitará um movimento harmônico e automático. Para tanto, é necessário utilizar artifícios na execução dos exercícios, como manipular a acuidade dos sistemas sensoriais visual, somatossensitivo e vestibular, exercícios de dupla-tarefa e o uso de *feedback* externo.

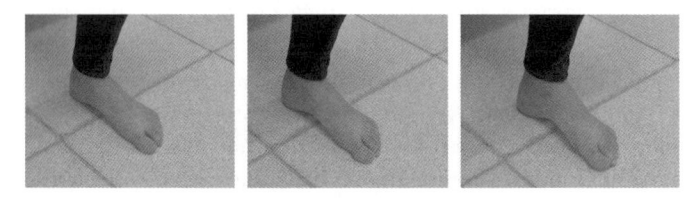

FIGURA 16.5. Exercício de fortalecimento e coordenação da ativação do músculo tibial posterior. (Fonte: Acervo dos autores.)

Outro componente do programa de intervenção são as prescrições de órteses plantares para a correção da sustentação passiva, seja por meio da aplicação de bandagens[34-36] ou prescrição de palmilhas personalizadas para cada tipo de pisada.[37,38] As primeiras podem facilmente ser aplicadas nos serviços de atenção primária como coadjuvantes do programa de exercícios de treinamento para o tibial anterior. Já a prescrição de palmilhas deve ser seguida pela sua confecção, que geralmente se localiza em serviços especializados de podoposturologia. Portanto, após a prescrição de palmilhas, o paciente tem de ser referenciado a serviços que confeccionem a órtese de modo personalizado.

Por fim, estratégias de educação dos jovens quanto a mudanças de comportamento motor ou gestuais são fundamentais para a ocorrência de lesão, tanto ligamentares e de menisco, e SDF.[39-41] O fisioterapeuta pode elaborar programas que objetivem a conscientização dos jovens quanto aos gestos ou posturas inadequadas para a saúde musculoesquelética, apoiá-los nas mudanças comportamentais e promover o treinamento gestual esportivo ou postural, tanto no ambiente de convívio dos adolescentes como no transporte manual de cargas, e orientações quanto às frequências de subida de escadas diárias, ajoelhar-se e outros que verificamos como fatores de risco.

Considerações finais

Reconhecemos que as lesões de joelho podem apresentar-se de diversas maneiras, desde lesões abruptas até silenciosas, que se manifestam a longo prazo. Todavia, elas têm, às vezes, um mecanismo de lesão bem parecido, dependendo do estilo de vida e do público assistido. Também identificamos que tais morbidades são preveníveis ou apresentam alta capacidade de manejo no nível primário, principalmente porque o espectro de danos constitui-se de casos leves.

Assim, o fisioterapeuta constitui o profissional de escolha para o acolhimento, triagem e prevenção/terapêutica de indivíduos jovens com risco de desenvolver lesões musculoesqueléticas no membro inferior e, assim minimizar, danos futuros com morbidades de maior complexidade como a osteoartrite.

Referências Bibliográficas

1. Ingram JG, Fields SK, Yard EE, Comstock RD. Epidemiology of knee injuries among boys and girls in US high school athletics. Am J Sports Med. 2008;36(6):1116–22.
2. McWilliams DF, Doherty S, Maciewicz RA, Muir KR, Zhang W, Doherty M. Self-reported knee and foot alignments in early adult life and risk of osteoarthritis. Arthritis Care Res (Hoboken). 2010;62(4):489–95.
3. Callaghan MJ, Selfe J. Has the incidence or prevalence of patellofemoral pain in the general population in the United Kingdom been properly evaluated? Phys Ther Sport. 2007;8(1):37–43.
4. Suri P, Morgenroth DC, Hunter DJ. Epidemiology of osteoarthritis and associated comorbidities. PM R. 2012;4(5 Suppl):S10–9.
5. Wright RW, Huston LJ, Spindler KP, Dunn WR, Haas AK, Allen CR et al. Descriptive epidemiology of the Multicenter ACL Revision Study (MARS) cohort. Am J Sports Med. 2010;38(10):1979–86.
6. Logerstedt DS, Snyder-Mackler L, Ritter RC, Axe MJ. Knee pain and mobility impairments: meniscal and articular cartilage lesions. J Orthop Sports Phys Ther. 2010;40(6):A1–A35.
7. Powers CM. The influence of abnormal hip mechanics on knee injury: a biomechanical perspective. J Orthop Sports Phys Ther. 2010;40(2):42–51.
8. Bolgla LA, Malone TR, Umberger BR, Uhl TL. Hip strength and hip and knee kinematics during stair descent in females with and without patellofemoral pain syndrome. J Orthop Sports Phys Ther. 2008;38(1):12–8.
9. Nilstad A, Andersen TE, Kristianslund E, Bahr R, Myklebust G, Steffen K et al. Physiotherapists can identify female football players with high knee valgus angles during vertical drop jumps using real-time observational screening. J Orthop Sports Phys Ther. 2014;44(5):358–65.
10. Barton CJ, Levinger P, Menz HB, Webster KE. Kinematic gait characteristics associated with patellofemoral pain syndrome: a systematic review. Gait Posture. 2009;30(4):405–16.
11. Kapandji I. Fisiologia articular 2: Membro inferior. 5. ed. São Paulo: Panamerica; 2000.
12. Escamilla RF, Fleisig GS, Zheng N, Lander JE, Barrentine SW, Andrews JR et al. Effects of technique variations on knee biomechanics during the squat and leg press. Med Sci Sports Exerc. 2001 Sep;33(9):1552-66.
13. Patel VV, Hall K, Ries M, Lotz J, Ozhinsky E, Lindsey C et al. A three-dimensional MRI analysis of knee kinematics. J Orthop Res. 2004;22(2):283–92.
14. Riskowski JL. Gait and neuromuscular adaptations after using a feedback-based gait monitoring knee brace. Gait Posture. Elsevier B.V.; 2010;(2):242–7.
15. Reiman MP, Bolgla LA, Lorenz D. Hip function's influence on knee dysfunction: A proximal link to a distal problem. 2009;33–46.
16. Vincent KR, Conrad BP, Fregly BJ, Vincent HK. The pathophysiology of osteoarthritis: a mechanical perspective on the knee joint. PMR. 2012;4(5 Suppl):S3–9.
17. Hollman JH, Ginos BE, Kozuchowski J, Vaughn AS, Krause DA, Youdas JW. Relationships between knee valgus, hip-muscle strength, and hip-muscle recruitment during a single-limb step-down. J Sport Rehabil. 2009 Feb;18(1):104–17.
18. Alentorn-Geli E, Myer GD, Silvers HJ, Samitier G, Romero D, Lázaro-Haro C et al. Prevention of non-contact anterior cruciate ligament injuries in soccer players. Part 1: Mechanisms of injury and underlying risk factors. Knee Surg Sports Traumatol Arthrosc. 2009;17(7):705–29.
19. Cowan SM, Crossley KM, Bennell KL. Altered hip and trunk muscle function in individuals with patellofemoral pain. Br J Sports Med. 2009;43(8):584–8.
20. Tong JWK, Kong PW. Association between foot type and lower extremity injuries: Systematic literature review with meta-analysis. J Orthop Sport Phys Ther. 2013;43(10):700–14.
21. Snoeker BAM, Bakker EWP, Kegel CAT, Lucas C. Risk factors for meniscal tears: a systematic review including meta-analysis. J Orthop Sports Phys Ther. 2013;43(6):352–67.
22. Felson DT, Niu J, Gross KD, Englund M, Sharma L, Cooke TD V et al. Valgus malalignment is a risk factor for lateral knee osteoarthritis incidence and progression: findings from the Multicenter Osteoarthritis Study and the Osteoarthritis Initiative. Arthritis Rheum. 2013;65(2):355–62.

23. Shelbourne KD, Klotz C. What I have learned about the ACL: utilizing a progressive rehabilitation scheme to achieve total knee symmetry after anterior cruciate ligament reconstruction. J Orthop Sci. 2006;11(3):318–25.

24. Ekegren CL, Miller WC, Celebrini RG, Eng JJ, Macintyre DL. Reliability and validity of observational risk screening in evaluating dynamic knee valgus. J Orthop Sports Phys Ther. 2009;39(9):665–74.

25. Brushøj C, Langberg H, Larsen K, Nielsen MB, Hölmich P. Reliability and normative values of the foot line test: a technique to assess foot posture. J Orthop Sports Phys Ther. 2007;37(11):703–7.

26. Thijs Y, Pattyn E, Van Tiggelen D, Rombaut L, Witvrouw E. Is hip muscle weakness a predisposing factor for patellofemoral pain in female novice runners? A prospective study. Am J Sports Med. 2011;39(9):1877–82.

27. Gauchard GC, Vançon G, Meyer P, Mainard D, Perrin PP. On the role of knee joint in balance control and postural strategies: effects of total knee replacement in elderly subjects with knee osteoarthritis. Gait Posture. 2010;32(2):155–60.

28. Willson JD, Kernozek TW, Arndt RL, Reznichek DA, Scott Straker J. Gluteal muscle activation during running in females with and without patellofemoral pain syndrome. Clin Biomech. 2011;26(7):735–40.

29. Selkowitz DM, Beneck GJ, Powers CM. Which exercises target the gluteal muscles while minimizing activation of the tensor fascia lata? Electromyographic assessment using fine-wire electrodes. J Orthop Sports Phys Ther. 2013;43(2):54–64.

30. Brody LT, Hall CM. Therapeutic exercise: Moving toward function. 3rd ed. Philadelphia: LWW; 2010.

31. Teixeira da Fonseca S, Silva PLP, Ocarino JM, Guimarães RB, Oliveira MTC, Lage CA. Analyses of dynamic co-contraction level in individuals with anterior cruciate ligament injury. J Electromyogr Kinesiol. 2004;14(2):239–47.

32. Wilson T. The measurement of patellar alignment in patellofemoral pain syndrome: Are we confusing assumptions with evidence? J Orthop Sports Phys Ther. 2007;37(6):330–41.

33. Powers CM, Mortenson S, Nishimoto D, Simon D. Criterion-related validity of a clinical measurement to determine the medial/lateral component of patellar orientation. J Orthop Sports Phys Ther. 1999;29(7):372–7.

34. Whittingham M, Palmer S, Macmillan F. Effects of taping on pain and function in patellofemoral pain syndrome: a randomized controlled trial. J Orthop Sports Phys Ther. 2004;34(9):504–10.

35. Ernst GP, Kawaguchi J, Saliba E. Effect of patellar taping on knee kinetics of patients with patellofemoral pain syndrome. J Orthop Sports Phys Ther. 1999;29(11):661–7.

36. Herrington L. The effect of patella taping on quadriceps strength and functional performance in normal subjects. Phys Ther Sport. 2004;5(1):33–6.

37. Barton CJ, Menz HB, Crossley KM. Effects of prefabricated foot orthoses on pain and function in individuals with patellofemoral pain syndrome: a cohort study. Phys Ther Sport. 2011;12(2):70–5.

38. Trombini-Souza F, Fuller R, Matias A, Yokota M, Butugan M, Goldenstein-Schainberg C et al. Effectiveness of a long-term use of a minimalist footwear versus habitual shoe on pain, function and mechanical loads in knee osteoarthritis: a randomized controlled trial. BMC Musculoskelet Disord. 2012;13:121.

39. Hansson EE, Johasson LM, Ronnheden AM, Sorenson E, Bjamung A, Dahlberg LE. Effect of an education programme for patients with osteoarthritis in primary care: a randomized controlled trial. BMC Musculoskelet Disord. 2010;11:244.

40. Rodrigues D, Ezequiel V. A Educação em Saúde na Estratégia Saúde da Família: uma revisão bibliográfica das publicações científicas no Brasil. Health Education in Family Health Strategy: a review of scientific publications in Brazil. J Health Sci Inst. 2010;28(4):321–4.

41. Fernandes L, Storheim K, Sandvik L, Nordsletten L, Risberg MA. Efficacy of patient education and supervised exercise vs patient education alone in patients with hip osteoarthritis: a single blind randomized clinical trial. Osteoarthritis Cartilage. 2010;18(10):1237–43.

17

Atenção Fisioterapêutica na Prevenção e no Manejo das Artropatias Degenerativas

■ Johnnatas Mikael Lopes

APRESENTAÇÃO

Neste capítulo, continuaremos abordando as condições crônicas musculoesqueléticas. Aqui, trataremos do tema que mais assola os países com transição demográfica e epidemiológica já consolidada: as artropatias degenerativas. Veremos como essa morbidade origina-se, expressa-se clinicamente, causa incapacidade, como se distribui na população assim como a sua prevenção e manejo.

Além disso, tentaremos deixar o fisioterapeuta apto com a sistemática de uma assistência primária voltada aos usuários com risco de desenvolver ou já acometidos principalmente por osteoartrite, a fim de mitigar a progressão dessa doença. Relembramos que não abordaremos as técnicas de triagem clínica, as quais podem ser aprendidas em outros manuais de semiologia e que precisam também ser executadas na atenção primária.

INTRODUÇÃO

Se você é fisioterapeuta graduado há bastante tempo deve ter notado a crescente quantidade de pacientes com osteoartrite (OA), que ocorreu nos ambulatórios de reabilitação neste período. Isto acontece concomitante ao envelhecimento populacional, caracterizando, portanto, uma disfunção musculoesquelética de envelhecimento não saudável.[1] Embora não seja uma doença fatal, a OA causa grande impacto clínico, funcional, psicológico e social na atualidade.[2,3] Os sistemas de saúde sentem também a carga mórbida ocasionada pela OA que, entre os anos de 1990 e 2010, mostrou uma elevação de 26,2% nos anos de vida perdidos ajustados por incapacidade, crescimento maior que qualquer outro distúrbio musculoesquelético, inclusive a lombalgia, a qual aumentou apenas 9,7%.[4]

Estudos vêm mostrando que a OA se encontra na terceira posição entre as morbidades musculoesqueléticas atendidas na atenção primária entre adultos acima de 18 anos. Mais impactante quando consideramos pacientes com idade entre 75 e 84 anos, a OA torna-se o principal motivo de consulta.[5] Na Alemanha, no ano de 2000, foi estimada uma incidência de 23,7 casos de OA por 1.000 homens e 54,2 casos de OA por 1.000 mulheres, revelando uma maior suscetibilidade no sexo feminino.[6] Na Inglaterra, há uma prevalência de 3,5 milhões de casos de OA em idosos acima de 50 anos.[7] Já no Brasil, em uma amostra de 622 mulheres com mais de 50 anos, foi autorrelatado OA em 53,4% das participantes.[8]

Economicamente, a OA pode causar danos diretos, como afastamento prematuro do trabalho e, indiretamente, custos de assistência à saúde e benefícios previdenciários. Em um estudo de coorte, Ross et al.[9] identificaram que 25% das consultas na atenção primária decorrentes de OA acabam tendo como desfecho o afastamento prematuro das atividades laborais. Estimativas norte-americanas revelam um gasto anual de 60 bilhões de dólares com a OA.[10]

ASPECTOS CLÍNICOS E PATOGENIA

A OA consiste em alterações nas estruturas articulares sinoviais, acometendo a cartilagem, o osso subcondral e a cápsula articular.[11] Observa-se uma mudança na conformação da cartilagem articular, em que ocorrem fissuras, desaparecimento das camadas celulares e também morte celular. Do ponto de vista bioquímico ocorre degradação de proteoglicanos e, por conseguinte, amolecimento da cartilagem, o que é bem característico da OA e denominado condromalácia.[12] O osso subcondral torna-se esclerosado, as margens articulares apresentam osteófitos e a cápsula articular fica espessada. Esses são achados identificados tipicamente em exames de imagem como raios X, com exceção do espessamento de cápsula.[12,13]

Topográfica e clinicamente, a OA manifesta-se de modo assimétrico em articulações de suporte de peso como coluna lombar, quadril, joelho e tornozelo, mas também apresenta deformações nas articulações das mãos e temporomandibulares, comum nos tipos hereditários.[1,13] O quadro clínico, que deve ser verificado em triagens de primeiro contato, ainda é composto por artralgias com duração de dias, rigidez matinal com duração inferior a trinta minutos, crepitação na mobilização ativa, sensibilidade alterada com dores ao toque e ao movimento.[14] Diferencia-se da artrite reumatóide por ser uma condição inflamatória localizada e não afetar diretamente outros sistemas corporais, além dos achados radiológicos.

Nos estágios avançados, a deformação articular é facilmente verificada pela simples observação e palpação das regiões articulares. Todos esses achados podem ser identificados durante a triagem realizada nos serviços de atenção primária como a Estratégia de Saúde da Família ou nos consultórios. E com o atendimento conjunto da equipe, realizar um plano terapêutico para o manejo desta condição crônica.

FATORES DE RISCO PARA OSTEOARTRITE

Todo o quadro clínico evidenciado anteriormente não tem um agente patológico como único causador. Trata-se de uma doença multicausal e, como as outras morbidades deste tipo, deveremos traçar uma assistência multidisciplinar e com várias frentes de ataque.[15] Além disso, para estabelecermos estratégias de prevenção primária e manejo, necessitamos reconhecer esses fatores de risco, a fim de mitigá-los.

Entre as causas da OA, sabemos que a população em risco pode revelar desde fatores hereditários, os quais são bem comuns nos casos em que o paciente tem predomínio de deformações nas articulações das mãos, assim como fatores relacionados ao estilo de vida, a saber: reposição hormonal, sobrepeso/obesidade, lesões prévias, atividade esportiva, atividade física e ocupação.[16,17]

Em recente revisão sistemática de fatores de riscos modificáveis, foi identificado que lesões articulares prévias, como as que ocasionam meniscectomia com ou sem lesão de ligamento cruzado anterior, aumentam em mais de 700% a possibilidade de ocorrência de OA no joelho.[17] No quadril, as lesões traumáticas ou congênitas prévias causam cinco vezes mais OA. Atividades ocupacionais que contêm levantamento de peso, agachamento, ajoelhar-se, subir escadas e aquelas que tenham alta demanda física são riscos para o desenvolvimento de OA no quadril e no joelho. Fato semelhante ocorre com os indivíduos com sobrepeso e obesidade, em que se estima risco até 15 vezes maior para o desenvolvimento de OA. Fatores de risco para OA de tornozelo ainda são poucos estudados.[17]

Outro forte contribuinte para o surgimento da OA é a biomecânica e mau alinhamento das articulações.[18] A sobrecarga no compartimento medial[19] e lateral[18] do joelho, deslizamento anômalo da patela sobre o fêmur, seja por valgismo estrutural ou dinâmico no joelho,[20] assim como displasia do quadril, acabam provocando distribuição de carga ou atritos em demasia nas articulações do joelho e do quadril, o que leva ao desgaste.

O reconhecimento e o monitoramento desses fatores de risco permitem ao fisioterapeuta elaborar planos de acompanhamento e terapêutico para a população infantil em idade escolar, adultos e até idosos com apresentação de quadro clínico.[5,14] Observa-se a necessidade do trabalho em equipe para identificar e reduzir os riscos e elaborações do manejo apropriado para as pessoas com OA de modo que elas potencializem o autocuidado.[21] Mais à frente, veremos quais estratégias podemos utilizar para combater a OA.

ABORDAGENS DE PREVENÇÃO PRIMÁRIA DA OSTEOARTRITE

Imagine vocês, fisioterapeutas, se toda doença crônica pudesse ser evitada. Sabemos que isso nem sempre é possível. No entanto, grande parte delas pode ser prevenível, e a OA está dentro desse espectro de doenças em que a tomada de medidas de contenção dos seus determinantes produz relevante diminuição das ocorrências futuras do problema. Contudo, por tratar-se de uma condição que surge nas fases tardias da vida, sua prevenção deve ser vislumbrada ainda na juventude e na idade adulta.

Talvez, entre os fatores condicionantes da OA, a carga hereditária configure-se na única maneira que não conseguimos modificar em comparação aos outros fatores. Entre aqueles modificáveis, destacamos o sobrepeso/obesidade, lesões traumáticas prévias, má biomecânica articular, ocupação, atividade física e esportiva. Sabemos também da escassez de estudos prospectivos que nos permitam inferir de modo contundente sobre a eficácia das estratégias e programas de intervenção preventivos. Mas partimos do pressuposto de determinação causal, que se neutralizamos as causas componentes, podemos evitar a ocorrência do desfecho.

Sobre os tipos de atuação, a criação de programas de atividade física regular, devidamente prescrita e monitorada na comunidade por educadores físicos e fisioterapeutas, mostra-se um bom exemplo de intervenção no tocante a promoção da saúde e prevenção de doenças. Indivíduos identificados com sobrepeso/obesidade podem ser estimulados a participar de grupos de caminhada em ambientes comunitários. Outro modo de prevenção é atuar por meio de ações de educação em saúde como as abordagens comportamentais que conscientizem e modifiquem aspectos atitudinais do cotidiano, como alimentação e prática de atividade física.

Lembramos que todo tipo de terapia física, como a caminhada, necessita de prescrição individualizada para aqueles que apresentam fatores de risco biomecânicos e/ou doenças cardiovasculares, os quais são avaliados durante as consultas de triagem nos serviços de atenção primária e compartilhada com os educadores físicos de equipes de apoio matricial ou da própria equipe.

As escolas também constituem local de desenvolvimento de ações. As intervenções destinadas à prevenção da síndrome da dor patelofemoral, da escoliose e das lesões do membro inferior têm efeitos a longo prazo. Outras ações são as práticas saudáveis de atividade física e alimentação em parceria com educadores físicos, nutricionistas e demais profissionais, constituindo mecanismos de transformação dos condicionantes biomecânicos e de estilo de vida.

Além disso, os fisioterapeutas que trabalham na área de esportes ou em serviços que assistem a clubes recreacionais podem desenvolver ações de prevenção de lesões, tendo em mente a necessidade de modificar-se gestuais esportivos e posturais que provocam sobrecarga exagerada das articulações. Isto aplica-se também na assistência aos trabalhadores quanto às atividades laborais, as quais exigem programas de prevenção de agravos em empresas, como as práticas de ginástica laboral. É preciso salientar que muitos dos fatores de risco individuais têm interação com condicionantes sociais e esses necessitam de políticas públicas ou organizacionais para sua modificação. A elaboração de políticas está fora do âmbito da práxis assistencial, mas os profissionais de saúde podem participar de seu processo de construção.

RASTREAMENTO DA OSTEOARTRITE

Até o momento, fornecemos informações epidemiológicas sobre o grande impacto que a OA impõe na saúde individual e coletiva, os fatores de risco para o seu desenvolvimento e dados sobre a caracterização clínica dos indivíduos acometidos. Tal conjunto de conhecimento alicerça o diagnóstico e o planejamento de intervenções no nível primário.

Em serviços de atenção primária, é necessário identificar grupos vulneráveis e para a OA não será diferente, com o intuito de monitorar os fatores de risco, mitigando-os, assim como promover um cuidado equânime. O grupo vulnerável é caracterizado por indivíduos com elevado índice de massa corporal, aqueles que desenvolvem atividade ocupacionais de sobrecarga, manutenção postural, movimentos repetitivos e com impacto atingindo, mais comumente, as mulheres. Assim, nos momentos de rastreamento e triagem é imprescindível observar esses aspectos. Além de identificar aqueles vulneráveis e, provalmente, sem a condição instalada, é preciso também estratificar aqueles que apresentam a OA, a fim de produzir cuidados mais específicos. Vejamos como identificar os indivíduos com essa condição de saúde.

O rastreamento de indivíduos com OA pode ser realizado de várias maneiras, sendo destacadas as consultas de triagem ou por meio de buscas ativas na comunidade. Esta última alternativa possibilita identificar os pacientes acometidos que, por algum motivo, não se configuram em demanda espontânea para os serviços de atenção primária. Essa estratégia deve envolver todos os membros da equipe, a fim de potencializar os conhecimentos multidisciplinares sobre doença e, no caso da Estratégia Saúde da Família, pode-se também treinar os agentes comunitários de saúde para realizar levantamento a partir da aplicação de algoritmo mostrado na **Figuras 17.1** e **17.2**.

O algoritmo de rastreamento constitui um método diagnóstico chamado *Knee and Hip Osteoarthritis Screenin Questionnarie* (*KHOA-SQ*), desenvolvido e validado para ser uma ferramenta rápida e completa de identificação da OA no joelho e/ou quadril nos indivíduos maiores de 50 anos. Este instrumento apresenta alta sensibilidade (94,5% joelho; 87,4% quadril) e baixa especificidade (43,8% joelho; 59,8% quadril), que reduz drasticamente o tempo de diagnóstico e os custos com exames desnecessários para pessoas saudáveis.[22] Por tratar-se de

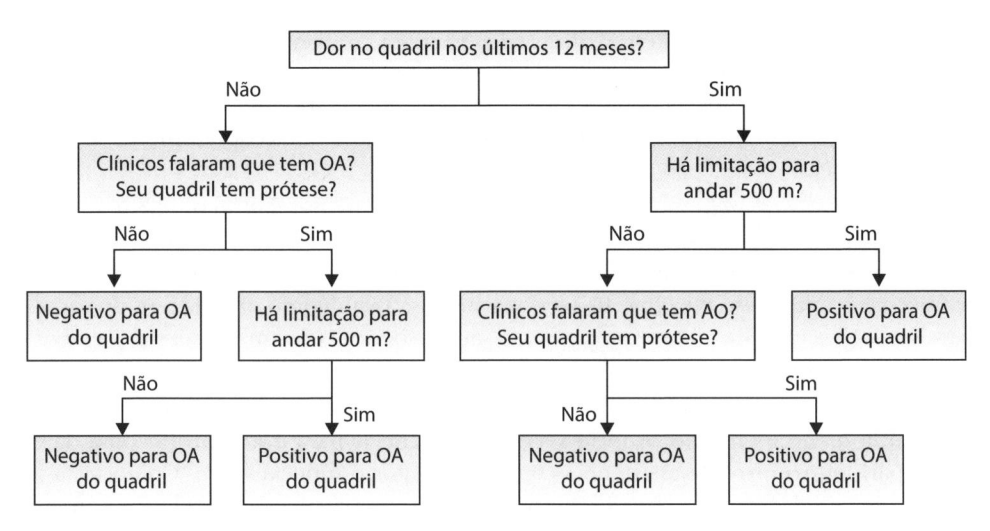

FIGURA 17.1. Algoritmo de rastreamento para osteoartrite de quadril em indivíduos com mais de 50 anos. (Fonte: Adaptado de Quintana et al., 2007.[22])

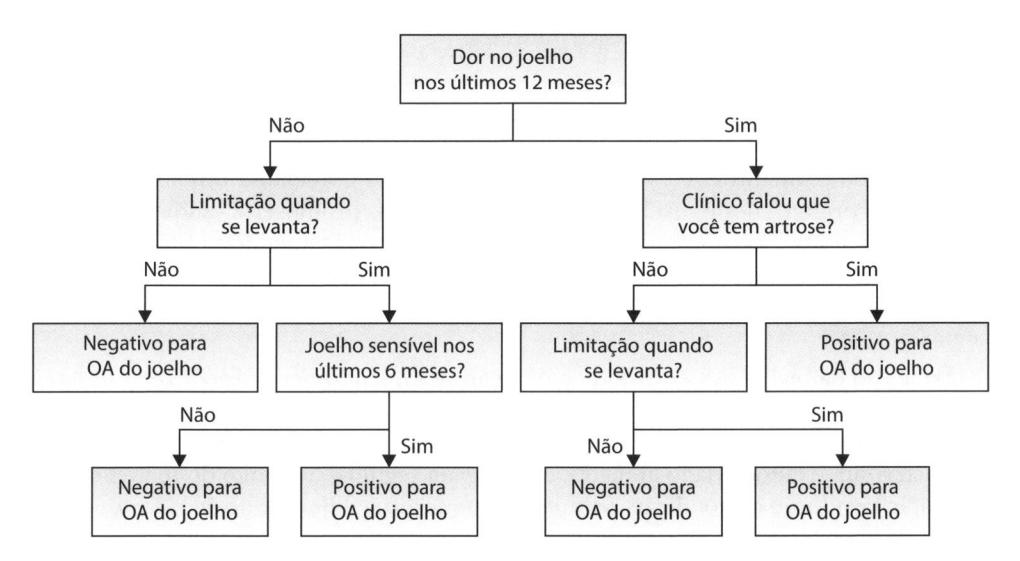

FIGURA 17.2. Algoritmo de rastreamento para osteoartrite de joelho em indivíduos com mais de 50 anos. (Fonte: Adaptado de Quintana et al., 2007.[22])

um algoritmo de aspectos clínicos e não um instrumento psicométrico, não precisa ter validação transcultural para ser utilizado e, portanto, é uma ferramenta de aplicação na atenção primária. A aplicação dessa metodologia também deve ser realizada nas consultas por demanda espontânea da população específica nas unidades de saúde.

Após a identificação de pacientes na comunidade com o KHOA-SQ, estes devem ter suas consultas agendadas na unidade de saúde com o intuito de eliminar aqueles pacientes falso-positivos que surgem ao se utilizar instrumentos muito sensíveis e pouco específicos.

Fisioterapeutas ou médicos podem realizar triagens para confirmar os casos por meio de radiografias e tomar decisão sobre o manejo do problema, pois os casos de OA apresentam um espectro de morbidade variável com grande parte dele em estágio inicial, como abordado no capítulo sobre modelos de atenção primária em relação ao modelo de pirâmide de risco de condições crônicas.

As consultas de triagem podem ser realizadas por fisioterapeutas ou médicos, que são os profissionais mais habilitados em conhecimento de exame musculoesquelético, análise dos achados e intervenção para esta morbidade. Durante as consultas devemos aplicar o método clínico com anamnese e exame físico dos sistemas, assim como abordagem dos aspectos culturais e sociais que interferem no processo saúde-doença e, assim, poderemos elaborar o melhor plano terapêutico possível.

O fisioterapeuta e a equipe obterão informações que os levem às seguintes tomadas de decisão: intervir apenas no próprio serviço, referenciar para outro profissional da equipe e/ou para outro nível de assistência como ambulatório especializado. Como trata-se de doença multicausal, recomendamos sempre agir em uma perspectiva de clínica ampliada e interdisciplinarmente.

A seguir explicitaremos as intervenções que podem ser desenvolvidas pelo fisioterapeuta com o intuito de realizar prevenção primária e manejo da OA que minimizem as incapacidades, necessidade de artroplastias e gastos indiretos.

ESTRATÉGIA DE INTERVENÇÃO

Iniciamos este tópico relembrando o objetivo da atenção primária em saúde para que os fisioterapeutas ou estudantes de Fisioterapia não recaiam no pragmatismo reabilitador inicial da profissão. Portanto, neste nível de atenção, objetivamos promover a saúde da população sob nossa responsabilização, prevenir doenças e reabilitar os acometidos a fim de minimizar os efeitos da cronicidade e suas incapacidades. Os serviços de atenção primária irão alicerçar os outros níveis, mantendo a abrangência, continuidade da assistência e coordenação da rede de atenção.

O objetivo da reabilitação ocasiona muita confusão, sendo necessário distinguir a reabilitação nos níveis primários e secundários. As atividades de reabilitação na atenção primária consistem na implementação de programas com terapias supervisionadas e autogerenciadas, que caracterizam o autocuidado apoiado, e que sejam seguidas ao longo do tempo de modo a monitorar a evolução da condição de saúde e potencializar a qualidade de vida dos usuários por meio de abordagem multidisciplinar.

Por outro lado, a recuperação a nível secundário pretende ser consultiva, de curto período de tempo e doença-orientada, a fim de fornecer suporte aos profissionais da atenção primária. Logo, manter indivíduos com OA em um ambulatório de Fisioterapia por longo tempo torna a assistência ineficiente, podendo o serviço contrarreferenciá-los à assistência primária para fazer o acompanhamento do paciente de modo mais coerente por meio da predominância do autocuidado apoiado quando o indivíduo atingir estabilidade na sua evolução clínica.

ABORDAGENS DE MANEJO DA OSTEOARTRITE

As perspectivas epidemiológicas atuais mostram a enorme prevalência de OA na população acima de 50 anos e que esse panorama não deve mudar tão cedo. Portanto, nós, fisioterapeutas, precisamos estar habilitados a prover recuperação da capacidade funcional e da qualidade de vida desta população, a qual não terá cura da OA, disponibilizando os recursos para o manejo com as melhores evidências.[15]

Existe grande volume de evidências analisando a eficácia, a efetividade e o custo-benefício de programas não farmacológicos no manejo da OA na atenção primária.[6] Revisões sistemáticas no ano de 2008 e 2009 revelaram que programas de exercícios direcionados à articulação do joelho eram eficazes na redução da dor e no aumento da funcionalidade,[23] todavia, os resultados relacionados ao quadril não mostraram melhora do quadro clínico e degenerativo.[24,25] Ambos os estudos também mencionaram baixa qualidade dos ensaios clínicos.

Estudos mais recentes vêm contornando este cenário. Katz et al.[26] realizaram estudo multicêntrico e verificaram não haver distinção entre os efeitos da Fisioterapia e cirurgia em pacientes com OA de joelho, mesmo após seis meses da intervenção. Acrescenta-se a esses achados, que programas de exercício aeróbicos, de fortalecimento e de alongamento,[27] juntamente com aconselhamentos de estilo de vida, vêm mostrando benefício na redução da dor e melhora da função do quadril,[28,29] bem como exercícios de fortalecimento para musculatura atuante na articulação do joelho[30] (**Figura 17.3**).

É evidenciado que programas de exercício aeróbico, por meio de caminhada, são eficazes para melhorar a capacidade aeróbica, elevar a funcionalidade dos portadores de OA, produzir alívio da dor percebida no joelho e se potencializa com o fortalecimento muscular e atividades de educação em saúde, como as mudanças de comportamento relacionado à alimentação e centralização da dor.[31] Já exercícios proprioceptivos conseguem melhora funcional nos portadores de OA no joelho em oito semanas de programa, assim como os outros

FIGURA 17.3. Terapias físicas aplicadas para o autogerenciamento da osteoartrite e minimização de danos. (Fonte: Acervo do autor.)

tipos de exercícios. Mas se produz efeitos superiores quando se refere a senso de posição articular,[32] valência muito importante na manutenção do equilíbrio e gesto corporal adequado.

Como estratégia de prescrição de terapia física, o fisioterapeuta pode elaborar um programa contendo exercícios aeróbicos explorados em grupos de caminhadas, onde haja um monitoramento corriqueiro dos parâmetros de fadiga, velocidade e sinais vitais. A fadiga pode ser examinada a partir da aplicação da escala de Borg, a qual tem relação direta com o consumo de oxigênio ($VO_{2máx}$), isto é, com a carga do exercício. A velocidade pode ser monitorada por meio do uso de aplicativos para *smartphones*, que possibilitam uma mensuração fidedigna da progressão ou manutenção dessa valência física, a qual mantém relação com o nível funcional do indivíduo. Já os sinais vitais como pressão arterial, frequência cardíaca e respiratória precisam ser acompanhados nos momentos de treinos, a fim de resguardar a integridade cardíaca dos usuários ou o monitoramento daqueles que têm alguma disfunção, além de informar nas suas medidas de repouso a adaptação produzida pelos exercícios aeróbicos.

Os exercícios de potência muscular podem ser abordados por meio de faixas elásticas nas atividades em grupo ou na utilização de cargas domésticas nos exercícios autogerenciados. Esses exercícios propiciam alterações morfológicas que auxiliam a realização de diversas atividades funcionais que necessitam de maiores demandas de energia, como subir escada, e, quando integrados aos exercícios aeróbicos, colaboram na elevação da capacidade funcional.

Já os exercícios sensoriomotores podem ser abordados antes ou após o programa dos exercícios anteriormente relatados por meio da exploração de movimentos funcionais que mimetizem ações de vida diária, assim como estimulem os sistemas responsáveis pela recuperação do equilíbrio, a saber: sistema visual, somatossensorial e vestibular. A prescrição de exercícios realizados de olhos fechados e em superfícies irregulares ou de base reduzida contribuem para a estimulação de todos os sistemas sensoriais responsáveis pela manutenção/recuperação do equilíbrio, tornando o movimento automático e a terapia com efeitos a longo prazo.

Depois do discutido anteriormente, podemos nos perguntar se tais programas de exercícios supervisionados, quando utilizados de maneira autogerenciada, como é preconizado na atenção primária, provocariam melhoras nos pacientes com OA também. Parece que a resposta é positiva. Diversos estudos vêm mostrando que programas comunitários de exercícios autogerenciados promovem ganhos clínicos aos pacientes de OA assim como segurança e efetividade.[33,34]

Programas de autocuidado apoiado na comunidade com abordagem individual ou em grupo são menos onerosos e mais custo-efetivos que reabilitação individual na Inglaterra[34] e Estados Unidos,[35] em que apenas um estudo não confirmou a relação custo-efetividade[36] e que o autogerenciamento pode ter efeitos anulados se não houver acompanhamento programado.[37,38] Isto confirma a possibilidade do uso do autogerenciamento juntamente com a supervisão de ações realizadas pelo fisioterapeuta, colocando abaixo os argumentos que programas de autogerencimento reduziria a necessidade desse profissional nos serviços.

Outro coadjuvante nas intervenções primárias da OA são os programas educativos. Este recurso terapêutico vem mostrando efeito no aperfeiçoamento da função geral e na saúde percebida dos portadores de OA mesmo após seis meses do fim da intervenção,[39] revelando os efeitos até médio prazo. As ações educativas têm a finalidade da modificar os condicionantes comportamentais e sociais, além de possibilitar o conhecimento de peculiaridades individuais que somente neste nível de assistência é possível conseguir.

Entre o arsenal de possibilidades para o manejo da OA, parece que o uso de uma abordagem multidisciplinar, terapia supervisionada e autogerenciada, somado a programas de educação em saúde, pode fazer parte de um bom plano de intervenção. Todavia, é importante ressaltar que o plano terapêutico deve ser discutido em conjunto com a equipe para a inclusão das observações dos outros profissionais e do paciente, sob uma visão da clínica ampliada.

CONSIDERAÇÕES FINAIS

A OA é um problema musculoesquelético muito prevalente na população adulta e idosa, sendo às vezes negligenciada por ser considerada um problema comum do envelhecimento humano, algo considerado equivocado. Esta impressão deve ser combatida, pois este problema de saúde tem grande potencial de ser evitado e, quando acontece, provoca implicações graves para a saúde individual, como incapacidade e perda de qualidade de vida, e para a saúde pública os custos com procedimentos cirúrgicos, como artroplastias de quadril e joelho ou ônus previdenciário.

As ações de promoção da saúde e prevenção de doenças são injustamente desconsideradas para o problema da OA, tendo em vista tratar-se de uma condição de instalação lenta e progressiva que acaba revelando falsa impressão que as ações de contenção são irrelevantes.

REFERÊNCIAS BIBLIOGRÁFICAS

1. Jordan KP, Jöud A, Bergknut C, Croft P, Edwards JJ, Peat G et al. International comparisons of the consultation prevalence of musculoskeletal conditions using population-based healthcare data from England and Sweden. Ann Rheum Dis. 2014;73(1):212–8.
2. Barcelos-Ferreira R, Lopes MA, Nakano EY, Steffens DC, Bottino CMC. Clinical and sociodemographic factors in a sample of older subjects experiencing depressive symptoms. Int J Geriatr Psychiatry. 2012;27(9):924–30.
3. Morgenroth DC, Gellhorn AC, Suri P. Osteoarthritis in the disabled population: a mechanical perspective. PMR. 2012;4(5 Suppl):S20–7.
4. Murray CJL, Vos T, Lozano R, Naghavi M, Flaxman AD, Michaud C et al. Disability-adjusted life years (DALYs) for 291 diseases and injuries in 21 regions, 1990-2010: a systematic analysis for the Global Burden of Disease Study 2010. Lancet. 2012;380(9859):2197–223.
5. Dziedzic KS, Hill JC, Porcheret M, Croft PR. New models for primary care are needed for osteoarthritis. Phys Ther. 2009;89(12):1371–8.
6. Bijlsma JWJ, Knahr K. Strategies for the prevention and management of osteoarthritis of the hip and knee. Best Pract Res Clin Rheumatol. 2007;21(1):59–76.
7. Suri P, Morgenroth DC, Hunter DJ. Epidemiology of osteoarthritis and associated comorbidities. PMR. 2012;4(5 Suppl):S10–9.
8. Machado VS, Valadares ALR, Costa-Paiva LHOMJ, Sousa MH, Pinto-Neto AM. Aging, obesity, and multimorbidity in women 50 years or older: a population-based study. Menopause. 2013;20(8):818–24.
9. Wilkie R, Phillipson C, Hay E, Pransky G. Frequency and predictors of premature work loss in primary care consulters for osteoarthritis: prospective cohort study. Rheumatology. 2014;53(3):459–64.
10. Buckwalter J, Brown T, Saltzman C. The impact of osteoarthritis: implications for research. Clin Orthop Relat Res. 2004;S427:6–15.

11. Nelson AE, Golightly YM, Renner JB, Schwartz TA, Kraus VB, Helmick CG et al. Differences in multijoint symptomatic osteoarthritis phenotypes by race and sex: the Johnston County Osteoarthritis Project. Arthritis Rheum. 2013;65(2):373–7.

12. Pearle AD, Warren RF, Rodeo SA. Basic science of articular cartilage and osteoarthritis. Clin Sports Med. 2005;24(1):1–12.

13. Vincent KR, Conrad BP, Fregly BJ, Vincent HK. The pathophysiology of osteoarthritis: a mechanical perspective on the knee joint. PMR. 2012;4(5 Suppl):S3–9.

14. National Collaborating Center for Chronic Conditions. Osteoarthritis: National clinical guideline for care and management in adults. London: Royal College of Physicians; 2008.

15. Ng NTM, Heesch KC, Brown WJ. Strategies for managing osteoarthritis. Int J Behav Med. 2012;19(3):298–307.

16. Ackerman IN, Osborne RH. Obesity and increased burden of hip and knee joint disease in Australia: results from a national survey. BMC Musculoskelet Disord. 2012;13:254.

17. Richmond SA, Fukuchi RK, Ezzat A, Schneider K, Schneider G, Emery CA. Are joint injury, sport activity, physical activity, obesity, or occupational activities predictors for osteoarthritis? A systematic review. J Orthop Sports Phys Ther. 2013;43(8):515–B19.

18. Felson DT, Niu J, Gross KD, Englund M, Sharma L, Cooke TDV et al. Valgus malalignment is a risk factor for lateral knee osteoarthritis incidence and progression: findings from the Multicenter Osteoarthritis Study and the Osteoarthritis Initiative. Arthritis Rheum. 2013;65(2):355–62.

19. Jones RK, Chapman GJ, Findlow AHFL. A new approach to prevention of knee osteoarthritis: Reducing medial load in the contralateral knee. J Rheumatol. 2013;40(3):309–15.

20. McWilliams DF, Doherty S, Maciewicz RA, Muir KR, Zhang W, Doherty M. Self-reported knee and foot alignments in early adult life and risk of osteoarthritis. Arthritis Care Res. 2010;62(4):489-95.

21. Ravaud P, Flipo RM, Boutron I, Roy C, Mahmoudi A, Giraudeau BPT. ARTIST (osteoarthritis intervention standardized) study of standardised consultation versus usual care for patients with osteoarthritis of the knee in primary care in France: pragmatic randomised controlled trial. BMJ. 2009;338:b421.

22. Quintana JM, Arostegui I, Escobar A, Lafuente I, Arenaza JC, Garcia I et al. Validation of a screening questionnaire for hip and knee osteoarthritis in old people. BMC Musculoskelet Disord. 2007;8:84.

23. Fransen M, McConnell S. Exercise for osteoarthritis of the knee. Cochrane Database Syst Rev. 2008 Oct 8;(4):CD004376.

24. Fransen M, McConnell S, Hernandez-Molina G, Reichenbach S. Exercise for osteoarthritis of the hip. Cochrane Database Syst Rev. 2014 Apr 22;(4):CD007912.

25. Ricci NA, Coimbra IB. Exercício físico como tratamento na osteoartrite de quadril: uma revisão de ensaios clínicos aleatórios controlados. Exercise Therapy as a Treatment in Osteoarthritis of the Hip: a Review of Randomized Clinical Trials. 2006;(15):273–80.

26. Cole BJ, Dahm DL, Donnell LA, Wright J, Wright RW, Losina E et al. Surgery versus physical therapy for meniscal tear and osteoarthitis. N Engl J Med. 2013;368(18):1675–84.

27. Uthman OA, Windt D, Jordan JL, Dziedzic KS, Healey EL, Peat GM et al. Exercise for lower limb osteoarthritis: systematic review incorporating trial sequential analysis and network meta-analysis. 2013;5555:1–13.

28. Tak E, Staats P, Van Hespen A. The effects of an exercise program for older adults with osteoarthritis of the hip. J Rheumatol Med. 2014;32(6):1106–13.

29. Jigami H, Sato D, Tsubaki A, Tokunaga Y, Ishikawa T, Dohmae Y et al. Effects of weekly and fortnightly therapeutic exercise on physical function and health-related quality of life in individuals with hip osteoarthritis. J Orthop Sci. 2012;17(6):737–44.

30. Knoop J, Dekker J, van der Leeden M, van der Esch M, Thorstensson CA, Gerritsen M et al. Knee joint stabilization therapy in patients with osteoarthritis of the knee: a randomized, controlled trial. Osteoarthritis Cartilage. 2013;21(8):1025–34.

31. Loew L, Brosseau L, Wells GA, Tugwell P, Kenny GP, Reid R et al. Ottawa panel evidence-based clinical practice guidelines for aerobic walking programs in the management of osteoarthritis. Arch Phys Med Rehabil. 2012;93(7):1269–85.

32. Smith TO, King JJ, Hing CB. The effectiveness of proprioceptive-based exercise for osteoarthritis of the knee: a systematic review and meta-analysis. Rheumatol Int. 2012;32(11):3339–51.

33. Lin SY, Davey RC, Cochrane T. Community rehabilitation for older adults with osteoarthritis of the lower limb: a controlled clinical trial. Clin Rehabil. 2004;18(1):92–101.

34. Hurley MV, Walsh NE, Mitchell HL, Pimm TJ, Patel A, Williamson E et al. Clinical effectiveness of a rehabilitation program integrating exercise, self-management, and active coping strategies for chronic knee pain: a cluster randomized trial. Arthritis Rheum. 2007;57(7):1211–9.

35. Sevick MA, Miller GD, Loeser RF, Williamson JD, Messier SP. Cost-effectiveness of exercise and diet in overweight and obese adults with knee osteoarthritis. Med Sci Sports Exerc. 2009;41(6):1167–74.

36. Hurley MV, Walsh NE, Mitchell HL, Pimm TJ, Williamson E, Jones RH et al. Economic evaluation of a rehabilitation program integrating exercise, self-management, and active coping strategies for chronic knee pain. Arthritis Rheum. 2007;57(7):1220–9.

37. Buszewicz M, Rait G, Griffin M, Nazareth I, Patel A, Atkinson A et al. Self management of arthritis in primary care: randomised controlled trial. BMJ. 2006;333(7574):879.

38. Fernandes L, Storheim K, Sandvik L, Nordsletten L, Risberg MA. Efficacy of patient education and supervised exercise vs patient education alone in patients with hip osteoarthritis: a single blind randomized clinical trial. Osteoarthritis Cartilage. 2010;18(10):1237–43.

39. Hansson EE, Jönsson-Lundgren M, Ronnheden AM, Sörensson E, Bjärnung A, Dahlberg LE. Effect of an education programme for patients with osteoarthritis in primary care: a randomized controlled trial. BMC Musculoskelet Disord. 2010;11:244.

18

Atenção Fisioterapêutica no Manejo das Lombalgias

■ Johnnatas Mikael Lopes

APRESENTAÇÃO

Neste capítulo, vamos abordar o problema musculoesquelético de maior repercussão na sociedade contemporânea, que é a lombalgia. Abordaremos aqui como classificar as lombalgias assim como o perfil de distribuição desta disfunção na população. Em seguida, identificaremos os fatores de riscos relacionados a sua ocorrência e a maneira de rastrear indivíduos vulneráveis para desenvolver lombalgia por longos períodos. Finalizaremos com a exposição de estratégias de intervenção para o manejo e prevenção de cronicidade.

As habilidades desenvolvidas neste capítulo tornarão o fisioterapeuta um provedor de cuidados primários essenciais nos serviços de saúde, capaz de assistir indivíduos acometidos por lombalgia tanto na Estratégia Saúde da Família (ESF), Núcleo de Apoio à Saúde da Família (NASF) como no âmbito da saúde suplementar.

INTRODUÇÃO

A lombalgia consiste em uma disfunção musculoesquelética dolorosa que atinge a região inferior da coluna, podendo ter irradiação para os membros inferiores e causar grande repercussão nas atividades funcionais, laborais e psicológicas e na qualidade de vida dos indivíduos acometidos.[1] Pode também ser confundida com dores oriundas da região sacroilíaca, levando à necessidade de distinção para adequada prescrição terapêutica.[2]

CLASSIFICAÇÃO DAS LOMBALGIAS

Precisamos deixar esclarecido que existem várias classificações para a lombalgia, mas aqui faremos uso de duas delas, que têm grande implicação na atenção fisioterapêutica a nível primário.[3] A primeira diz respeito à patogenia da doença, sendo então dicotomizada em lombalgia específica e não específica. Para diferenciá-las é necessário reconhecer um rol de sintomatologias chamado *red flags* (bandeiras-vermelhas), que devem ser claramente investigadas pelo fisioterapeuta no momento da triagem de primeiro contato (**Tabela 18.1**).[4]

A existência de alguma *red flag* implica no aumento da chance de ocorrência de alguma condição fisiopatológica que não é o sistema musculoesquelético e que pode caracterizar-se

TABELA 18.1. Sinais e sintomas que são classificados como *redflags*, quando associado a lombalgia

Disfunção sexual	Febre e suor noturno
Disfunção do controle vesical	História de câncer
Disfunção do controle intestinal	Déficit neurológico progressivo
Perda de peso inexplicável	Parestesia nos membros inferiores

Fonte: Elaborada pelo próprio autor.

em urgência médica. Nesta situação, o uso de diagnóstico por imagem, como ressonância magnética, pode ser recomendado, principalmente na suspeita de morbidade insidiosa e grave, como infecção do canal medular, fratura ou neoplasia. Nesses casos, portanto, classifica-se a lombalgia como específica.

Nessa situação clínica, os profissionais de saúde conseguem identificar claramente a existência de achado anatomopatológico como causador da sintomatologia, sendo os mais comuns: infecções, osteoporose, neoplasia, estenose vertebral, fratura, radiculopatia ou síndrome da cauda equina.[4,5]

Recentemente, foi desenvolvida ferramenta de triagem para avaliação musculoesquelética que busca rastrear *red flags*, veja a **Tabela 18.2**. As perguntas de 1 a 10 têm uma acurácia diagnóstica de 94%, com o conjunto de 23 perguntas tendo 100% de acurácia de *red flags*, em estudo de coorte com 431 indivíduos com idade entre 18 e 78 anos, com lesões na coluna cervical, coluna lombar, ombro e joelho. Não se aplica a outras condições como fibromialgia, dor neuropática diabética, síndrome da dor complexa regional, história psiquiátrica, câncer e distúrbio neurológico.[6]

Descartada a existência de *red flags* ou que a sua existência não tem implicação clínica, constatamos os casos classificados como de lombalgia não específica, cuja etiologia é multifatorial e não podemos declarar um único fator como a origem do problema.[4,7] Logo, não teremos um agente anatomopatológico evidente como causador da doença, tornando difícil a tomada de decisão para solucionar o problema e/ou as maneiras de preveni-las. Assim, as lombalgias não específicas constituem um problema de saúde pública mundial, representando a maior parte das lombalgias diagnósticas.[4]

A outra classificação relaciona-se com temporalidade do quadro clínico. A lombalgia pode ser do tipo aguda, cuja duração gira em torno de quatro semanas, subaguda quando a sintomatologia perdura até 12 semanas e, finalmente, crônica, em que os pacientes apresentam quadro doloroso e recorrente por mais de quatro meses.[8]

Percebemos, com as evidências clínicas e epidemiológicas atuais, que a grande carga mórbida protagonizada pela lombalgia encontra-se na sua capacidade de cronicidade e recidivas que ela apresenta, existindo várias possibilidades de prevenção secundária. Para tanto, há um conjunto de informações clínicas que nos levam a identificar indivíduos com risco de cronicidade por meio das chamadas *yellow flags* (bandeiras amarelas).[9,10]

As *yellow flags* compõem-se de dados obtidos durante a consulta de triagem do paciente, como: atitudes inapropriadas de escolher apenas tratamentos passivos ou pensar que a dor está relacionada a sérios perigos, comportamento de medo, redução da atividade física,

TABELA 18.2. Instrumento de triagem de *red flags* em disfunções musculoesqueléticas

1. Recentemente, tem experimentado sensação anormal de dormência, alfinetadas e agulhas?
2. Recentemente, tem experimentado a dor de cabeça?
3. Recentemente, tem experimentado dor noturna?
4. Recentemente, tem experimentado rigidez matinal prolongada?
5. Recentemente, tem experimentado tontura?
6. Recentemente, tem experimentado traumatismo (acidente em veículo motor ou queda)?
7. Recentemente, tem experimentado suor noturno?
8. Recentemente, tem experimentado constipação?
9. Recentemente, tem experimentado fácil contusão?
10. Recentemente, tem experimentado alteração de visão?*
11. Recentemente, tem experimentado alteração no padrão da menstruação?
12. Recentemente, tem experimentado disfunção ao andar ou no equilíbrio?
13. Recentemente, tem experimentado dor no peito em repouso?
14. Recentemente, tem experimentado falta de ar?
15. Recentemente, tem experimentado fraqueza muscular?
16. Recentemente, tem experimentado falha em tratamento conservativo (falha em melhorar em 30 dias)?
17. 17. Recentemente, tem experimentado suor excessivo?
18. Recentemente, tem experimentado edema ou ganho de peso?
19. Recentemente, tem experimentado batidas do coração no seu abdome quando você está deitado?
20. Recentemente, tem experimentado cãibras nas pernas quando você anda vários quarteirões?
21. Recentemente, tem experimentado dores abdominais?
22. Recentemente, tem experimentado alterações na integridade das unhas?
23. Recentemente, tem experimentado prolongado uso de corticosteroides?

Fonte: Adaptada de Vining R, Potocki E, Seidman M, Morgenthal AP. An evidence-based diagnostic classification system for low back pain. J Can Chiropr Assoc. 2013 Sep;57(3):189–204.

dificuldades no trabalho e emocionais, sinais não orgânicos, baixo estado geral de saúde e comorbidades psiquiátricas como depressão. Identificamos nessas informações que os aspectos biopsicossociais constituem os principais condicionantes para a cronicidade das lombalgias.[4,9]

Atualmente, foi desenvolvido um instrumento psicométrico capaz de estratificar o risco de cronicidade a partir de informações semelhantes às mencionadas acima, com alta acurácia prognóstica, de fácil e rápida aplicação.[11,12] Trata-se do *Start Back Screening Tool*[13] com validação para a língua portuguesa no Brasil e que discutiremos mais adiante.[14]

Para os casos agudos de lombalgia, a própria história natural da doença aponta que a resolução se dá entre duas e quatro semanas. Isso significa que o quadro clínico irá desaparecer sem intervenção.[15] Todavia, o paciente mostra-se incomodado e não suporta as dores por tanto tempo, o que nos faz pensar em medidas de manejo álgico durante este período, como uso de analgésicos não esteroidais prescritos por médicos[16,17] e técnicas articulares de mobilização e manipulativas,[16,18,19] de estabilização segmentar[20-23] e eletroterapêuticas analgésicas. Friso que tais recursos eletroterapêuticos são moduladores da dor e não sanadores da causa da lombalgia.

FATORES DE RISCO

Entre os tipos de lombalgias, as não específicas têm alta carga na população mundial, apresentam muitos fatores de risco envolvidos na sua patogênese e seu manejo está íntima e historicamente relacionado à Fisioterapia.[23] Portanto, iremos nos deter aqui a explicar sobre seus fatores de risco e esclarecer a sua influência na determinação da lombalgia.

Como a tipologia da dor lombar específica caracteriza-se como condições não musculoesqueléticas ou de urgência médica, não fará parte do escopo deste capítulo, pois na maioria das vezes não tem sua resolução no nível de atenção primária. Assim, ao identificar uma lombalgia específica, deve-se avaliar a necessidade de encaminhar para serviço de urgência/emergência ou maiores avaliações.

O primeiro fator de risco sempre levantado por fisioterapeutas é a degeneração discal, caracterizada pela redução da espessura do disco e/ou sua herniação. Isto é bem evidenciado em estudos seccionais. Todavia, revisões sistemáticas com meta-análise de ensaios clínicos, em que as lesões discais foram identificadas por meio de ressonância magnética, não estabeleceram relação causal entre degeneração discal e lombalgia, pois as degenerações ocorrem na mesma proporção em indivíduos saudáveis e naqueles com dor lombar. Portanto, não devemos estabelecer causalidade entre lombalgia e degeneração discal já na triagem de primeiro contato. Tão menos, torna-se necessário o uso de exames de imagem para conclusão de diagnóstico cineticofuncional nos casos de lombalgia não específica.

Estudos mostram que o uso indiscriminado de ressonância magnética assusta pacientes com degeneração discal cuja existência muitas vezes não se reflete em quadro clínico de lombalgia, criando impacto na percepção da situação clínica e nos custos para os sistemas de saúde. Os exames complementares como raios X, ressonância magnética e tomografia são requisitados apenas nos casos de suspeita de *red flags*.

Outro fator bem aceito como causador de lombalgia na prática clínica, mas com escassa evidência, são os fatores biomecânicos laborais e de postura. Situações como levantamento e carregamento de cargas, movimentos em torção, longa permanência em pé, sentado ou andando, como também atividades manuais com manutenção de posturas apresentam poucas evidências na relação de causalidade com lombalgias não específicas. Em contrapartida, estudo prospectivo recente revela que o acúmulo de carga lombar é fator de risco para esta disfunção. Essas controvérsias surgem em virtude do número reduzido de bons estudos relacionado ao tema, assim como estudos nos moldes longitudinais que permitiriam melhor inferência sobre causalidade. Na opinião do autor, existe plausibilidade teórica nas relações de causalidade entre sobrecarga mecânica e lombalgia, restando maiores pesquisas com desenhos prospectivos para a confirmação dessa hipótese.[9]

Ressalta-se também que o sobrepeso e a obesidade estão altamente associados à ocorrência de lombalgia não específica, assim como a sua cronicidade. Podemos visualizar essa relação do ponto de vista da sobrecarga mecânica, como também das alterações de percepção de dor decorrente do metabolismo alterado dos nociceptores. A sobrecarga mecânica causada pelo excesso de massa corporal torna plausíveis as afirmações teóricas de que a biomecânica inadequada favorece o surgimento de lombalgias. Já a proliferação de nociceptores ou maior produção de transmissores dolorosos pode estar por trás da maior ocorrência de lombalgia em pessoas com sobrepeso/obesidade, tendo em vista que estes sujeitos apresentam um processo de alteração metabólica crônica em todo o organismo.[7]

A prática de atividade física parece proteger a população contra o surgimento de algias lombares. Entretanto, as atitudes extremas de sedentarismo ou de exercícios extenuantes predispõem a quadros de lombalgia. Outra linha de estudos revela a existência de achados contundentes que pacientes com lombalgia têm maior responsividade a substâncias nociceptivas como fator de necrose tumoral e substância P ou as produzem em maior quantidade, fazendo com que elas apresentem maior percepção das dores abaixo do limiar das demais pessoas.[5]

Por fim, um aspecto importante identificado em indivíduos com lombalgia e que tem grande implicação clínica atualmente é a evidência de que esse grupo mórbido apresenta alterações de controle da musculatura abdominal, principalmente aqueles músculos que compõem o núcleo interno, composto pelo transverso do abdome e mutífidos, que são os responsáveis pelo controle antecipatório da coluna lombar durante qualquer tipo de movimento. Pesquisas que comparam o tempo de ativação desses músculos entre indivíduos saudáveis e aqueles com lombalgia revelam um atraso na ativação nesses últimos. Os ensaios clínicos direcionados a intervenções que melhoram a ativação e o recrutamento do transverso e multífidos demonstram excelentes resultados, conforme veremos mais adiante ao abordar as estratégias de intervenções.

CARGA MÓRBIDA DA LOMBALGIA

É bem evidenciado que uma parcela considerável da população terá pelo menos um episódio de lombalgia ao longo da vida e que essas estimativas giram em torno de 84% da população. Destes, mais de 20% se tornarão pacientes crônicos com vários episódios de recidiva e, aproximadamente, 12% ficarão incapacitados. Isto revela o quão desafiador é o manejo das lombalgias na conjuntura atual, dentro do espectro de morbidades assistida pela atenção primária em saúde.[4]

Se considerarmos a incapacidade ajustada por anos de vida perdidos até o ano de 2010, a lombalgia é a sexta principal causa de incapacidade no mundo, a primeira na Europa Ocidental e na Austrália, a segunda na América do Sul e a terceira nos Estados Unidos e Canadá. Quanto aos custos ocasionados pela lombalgia crônica, foi observado que a maior parte dos custos diretos se concentra no financiamento da Fisioterapia (17%), serviços de internação (17%), medicamentos (13%) e prevenção (13%). A maior carga de custos está relacionada aos custos indiretos, que são representados pela perda da produção de trabalho, mostrando o impacto desta disfunção na economia e nos sistemas de saúde de todo o mundo.[24]

Já no Brasil, a lombalgia não específica representa a principal causa de invalidez nas aposentadorias previdenciárias e acidentárias, atingindo 29,96 pessoas a cada cem mil contribuintes e que cresce com aumentando da idade.[25]

É POSSÍVEL PREVENIR A LOMBALGIA?

Como mostramos antes, o problema de saúde pública causado pela lombalgia não específica está na sua característica de cronicidade. Atualmente, não existe modo de realizar a prevenção primária dessa morbidade devido aos seguintes motivos: não conseguimos definir claramente a causa das lombalgias não específicas, trata-se de evento multifatorial; não se identifica fortes fatores de risco modificáveis para a prevenção primária e assim evitá-la, e devido também a sua alta prevalência, que tornaria a prevenção primária uma intervenção de baixo custo-efetividade.[4]

Portanto, medidas de prevenção secundária tornam-se mais realistas como estratégias de controle da doença.[26,27] As estratégias de prevenção secundária objetivam minimizar o impacto na saúde individual, nos sistemas de saúde e na economia por impedir a cronicidade da dor lombar. Assim, as estratégias de prevenção secundária visam reduzir as recidivas e cronicidade da lombalgia por meio da estratificação do risco e intervenções diferenciadas para combater os grupos de risco.[14,28,29]

Entre os tipos de prevenção secundária, evidencia-se que apenas ações educativas, exercícios terapêuticos[4,26,30] e terapia cognitivo-comportamental[27] para subgrupos de risco são eficazes para alcançá-la. Outras intervenções, como suporte para coluna, educação ergonômica e postural e redução do levantamento de carga, não demostraram a mesma eficácia. Parece que a melhor alternativa está em medidas que contemplem a educação do paciente quanto à disfunção, exercício de estabilização segmentar e terapia manual para atacar os condicionantes biomecânicos[31] e terapia cognitivo-comportamental como meio de contornar os condicionantes psicossociais.[32,33]

RASTREAMENTO PARA RISCO DE CRONICIDADE

Ao trabalhar em serviços de atenção primária ou no seu consultório, o fisioterapeuta deve apresentar conhecimento de métodos de vigilância epidemiológica na comunidade para entender como a saúde da população sob sua responsabilização se apresenta. Também deve ser capaz de realizar triagem clínica durante as consultas de primeiro contato. Para tanto, ele precisa ter conhecimento científico generalista que forneça habilidades de exame clínico abrangente. Ressalto que não vamos nos deter em procedimentos de exame clínico, pois já existem várias referências e disciplinas acadêmicas que contemplam o desenvolvimento dessas competências.

Aqui pretendemos ensinar a identificação da lombalgia não específica de modo clínico e o uso de métodos que facilitem a tomada de decisão do fisioterapeuta para a prevenção da cronicidade. Anteriormente, já caracterizamos bem a lombalgia não específica. Agora, vamos focar na ferramenta que se pode utilizar para o prognóstico de cronicidade.

A estratificação do risco de cronicidade pode ser realizada através do instrumento psicométrico *Start Back Screening Tool* (SBS),[11] o qual constitui um método prognóstico e de delineamento do manejo com rápida aplicação e resultados eficazes na seleção do recurso terapêutico mais adequado. O SBS estratifica os pacientes em três grupos de risco: baixo, médio e alto risco de cronicidade, os quais irão fornecer embasamento para tomada de decisão quanto ao tratamento.[11,13]

O SBS foi construído inicialmente contendo nove itens, sendo quatro que contemplam a dimensão física: disfunção da coluna, dor na perna e co-morbidades, e cinco relacionados à dimensão psicológica: pensamento de catástrofe, depressivo, incômodo, ansiedade e dor relacionada ao medo.[13] Cada faceta avaliada corresponde a um ponto, totalizando nove ao final. Nas situações em que o paciente apresenta pontuação entre quatro e nove, ele pertencerá ao subgrupo de médio risco, se tiver três ou menos pontos na dimensão psicológica, e estará no subgrupo de alto risco caso tenha quatro ou cinco pontos na mesma dimensão. Se a pontuação total do paciente estiver entre zero e três, ele apresentará baixo risco de cronicidade (**Figura 18.1**). A validade prognóstica do SBS revelou sensibilidade de 85% e especificidade de 81% para a cronicidade.

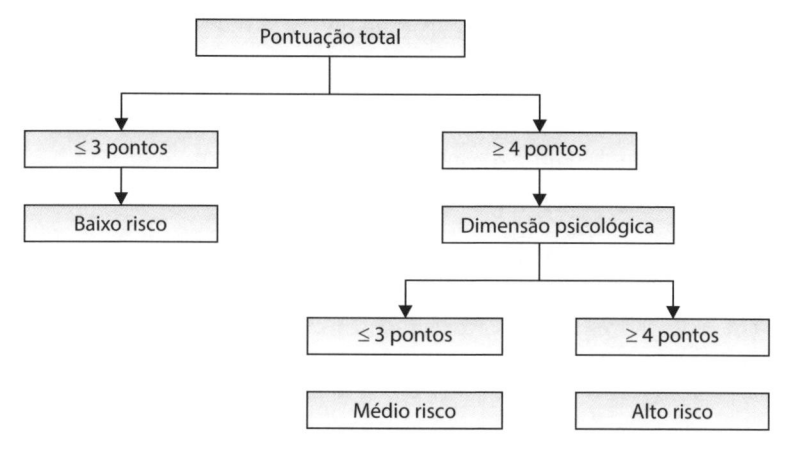

FIGURA 18.1. Sistema de estratificação do SBS de nove itens. (Fonte: Elaboração própria do autor.)

Objetivando tornar o SBS mais conciso, seus desenvolvedores resolveram transformar o instrumento de nove itens em outro de seis itens, mas que mantivesse as propriedades de acurácia prognóstica do risco de cronicidade. O novo instrumento estratifica os pacientes em apenas dois subgrupos, baixo risco e não baixo risco, com uma sensibilidade de 89% e especificidade de 84%. O novo SBS manteve o item de dor na perna e incapacidade na dimensão física, e de pensamentos de catástrofes, depressão e incômodo na dimensão psicológica, totalizando uma pontuação de zero a seis.[13]

No novo SBS, os pacientes de baixo risco são aqueles com pontuação ≤ 2 e, consequentemente, aqueles com pontuação entre três e seis são classificados como de não baixo risco (médio ou alto risco). Aqueles estratificados como de não baixo risco devem ser estratificados novamente pelo SBS de nove itens para direcionamento da intervenção adequada (**Figura 18.2**), podendo ser ainda classificados como de baixo risco.[13]

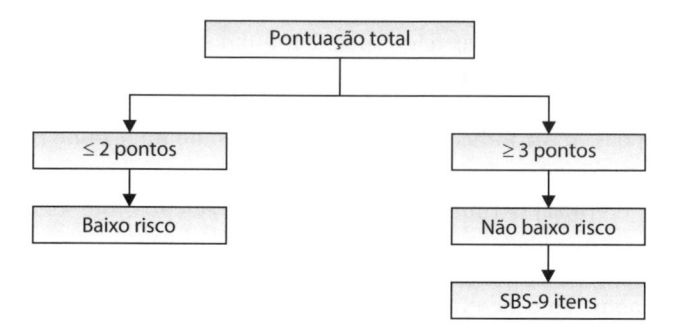

FIGURA 18.2. Sistema de estratificação do SBS de seis itens. (Fonte: Elaboração própria do autor.)

Como trata-se de um instrumento diagnóstico psicométrico, o mesmo necessita apresentar validade transcultural, psicométrica e confiabilidade para sua utilização no Brasil. Para tanto, Pilz et al. realizaram tradução e adaptação cultural assim como estimaram uma boa confiabilidade e consistência interna[14] (**Tabela 18.3**).

TABELA 18.3. STarT Back Screening Tool – Brasil (SBS-Brasil)

Pensando nas duas últimas semanas, assinale sua resposta para as seguintes perguntas:		
	Discordo (0)	Concordo (1)
1. A minha dor nas costas espalhou-se pelas pernas nas duas últimas semanas.	( )	( )
2. Eu tive dor no ombro e/ou na nuca pelo menos uma vez nas últimas duas semanas.	( )	( )
3. Eu evito andar longas distâncias por causa da minha dor nas costas.	( )	( )
4. Nas duas últimas semanas, tenho me vestido mais devagar por causa da minha dor nas costas.	( )	( )
5. A atividade física não é realmente segura para uma pessoa com um problema como o meu.	( )	( )
6. Tenho ficado preocupado por muito tempo por causa da minha dor nas costas.	( )	( )
7. Eu sinto que minha dor nas costas é terrível e que nunca vai melhorar.	( )	( )
8. Em geral, eu não tenho gostado de todas as coisas como eu costumava gostar.	( )	( )
9. Em geral, quanto a sua dor nas costas o incomodou nas duas últimas semanas: Nada (0) ( ) Pouco (0) ( ) Moderado (0) ( ) Muito (1) ( ) Extremamente (1)		
Pontuação total (9 itens):_____		
Subescala psicossocial (5-9 itens):_____		

Adaptada de Pilz et al. 2014.

ESTRATÉGIAS DE MANEJO

Quando o fisioterapeuta faz a tomada de decisão referente à solução do problema do paciente ou da comunidade, ele deve estar convicto de qual é a melhor medida a ser posta em prática, ou seja, intervir e/ou referenciar para outros profissionais de saúde ou nível de assistência. No caso das lombalgias, se as identificamos como do tipo específica com risco de lesão grave, precisamos referenciar o paciente aos cuidados médicos de urgência a fim do diagnóstico da causa e, consequentemente, estabilização do quadro clínico.

Já se encontrarmos lombalgias não específicas, temos em mãos uma situação potencial de manejo adequado em nível primário com nossas intervenções. E é isto que iremos discutir neste tópico do capítulo. Mas, antes, ressaltamos que em todas as situações o paciente deverá passar por triagem das suas condições de saúde por meio de um exame clínico preciso já na consulta de primeiro contato.

Vimos que o SBS-Brasil permite a estratificação dos sujeitos com lombalgia em três grupos de risco para a cronicidade, os quais irão receber intervenção diferenciada, de acordo com sua necessidade. O grupo classificado como de baixo risco será assistido com estratégias educativas devido ao prognóstico benigno do seu problema de saúde juntamente com o ensino de modalidades terapêuticas autogerenciadas para o alívio da dor, necessidade de se manter os níveis de atividade física e trabalho e evitar períodos longos de repouso em cama.

O fisioterapeuta pode construir um pequeno manual para fornecer aos pacientes todas as informações referentes aos exercícios que potencializam o nível funcional do indivíduo e alívio da dor. Deve-se permitir retornos ao serviço se os sintomas não desaparecerem ou com o intuito de monitoramento do caso, sendo desnecessários encaminhamentos para outros profissionais se não evidenciado fatores de risco, como obesidade e outros.[13]

Ao se deparar com pacientes classificados como de médio risco, o fisioterapeuta irá ter que desenvolver intervenções semelhantes ao grupo de baixo risco (educação em saúde) juntamente com a prescrição de recursos terapêuticos com evidência científica comprovada, como exercícios terapêuticos específicos que envolvem exercícios sensoriomotores, as mobilizações oscilatórias e/ou manipulativas,[34] liberação miofasciais e terapias complementares como a acupuntura.[14] É dispensado o uso de repouso,[35] tração vertebral[36] e eletroterapia.[37]

As intervenções podem ser fornecidas em uma média de seis encontros, distribuídos em três meses com reavaliação para averiguar o alcance das metas e, se necessário, alteração do plano de tratamento para mais supervisões profissionais ou o encaminhamento para assistência secundária, principalmente quando o paciente não consegue manter o autocuidado apoiado do seu problema.

Por fim, o grupo de alto risco para cronicidade da lombalgia terá cuidado mais aprofundado, pois, além dos condicionantes biomecânicos, existem as características psicológicas que implicam em maior valorização do quadro doloroso. Para este grupo de paciente, o fisioterapeuta aplicará tanto o seu conhecimento de recursos de educação em saúde, cinesioterapêuticos e recursos manuais, de acordo com o necessário, assim como recursos para o manejo dos obstáculos psicológicos por meio da terapia cognitivo-comportamental.[7,27,32,33,38,39] Portanto, o manejo terá uma abordagem física e biopsicossocial. Estimou-se uma média de seis encontros distribuídos em período de três meses com fisioterapeuta generalista.

A assistência aos portadores de lombalgia exige um cuidado a nível primário em decorrência da alta capacidade de autocuidado ou autogerenciamento apoiado que esta condição de saúde apresenta. Logo, um dos principais motivos que levam o fisioterapeuta a referenciar o paciente ao ambulatório ou serviço secundário é a incapacidade do mesmo em manter o autocuidado apoiado e a necessidade de maior suporte da atuação profissional.

ABORDAGEM DE TERAPIA FÍSICA

Como mencionado anteriormente, existem métodos físicos e de abordagens comportamentais que revelam boas evidências para o manejo das lombalgias. Entre elas destacam-se a terapia por estabilização segmentar e as técnicas de terapia manual no campo das abordagens físicas e terapia cognitivo-comportamental no campo psicossocial. Outro recurso muito utilizado para o alívio da dor é a acupuntura, que está bem explorada no capítulo de terapias complementares.

Os exercícios que se alicerçam na estabilização segmentar, desenvolvidos por Richardson e Hodges,[40] são utilizados por vários métodos, como o Pilates[41,42] e o *Core training*,[43-45] e também usam os mesmos princípios que visam a estabilização dinâmica dos segmentos vertebrais a partir da ativação sincrônica do transverso do abdome (TA) e dos multífidos, a fim de controlar os movimentos indesejados durante os macromovimentos apendiculares.[21,46-48]

O primeiro passo, com o intuito da ativação sincrônica dos músculos do núcleo interno, é fazer com que o paciente reconheça a contração dos mesmos em posições de decúbito dorsal, em quatro apoio ou "gato", sentado e em pé.[44] Para ativar o TA, o usuário realiza expirações forçadas, fazendo com que este músculo contraia e desloque o umbigo em direção à coluna, mas não superiormente com ativação do reto do abdome, e manterá a contração por intervalos de três segundos nas posições mencionadas.[49] A detecção da contração do TA acontece pela palpação da região medial à espinha ilíaca anterossuperior, aproximadamente 3 cm. Esta palpação deve ser ensinada ao usuário para ele autogerenciar.

A ativação dos multífidos é um pouco mais difícil, pelo fato deles se constituírem músculos pequenos e profundos, sendo necessária retroalimentação do fisioterapeuta com contatos manuais durante o encontro inicial. Para tanto, o paciente necessita estar em decúbito lateral e o fisioterapeuta posicionado posteriormente com uma das mãos em contato com a região dos multífidos lombares em isometria e a outra junto à crista ilíaca, a fim de impedir uma rotação posterior **Figura 18.3.**[43,49]

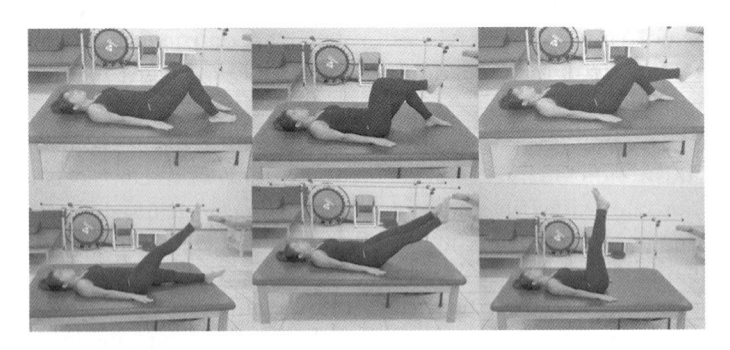

FIGURA 18.3. Exercícios de estabilização segmentar para coluna lombar nas posições de decúbito dorsal. (Fonte: Acervo do autor.)

Após a autopercepção dos músculos do núcleo interno (multífidos e TA), inicia-se o sincronismo destes com os músculos do assoalho pélvico juntamente com a ativação do diafragma nos ciclos respiratórios.[42,50] Conseguido esse passo, dá-se sequência com exercícios que envolvam a ativação do núcleo interno e com os movimentos apendiculares inferiores e superiores que estão ilustrados na **Figura 18.4**. Outro grande potencial desse conjunto de exercícios é sua capacidade de compor o espectro de exercícios de autogerenciamento utilizado no ambiente domiciliar.

Os recursos manuais são compostos de técnicas articulares, neuromusculares e miofasciais. Antes de explorar um pouco essas técnicas, faremos uma ressalva sobre um pensamento embutido nos fisioterapeutas que tal modalidade terapêutica está presente somente nos atendimentos ambulatoriais especializados, o que é enganoso. A maioria das técnicas buscam um efeito rápido para a solução de problemas neuromusculares, fasciais ou mioarticulares. Logo, a execução delas na atenção primária almeja corrigir, em poucos encontros com o profissional, as alterações que impediriam um autocuidado apoiado com exercícios neuromusculares.

As técnicas articulares, como as mobilizações oscilatórias de Kaltenborn e suas derivadas, como Maitland e Mulligan, objetivam devolver a capacidade artrocinemática às articulações vertebrais, assim como às manipulações articulares, cuja distinção das mobilizações se dá na maior velocidade que ocorrem e em menor amplitude.[51] A escolha entre uma e outra ocorre pela condição clínica do paciente. Se você está diante de indivíduos jovens ou em bom estado de maturação e condições ósseas, as manipulações são bem indicadas tanto em situações agudas[34] como crônicas.[34,52] Em contrapartida, quando o paciente com lombalgia é idoso ou alguém com fragilidade óssea ou receio das manobras articulares, o melhor é selecionar uma técnica de mobilização articular oscilatória em virtude da maior segurança terapêutica.

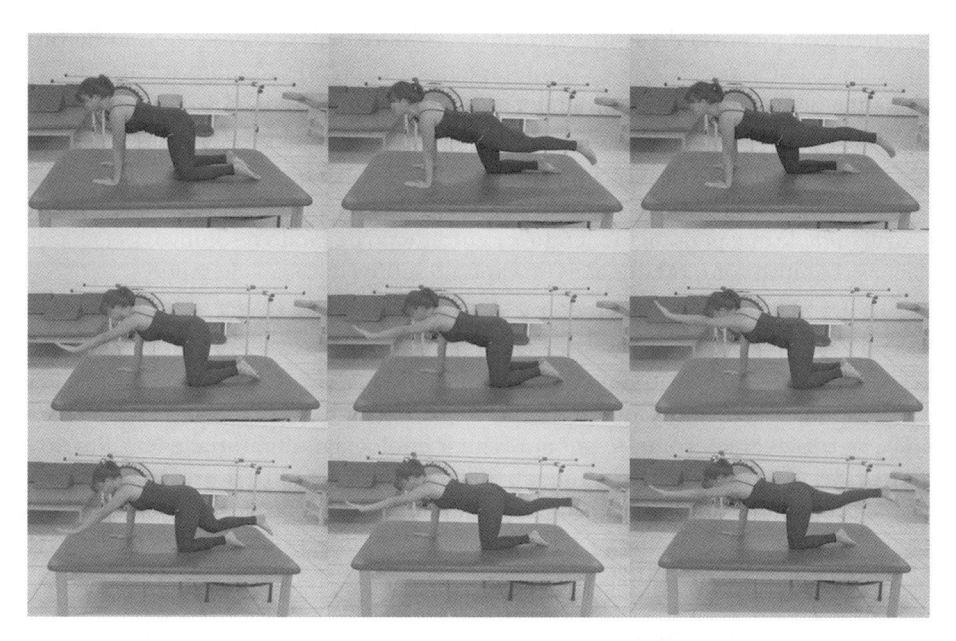

FIGURA 18.4. Exercícios de estabilização segmentar para coluna lombar nas posições de quatro apoios. (Fonte: Acervo do autor.)

Poucas evidências mostram os efeitos dos métodos de inibição neuromuscular na resolução dos quadros de lombalgias. Todavia, eles realizam um bom trabalho em preparar o músculo para as manipulações/mobilizações articulares como redução do espasmo e da dor.[53] Esses métodos envolvem a aplicação de procedimentos que atuam principalmente nos componentes de controle periférico da atividade muscular, os receptores do fuso muscular e o órgão tendinoso de Golgi, como também na inibição de pontos dolorosos. Entre as técnicas mais utilizadas está a Compressão Isquêmica de *Trigger Points*, que visa eliminar bandas tensas existentes na musculatura e que causam dor e limitação de movimento; a *MuscleEnergy*, cujo objetivo é reduzir o tônus muscular, assim como aumentar a extensibilidade dos sarcômeros.[54] Todas elas irão promover o relaxamento muscular por inibição de proprioceptores musculares ou por redução do quadro álgico, possibilitando que o paciente realize a ativação muscular correta e sem dor durante os exercícios de autogerenciamento. O detalhamento dessas técnicas foge do escopo desta obra, recomendamos que leiam as referências citadas.

Já as técnicas miofasciais são utilizadas quando se identifica que o impedimento para o movimento correto ou o quadro álgico advém de retrações do tecido conjuntivo profundo, que envolve os músculos e as fibras musculares, sendo preciso liberação e quebra das fibras de colágeno para a ocorrência de distensão do tecido. Existem evidências que indivíduos com lombalgia crônica desenvolvem alterações do tecido conjuntivo sobre a musculatura lombar, originando mais espessamento e desorganização da orientação das fibras colagenosas que o constituem, tornando essas áreas mais sensíveis à dor.[55,56]

Reconhecemos que o domínio de todos esses procedimentos terapêuticos pode fugir do escopo dos recursos ensinados nas graduações de Fisioterapia em virtude do seu volume denso de terapêuticas e, como mencionado anteriormente, delas se tratarem de modalidades ensinadas em pós-graduações da área de Ortopedia e Traumatologia. Queremos reverter esta lógica, pois a competência de assistir indivíduos com lombalgia é pré-requisito de profissional generalista. Logo, motivamos os fisioterapeutas ao aprendizado mínimo de uma técnica articular, uma neuromuscular e outra miofascial, pois estudos vêm mostrando que não existe superioridade entre elas, e torna-se viável o seu aprendizado em nível de graduação.

Quanto às abordagens de mudança comportamental, elas têm a função de fazer com que o paciente reconheça sua condição de saúde e que o problema que ele enfrenta não tem a dimensão de malignidade que pensam, podendo ser enfrentado de modo resolutivo. Detalharemos as abordagens cognitivo-comportamentais no capítulo sobre educação em saúde.

CONSIDERAÇÕES FINAIS

A lombalgia é a disfunção musculoesquelética de maior implicação na incapacidade da população adulta. Verificamos que a sua principal forma de ocorrência são as do tipo não específica, as quais caracterizam-se por apresentar etiologia multifatorial e têm alto potencial de cronicidade. Assim, o papel do fisioterapeuta enquanto membro de um serviço de atenção primária e profissional de primeiro contato está na identificação de possíveis usurários com tendência à cronicidade, selecionar e prescrever a melhor terapêutica de maneira efetiva e segura, a fim de obter resolutividade.

REFERÊNCIAS BIBLIOGRÁFICAS

1. Andersson GB. Epidemiological features of chronic low-back pain. Lancet. 1999 Aug 14;354(9178):581–5.
2. Boissonnault WG, Thein-Nissenbaum J. Differential diagnosis of spondylolysis in a patient with chronic low back pain. J Orthop Sports Phys Ther. 2003;35(5):319–26.
3. Carragee EJ. Persistent low back pain. N Engl J Med. 2005;1891–8.
4. Balagué F, Mannion AF, Pellisé F, Cedraschi C. Non-specific low back pain. Lancet. 2012;379(9814):482–91.
5. Kuijpers T, van Middelkoop M, Rubinstein SM, Ostelo R, Verhagen A, Koes BW et al. A systematic review on the effectiveness of pharmacological interventions for chronic non-specific low-back pain. Eur Spine J. 2011;20(1):40–50.
6. Steven ZG, Jason MB, Joel EB, Trevor AL, Giorgio ZJ, Qinglin P, Samuel SW. Development of a review-of-systems screening tool for orthopaedic physical therapists: results from the optimal screening for prediction of referral and outcome (OSPRO) Cohort. Journal Orthop Sports Phys Therap. 2015, 45(7):512-526.
7. Koes BW, van Tulder M, Lin C-WC, Macedo LG, McAuley J, Maher C. An updated overview of clinical guidelines for the management of non-specific low back pain in primary care. Eur Spine J. 2010;19(12):2075–94.
8. Vining R, Potocki E, Seidman M, Morgenthal AP. An evidence-based diagnostic classification system for low back pain. J Can Chiropr Assoc. 2013 Sep;57(3):189–204.
9. O'Sullivan P. Diagnosis and classification of chronic low back pain disorders: maladaptive movement and motor control impairments as underlying mechanism. Man Ther. 2005;10(4):242–55.
10. Society P. Clinical guidelines diagnosis and treatment of low back pain : a joint clinical practice guideline from the American College of Physicians and the American. Ann Intern Med. 2007 Oct 2;147(7):478-91.
11. Hill JC, Whitehurst DGT, Lewis M, Bryan S, Dunn KM, Foster NE et al. Comparison of stratified primary care management for low back pain with current best practice (STarT Back): a randomised controlled trial. Lancet. 2011;378(9802):1560–71.
12. Hay EM, Dunn KM, Hill JC, Lewis M, Mason EE, Konstantinou K et al. A randomised clinical trial of subgrouping and targeted treatment for low back pain compared with best current care. The STarT Back Trial Study Protocol. BMC Musculoskelet Disord. 2008;9:58.

13. Sowden G, Hill JC, Konstantinou K, Khanna M, Main CJ, Salmon P et al. Targeted treatment in primary care for low back pain: the treatment system and clinical training programmes used in the IMPaCT Back study. Fam Pract. 2012;29(1):50–62.
14. Pilz B, Vasconcelos RA, Marcondes FB, Lodovichi SS, Mello W, Grossi DB. The Brazilian version of STarT Back Screening Tool – translation, cross-cultural adaptation and reliability. Brazilian J Phys Ther. 2014;(Iv):1–9.
15. Maiers MJ, Westrom KK, Legendre CG, Bronfort G. Integrative care for the management of low back pain: use of a clinical care pathway. BMC Health Serv Res. 2010;10(1):298.
16. Hancock MJ, Maher CG, Latimer J, McLachlan AJ, Cooper CW, Day RO et al. Assessment of diclofenac or spinal manipulative therapy, or both, in addition to recommended first-line treatment for acute low back pain: a randomised controlled trial. Lancet. 2007;370(9599):1638–43.
17. Chou R, Huffman LH. Medications for acute and chronic low back pain : a review of the evidence for an American Pain Society/American College of Physicians Clinical Practice Guideline. Ann Intern Med. 2007;147:505–14.
18. Hurley DA, McDonough SM, Baxter GD, Dempster M, Moore AP. A descriptive study of the usage of spinal manipulative therapy techniques within a randomized clinical trial in acute low back pain. Man Ther. 2005;10(1):61–7. 18.
19. Ferreira ML, Ferreira PH, Latimer J, Herbert RD, Hodges PW, Jennings MD et al. Comparison of general exercise, motor control exercise and spinal manipulative therapy for chronic low back pain: A randomized trial. Pain. 2007 Sep [cited 2012 Mar 27];131(1-2):31–7.
20. Stevens VK, Coorevits PL, Bouche KG, Mahieu NN, Vanderstraeten GG, Danneels LA. The influence of specific training on trunk muscle recruitment patterns in healthy subjects during stabilization exercises. Man Ther. 2007;12(3):271–9.
21. Hebert JJ, Koppenhaver SL, Magel JS, Fritz JM. The relationship of transversus abdominis and lumbar multifidus activation and prognostic factors for clinical success with a stabilization exercise program: a cross-sectional study. Arch Phys Med Rehabil. 2010;91(1):78–85.
22. Meziat Filho N, Santos S, Rocha RM. Long-term effects of a stabilization exercise therapy for chronic low back pain. Man Ther. 2009;14(4):444–7.
23. Walker BF, Williamson OD. Mechanical or inflammatory low back pain. What are the potential signs and symptoms? Man Ther. 2009;14(3):314–20.
24. Dagenais S, Caro J, Haldeman S. A systematic review of low back pain cost of illness studies in the United States and internationally. Spine J. 2008;8(1):8–20.
25. Filho NM. Invalidez por dor nas costas entre segurados da Previdência Social do Brasil. Disability pension from back pain among social security beneficiaries. 2011;45(3):494–502.
26. Chou R, Huffman LH. Nonpharmacologic therapies for acute and chronic low back pain : a review of the evidence for an American Pain Society/American College of Physicians Clinical Practice Guideline. Ann Intern Med. 2007;(147):492–504.
27. Cicerone KD, Langenbahn DM, Braden C, Malec JF, Kalmar K, Fraas M et al. Evidence-based cognitive rehabilitation: updated review of the literature from 2003 through 2008. Arch Phys Med Rehabil. 2011;92(4):519–30.
28. Dankaerts W, O'Sullivan PB, Straker LM, Burnett AF, Skouen JS. The inter-examiner reliability of a classification method for non-specific chronic low back pain patients with motor control impairment. Man Ther. 2006;11(1):28–39.
29. Cai C, Pua YH, Lim KC. A clinical prediction rule for classifying patients with low back pain who demonstrate short-term improvement with mechanical lumbar traction. Eur Spine J. 2009;18(4):554–61.
30. Cynn H-S, Oh J-S, Kwon O-Y, Yi C-H. Effects of lumbar stabilization using a pressure biofeedback unit on muscle activity and lateral pelvic tilt during hip abduction in sidelying. Arch Phys Med Rehabil. 2006;87(11):1454–8.
31. Delitto A, George SZ, Dillen LVAN, Whitman JM, Sowa G, Shekelle P et al. Low back pain: clinical practice guidelines linked to the international classification of functioning, disability, and health from the Orthopaedic Section of the American Physical Therapy Association. J Orthop Sports Phys Ther. 2012;42(4).

32. Van Hooff ML, Ter Avest W, Horsting PP, O'Dowd J, de Kleuver M, van Lankveld W et al. A short, intensive cognitive behavioral pain management program reduces health-care use in patients with chronic low back pain: two-year follow-up results of a prospective cohort. Eur Spine J. 2012;21(7):1257–64.

33. Lamb SE, Hansen Z, Lall R, Castelnuovo E, Withers EJ, Nichols V et al. Group cognitive behavioural treatment for low-back pain in primary care: a randomised controlled trial and cost-effectiveness analysis. Lancet. 2010;375(9718):916–23.

34. Bronfort G, Hondras MA, Schulz CA, Evans RL, Long CR, Grimm R. Spinal manipulation and home exercise with advice for subacute and chronic back-related leg paina trial with adaptive allocation spinal manipulation and home exercise with advice for back-related leg pain. Ann Intern Med. 2014;161(6):381–91.

35. Liddle SD, Gracey JH, Baxter GD. Advice for the management of low back pain: a systematic review of randomised controlled trials. Man Ther. 2007;12(4):310–27.

36. Schimmel JJP, de Kleuver M, Horsting PP, Spruit M, Jacobs WCH, van Limbeek J. No effect of traction in patients with low back pain: a single centre, single blind, randomized controlled trial of Intervertebral Differential Dynamics Therapy. Eur Spine J. 2009;18(12):1843–50.

37. Manchikanti L, Singh V, Helm S, Schultz DM, Datta S, Hirsch JA. An introduction to an evidence-based approach to interventional techniques in the management of chronic spinal pain. Pain Physician. 2009;12(4):E1–33.

38. George SZ, Fritz JM, Childs JD. Investigation of elevated fear-avoidance beliefs for patients with low back pain: a secondary analysis involving patients enrolled in physical therapy clinical trials. J Orthop Sports Phys Ther. 2008;38(2):50–8.

39. Lonsdale C, Hall AM, Williams GC, McDonough SM, Ntoumanis N, Murray A et al. Communication style and exercise compliance in physiotherapy (CONNECT): a cluster randomized controlled trial to test a theory-based intervention to increase chronic low back pain patients' adherence to physiotherapists' recommendations: study rationale. BMC Musculoskelet Disord. 2012;13(1):104.

40. Urquhart DM, Hodges PW, Allen TJ, Story IH. Abdominal muscle recruitment during a range of voluntary exercises. Man Ther. 2005;10(2):144–53.

41. Lim ECW, Poh RLC, Low AY, Wong WP. Effects of Pilates-based exercises on pain and disability in individuals with persistent nonspecific low back pain: a systematic review with meta-analysis. J Orthop Sports Phys Ther. 2011;41(2):70–80.

42. La Touche R, Escalante K, Linares MT. Treating non-specific chronic low back pain through the Pilates Method. J Bodyw Mov Ther. 2008;12(4):364–70.

43. Barr KP, Griggs M, Cadby T. Lumbar stabilization: core concepts and current literature; Part 1. Am J Phys Med Rehabil. 2005;84(6):473–80.

44. Akuthota V, Nadler SF. Core strengthening. Arch Phys Med Rehabil. 2004;85:86–92.

45. Marshall PW, Murphy BA. Core stability exercises on and off a Swiss ball. Arch Phys Med Rehabil. 2005;86(2):242–9.

46. Ferreira ML, Ferreira PH, Latimer J, Herbert RD, Maher C, Refshauge K. Relationship between spinal stiffness and outcome in patients with chronic low back pain. Man Ther. 2009;14(1):61–7.

47. Freeman S, Karpowicz AMY, Gray J, McGill S. Quantifying muscle patterns and spine load during various forms of the push-up. Med Sci Sports Exerc. 2006 Mar;38(3):570-7.

48. Wallwork TL, Stanton WR, Freke M, Hides JA. The effect of chronic low back pain on size and contraction of the lumbar multifidus muscle. Man Ther. 2009;14(5):496–500.

49. Brody LT, Hall CM. Therapeutic exercise: moving toward function. 3rd ed. Philadelphia: LWW; 2010.

50. Bjerkefors A, Ekblom MM, Josefsson K, Thorstensson A. Deep and superficial abdominal muscle activation during trunk stabilization exercises with and without instruction to hollow. Man Ther. 2010;15(5):502–7.

51. Kent P, Mjøsund HL, Petersen DHD. Does targeting manual therapy and/or exercise improve patient outcomes in nonspecific low back pain? A systematic review. BMC Med. 2010;8:2–15.

52. Bronfort G, Haas M, Evans R, Kawchuk G, Dagenais S. Evidence-informed management of chronic low back pain with spinal manipulation and mobilization. Spine J. 2008;8(1):213–25.
53. Ferreira ML, Ferreira PH, Hodges PW. Changes in postural activity of the trunk muscles following spinal manipulative therapy. Man Ther. 2007;12(3):240–8.
54. JM D, AJ N. The effect of muscle energy techniques on disability and pain scores in individuals with low back pain. J Sport Rehabil. 2012;21(2):194–8.
55. Langevin HM, Fox JR, Koptiuch C, Badger GJ, Greenan-Naumann AC, Bouffard NA et al. Reduced thoracolumbar fascia shear strain in human chronic low back pain. BMC Musculoskelet Disord. 2011;12(1):203.
56. Langevin HM, Stevens-Tuttle D, Fox JR, Badger GJ, Bouffard NA, Krag MH et al. Ultrasound evidence of altered lumbar connective tissue structure in human subjects with chronic low back pain. BMC Musculoskelet Disord. 2009;10:151.

19

Atuação Fisioterapêutica no Manejo dos Determinantes e Agravos Cardiovasculares

■ Marcello Barbosa Otoni Gonçalves Guedes

■ Helder Viana Pinheiro

APRESENTAÇÃO

Neste capítulo, abordaremos sobre a prática fisioterapêutica nos determinantes e agravos cardiovasculares em saúde, sobretudo os aspectos de abordagem na atenção primária. Faremos uma breve retrospectiva epidemiológica de alguns agravos cardiovasculares no Brasil. O leitor encontrará algumas das práticas específicas usadas no contexto da atenção primária em saúde. Esperamos assim nortear o fisioterapeuta e o profissional da saúde para uma abordagem eficiente a ser explorada na atenção básica.

INTRODUÇÃO

A maioria dos países vem passando por um processo de transição epidemiológica, definida como mudança nos padrões de morte, morbidade e invalidez, que caracterizam uma população específica e que, em geral, ocorrem em conjunto com outras transformações demográficas, sociais e econômicas.[1]

Analisando o perfil de mortalidade da população brasileira no decorrer do século XX, torna-se clara a principal característica da teoria da transição epidemiológica que mostra a diminuição da mortalidade por doenças infecciosas e parasitárias (DIP) e aumento dos óbitos por doenças crônico-degenerativas, como as do aparelho circulatório (DAC) e doenças neoplásicas. Essa transição epidemiológica ocorreu de maneira complexa, não como uma mudança de um perfil de doenças para outra, mas como uma sobreposição de fatores.[1,2] O desenvolvimento desse novo perfil epidemiológico ocorre em concomitância com outras condições, a exemplo da transição demográfica e a transição nutricional.[3]

No Brasil, as doenças crônicas não transmissíveis correspondem a 72% das causas de morte.[4] Dentre os fatores determinantes para o risco cardiovascular, o sedentarismo, o tabagismo, a hipertensão arterial e a obesidade merecem destaque.[5] Esses fatores de risco costumam ser encontrados pelos fisioterapeutas na prática clínica e nas ações em atenção primária à saúde.

A fisioterapia ajuda a prevenir doenças cardiorrespiratórias em desenvolvimento, ou seja, que ainda não foram instaladas, atuando sobre seus fatores de risco. O fisioterapeuta pode ainda atuar nas doenças cardiorrespiratórias conhecidas, visando o controle, a redução ou a eliminação dos sintomas existentes.[6]

Diante do exposto, o objetivo deste capítulo não é discutir a fundo a fisiopatologia das doenças e dos determinantes cardiovasculares, mas sim fornecer ferramentas apropriadas para a avaliação e as condutas fisioterapêuticas no contexto da atenção primária em saúde. O foco deste capítulo será abordar as ações de educação em saúde, trabalhos em grupos e atividades autogerenciadas, que visem de maneira eficiente à promoção de saúde e à prevenção de agravos cardiorrespiratórios sob o olhar da fisioterapia.

De modo geral, o movimento humano continuará sendo o foco do nosso trabalho, no entanto, a atuação não se dará, exclusivamente, no indivíduo doente e sequelado, sendo direcionada às coletividades humanas, buscando transformar hábitos e condições de vida, promovendo saúde e evitando agravos. Assim, o modelo da fisioterapia coletiva não visa extinguir as ações de cura e reabilitação, mas sim acrescentar novos horizontes e necessidades de atuação do fisioterapeuta frente ao atual quadro sanitário e da nova lógica de organização do SUS. Veja a seguir, na **Figura 19.1**, um fluxograma de acolhimento para usuários da atenção básica quanto aos determinantes cardiovasculares.

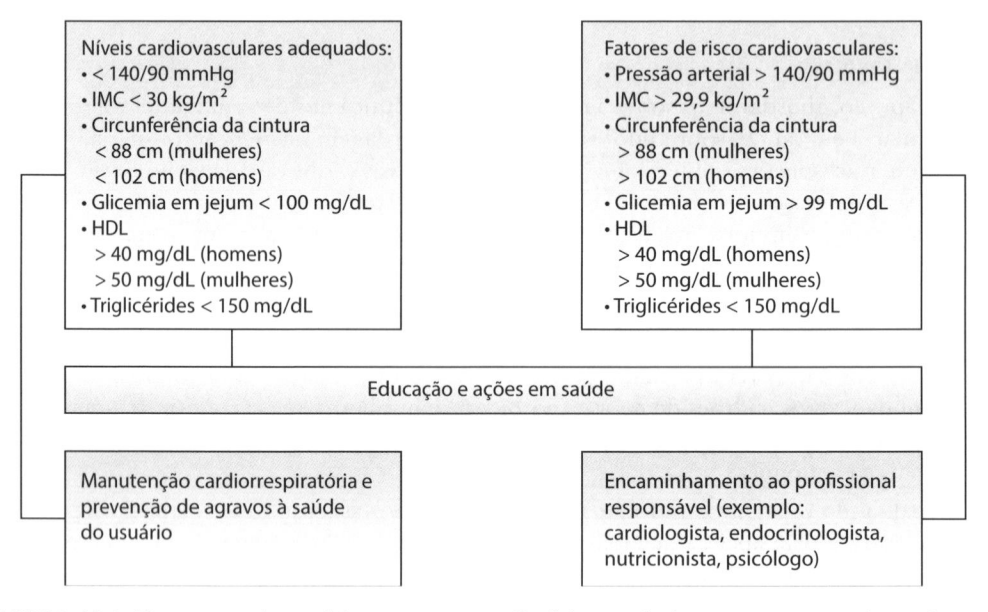

FIGURA 19.1. Fluxograma de acolhimento em atenção fisioterapêutica nos agravos e determinantes cardiovasculares de saúde para usuários da atenção primária em saúde. (Fonte: Elaborada pelos próprios autores.)

AVALIAÇÃO CARDIOVASCULAR NA ATENÇÃO PRIMÁRIA EM SAÚDE

A avaliação cardiovascular na atenção primária em saúde deve ser direcionada primordialmente para intervenções de promoção de saúde e bem-estar e prevenção de agravos. Assim, as avaliações devem ser individualizadas, mas sempre pensando no trabalho entre grupos (p. ex., grupos de caminhada, ciclismo, grupos de exercícios em piscina, reabilitação cardiovascular, entre grupos especiais) e/ou atividades automonitoradas, lançando mão de métodos eficazes, de custo e complexidade reduzidos. Para tal, iremos abordar alguns instrumentos de fácil aplicação que poderão direcionar as avaliações e/ou reavaliações, sempre que o terapeuta julgar necessário.

O teste de caminhada de seis minutos (TC6M) tem sido muito utilizado como maneira de avaliar a aptidão física em indivíduos pouco condicionados fisicamente ou com capacidade funcional reduzida, que não realizam, por motivos variados, o teste ergométrico. O TC6M tem boa correlação com o consumo de oxigênio máximo ($VO_{2máx}$), além de ser facilmente aplicado, mais bem tolerado e melhor refletir atividades de vida diária.[7] Segundo a American Thoracic Society,[8] trata-se de um teste que mede a distância percorrida em 6 minutos, em um percurso que deve ter de 20 a 50 metros de comprimento e pelo menos 3 metros de largura, com encorajamento padronizado.[8] Existem diversas fórmulas para previsão ideal mínima de distância percorrida, inclusive para a população brasileira.[9]

O teste de marcha estacionária de 2 minutos (TME2) trata-se de um teste para avaliar a capacidade aeróbia e também não necessita de equipamentos caros, podendo ser realizado na comunidade, na unidade básica de saúde, ou mesmo no domicílio, dispensando grandes espaços para sua realização.[10,11,31] Esse teste mensura o número máximo de elevações de um dos joelhos em 2 minutos. Ao sinal indicativo, a participante inicia a marcha estacionária, sem correr, completando tantas elevações do joelho quanto possível em dois minutos.[31]

O teste *time up and go* (TUG) é uma medida composta que envolve potência, velocidade, agilidade e equilíbrio dinâmico, com o objetivo de avaliar mobilidade funcional.[10] Mesmo não tendo a avaliação cardiovascular como objetivo central do TUG, estudos apontam forte correlação negativa com TC6M e com o TME2.[10,11] Assim, o instrumento pode ser usado como preditor de capacidade cardiovascular. O TUG quantifica o tempo gasto no percurso de 3 metros. Trata-se de um teste que, ao sinal indicado, o participante levanta-se da cadeira, caminha até um marcador posicionado 3 metros à frente (p. ex., cone), contorna-o, retorna e senta na cadeira o mais rápido possível.[12-14] A Tabela 19.1 mostra algumas medidas que podem ser usadas como parâmetro para a avaliação e, assim, auxiliar na determinação do prognóstico cardiovascular, discutidas por Dourado, em revisão da literatura sobre as equações de referência para o TC6M,[9] e outros pesquisadores, para instrumentos distintos.

TABELA 19.1. Testes para avaliação cardiovascular e parâmetros de referência

Teste	Valores de referência
Caminhada de 6 minutos[9] (Enright & Sherrill)	♂: Distância (metros) = [7,57 × estatura (cm)] – [5,02 × idade (anos)] – [1,76 × peso (kg)] – 309; ♀: Distância (metros) = [2,11 × estatura (cm)] – [2,29 × peso (kg)] – [5,78 × idade (anos)] + 667
Caminhada de 6 minutos[9] (Iwama et al.) *para população brasileira	Ambos gêneros: Distância (metros) = 622,461 – [1,846 × idade (anos)] + [61,503 × 1(homens) ou 0 (mulheres)]
Time Up and Go[14] (Podsiadlo & Richardson)	≤10 segundos
Time Up and Go[13] (Bischoff et al.)	≤12 segundos
Marcha estacionária de 2 minutos[11] (Rikli & Jones) (Guedes et al.)	>72,8 elevações em um dos joelhos > 65 elevações para idosos hipertensos

Fonte: Elaborada pelos próprios autores.

FISIOTERAPIA NA PREVENÇÃO E NO TRATAMENTO DA HIPERTENSÃO ARTERIAL SISTÊMICA

A hipertensão arterial sistêmica (HAS) é, segundo a Sociedade Brasileira de Cardiologia, uma condição clínica multifatorial caracterizada por níveis elevados e sustentados de pressão arterial (PA). Associa-se frequentemente a alterações funcionais e/ou estruturais dos órgãos--alvo (coração, encéfalo, rins e vasos sanguíneos) e a alterações metabólicas, com consequente aumento do risco de eventos cardiovasculares[15] (VI Diretriz Brasileira de Hipertensão, 2010). A HAS acomete hoje cerca de 23% da população adulta no Brasil, sendo causa importante de mortalidade e internações no Brasil e no mundo.[5,15]

Além do tratamento medicamentoso tradicional, podemos intervir no tratamento e na prevenção da hipertensão arterial junto aos fatores de risco modificáveis relacionados ao estilo de vida, como: alimentação saudável com controle da ingestão de sal e gorduras saturadas, ingestão moderada de bebidas alcoólicas, abandono do tabagismo, controle do peso e do estresse emocional, bem como a prática de exercício físico regular. Essas são ações de educação em saúde importantes, que devem, sempre que possível, ser executadas em uma equipe interdisciplinar com fisioterapeutas, médicos, nutricionistas, psicólogos, enfermeiros, dentre outros.[5,15] As ações de educação propriamente ditas para a promoção em saúde e prevenção de agravos serão abordadas mais detalhadamente em um tópico seguinte neste mesmo capítulo. A Tabela 19.2, modificada da VI Diretriz Brasileira de Hipertensão,[15] mostra o impacto de cada mudança no estilo de vida, por meio de recomendações, nos níveis médios de pressão arterial.

TABELA 19.2. Tipo de modificação do estilo de vida e recomendações para redução média dos níveis pressóricos entre hipertensos

Algumas modificações de estilo de vida e redução aproximada da pressão arterial sistólica*		
Modificação	Recomendação	Redução aproximada na PAS**
Controle de peso	Manter o peso corporalna faixa normal (índice de massa corporal entre 18,5 e 24,9 kg/m²)	5 a 20 mmHg para cada 10 kg de peso reduzido
Padrão alimentar	Consumir dieta rica em frutas e vegetais e alimentos com baixa densidade calórica e baixo teor de gorduras saturadas e totais. Adotar dieta DASH	8 a 14 mmHg
Redução do consumo de sal	Reduzir a ingestão de sódio para não mais de 2 g (5 g de sal/dia) = no máximo 3 colheres de café rasas de sal = 3 g + 2 g de sal (dos próprios alimentos)	2 a 8 mmHg
Moderação no consumo de álcool	Limitar o consumo de 30 g/dia de etanol para os homens e 15 g/dia para mulheres	2 a 4 mmHg
Exercício físico	Habituar-se à prática regular de atividade física aeróbica, como caminhadas por, pelo menos, 30 minutos por dia, 3 vezes/semana, para prevenção e diariamente para tratamento	4 a 9 mmHg

*Associar abandono de tabagismo para reduzir o risco cardiovascular.
**Pode haver efeito aditivo para algumas das medidas adotadas.

Fonte: Modificada da Sociedade Brasileira de Cardiologia. VI Diretriz Brasileira de Hipertensão. Rev Bras Hipertens. 2010;17(1):31-43.

Como vimos até aqui, dentre os fatores de risco cardiovasculares, a inatividade física insere-se de modo preponderante, assim, a prática regular de exercício físico deve ser estimulada na comunidade. Neste contexto, a correta prescrição do exercício, com frequência, duração e intensidade adequadas, faz parte do papel da fisioterapia na atenção básica em saúde e pode ser praticado na unidade básica de saúde para que o usuário possa participar de atividades em grupo e autogerenciadas de maneira segura e eficaz. Assim sendo, ofereceremos a seguir alguns parâmetros de medidas acessíveis para prescrição do exercício físico no ambiente de atenção primária em saúde. Salientamos que, antes das recomendações dos exercícios, o paciente, seja ele hipertenso, diabético, obeso, ou acometido por outras patologias crônicas, deverá passar por uma avaliação clínica prévia, no sentido de afastar outros riscos potenciais.

É consenso na literatura que o exercício físico aeróbico reduz consideravelmente os níveis de pressão arterial entre hipertensos.[5,15-18] A duração do exercício aeróbico pode variar entre 30[5,16] e 90 minutos[17]. A frequência da atividade pode ser de 3 a 6 vezes por semana.[5,15-17] A intensidade deve ser leve a moderada e podemos considerar os valores de 40 a 60% da frequência cardíaca máxima, em que a $FC_{máxima}$ = 220 − idade.[5,16,17] A sobrecarga do treinamento deve levar em consideração o nível de treinamento da pessoa, iniciando em níveis baixos para os indivíduos destreinados, progredindo à medida que se melhora o condicionamento físico.

O efeito do exercício de força ou resistido na pressão arterial ainda é pouco estudado na literatura, contudo algumas pesquisas já demonstram efeitos benéficos desta modalidade nos níveis pressóricos entre hipertensos.[18-20] Duas metanálises robustas demonstraram efeitos benéficos do treinamento resistido sobre a pressão arterial sistólica (PAS) e pressão arterial diastólica (PAD) de repouso com reduções de 3 a 3,2 mmHg na PAS e 3 a 3,5 mmHg na PAD.[19,20] Segundo a metanálise desenvolvida por Cornelissen,[19] a intensidade de exercício variou entre 30 e 90% de 1 repetição máxima (RM), com média de 61% entre os estudos. Medina et al.[16] sugerem intensidade de treinamento de 50% de 1RM. A metanálise avaliou que o número de repetições variou entre 1 e 25, mas as que mais se repetiram entre as pesquisas analisadas foram variações de 8 a 12 repetições, com frequência de 3 vezes por semana em quase todos os estudos. O número médio de exercícios realizados nos protocolos estudados foram 10, sendo em sua maior parte do tipo dinâmico.[19] Assim, como no exercício aeróbico, no treino resistido, os parâmetros e as progressões de dificuldade devem levar em consideração o nível de treinamento do indivíduo.

EDUCAÇÃO E AÇÕES EM SAÚDE NO CONTEXTO DOS DETERMINANTES CARDIOVASCULARES NA ATENÇÃO BÁSICA

Esta seção destina-se a descrever algumas temáticas, modos de trabalho e diversificação de ambientes que podem ser trabalhados com determinantes cardiovasculares e respiratórios na atenção básica de saúde. Neste momento, entender a Unidade Básica de Saúde (UBS) como apenas uma das possibilidades do ambiente de trabalho, perceber que o trabalho deve ser direcionado para as coletividades e não somente ao usuário que busca ativamente o cuidado, que estamos inseridos em uma equipe e que com ajuda de todos os integrantes os resultados serão multiplicados e por fim, considerar a integralidade das ações para cada indivíduo, mas pensando sempre no contexto ampliado, tornarão o trabalho mais eficiente.

Os assuntos que deverão ser abordados devem direcionar-se para cada realidade. Por isso, conhecer a realidade setorial de cada UBS é imprescindível para um trabalho não só efetivo, mas também eficaz. Antes de iniciar os trabalhos, uma roda de conversa com os Agentes Comunitários de Saúde (ACS) e demais integrantes da equipe (médicos, enfermeiros, odontólogos), com representantes de associações da comunidade e realização de visitas domiciliares, fornecerão uma ideia do que realmente aquela determinada comunidade necessita de ser trabalhado prioritariamente. Sobre as temáticas que podemos sugerir para abordagem entre os determinantes cardiovasculares e respiratórios para saúde, estão:[21,22]

- A importância da prática adequada da atividade física.
- Ações de prevenção e controle de hipertensão, diabetes, dislipidemias, obesidade.
- Importância da alimentação saudável (trabalho em conjunto com nutricionista).
- Ações de prevenção e controle de diversas doenças do sistema respiratório (gripe, pneumonia, enfisema pulmonar, doenças pulmonares obstrutivas crônicas, tuberculose, dentre outras).
- Prevenção e combate ao tabagismo.
- Controle de fatores psicossomáticos (estresse, ansiedade e depressão) que podem agravar outras condições patológicas (p. ex., hipertensão arterial).

AMBIENTES E MODOS DE TRABALHO NO FAVORECIMENTO DO TRABALHO EFETIVO NA ATENÇÃO PRIMÁRIA EM SAÚDE (APS)

Como supracitado, exceder o ambiente da UBS no trabalho do dia a dia do Fisioterapeuta e de toda equipe interdisciplinar é de suma importância para potencializar os resultados na atenção básica, reiterando a multiplicabilidade das ações com foco para as coletividades. Para isso, os modos de trabalho são das mais diversas, dentre elas podemos citar:[23-26]

- Palestras com distribuição de panfletos.
- Rodas de debates entre usuários e equipe da UBS.
- Intervenção interdisciplinar com reuniões prévias entre a equipe de profissionais da UBS sobre ações ou mesmo casos clínicos específicos.
- Capacitações teórico-práticas.
- Ações criativas como peças teatrais, festivais de músicas parodiadas, gincanas, dentre outros, com abordagens específicas para a saúde.
- Rastreios epidemiológicos, associados a ações práticas e educativas.
- Grupos operativos de caminhada, ciclismo, hidroginástica.
- Grupos operativos de meditação, automassagem, *Yoga, Tai Chi, Lian Gong* (essas ações são referentes às Práticas Integrativas e Complementares em Saúde, que serão trabalhadas mais detalhadamente em outro capítulo deste livro).
- Dinâmicas, dentre outros.

Os modos de trabalho citados podem ser trabalhados em diferentes ambientes, dentre eles citaremos:

- A sala de espera da UBS: ações em sala de espera tornam-se eficazes, promovendo um contato singular de profissionais de saúde com sua clientela de maneira efetiva, uma vez que as ações são voltadas diretamente para eles e com temas muitas vezes de contato direto.[27]

- Ambientes públicos como praças e parques: durante a prática vivenciada na praça, percebe-se que a população se interessa e participa, sem que aja nem mesmo a necessidade de um aviso prévio sobre a intervenção. Além disso, é possível rastrear pessoas com riscos cardiovasculares consideráveis com a aferição de pressão arterial, glicemia, circunferência da cintura, peso, altura e IMC, por exemplo.[23]

- Escolas, cursos profissionalizantes e universidades: a escola adentra na sociedade como um ambiente formal de geração de educação e, porque não, educação em saúde? Assim, torna-se essencial o trabalho do fisioterapeuta e da equipe de saúde neste ambiente para assim potencializar os saberes em saúde daqueles que ali estão em formação e também os professores e equipe escolar.[28,29]

- UBS para capacitações e ações interdisciplinares entre a equipe: o treinamento dos integrantes da equipe deve muni-los de conhecimentos diversos e apropriados, em torno da questão do processo de saúde-doença, incorporando, além da perspectiva biomédica, outros saberes que os habilitem no processo de interação cotidiana com as famílias e no reconhecimento de suas necessidades.[30]

- Ambiente domiciliar: o atendimento domiciliar fisioterapêutico, bem como ações de educação em saúde neste ambiente é justificado na APS para melhora de condições gerais de pacientes acometidos ou não por alguma patologia e que apresentam dificuldades físicas ou geográficas para o deslocamento até um centro de atendimento especializado, como é o caso de alguns idosos e pacientes acamados.[31]

CONSIDERAÇÕES FINAIS

Com o que vimos até aqui, percebemos que a inserção do Fisioterapeuta na atenção primária em saúde deve ser pautada por critérios rigorosos de evidências científicas, no sentido de tornar as ações o mais eficiente possível para a comunidade.

Alguns pontos no trabalho da fisioterapia na atenção básica devem ser destacados. Primeiro, as ações devem ser priorizadas para as coletividades, salvo em situações em que os atendimentos domiciliares são estritamente necessários, por limitações físicas ou mesmo geográficas impostas a alguns usuários. Segundo, o campo de trabalho da fisioterapia no nível primário de saúde ou em qualquer outro nível pode ser dividido por temáticas, mas somente como critério didático, o fisioterapeuta deve sempre ter uma visão integral no cuidado com o paciente, ou mesmo com a comunidade, a especialização excessiva pode limitar ações que contemplam esse cuidado integral. Por fim, o contato deve ser humanizado, considerando os valores culturais e sociais dos usuários, reconhecendo os anseios, expectativas e saberes de todos que envolvem a equipe profissional e a comunidade. Extrapolar o modelo de cuidado meramente prescritivo e que se restringe apenas às ações contra a doença torna o trabalho mais proveitoso, com obtenção de resultados mais positivos.

Esperamos que as informações disponibilizadas neste capítulo possam nortear as ações dos profissionais, docentes e estudantes que estão inseridos nesse campo de trabalho que apresenta uma vasta área de atuação. Para isso é preciso ir além da visão puramente curativa e reabilitadora que consolidaram nossa profissão.

REFERÊNCIAS BIBLIOGRÁFICAS

1. Júnior JPB. Fisioterapia e saúde coletiva: desafios e novas responsabilidades profissionais. Ciência & Saúde Coletiva. 2010;15(1):1627-36.
2. Schramm JMA, Oliveira AF, Leite IC, Valente JG, Gadelha AMJ, Portela MC et al. Transição epidemiológica e o estudo de carga de doença no Brasil. Ciência & Saúde Coletiva. 2004;9(4):897-908.
3. Omran AR. The epidemiologic transition: a theory of the epidemiology of population change. The Milbank Quarterly. 2005;83(4):731–57.
4. Brasil. Vigilância de fatores de risco e proteção para doenças crônicas por inquérito telefônico: Vigitel 2012.
5. Negrão CE, Barreto ACP. Cardiologia do exercício: do atleta ao cardiopata. 3. ed. Barueiri-SP: Manole; 2010.
6. Deturk WE, Cahalin LP. Fisioterapia cardiorrespiratória: baseada em evidências. Porto Alegre-RS: Artmed;. 2007. Cap. 15.
7. Pires SR, Oliveira AC, Parreira VF, Brito FF. Teste de caminhada de seis minutos em diferentes faixas etárias e índices de massa corporal. Rev Bras Fisioter. São Carlos. 2007;11(2):147-51.
8. American Thoracic Society. ATS Statement: Guidelines for the Six-minute walk test. Am J Respir Crit Care Med. 2002;166:111-7.
9. Dourado VZ. Equações de referência para o teste de caminhada de seis minutos em indivíduos saudáveis. Sociedade Brasileira de Cardiologia. 2010.
10. Rikli RE, Jones CJ. Development and validation of a functional fitness test for communit-residing older adults. Journal of Aging and Physical Activity. 1999;7:129-61.
11. Pedrosa R, Holanda G. Correlação entre os testes da caminhada, marcha estacionária e TUG em hipertensas idosas. Rev Bras Fisioter. São Carlos. 2009;13(3):252-6.
12. Karuka AH, Silva JAMG, Navega MT. Análise da concordância entre instrumentos de avaliação do equilíbrio corporal em idosos. Rev Bras Fisioter. São Carlos. 2011;15(6):460-6.
13. Bishoff HA et al. Identifying a cut-off point for normal mobility: a comparison of the timed 'up and go' test in community-dwelling and institutionalised elderly women. Age and Ageing. 2003;(32):315-20.
14. Podsiadlo D, Richardson S. The timed "up & go": a test of basic functional mobility for frail elderly pearsons. J Am Geriatr Soc. 1991;39(2):142-8.
15. VI Diretrizes Brasileiras de Hipertensão. Rev Bras Hipertens. 2010;17(1).
16. Medina FL, Lobo FS, Souza DR, Kanegusuku H, Forjaz CLM. Atividade física: impacto sobre a pressão arterial. Rev Bras Hipertens. 2010;17(2):103-06.
17. Monteiro HL et al. Efetividade de um programa de exercícios no condicionamento físico, perfil metabólico e pressão arterial de pacientes hipertensos. Rev Bras Med Esporte. 2007;13(2):107-12.
18. Umpierre D, Stein R. Efeitos hemodinâmicos e vasculares do treinamento resistido: implicações na doença cardiovascular. Arq Bras Cardiol. 2007;89(4):256-62.
19. Cornelissen VA, Fagard RH. Effect of resistance training on resting blood pressure: a meta-analysis of randomized controlled trials. Journal of Hypertension. 2005;23(2):251-9.
20. Kelley GA, Kelley KS. Progressive resistance exercise and resting blood pressure: a meta-analysis of randomized controlled trials. Hypertension. 2000 Mar;35(3):838-43.
21. Guedes MBOG, Souza IDT, Freitas LM, Santos TP, Neri DGC, Santos VA et al. A educação como ação de extensão para a prevenção e promoção em saúde. Extensão em Ação. 2013;3(2):120-30.
22. Moffat M, Frownfelter D. Fisioterapia do sistema cardiorrespiratório: melhores práticas. Rio de Janeiro: Guanabara Koogan; 2008. Cap. 1.
23. Guedes MBOG, Silva GAG, Bouzas GJ, Batista HLSF, Dias MMB, Oliveira NPD, Silva OAP et al. Análise do perfil de um grupo de hipertensos no município de Santa Cruz no Estado do Rio Grande do Norte: resultados de uma ação de extensão. Carpe Diem. 2013;11(11):1-11.
24. Moreira B, Pellizzaro I. Educação em saúde: um programa de extensão universitária. Revista Textos & Contextos, Porto Alegre. 2009;8(1):156-71.

25. Ribeiro KSQ, Neto MJA, Arangio MG, Nascimento PBS, Martins TNT. A participação de agentes comunitários de saúde na atuação da fisioterapia na atenção básica. Revista APS. 2007;10(2):156-168.
26. Brasil. Ministério da Saúde. Política nacional de práticas integrativas e complementares no SUS: atitude de ampliação de acesso. Brasília-DF; 2006.
27. Teixeira ER, Veloso RC. O grupo em sala de espera: território de práticas e representações em saúde. Texto Contexto Enferm., Florianópolis. 2006;15(2):320-5.
28. Costa FS, Silva JLL, Diniz MIG. A importância da interface educação\saúde no ambiente escolar como prática de promoção da saúde. Informe-se em promoção da saúde. 2008;4(2):30-3.
29. Oliveira CBE, Alves PB. Ensino fundamental: papel do professor, motivação e estimulação no contexto escolar. Paidéia (Ribeirão Preto). 2005;15(31):227-38.
30. Augusto VG, Aquino CF, Machado NC, Cardoso VA, Ribeiro S. Promoção de saúde em unidades básicas: análise das representações sociais dos usuários sobre a atuação da fisioterapia. Ciência & Saúde Coletiva. 2011;16(1):957-63.
31. Guedes MBOG et al. Validação do teste de marcha estacionária de dois minutos para diagnóstico da capacidade funcional em idosos hipertensos. Rev Bras Geriatr Gerontol Rio de Janeiro, 2015;18(4):921-926.

Atenção Fisioterapêutica no Manejo do *Diabetes*

■ Marcello Barbosa Otoni Gonçalves Guedes

■ Johnnatas Mikael Lopes

APRESENTAÇÃO

O *diabetes* é considerado um dos mais relevantes problemas de saúde do mundo, como veremos mais à frente, devido principalmente à sua alta incidência, seu caráter silencioso de ocorrência e por ser devastador para a função de vários órgãos do corpo. Isso ressalta a importância de uma assistência integral e continuada com o intuito de mitigar condicionantes biológicos, comportamentais e sociais do *diabetes*.

Para alcançar uma assistência efetiva, neste capítulo abordaremos habilidades e competências que o fisioterapeuta precisa desenvolver em nível primário, tendo destaque as ações de promoção da saúde no combate aos condicionantes do *diabetes*, assim como estratégias epidemiológicas de identificação e acompanhamento de diabéticos a fim de implementar ações preventivas para as complicações que requerem maior complexidade de cuidado.

INTRODUÇÃO

O *diabetes* é uma disfunção metabólica caracterizada pela ineficiência da ação hormonal da insulina, seja por déficit na sua síntese nas ilhotas de Langerhans pancreáticas ou por alteração nos receptores celulares de insulinas. Caracteriza-se por níveis de glicose sanguínea constantemente elevados (hiperglicemia) e distúrbios do metabolismo de carboidratos, lipídios e proteínas.[1] O primeiro tipo é chamado *diabetes* tipo I, em que ocorre um ataque autoimune destruidor das células pancreáticas betaprodutoras de insulina, tornando esses diabéticos insulinodependentes e necessitando de reposições diárias deste hormônio. Já no *diabetes* tipo II, que é o mais prevalente, o indivíduo apresenta resistência à ação da insulina, a qual é ainda produzida pelo organismo.[2]

As complicações causadas pelo *diabetes* advêm das lesões microvasculares que acarretam cegueira, nefropatias e as neuropatias periféricas.[3] Esta última é uma complicação altamente prevalente e que merece cuidados na atenção primária com o intuito de prevenção e devido à ausência de terapias resolutivas do problema.

As neuropatias são distúrbios inicialmente sensoriais, mas progressivamente atingem fibras motoras e autonômicas de modo irreversível, interrompendo as aferências e eferências das extremidades corporais e provocando complicações como a perda da sensibilidade exteroceptiva e propriocepção, equilíbrio e, consequentemente, ocorrência de quedas, alteração da percepção de temperaturas, lesões por objetos perfurocortantes e, possivelmente, amputações de segmentos corporais lesionados, os quais apresentam déficit regenerativo devido aos comprometimentos microvasculares.[4]

EPIDEMIOLOGIA DO DIABETES

O *diabetes* tipo II é o mais prevalente, sendo responsável por cerca de 90 a 95% dos casos, causando gastos diretos em saúde e sociais indiretamente, mesmo apresentando ótimo potencial de prevenção. Previsões alertam aumento da prevalência de diabetes em 170% no período de 1995 a 2025 no Brasil,[5,6] que já é considerado o quinto país em número total de pessoas com *diabetes*.[7]

Em 2007, o Brasil possuía cerca de 6,9 milhões de diabéticos. Sua incidência atinge 7,6% da população brasileira adulta de 30 a 69 anos, essa proporção aumenta entre faixas etárias mais elevadas, tendo uma incidência de 17,4% entre pessoas com 60 a 69 anos em nosso país.[1,3]

A prevalência do *diabetes* não diagnosticado também é elevada e estima-se que aproximadamente 25% dos indivíduos tenha sinais de complicações microvasculares no momento do diagnóstico clínico.[7] Apesar dos avanços científicos e o acesso fácil a cuidados contínuos de saúde em países desenvolvidos, a prevalência do *diabetes* está aumentando, e intervenções com a finalidade de prevenir tal condição, como a atividade física e dieta, são subutilizados.[5]

Os custos do tratamento do *diabetes* são substanciais e estão em franco crescimento. Além dos custos diretos da doença, devem ser observados os custos indiretos, como: morte prematura, absenteísmo com diminuição da produtividade, incapacidade e aposentadorias por amputações ou piora do quadro clínico.[8] Segundo a Sociedade Brasileira de *Diabetes*, o Sistema Único de Saúde revelou um custo médio de R$ 2.951,00 por paciente/ano. Desses, mais de 60% relacionados aos custos diretos com insumos (medicamentos, exames, consultas com profissionais de saúde, monitoramento da glicemia capilar, produtos *diet*) e quase 40% aos custos indiretos, como absenteísmo com perda de produtividade, licenças médicas e aposentadorias precoces.[9]

PAPEL DO FISIOTERAPEUTA NA ASSISTÊNCIA AO DIABETES

Como nas outras condições crônicas de saúde, o fisioterapeuta tem um papel preponderante na prevenção do *diabetes* tipo II junto com outros profissionais, como o educador físico, enfermeiros, nutricionista e médicos, como também no manejo coletivo e individual de pessoas diabéticas com o intuito de prevenir complicações extremas por meio de um conjunto de ações.[10]

O fisioterapeuta apresenta habilidades para investigar na comunidade aqueles indivíduos em risco e estratificar aqueles com maior potencial de danos para uma assistência mais equânime, assim como realizar o acolhimento e triagem, planejar junto à equipe os projetos terapêuticos singulares e as ações coletivas para o manejo dos diabéticos.

ESTRATÉGIA DE RASTREAMENTO, ACOLHIMENTO E TRIAGEM

Em atenção primária, o trabalho sempre se inicia com a identificação da população de risco e o rastreamento de casos, que ocorre na fase de diagnóstico situacional para em seguida realizar o acolhimento. Essas ações são realizadas com os outros profissionais da equipe que podem planejar o rastreamento glicêmico em indivíduos hipertensos, obesos, sedentários e escolares. A verificação da glicemia dos usuários da unidade básica e em visitas domiciliares deve ser prática e usual no sentido de se identificar possíveis novos casos, bem como determinar e controlar a atual condição glicêmica do diabético, podendo ser facilmente verificado com um glicosímetro.

Para um prognóstico, correto é importante saber os parâmetros diagnósticos da patologia. Em caso de níveis glicêmicos elevados, deve-se encaminhar o paciente ao médico da equipe. A seguir, temos a a Tabela 20.1 com os valores de referência para o diagnóstico segundo a Diretriz da Sociedade Brasileira de *Diabetes*.[11]

TABELA 20.1. Valores de glicose plasmática (em mg/dL) para diagnóstico do *diabetes mellitus* e seus estágios pré-clínicos

Categoria	Jejum*	Casual**
Glicemia normal	< 100	-
Tolerância à glicose diminuída (pré-*diabetes*)	> 100 a < 126	-
Diabetes mellitus	≥ 126	≥ 200 (com sintomas clássicos)***

*O jejum é definido como a falta de ingestão calórica por no mínimo 8 horas. **Glicemia plasmática casual é aquela realizada a qualquer hora do dia, sem observar-se o intervalo desde a última refeição. ***Os sintomas clássicos de DM incluem poliúria, polidipsia e perda não explicada de peso.
Nota: O diagnóstico de DM deve sempre ser confirmado pela repetição do teste em outro dia, a menos que haja hiperglicemia inequívoca com descompensação metabólica aguda ou sintomas óbvios de DM.

Fonte: Modificada de Diretriz da Sociedade Brasileira de Diabetes. Métodos e critérios para o diagnóstico do diabetes mellitus.[11]

Após a identificação de novos casos (Figura 20.1), estes devem ser triados quanto à existência de outras morbidades por meio do exame clínico. Relembramos que não faz parte do escopo desta obra aprofundar na semiologia sistêmica, que também é uma competência do fisioterapeuta e já é contemplada em vasta literatura disponível para este fim. Todavia, achamos importante detalhar a triagem quanto à exist de alterações neuropáticas periféricas, pois esta por ser uma complicação comum no *diabetes* tem sua realização pouco sistematizada.

Durante o exame físico, o fisioterapeuta necessita examinar a fundo e registrar as condições sensoriais periféricas e a força muscular para identificar possíveis neuropatias e também observar a existência de ulcerações. A existência de ulcerações na pele deve ser imediatamente acompanhada com o enfermeiro e o médico, com curativos de proteção e medicação a fim de minimizar a sua progressão. Quando não resolutivo, deve ser discutido o referenciamento para centros especializados de reabilitação para intervenções regenerativas, como por exemplo o uso da laserterapia.

A avaliação da sensibilidade das mãos e dos pés deve ser realizada por meio da estesiometria,[12-16] que utiliza um instrumento de simples aplicação, fidedigno e validado para exame de sensibilidade dos nervos periféricos conhecido como estesiômetro. Esta técnica de avaliação tem a finalidade de estratificação de risco para incapacidade e acompanhamento da evolução do quadro sensorial.

Diabéticos que apresentam déficit de sensibilidade são estratificados quanto ao risco para incapacidade funcional e amputações com base na proporção de nervos avaliados com déficit

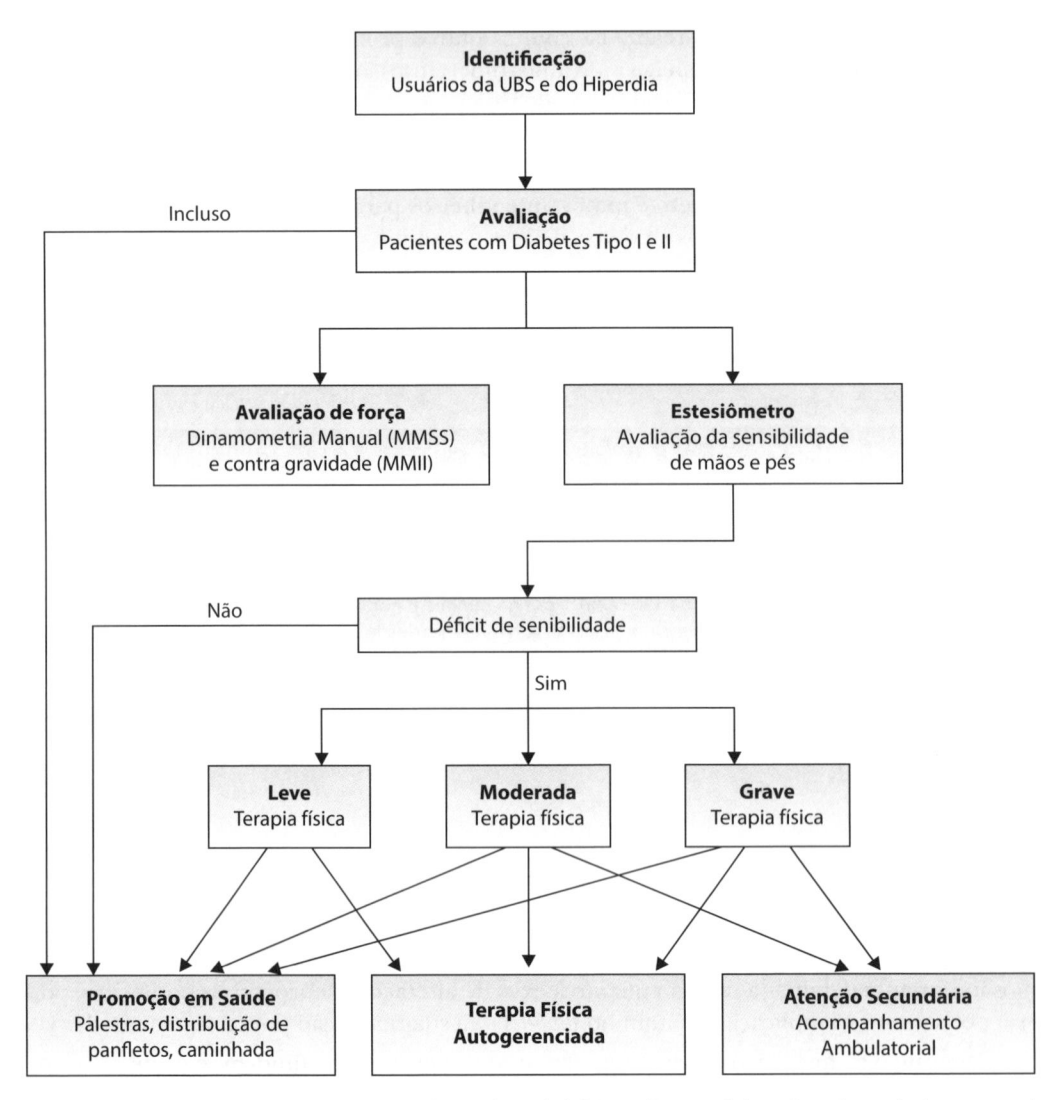

FIGURA 20.1. Fluxograma de acolhimento de usuários diabéticos. (Fonte: Elaborado pelos próprios autores.)

grave pela estesiometria. São classificados no estrato de baixo risco os que não apresentam nervos com diagnóstico de lesão grave. Aqueles diabéticos com até 10% de nervos com lesão grave são classificados no estrato de risco moderado e os que apresentarem mais de 10% de lesões nervosas graves têm risco elevado. Os diabéticos com risco moderado e elevado podem ser referenciados para centros de eletrodiagnóstico para determinar a condutância nervosa periférica e o estadiamento objetivo da lesão.

Para análise da força muscular utiliza-se a metodologia da dinamometria manual da preensão palmar[17] como critério de avaliação da extremidade distal do membro superior e o teste de força manual para os flexores plantares na postura ortostática para a porção distal do membro inferior. Essas técnicas semiológicas também têm o intuito de acompanhar a efetividade das intervenções e a evolução dessa valência física.

ESTRATÉGIAS DE INTERVENÇÃO

Abordagem de educação em saúde

As intervenções educativas visam tanto a promoção de saúde no combate aos condicionantes proximais como os hábitos de vida não saudáveis, como também a prevenção primária e secundária. Na perspectiva da promoção, o fisioterapeuta e sua equipe desenvolverá ações junto às escolas para adequação e estímulo da prática de atividade física, melhora da alimentação escolar, monitoramento de populações de risco e ações intersetorias, como criação de ambientes saudáveis de lazer e convivência.

Na perspectiva da prevenção de complicações, algumas das principais orientações gerais aos diabéticos podem ser previamente discutidas entre a equipe multiprofissional e os usuários a fim de torná-los participativos no processo de mudança de comportamento, como:[1,18-20]

- Tratar precocemente das lesões cutâneas.
- Usar sapatos confortáveis, meias sem costuras ou usadas ao avesso.
- Inspecionar periodicamente os pés.
- Automonitoramento da glicemia (jejum antes das injeções com insulina, antes e duas horas após as principais refeições e antes de atividade física ou durante o exercício prolongado).
- Alimentação adequada, com consumo limitado de açúcar (reitera-se que o carboidrato contido em massas, pães e outros é um tipo de açúcar).
- Cuidado com o uso de substâncias antiplaquetárias como a aspirina.
- Controlar a pressão arterial, o peso, os níveis de colesterol e triglicerídeos.
- O indivíduo deve capacitar-se para corrigir a hipo e hiperglicemia.
- Aderir ao esquema posológico da medicação.
- Modificar efetivamente as atitudes frente ao quadro da doença.
- Praticar atividades físicas regularmente.

As estratégias para alcançar a incorporação desses hábitos saudáveis e preventivos junto à população diabética devem contemplar várias metodologias, desde as ações coletivas em oficinas e palestras até as abordagens comportamentais que enfocam o enfrentamento e a modificação dos hábitos como alimentação, prática de atividade física e consumo de álcool e tabaco. Para maior aprofundamento nesses recursos terapêuticos, leiam o Capítulo 8 desta obra.

Marques et al.[21] identificaram em idosos diabéticos que apenas 6 de 100 idosos foram considerados aptos ao autocuidado, o que reforça a necessidade de capacitar o próprio paciente para gerenciamento de sua patologia, minimizando a manifestação das complicações passíveis de prevenção. Gomes-Villas Boas et al.,[22] e Silva et al.[23] evidenciaram que medidas educativas têm fundamental importância no conhecimento da patologia, dos meios de controle farmacológicos e não farmacológicos, na compreensão das mudanças necessárias no estilo de vida, como uso de calçados, necessidade da adesão ao exercício físico e no estímulo ao autocuidado, e se mostram importantes fatores no controle do *diabetes* e das suas complicações.[24]

ABORDAGEM DE TERAPIA FÍSICA

Associado às abordagens educativas e de mudança de comportamento, os diabéticos precisam ser encaminhados para grupos terapêuticos de prática de exercícios aeróbicos, fortalecimento muscular, equilíbrio e coordenação que visam controlar os níveis glicêmicos e prevenir complicações decorrentes de lesões neuropáticas.[25]

A atividade física regular e contínua é um componente essencial no controle do DM e na prevenção de suas complicações.[26] Os benefícios da atividade física são diversos, dentre eles: redução de hormônios antagônicos à ação da insulina (catecolaminas, cortisol, glucagon, hormônio do crescimento), melhora do perfil lipídico e, consequentemente, aumento da sensibilidade à insulina.[1] Estudos apontam que o aumento da sensibilidade à insulina, associado ao exercício físico, não permanece por mais de 72 horas,[26-28] por isso sua prática regular é tão importante para o diabético.

Os cuidados prévios e a prescrição do exercício para o diabético devem ser criteriosos. Confira a seguir, na Tabela 20.2, cuidados importantes antes do paciente com DM iniciar sua atividade física[1].

TABELA 20.2. Cuidados prévios a serem tomados pelo portador de *diabetes mellitus* antes do exercício

1. Evitar aplicação de insulina nas partes mais solicitadas do corpo durante o exercício
2. Retirar bomba de infusão de insulina durante a prática de atividade física
3. Medir a glicose antes da atividade física
4. Faixa glicêmica ideal para a prática de exercício físico: 100 a 250 mg/dL para adultos ou 120 a 250 mg/dL para crianças
5. Para atividades prolongadas ingerir 15 gramas (g) de carboidrato a cada 30 min de atividade física ou 30 a 45 g para crianças*
6. Glicemia < 80 mg/dL não praticar a atividade física
7. Glicemia de 80 a 100 mg/dL para adultos e 80 a 120 mg/dL para crianças deve-se ingerir 15 a 45 gramas de carboidratos*
8. Glicemia >300 mg/dL não praticar exercício físico
* Porções equivalentes a 15 g de carboidratos: 1 colher de sopa de açúcar ou mel, 1 copo americano (150 mL) de refrigerante comum ou suco de laranja, 3 unidades de bala de caramelo.

Fonte: Elaborada pelos próprios autores.

Os exercícios mais recomendados são aqueles de característica aeróbica como caminhar, nadar, correr e andar de bicicleta, que envolvem grande massa muscular, já que estes mostraram ser mais eficazes na redução glicêmica, melhoria da sensibilidade à insulina e, consequentemente, na redução da necessidade de insulina.[29-31]

A duração do exercício aeróbico pode variar de 30 a 90 minutos com frequência de 3 a 7 vezes por semana. A intensidade inicial deve ser com carga de 40%, progredindo com aumento da carga para 50 e 70% da frequência cardíaca máxima ($FC_{máxima}$ = 220 − idade)[32] e deve ser inversamente proporcional à frequência semanal, ou seja, quanto menos vezes por semana de atividade física praticada, maior deverá ser a intensidade, obedecendo a limites preestabelecidos.[1,30] Diabéticos obesos devem ter o tempo de treino aumentado.[1] A intensidade pode também ser controlada por meio da Percepção Subjetiva do Esforço (PSE) com a escala de Borg no nível 12[30] ou frequencímetro e oxímetro, se disponíveis no serviço.

Avery et al.[25] e Johannsen et al.[33] mostram que a inclusão de exercícios aeróbicos no tratamento de diabéticos reduz a resistência à insulina e reduz o risco de doenças cardiovasculares. Vancea et al.[27] utilizaram exercícios físicos de média intensidade, iniciando em

60% da frequência cardíaca máxima (FC$_{máx}$) e progredindo para 70% da FC$_{máx}$, realizados cinco vezes por semana, durante 45 minutos, dos quais 30 minutos eram destinados à prática de exercícios aeróbicos. Como resultado, obtiveram a redução do IMC, da circunferência abdominal, na média das glicemias capilares e nas glicemias de jejum e pós-prandial dos participantes.

O treino resistido pode ser uma medida complementar no controle metabólico em DM, sobretudo se associado ao treino aeróbico.[34] Exercícios para musculaturas do membro superior e inferior utilizando faixa elástica com resistência fraca ou moderada podem ser progredidos no comprimento da faixa e modificações nos ângulos dos movimentos. A graduação da resistência também pode ocorrer por meio de pesos livres, como: garrafas descartáveis do tipo "pet" preenchidas com água ou areia e halteres.[35]

Tan et al.[34] observaram que um protocolo de treino resistido de cinco exercícios, com intensidade de 50 a 70% de 1 RM e 10 a 12 repetições, associado a 30 minutos de caminhada e corrida (55 a 70% da FC$_{máx}$) por 3 vezes na semana, durante 6 meses, mostrou-se eficiente na redução dos níveis de glicemia pós-prandial e hemoglobina glicada em pacientes idosos com histórico prolongado de DM tipo II. Canchè e González[36] e Kwon et al.[37] realizaram experimento com diabéticos e observaram que treinamentos resistidos de grupos musculares tanto de membro superior e inferior aumentam a força muscular e a resistência muscular percebida em pacientes diabéticos.

Também precisam ser realizados exercícios de equilíbrio estático com o uso de apoio unipodal, podendo ser auxiliados por bastão ou apoio na parede, progredindo com a retirada do apoio. Outra maneira é a utilização de copos descartáveis e solicitar ao indivíduo que não o amasse por meio da elevação das pernas à altura de 90° de flexão de quadril e intercalando os membros inferiores, podendo-se fazer uso de caneleiras para dificultar o exercício.[38-39]

Outro aspecto do déficit funcional que eventualmente está alterado nos diabéticos é o equilíbrio dinâmico.[40] Esse componente motor pode ser explorado em diversos exercícios funcionais, como a caminhada em linha reta com passadas de base larga ou, contrariamente, sua diminuição, colocando um pé em frente do outro e progredindo com o uso de obstáculos como garrafas para serem transpassadas, retirada do campo visual momentaneamente, subir e descer degraus e o uso de superfícies irregulares como terreno arenoso ou com pedregulhos, sem risco de ferir o usuário.[14] O treino do equilíbrio antecipatório deve ser contemplado por meio dos movimentos de sentar-levantar com mãos estendidas e sentar-levantar com braços cruzados no tórax.[17]

Para os treinos sensoriais, pode-se desenvolver a aplicação de gelo sobre a planta e o dorso dos pés e as regiões palmar e dorsal das mãos; aplicação de diferentes texturas tipo esponja (superfície lisa e rugosa), algodão, cerdas de escova, lixa de unha sobre as regiões, sempre pedindo para o paciente descrever a sensação e o local de aplicação.[41] Também pode-se aplicar estimulação com pinçamento com lápis e discriminação de objetos com diferentes tamanhos na palma da mão e na planta dos pés. Todas são terapias especificadas e ensinadas para o autogerenciamento.[42-45]

O cuidado autoapoiado no manejo do *diabetes* torna-se preponderante para melhor condição de vida dos portadores dessa doença. A capacitação dos indivíduos diabéticos em estágios sem complicações por meio de ações educativas e de terapias físicas somadas às terapias medicamentosas e nutricionais potencializam um padrão de vida normal e redução dos gastos com insumos.

Considerações finais

É notório o problema de saúde mundial que o *diabetes* se transformou. O cuidado com essa doença vem mostrando-se um grande dilema para os sistemas de saúde que procuram desenvolver mecanismos de proteção das pessoas a fim de prevenir a sua ocorrência. Todavia, o principal tipo de *diabetes*, o tipo II, é determinado em grande parte pelo comportamento não saudável da população relacionado à alimentação e ao sedentarismo.

Ações de nível primário de assistência à saúde são fundamentais para o controle e o manejo preventivo de complicações. O fisioterapeuta insere-se nesse cenário como um profissional capaz de prover prática profissional sanitária de promoção da saúde e prevenção do *diabetes*, assim como todo profissional de saúde de nível superior. Além disso, também têm habilidades técnicas de identificar precocemente os acometidos e realizar assistência continuada de longa duração para o manejo do *diabetes* por intermédio de ações educativas e terapias físicas alicerçadas em um conhecimento anatomopatológico e de clínica da morbidade.

Referências Bibliográficas

1. Negrão CE, Barreto ACP. Cardiologia do exercício: do atleta ao cardiopata. 3. ed. Barueiri: Manole; 2010.
2. Maraschin et al. Diabetes mellitus classification. Arq Bras Cardiol. 2012;95:(2).
3. Diretriz Brasileira de Diabetes. Sociedade Brasileira de Diabetes; 2009.
4. Callaghan BC, Cheng HT, Stables CL, Smith AL, Feldman EL. Diabetic neuropathiy: clinical manifestations and currents treatments. Lancet. 2012; 11:521-34.
5. King H, Aubert RE, Herman WH. Global burden of diabetes, 1995-2025. Diabetes Care. 1998; 21:1414-31.
6. Narayan KMV, Gregg EW, Fagot-Campagna A, Engelgau MM, Vinicor F. Diabetes- a common, growing, serious, costly, and potentially preventable public health problem. Diabetes Res Clin Pract. 2000; 50:77-84.
7. Federação Internacional de Diabetes, 2010. Atlas de Diabetes. Disponível em: http://www.idf.org/diabetesatlas.
8. Georg AE et al. Análise econômica de programa para rastreamento do diabetes mellitus no Brasil. Revista de Saúde Pública.; São Paulo; 2005;39(3):452-60.
9. Bahia LA et al. The costs of type 2 diabetes mellitus outpatient care in the Brazilian public health system: results from a multicenter survey. Value in Health. Value Health. 2011 Jul-Aug;14(5 Suppl 1):S137-40.
10. Cosme AA. Construção das práticas em enfermagem: a formatividade nos cuidados aos diabéticos em contexto comunitário. Revista de Ciências da Educação. 2008;5.
11. Diretriz Brasileira de Diabetes. Sociedade Brasileira de Diabetes. Métodos e critérios para o diagnóstico do diabetes mellitus. 2012-2013.
12. Rodini FCB et al. Disability prevention in leprosy using a self-care manual for patients. Fisioterapia e Pesquisa. 2010;17(2):157-66.
13. Cisneros LL. Avaliação de um programa para prevenção de úlceras neuropáticas em portadores de diabetes. Rev Bras Fisioter. 2010;14(1): 31-7.
14. Alvarenga PP, Pereira DS, Anjos DMC. Mobilidade funcional e função executiva em idosos diabéticos e não diabéticos. Rev Bras Fisioter. 2010;14(6).
15. Georg et al. Análise econômica de programa para rastreamento do diabetes mellitus no Brasil. Revista de Saúde Pública. 2005; São Paulo; 39(3).
16. Sociedade Brasileira de Diabetes. Algoritmo para tratamento de diabetes tipo 2. Posicionamento Oficial SBD n. 3, 2011.
17. Reis Arantes. Medida da força de preensão manual – validade e confiabilidade do dinamômetro saehan. Fisioterapia e Pesquisa. 2011;18(2):176-81.

18. Cosme AA. Construção das práticas em enfermagem: a formatividade nos cuidados aos diabéticos em contexto comunitário. Revista de Ciências da Educação. 2008;5.

19. Rodrigues FFL, Zanetti ML, Santos MA, Martins TA, Sousa VD, Teixeira CRS. Conhecimento e atitudes: componentes para a educação em diabetes. Revista Latino-Americana de Enfermagem. 2009;17(4):468-73.

20. Leite SAO, Zanim LM, Granzotto PCD, Heupa S, Lamounier RN. Pontos básicos de um programa de educação ao paciente com diabetes melito tipo 1. Arq Bras Endocrinol Metab. 2008;52(2):233-42.

21. Marques MB, Silva MJ, Coutinho JFV, Lopes MVO. Avaliação da competência de idosos diabéticos para o autocuidado. Rev Esc Enferm USP. 2013 Apr;47(2):415-20.

22. Gomes-Villas Boas LC, Foss MC, Foss-Freitas MC, Torres HC, Monteiro LZ, Pace AE. Adesão à dieta e ao exercício físico das pessoas com diabetes mellitus. Texto & Contexto - Enfermagem 2011 June;20(2):272-9.

23. Silva ARV, Zanetti ML, Forti AC, Freitas RWJF, Hissa MN, Damasceno MMC. Avaliação de duas intervenções educativas para a prevenção do diabetes mellitus tipo 2 em adolescentes. Texto & Contexto - Enfermagem 2011 Dec;20(4):782-7.

24. Salcedo-Rocha AL, Alba-García JEG, Sevila E. Dominio cultural del autocuidado en diabeticos tipo 2 con y sin control glucémico en México. Rev Saúde Pública. 2008 Apr;42(2):256-64.

25. Avery L, Flynn D, van Wersch A, Sniehotta FF, Trenell MI. Changing physical activity behavior in type 2 diabetes: a systematic review and meta-analysis of behavioral interventions. Diabetes Care. 2012 Dec;35(12):2681-9.

26. Colberg S. Atividade física e diabetes. Barueri: Manole. 2003. Cap. 2.

27. Vancea DMM et al. Efeito da frequência do exercício físico no controle glicêmico e composição corporal de diabéticos tipo 2. Arq Bras Cardiol. 2009;92(1):23-30.

28. Sigal RJ, Kenny GP, Wasserman DH, Castaneda-Sceppa C. Physical activity/exercise and type 2 diabetes. Diabetes Care. 2004;27(10):2518-39.

29. Jimenez C, Santiago, Sitler M, Boden G, Homko C. Insulin-sensitivity response to a single bout of resistive exercise in type 1 diabetes mellitus. Journal of Sport Rehabilitation. 2009;(18):564-71.

30. Arsa G et al. Diabetes mellitus tipo 2: Aspectos fisiológicos, genéticos e formas de exercício físico para seu controle. Rev Bras Cineantropom Desempenho Hum. 2009;11(1):103-11.

31. Ramalho AC et al. The effect of resistance versus aerobic training on metabolic control in patients with type-1 diabetes mellitus. Diabetes Research and Clinical Practice. 2006;(72):271–6.

32. Moro ARP et al. Effect of combined and aerobic training on glycemic control in type 2 diabetes. Fisioter Mov. 2012;25(2):.

33. Johannsen NM, Swift DL, Lavie CJ, Earnest CP, Blair SN, Church TS. Categorical analysis of the impact of aerobic and resistance exercise training, alone and in combination, on cardiorespiratory fitness levels in patients with type 2 diabetes: Results from the HART-D study. Diabetes Care. 2013 Oct;36(10):3305-12.

34. Tan S, Li W, Wang J. Effects of six months of combined aerobic and resistance training for elderly patients with a long history of type 2 diabetes. Journal of Sports Science and Medicine. 2012;(11):495-501.

35. Coelho CR, Wechsler A, Amaral VLAR. Dizer e fazer: a prática de exercícios físicos em portadores de diabetes mellitus tipo 2. Rev Bras de Ter Comp Cogn 2010;(1):29-38.

36. Canché KAM, González BCS. Ejercicio de resistencia muscular en adultos con diabetes mellitus tipo 2. Rev. Latino-Am. Enfermagem. 2005 Feb;13(1):21-2.

37. Kwon HR, Han KA, Ku YH, Ahn HJ, Koo BK, Kim HC, Min KW. The effects of resistance training on muscle and body fat mass and muscle strength in type 2 diabetic women. Korean Diabetes J. 2010 Apr;34(2):101-10.

38. Nascimento LCG, Patrizzi LJ, Oliveira CCES. Result of four weeks of propreoceptive training in the studied postural balance of elderly. Fisioter Mov. 2012;25(2).

39. Santos AA et al. Efeito do treinamento proprioceptivo em mulheres diabéticas. Rev Bras Fisioter, São Carlos. 2008;12(3):183-7.

40. Silva A et al. Balance, coordination and agility of older individuals submitted to physical resisted exercises practice. Rev Bras Med Esporte. 2008;14(2).

41. Khalil Z, Ogrin R, Darzins PJ. The effect of sensory nerve stimulation on sensory nerve function in people with peripheral neuropathy associated with diabetes. Neurol Res. 2007 Oct;29(7):743-8.

42. Kochman AB, Carnegie DH, Burke TJ. Symptomatic reversal of peripheral neuropathy in patients with diabetes. J Am Podiatr Med Assoc.; 2002 Mar.;92(3):125-30.

43. Malgrange D, Richard JL, Leymarie F. French Working Group on The Diabetic Foot. Screening diabetic patients at risk for foot ulceration. A multi-centre hospital-based study in France. Diabetes Metab. 2003;(29):261–8.

44. Balducci S, Iacobellis G, Parisi L, Di Biase N, Calandriello E, Leonetti F et al. Exercise training can modify the natural history of diabetic peripheral neuropathy. J Diabetes Complicat. 2006;20(4):216-23.

45. Harkless LB, DeLellis S, Carnegie DH, Burke TJ. Improved foot sensitivity and pain reduction in patients with peripheral neuropathy after treatment with monochromatic infrared photo energy-MIRE. J Diabetes Complications. 2006 Mar-Apr;20(2):81-7.

Atenção Fisioterapêutica no Manejo do Acidente Vascular Encefálico

■ Johnnatas Mikael Lopes

■ Geronimo Jose Bouzas Sanchis

APRESENTAÇÃO

Neste capítulo, abordaremos a atenção fisioterapêutica àqueles indivíduos com risco de desenvolver um acidente vascular encefálico (AVE) a partir de um enfoque epidemiológico dos fatores de risco e de estratégias para identificação de grupos vulneráveis, com o intuito de poder prevenir sua ocorrência, minimizando seu impacto na sociedade, junto com o manejo de indivíduos acometidos que necessitam de acompanhamento em nível de atenção primária à saúde.

Iniciaremos expondo o perfil epidemiológico do AVE e quais os principais contribuintes para sua ocorrência e, em seguida, detalharemos as estratégias que podem ser elaboradas na atenção primária com o intuito de prevenção. Finalizaremos com uma explanação sobre o manejo de sequelados de AVE no ambiente domiciliar.

INTRODUÇÃO

Reconhecida como a principal morbidade incapacitante na atualidade, o AVE, também conhecido como acidente vascular cerebral, ainda figura como a terceira causa de morte, estando atrás apenas do infarto do miocárdio e câncer.[1-3] Hoje, em virtude da melhoria dos recursos de assistência médica, há grande sobrevida nos casos de AVE. Em contrapartida, essa disfunção cerebrovascular ainda ocasiona elevado número de indivíduos sequelados e, consequentemente, incapacitados para realização de atividades de vida diária e laborais. Paradoxalmente, mesmo com consequências tão avassaladoras, o AVE apresenta alto potencial de prevenção quando combatido a nível primário.[3]

O AVE é dividido, classicamente, em dois tipos principais: o hemorrágico e o isquêmico. O primeiro acontece em menor proporção na população, em torno de 15%, e o segundo abrange quase 80% dos acometimentos. Os 5% restantes são de causas não específicas.[4] Diante deste panorama, verificamos que um dos maiores problemas de saúde pública está na ocorrência de AVE isquêmico, que apresenta vasta quantidade de fatores de risco modificáveis e que detalharemos mais adiante.

Vários estudos epidemiológicos vêm relatando dados de declínio acentuado na incidência de AVE, principalmente os do tipo isquêmico.[5-7] No entanto, parece que esse panorama depende do nível de desenvolvimento dos países, onde os chamados países desenvolvidos apresentaram redução dos casos incidentes, enquanto nações em desenvolvimento acenam para números cada vez mais crescentes.[8] Isso está intimamente ligado às políticas de prevenção implementadas nesses países e o acesso às ações de saúde.

Rothwell et al.[9] verificaram redução de 4% nos casos de AVE entre 1981 e 2004 na Inglaterra. No Brasil, estudos recentes mostram que existe um declínio na incidência de AVE isquêmico e que tal perfil ocorre tanto em homens como em mulheres e em todas as idades,[6,10] assim como na taxa de mortalidade.[5,10] Contrariando essas perspectivas gerais de redução na incidência de AVE, a população japonesa não revelou redução na incidência de AVE no período de 1988 e 2004[11] e Palm et al.[12] encontraram elevação nos casos de AVE na Alemanha, mais especificamente na população inferior a 65 anos, mostrando que essa doença cerebrovascular está acometendo cada vez mais a população jovem com estilo de vida inadequado.

FATORES DE RISCO PARA O AVE

Entre os fatores de risco para ocorrência de AVE, identificamos os fatores modificáveis e os não modificáveis.[3,13] Nestes, destacamos características como idade avançada, sexo, etnia e hereditariedade. Estimativas mostram que idosos acima de 75 anos têm 11 vezes mais chance de desenvolver AVE que aqueles com idade inferior a 45 anos, apesar de já registrarem aumento de casos em adultos jovens.[3]

O sexo também apresenta variabilidade quanto ao aparecimento de eventos cerebrovasculares. Os homens têm risco pouco maior que as mulheres para a ocorrência de AVE, tanto isquêmico quanto hemorrágico. A etnia também contribui para ocorrência do AVE; negros e hispânicos têm maior probabilidade de desenvolverem qualquer tipo de distúrbio cerebrovascular que brancos. Este fato é explicado pela grande ocorrência de hipertensão, obesidade e diabetes nessa população que, geralmente, ocupa mais as estratificações inferiores dos condicionantes sociais. Ainda creditamos aos fatores não modificáveis o baixo peso ao nascer e a história familiar de AVE, que parecem aumentar o risco de eventos isquêmicos ou hemorrágicos.[3,14,15]

Quando se mencionam os fatores de risco modificáveis do AVE, primeiramente destacamos a contribuição que a hipertensão arterial apresenta como principal fator de risco, elevando em oito vezes a possibilidade de ocorrência do AVE, sendo que seu tratamento produz uma queda de 32% em sua incidência. Outro forte agravante é o hábito de fumar, que acaba provocando duas vezes mais AVE isquêmico nos fumantes em virtude da facilitação na formação de trombos e placas ateroscleróticas em vasos sanguíneos cerebrais. O diabetes também eleva a incidência dos casos de AVE, podendo aumentar em até 6 vezes sua ocorrência, tornando-se um sério agravante pelo fato de sua incidência estar crescendo nos adultos jovens e intimamente ligada à hipertensão.[8]

Também registra-se aumento no risco de AVE quando há hipercolesterolemia, estenose carotídea assintomática, terapia de reposição hormonal, obesidade e sedentarismo, fibrilação atrial e outras doenças cardiovasculares. Um agravante comum nos dias de hoje, o estresse, ligado à saúde mental e que tem grande influência na atividade circulatória geral e cerebral, causa picos hipertensivos e, ocasionalmente, eventos isquêmicos ou hemorrágicos.[3]

O impacto dessa disfunção cerebrovascular na sociedade contemporânea está diretamente relacionado com os custos com atendimentos hospitalares, ambulatoriais e de segurança social e, indiretamente, na redução da população economicamente ativa, o que reduz a força de trabalho. Assim, fisioterapeutas capacitados em identificar grupos vulneráveis e intervir no combate aos fatores de risco tornam-se imprescindíveis nos serviços de atenção primária à saúde, pois esses profissionais têm habilidades para o manejo preventivo e na recuperação de indivíduos acometidos.

RASTREAMENTO DO RISCO DE AVE

Uma das estratégias utilizadas nos serviços de atenção primária em saúde é a identificação precoce de indivíduos em risco ou com morbidades instaladas e ainda silenciosas por meio de rastreamento. Essa metodologia consiste na busca ativa de indivíduos que apresentam maiores probabilidades de sofrer o primeiro AVE em um período futuro de dez anos. É de suma importância a detecção dos indivíduos que apresentem fatores de risco modificáveis e não modificáveis a fim da pronta assistência para controlá-los. Quanto mais imediata for a detecção da população vulnerável, melhor será o efeito das medidas de controle na saúde coletiva e individual.

Ferramentas diagnósticas ou prognósticas são elaboradas para programas de rastreamento a fim de identificar indivíduos com doenças ou propensos a apresentar a doença na comunidade em futuro próximo. Assim, pode-se selecionar a melhor ação para a mitigação dos contribuintes proximais.[3]

É de grande utilidade para o fisioterapeuta e os outros profissionais de saúde que atuam na atenção primária poder ser capaz de estimar o risco de uma pessoa ter o primeiro AVE em um tempo futuro. Conforme colocado antes, vários fatores de risco contribuem para o aparecimento da doença e muitas pessoas os apresentam de modo evidente. O objetivo é identificar na comunidade pessoas com risco e que podem não estar cientes do seu atual estado de saúde.

Um instrumento chamado *Framingham Stroke Risk Profile* (FSP) (Tabelas 21.1 a 21.4) foi desenvolvido a partir do estudo de coorte na cidade norte-americana de mesmo nome e tem a função de estimar a probabilidade de um evento de AVE nos próximos 10 anos de vida para os indivíduos rastreados. Esse instrumento avalia a existência de fatores de risco modificáveis e não modificáveis, como: idade, sexo, valores de pressão arterial sistólica, hipertensão arterial tratada, diabetes melito, tabagismo atual, doenças coronárias estabelecidas (angina ou insuficiência coronariana, insuficiência cardíaca congestiva, claudicação intermitente), fibrilação atrial no eletrocardiograma e hipertrofia do ventrículo esquerdo no ecocardiograma.[3]

A existência dessas características é ponderada em um algoritmo construído para a coorte de Framingham[16] e a partir do qual conseguimos estimar a probabilidade de ocorrência de evento cerebrovascular nos próximos 10 anos. Nesse instrumento, existem escores distintos para homens e mulheres, os quais têm uma probabilidade atrelada a eles.

Para cada nível do fator de risco assinalado, existirá um escore correspondente em colunas diferentes. Os escores de todos os fatores rastreados serão somados ao final da aplicação do instrumento prognóstico, fornecendo um valor total para cada usuário participante do rastreamento. Por exemplo: homem de 65 anos (4 pontos), pressão sistólica de 152 mmHg (5 pontos), diabético (2 pontos) e com hipertrofia do ventrículo esquerdo (5 pontos) terá uma pontuação total de 16 pontos no FSP. Isso equivalerá a 22% de probabilidade para ocorrência de AVE nos próximos 10 anos. Como modo de estratificar os grupos de risco, os indivíduos que apresentarem uma probabilidade superior a 10% já serão classificados como de alto risco.

TABELA 21.1. Framingham stroke risk profile traduzida para homens (Adaptada)

Homens	Pontos										
	0	+1	+2	+3	+4	+5	+6	+7	+8	+9	+10
Idade	54-56	57-59	60-62	63-65	66-68	69-72	73-75	76-78	79-81	82-84	85
PA s/TTO	97-105	106-115	116-125	126-135	136-145	146-155	156-165	166-175	176-185	186-195	196-205
PA TTO	97-105	106-112	113-117	118-123	124-129	130-135	136-142	143-150	151-161	162-176	177-205
Diabetes	Não		Sim								
Fumante	Não			Sim							
DCV	Não					Sim					
FA	Não					Sim					
HVE	Não						Sim				

PA s/TTO = Pressão arterial sistólica sem tratamento; PA TTO = Pressão arterial sobre tratamento; DCV = Doenças cardíacas vasculares; FA = Fibrilação atrial; HVE = Hipertrofia do ventrículo esquerdo.

Fonte: Adaptada de Goldstein LB, Bushnell CD, Adams RJ, Appel LJ, Braun LT, Chaturvedi S et al. Guideline Guidelines for the Primary Prevention of Stroke: A Guideline for Healthcare Professionals from the American Heart Association/ American Stroke Association. Stroke. 2011; 42:517-84.

TABELA 21.2. Correspondência do somatório de pontos no Framingham Strorke Profile em homens para a probabilidade de risco de AVE nos próximos 10 anos (Adaptada)

Pontos	Chances em 10 anos %	Pontos	Chances em 10 anos %	Pontos	Chances em 10 anos %
1	3	11	11	21	42
2	3	12	13	22	47
3	4	13	15	23	52
4	4	14	17	24	57
5	r-	15	20	25	63
6	5	16	22	26	68
7	6	17	26	27	74
8	7	18	29	28	79
9	8	19	33	29	84
10	10	20	37	30	88

Fonte: Adaptada de Goldstein LB, Bushnell CD, Adams RJ, Appel LJ, Braun LT, Chaturvedi S et al. Guideline Guidelines for the Primary Prevention of Stroke: A Guideline for Healthcare Professionals from the American Heart Association/ American Stroke Association. Stroke. 2011; 42:517-84.

Apesar da ampla recomendação do FSP em vários *guidelines*, a validade dessa ferramenta em outras populações ainda não foi adequadamente estudada, havendo a possibilidade da alteração da ponderação do risco de AVE para cada fator estudado.[3] Todavia, isso não retira sua utilidade, pois independentemente da magnitude do risco, sua existência produz grande impacto na estratificação de risco e no manejo preventivo. Por não ser um instrumento psicométrico, torna-se desnecessária sua validação cultural e sim a estimação da sua ponderação em estudos de coorte.

TABELA 21.3. Framingham stroke risk profile traduzida para mulheres (adaptada)

Mulheres	Pontos										
	0	+1	+2	+3	+4	+5	+6	+7	+8	+9	+10
Idade	54-56	57-59	60-62	63-64	65-67	68-70	71-73	74-76	77-78	79-81	82-84
PA s/TTO		95-106	107-118	119-130	131-143	144-155	156-167	168-180	181-192	193-204	205-216
PA TTO		95-106	107-113	114-119	120-125	126-131	132-139	148-148	149-160	161-204	205-216
Diabetes	Não			Sim							
Fumante	Não			Sim							
DCV	Não		Sim								
FA	Não				Sim						
HVE	Não						Sim				

PA s/TTO = Pressão arterial sistólica sem tratamento; PA TTO = Pressão arterial sobre tratamento; DCV = Doenças cardíacas vasculares; FA = Fibrilação atrial; HVE = Hipertrofia do ventrículo esquerdo.

Fonte: Adaptada de Goldstein LB, Bushnell CD, Adams RJ, Appel LJ, Braun LT, Chaturvedi S et al. Guideline Guidelines for the Primary Prevention of Stroke: A Guideline for Healthcare Professionals from the American Heart Association/ American Stroke Association. Stroke. 2011; 42:517-84.

TABELA 21.4. Correspondência do somatório de pontos no Framingham Stroke Profile em mulheres para a probabilidade de risco de AVE nos próximos 10 anos (adaptada)

Pontos	Chances em 10 anos %	Pontos	Chances em 10 anos %	Pontos	Chances em 10 anos %
1	1	10	6	19	32
2	1	11	8	20	37
3	2	12	9	21	43
4	2	13	11	22	50
5	2	14	13	23	57
6	3	15	16	24	64
7	4	16	19	25	71
8	4	17	23	26	78
9	5	18	27	27	84

Fonte: Adaptada de Goldstein LB, Bushnell CD, Adams RJ, Appel LJ, Braun LT, Chaturvedi S et al. Guideline Guidelines for the Primary Prevention of Stroke: A Guideline for Healthcare Professionals from the American Heart Association/ American Stroke Association. Stroke. 2011; 42:517-84.

TRIAGEM E ACOLHIMENTO

Além dos rastreamentos, o fisioterapeuta pode identificar grupos de risco durante atendimentos de primeiro contato na unidade de saúde e, juntamente com outros membros da equipe, estabelecer o contato inicial com os usuários rastreados a fim de realizar a triagem e o acolhimento. Nessas ações, são estabelecidos as possíveis intervenções e o necessário referenciamento a outros profissionais especialistas.

Nos indivíduos já acometidos por eventos cerebrovasculares, é preciso realizar a avaliação da sua funcionalidade e capacidade de manter o autocuidado, assim como a necessidade de suporte profissional. Após essa avaliação na consulta de primeiro contato e da triagem de outros sistemas corporais, a equipe será capaz de elaborar o plano terapêutico singular, cuja característica é o trabalho conjunto entre os membros da equipe, que possibilita a discussão e a construção das condutas mais eficazes e entendimento de peculiaridades de cada indivíduo aliado à participação do usuário e da família na sua elaboração.

Assim, o serviço tem a possibilidade de acompanhar mais intimamente os usuários em risco de agravamento de sua incapacidade e ser corresponsável pelas mudanças na saúde da mesma por meio de incentivos ao controle dos fatores que contribuem para o aparecimento da doença, assim proporcionando melhora das condições de vida da população.[17]

Durante sua consulta de primeiro contato ou referenciada por outro profissional da equipe, o fisioterapeuta terá a oportunidade, após exame sistêmico e funcional minucioso, de estabelecer critérios para um acompanhamento a longo prazo, estabelecer metas e realizar a prescrição de terapias físicas, auxílio às mudanças comportamentais e ações educativas adequadas. É também de grande importância para o fisioterapeuta manter-se informado sobre as outras relações do paciente: verificar se o mesmo trabalha ou como estão as relações em seu âmbito social, psicológico e biológico,[18] procurando associar à vulnerabilidade familiar.

ESTRATÉGIA DE INTERVENÇÃO

O fisioterapeuta atuará na equipe de atenção primária em saúde tanto no combate ao risco de AVE como no acompanhamento de usuários acometidos, realizando as seguintes ações: coordenação do rastreamento de risco, acolhimento, triagem, planejamento de ações de prevenção e promoção da saúde por meio de atividades em grupo e individuais, assistência domiciliar e também promover ações intersetoriais de combate aos condicionantes sociais intermediários.[17]

É comprovado que, com o lançamento de programas de prevenção, como controle da pressão arterial, abandono do tabagismo e sedentarismo, controle da glicemia e da ingestão de sal e do estresse, obtém-se uma diminuição na incidência de AVE.[7,13] Mas, para isso, quando trabalhamos em serviços de atenção primária, faz-se necessário que a equipe multidisciplinar discuta a situação de saúde relacionada com o risco de AVE nos momentos de planejamento, elaborando grupos operativos para comportamentos não saudáveis e planos de prevenção do AVE e traçando projetos terapêuticos para aqueles em risco de agravamento da incapacidade assim como estabelecendo metas a serem cumpridas.[17]

Um dos programas de intervenção criado pelo governo brasileiro foi o Programa Nacional de Assistência ao Hipertenso e Diabético, chamado Hiperdia, implementado no ano de 2002, que combate os principais fatores de risco para doenças cardiovasculares e também o AVE. Esta estratégia consiste no acompanhamento contínuo de usuários hipertensos e diabéticos na comunidade com o fornecimento, principalmente, de medicamentos e também ações de modificações de hábitos de vida.[14,15] Nesse sentido, o fisioterapeuta tem papel preponderante no combate direto aos principais fatores de riscos modificáveis com seu arsenal de conhecimento epidemiológico e de prática terapêutica.

ABORDAGEM DE PROMOÇÃO DA SAÚDE E PREVENÇÃO DO AVE

Os profissionais das equipes de serviços de atenção primária, seja ela a Estratégia de Saúde da Família ou Núcleos Ampliados de Apoio à Saúde da Família, devem envolver a participação da comunidade a fim de melhorar sua condição de vida, tornando-a proativa quanto às questões de saúde, conscientizando a população sobre o seu protagonismo no combate aos fatores de risco e participação na sua identificação.[17]

As ações de atenção coletiva e individual a fumantes podem ser desenvolvidas nos serviços de saúde como também em outros aparelhos sociais da comunidade a fim de estimular o abandono do hábito tabagista e dar suporte aos fumantes neste processo longo e difícil. O Ministério da Saúde, junto ao Instituto Nacional do Câncer (INCA), desenvolveu o Programa Nacional de Controle do Tabagismo, que pode funcionar como fonte norteadora para o planejamento de estratégias de combate. Empenho semelhante precisa ser dispensado ao consumo de álcool, atividade física e alimentação, com o desenvolvimento de abordagens comportamentais.

A realização de ações de educação em saúde torna-se preponderante na atenção primária em razão do efeito permanente que o aprendizado causa no comportamento das pessoas, principalmente quando os condicionantes de saúde são em sua maioria oriundos de características atitudinais. As abordagens adotadas devem priorizar uma pedagogia problematizadora, que tem a finalidade de fazer com que os participantes reconheçam sua real situação de saúde, assim como, também, com a ajuda dos profissionais da equipe, construir estratégias de solução para seus problemas. Assim, ocorrerá um empoderamento dos participantes da comunidade quanto aos desafios e soluções. As outras pedagogias, como a da transmissão e condicionantes, também podem ser utilizadas, contudo, de modo racional e em menor escala que a problematizadora.

As ferramentas para as realizações de educação em saúde podem emergir da criatividade dos profissionais da atenção primária ou podem se valer de técnicas já consagradas da área de educação, como a elaboração de oficinas, entrevistas motivacionais, grupos operativos e a confecção de material educativo, por exemplo, cartilhas e manuais que possam ser completamente entendidos e utilizados pela população no seu cotidiano.[18] Tais abordagens precisam ser corretamente planejas para conseguir aderência da população.

As estratégias de oficinas, rodas de conversa e conversas individualizadas têm bons resultados no aprendizado de hábitos saudáveis de vida, principalmente quando realizadas com metodologias para mudanças de comportamento, como o Grupo Operativo, Processo de Solução de Problemas, Entrevista Motivacional e/ou Modelo Transteórico de Mudança. Estas metodologias objetivam o esclarecimento e motivar o enfrentamento dos usuários em risco quanto às mudanças atitudinais em relação aos condicionantes como ingestão excessiva de sal, uso contínuo e correto das medicações anti-hipertensivas, abandono do sedentarismo, consumo de tabaco e redução do nível de estresse. Os encontros também são palco para a confluência de saberes entre profissionais e comunidade, e apoio às resoluções de problemas e singularidades dos participantes. As estratégias comportamentais também sistematizam o modo de enfrentamento do problema e a busca das soluções de maneira proativa e empoderada.

Outro ponto importante que deve ser focado é a educação de usuários e Agentes Comunitários de Saúde para a detecção de pessoas que estão apresentando episódio vascular encefálico, além de ensinar a identificar os sinais e sintomas típicos da doença, como dor de cabeça súbita e intensa, fraqueza e/ou sensibilidade diminuídas de modo súbito na face, braço e perna, unilateralmente, dificuldade na comunicação (falar e compreender), confusão mental, alterações visuais em ambos ou em um olho, perda de equilíbrio e dificuldade em andar. Esse conhecimento implica no pronto reconhecimento e acionamento de serviços de urgência e emergência, que minimizarão os danos do AVE.[19,20]

No tocante à promoção da saúde, ele deve contemplar o ambiente escolar, pois, segundo o Ministério da Saúde, o Brasil tem demonstrado uma prevalência de hipertensão arterial sistêmica em crianças e adolescentes variando de 0,8 a 8,2%. Na infância, a hipertensão está associada ao excesso de peso, sedentarismo, ingestão imprópria de verduras e vegetais, consumo excessivo de sódio e alcoolismo. A detecção precoce da doença favorece uma mudança para hábitos de vida mais saudáveis.[21,22]

A escola desempenha papel fundamental na formação do cidadão, sendo o principal espaço onde as crianças obtêm o aprendizado formal sob a tutela de profissionais qualificados, o que torna a escola, ao lado de outros espaços sociais, um local propício à promoção da saúde. Oferecer às crianças e adolescentes oportunidades de identificar e combater características contribuintes para o surgimento de morbidades pode tornar as ações em saúde mais efetivas e eficientes. Parcerias com professores, educadores físicos, assistentes sociais e demais profissionais possibilitam a elaboração de ações que estimulam hábitos saudáveis de vida como a prática de atividade física, alimentar, comportamental e social.

Na escola, o fisioterapeuta tem a oportunidade de educar as crianças e adolescentes, tornando-os mais participativos e responsáveis pela sua condição de saúde. É necessário, inicialmente, verificar e conhecer os possíveis fatores de risco que podem existir na escola (alimentação inadequada, sedentarismo, obesidade infantil, hábitos de vida inadequados dos pais e das crianças) e, assim, combatê-los, tornando os jovens responsáveis pela tomada de decisão na identificação de comportamentos desfavoráveis e pelo desenvolvimento de ações que promovam melhor qualidade de vida e ambientes saudáveis, que influenciarão na sustentação do comportamento saudável.

A saúde do cuidador é outro campo de assistência a nível primário. Os fisioterapeutas também têm habilidades para assistir os cuidadores de pacientes sequelados de AVE. Essas ações buscam prevenir ou minimizar a sobrecarga e o impacto emocional na vida destes indivíduos provocada pelo ato de cuidar. As ferramentas educativas, como rodas de conversas, palestras ou *folders*, podem abranger vários pontos, a exemplificar: manuseio adequado do paciente, esclarecimentos sobre a patologia, possíveis adaptações do domicílio e manejo com exercícios de autogerenciamento.[17]

ABORDAGEM DE TERAPIA FÍSICA

A ausência de suporte para a mudança de hábitos desfavoráveis foi identificada no estudo de Piccini et al.,[23] que avaliou 12.324 adultos em 100 munícipios, encontrando 42,4% de hipertensos, em que apenas metade destes recebeu orientações sobre manutenção do peso ideal e a realização de atividade física, que são medidas de combate aos principais fatores de risco modificáveis.

Ressaltamos que não apenas as orientações são necessárias, mas um cuidado continuado atrelado à prescrição, acompanhamento de atividades físicas e alimentação são essenciais ao controle da hipertensão. Isto se soma à terapia medicamentosa anti-hipertensiva e de controle do diabetes, que, apesar de ter distribuição gratuita no Brasil, evidencia uma considerável proporção de hipertensos que não mantém o uso regular como prescrito e não complementam o tratamento com terapia não medicamentosa.[24]

Destacamos como intervenções características do fisioterapeuta a prescrição e o acompanhamento de exercício aeróbico. A prescrição desses exercícios leva em consideração as informações obtidas durante a triagem, como doenças cardiovasculares (hipertensão e arritmias), obesidade, alterações musculoesqueléticas e hábitos de vida do usuário. Como sabemos, o exercício aeróbico é uma das principais armas de combate às alterações cardiovasculares, redução de peso e modificação de estilo de vida. Logo, este recurso terapêutico deve ser prescrito de modo corriqueiro como também cauteloso para não causar danos aos usuários.

Como estratégia de prescrição do exercício aeróbico, recomenda-se contemplar o espectro de intensidade, que variará entre 40-85% do consumo do máximo de oxigênio ($VO_{2máx}$). Infelizmente, nem todos os usuários podem se exercitar no espectro total de treinamento no primeiro momento e nem sempre existe a viabilidade de realização de teste ergométrico para determinação do $VO_{2máx}$ de trabalho. Para tanto, a prescrição do exercício aeróbico se dá pela condição clínica do usuário e a partir de intensidades estabelecidas por correspondente do $VO_2máx$ na escala de esforço percebido de Borg e Equivalentes Metabólicos (MET).[25-27]

Os sedentários e com alterações cardiovasculares devem ser encorajados a iniciarem as atividades de maneira leve, até 4 na escala de Borg ($VO_{2máx} < 40\%$), e progredindo para intensidades superiores. A frequência de três vezes por semana com duração de 30 minutos cada sessão é adequada como modo de iniciar. Os adultos saudáveis de todas as idades precisam realizar exercícios em intensidade moderada numa média de 2,5 a 5 horas, semanalmente, ou 1 a 2,5 horas de intensidade vigorosa. As atividades consideradas de intensidade moderada ($VO_{2máx} = 40-59\%$) correspondem a uma percepção de esforço entre 5-6 na escala de Borg, e as atividades vigorosas ($VO_{2máx} = 60-85\%$) equivalem a 7-8 na mesma escala.[25,27,28]

Quando o indivíduo é hipertenso haverá a necessidade de cautela. Inicialmente, teremos que estadiar o grau de hipertensão: nível pré-hipertenso (120-139/80-89 mmHg), nível I (140-159/80-89 mmHg), nível II (160-179/100-109 mmHg), nível III (> 180/> 110 mmHg) e hipertensão sistólica isolada (> 140/< 90 mmHg). Em hipertensos assintomáticos com pressão inferior a 180/110 mmHg, pode-se prescrever exercícios leves a moderados (< 6 METS ou 60%VO_2) sem a necessidade de Teste de Esforço anterior. Quando planejar exercícios vigorosos (> 60% VO_2), deve-se realizar teste de esforço para identificar os sintomas limitados ao exercício. Hipertensos em estágio II ou com risco cardiovascular ou pressão acima de 180/110 mmHg devem ser submetidos à triagem antes de se submeterem a exercícios de moderada intensidade (40-60% VO_2 ou 3-6METS), mas não para intensidade leve (MET < 3).[27,28]

O teste de esforço é essencial para pacientes com doença cardiovascular, com exceção de exercícios leves. Exercícios vigorosos devem ser realizadas apenas em centros de reabilitação para esse público. As contraindicações absolutas são recente infarto do miocárdio ou alterações eletrocardiográficas, bloqueio cardíaco completo, falha cardíaca congestiva, angina instável e hipertensão severa descontrolada.[28] É preciso, também, ensinar o usuário a se automonitorar durante as terapias físicas, principalmente a frequência cardíaca.

Como estratégia para atingir todas as preferências de público, além de não tornar os programas de exercícios aeróbicos enfadonhos, várias modalidades podem ser utilizadas para diversificar o treinamento aeróbico, com destaque para a corrida, ciclismo, natação ou atividade de vida diária como caminhada, subir escadas e atividade domésticas. As academias populares também devem ser utilizadas, a fim de trabalhar as valências musculoesqueléticas de modo geral.[27,29]

MANEJO FISIOTERAPÊUTICO DOMICILAR

A assistência fisioterapêutica domiciliar é uma das várias atividades que podem ser realizadas na atenção primária pelo fisioterapeuta. Todavia, precisamos ter a consciência de não recair na reprodução exclusiva de práticas ambulatoriais. A visita domiciliar constitui uma ação de assistência à saúde, sendo uma das atividades realizadas na comunidade.

O fisioterapeuta generalista de serviços como Estratégia de Saúde da Família deve fazer uma série de perguntas em relação à atenção domiciliar do pós-AVE: Qual é o nível de incapacidade do indivíduo? A unidade contempla as necessidades do paciente? O indivíduo necessita de uma atenção profissional mais intensiva? A pessoa consegue se deslocar até o serviço de reabilitação? Essas perguntas são fundamentais porque aqueles pacientes com grande potencial de recuperação devem ser referenciados para serviços ambulatoriais de reabilitação a fim de maximizar a fase potencial de neuroplasticidade, e os que apresentarem um quadro de sequela de longo tempo podem ter sua condição gerenciada pelo autocuidado apoiado.

Além da avaliação do estado geral de saúde do paciente realizada na consulta de triagem, o uso de instrumentos para verificar o nível de incapacidade do indivíduo pós-AVE é válido, e um deles é a Medida de Independência Funcional (MIF), que mensura o desempenho funcional do paciente e classifica o nível de assistência necessário à realização de tarefas motoras e cognitivas.[30-32]

A MIF consiste na realização de 18 tarefas e apresenta seis áreas: autocuidado, controle esfincteriano, transferências, locomoção, comunicação e cognição social (Tabela 21.5). Os

TABELA 21.5. Tarefas avaliadas pela medida de independência funcional

MIF total	MIF motor	Autocuidados	Autocuidados
			Higiene pessoal
			Banho
			Vestir-se acima da cintura
			Vestir-se abaixo da cintura
			Uso do vaso sanitário
		Controle de esfíncteres	Controle de urina
			Controle das fezes
		Transferências	Leito, cadeira, cadeira de rodas
			Vaso sanitário
			Chuveiro ou banheira
		Locomoção	Locomoção
			Escadas
	MIF cognição	Comunicação	Compreensão
			Expressão
		Cognição social	Interação social
			Resolução de problemas
			Memória

Fonte: Adaptada de Arias M, Lage S. Evaluación de la independencia funcional para la medición de las incapacidades de pacientes hemipléjicos. Rev Neurol. 2006;43(6):375-8.

itens são classificados em uma escala de graus de dependência, em que o valor 0 corresponde à dependência total, e 7 à independência total ao realizar a tarefa, a pontuação total varia de 18 a 126 (Tabela 21.6).[32] Recomenda-se aplicar o instrumento em três momentos:

1. Até 72 horas após a admissão hospitalar;

2. Dentro do período de 72 horas após alta hospitalar;

3. Entre três e seis meses desde o início da reabilitação.[30-32]

O fisioterapeuta em nível primário, assim como aqueles dos centros de reabilitação, realizará essas medições para acompanhamento com o objetivo de detectar mudanças e estabilização das condições funcionais.

TABELA 21.6. Níveis de independência

Nível	Descrição
1	Independência completa
2	Independência modificada
3	Supervisão, estímulo ou preparo
4	Dependência mínima
5	Dependência moderada
6	Dependência máxima
7	Dependência total

Fonte: Adaptada de Arias M, Lage S. Evaluación de la independencia funcional para la medición de las incapacidades de pacientes hemipléjicos. Rev Neurol. 2006;43(6):375-8.

É de importância para o fisioterapeuta saber o nível de capacidade funcional do paciente pós-AVE. Quanto menor a capacidade funcional, maior será a dependência nas atividades de vida diária (AVD's) e a necessidade de assistência profissional intensiva tanto dos serviços de atenção primária como dos centros de reabilitação. Nos casos de leve incapacidade, há possibilidade de monitoramento junto a um projeto terapêutico singular com ênfase em estratégias de autogerência para recuperação e prevenção de novos eventos cerebrovasculares. A avaliação funcional também atende ao propósito de identificar as atividades nas quais o paciente apresenta maiores dificuldades, para assim elaborar estratégias de adaptações do ambiente. Portanto, por meio da MIF, o fisioterapeuta pode elaborar seu plano terapêutico e suas metas em coparticipação com o usuário e a família.[31]

Também devem ser observados os aspectos sociais que cercam o indivíduo e que, possivelmente, complicam sua funcionalidade e inserção na comunidade. Averigue a moradia, buscando identificar possíveis fatores que desencadeiem acidentes domiciliares e necessidades do paciente, e ofereça orientações para facilitar as AVD's; informe aos familiares sobre o estado do indivíduo e como melhorar o quadro funcional,[4,31,33] e promova suporte social por meio de aparelhos comunitários como transporte público, serviço de emergência, locais para lazer e reintegração social.

A assistência domiciliar realizada pelo fisioterapeuta na atenção primária está mais relacionada com os usuários que não apresentam a possibilidade de deslocamento até os serviços de reabilitação,[33] que não necessitam de cuidados profissionais intensivos e para o acompanhamento e manejo da disfunção pelo autocuidado apoiado como preconizado pelo modelo de atenção às condições crônicas de saúde.

Dentre as modalidades terapêuticas a serem selecionadas e prescritas para usuários já acometidos com sequelas de AVE, destacam-se aquelas que envolvam manutenção das propriedades reológicas do tecido mole, como exercícios de mobilização, principalmente ativo ou ativo-assistido, exercícios resistidos progressivos para aumento da força, alongamento em segmentos corporais onde há redução da extensibilidade do tecido mole e mobilizações intra-articulares de juntas sinoviais com restrição de movimento. Somado a essas modalidades e que irão produzir aprendizado motor, serão de excelência as modalidades de terapia de restrição-induzida, terapia espelho, exercícios sensoriomotores com *feedback* externo e também dupla tarefa. Tais prescrições não envolvem densidade tecnológica dura e podem ser facilmente administras no ambiente domiciliar. Recomendamos buscar livros-texto específicos para desenvolver essas habilidades, pois foge do escopo desta obra detalhar em demasia técnicas prescritivas.

Em caso de o paciente necessitar de maior atenção, ou seja, estar na fase aguda e subaguda do pós-AVE, ou existir deterioramento de longo tempo da condição de saúde, um serviço especializado de reabilitação ou serviços domiciliares de reabilitação são mais indicados para a assistência, pois dispõem de cuidados mais intensivos e de maior suporte de tecnologia do que o nível primário.

É papel do fisioterapeuta referenciar o paciente para a atenção secundária, ao mesmo tempo em que deve realizar acompanhamento da evolução do paciente e comunicar/solicitar informações dos serviços de referência a fim de contribuir para a coordenação do cuidado dos pacientes[33] e monitoramento adequado.

CONSIDERAÇÕES FINAIS

A assistência fisioterapêutica em nível primário direcionada ao AVE contempla todo espectro de história natural da doença, ou seja, o fisioterapeuta consegue desenvolver ações direcionadas aos cuidados preventivos a fim de mitigar a ocorrência da principal morbidade epidemiológica da atualidade como também no manejo das sequelas oriundas dos eventos cerebrovasculares.

Logo, o profissional fisioterapeuta tem obrigações claras junto à equipe multidisciplinar na elaboração do planejamento de diagnóstico situacional e participativo referente ao AVE, na construção de ações intersetoriais para a promoção da saúde e prevenção do AVE e também nos projetos terapêuticos singulares daqueles que apresentem comprometimentos e incapacidades funcionais condizentes com a resolutividade do nível primário de atenção.

REFERÊNCIAS BIBLIOGRÁFICAS

1. Thacker EL, Wiggins KL, Rice KM, Longstreth WT, Bis JC, Dublin S et al. Short-term and long-term risk of incident ischemic stroke after transient ischemic attack. Stroke. 2010;41(2):239-43.
2. Judd SE, Kleindorfer DO, McClure LA, Rhodes JD, Howard G, Cushman M et al. Self-report of stroke, transient ischemic attack, or stroke symptoms and risk of future stroke in the Reasons for Geographic And Racial Differences in Stroke (REGARDS) study. Stroke. 2013;44:55-60.
3. Goldstein LB, Bushnell CD, Adams RJ, Appel LJ, Braun LT, Chaturvedi S et al. guideline guidelines for the primary prevention of stroke: a guideline for healthcare professionals from the American Heart Association/American Stroke Association. Stroke. 2011;42:517-84.

4. Langhorne P, Bernhardt J, Kwakkel G, Infi R. Stroke rehabilitation. Lancet. Elsevier Ltd; 2011;377(9778):1693-702.

5. Garritano CR, Luz PM, Lucia M, Pires E, Teresa M, Barbosa S et al. Análise da tendência da mortalidade por acidente vascular cerebral no Brasil no Século XXI. Arq Bras Cardiol. 2012;98(6):519-27.

6. Lopes JM, Medeiros JLA de, Oliveira KBA de, Dantas FG. Acidente vascular cerebral isquêmico no Nordeste brasileiro: uma análise temporal de 13 anos de casos de hospitalização. Conscientiae Saúde. 2013;12(2):321-8.

7. Lakshminarayan K, Schissel C, Anderson DC, Vazquez G, Jacobs DR, Ezzeddine M et al. Five-year rehospitalization outcomes in a cohort of patients with acute ischemic stroke: Medicare linkage study. Stroke. 2011;42(6):155662.

8. Feigin VL, Lawes CMM, Bennett DA, Barker-Collo SL, Parag V. Worldwide stroke incidence and early case fatality reported in 56 population-based studies: a systematic review. Lancet Neurol. 2009;8(4):355-69.

9. Rothwell PM, Coull a J, Giles MF, Howard SC, Silver LE, Bull LM et al. Change in stroke incidence, mortality, case-fatality, severity, and risk factors in Oxfordshire, UK from 1981 to 2004 (Oxford Vascular Study). Lancet. 2004 June;363(9425):1925-33.

10. Lopes JM, Sanchis GJB, Medeiros JLA, Dantas FG. Hospitalização por acidente vascular encefálico isquêmico no Brasil: estudo ecológico sobre possível impacto do Hiperdia. Rev Bras Epidemiol. [Internet]. 2016 Mar [cited 2016 Sep 7];19(1):122-34.

11. Turin TC, Kita Y, Rumana N, Nakamura Y, Takashima N, Ichikawa M et al. Ischemic Stroke Subtypes in a Japanese Population. Stroke. 2010;41:1871-6.

12. Palm F, Urbanek C, Rose S, Buggle F, Bode B, Hennerici MG et al. Stroke Incidence and Survival in Ludwigshafen am Rhein, Germany: the Ludwigshafen Stroke Study (LuSSt). Stroke. 2010;41(9):1865-70.

13. Perk J, De Backer G, Gohlke H, Graham I, Reiner Z, Verschuren M et al. European Guidelines on cardiovascular disease prevention in clinical practice (version 2012). The Fifth Joint Task Force of the European Society of Cardiology and Other Societies on Cardiovascular Disease Prevention in Clinical Practice (constituted by representatives of nine societies and by invited experts). Eur Heart J. 2012;33(13):1635-701.

14. Feigin VL, Lawes CM, Bennett DA, Anderson CS. Stroke epidemiology: a review of population-based studies of incidence, prevalence, and case-fatality in the late 20th century. Lancet Neurol. 2003;2(1):43-53.

15. Liu M, Wu B, Wang W-Z, Lee L-M, Zhang S-H, Kong L-Z. Stroke in China: epidemiology, prevention, and management strategies. Lancet Neurol. 2007 May;6(5):456-64.

16. Seshadri S, Beiser A, Pikula A, Himali JJ, Kelly-Hayes M, Debette S et al. Parental occurrence of stroke and risk of stroke in their children: the Framingham study. Circulation. 2010;121(11):1304-12.

17. Bispo Júnior JP. Fisioterapia e saúde coletiva: desafios e novas responsabilidades profissionais. Ciência e Saúde Coletiva. 2010; 15:1627-36.

18. Freitas MS. A atenção básica como campo de atuação da fisioterapia no Brasil: as Diretrizes Curriculares ressignificando a prática profissional. 2006,

19. Brasil M S. Diretrizes de atenção à reabilitação da pessoa com acidente vascular cerebral. Diretrizes. Brasília - DF; 2013.

20. Pereira ABN da G, Alvarenga H, Pereira Júnior RS, Barbosa MTS. Prevalência de acidente vascular cerebral em idosos no Município de Vassouras, Rio de Janeiro, Brasil, através do rastreamento de dados do Programa Saúde da Família. Cad Saúde Pública. 2009;25(9):1929-36.

21. Moura AA, Silva MAM, Ferraz MRMT, Rivera IR. Prevalência de pressão arterial elevada em escolares e adolescentes de Maceió. Jornal. 2004;80(1):35-40.

22. Burgos MS, Reuter CP, Burgos LT, Pohl HH, Pauli LTS, Horta JA et al. Uma análise entre índices pressóricos, obesidade e capacidade cardiorrespiratória em escolares. Arq Bras Cardiol. 2010 June;94(6):788-93.

23. Piccini RX, Facchini LA, Tomasi E, Siqueira FV, Silveira DS, Thumé E et al. Promoção, prevenção e cuidado da hipertensão arterial no Brasil. Rev Saúde Pública. 2012;46(3):543-50.

24. Girotto E, Andrade SM De, Cabrera MAS, Matsuo T. Adesão ao tratamento farmacológico e não farmacológico e fatores associados na atenção primária da hipertensão arterial. Ciênc Saúde Colet. 2013;18:1763-72.

25. Cardoso CG, Gomides RS, Queiroz ACC, Pinto LG, da Silveira Lobo F, Tinucci T et al. Acute and chronic effects of aerobic and resistance exercise on ambulatory blood pressure. Clinics (São Paulo). 2010;65(3):317-25.

26. Ruivo JA, Alcântara P. Hipertensão arterial e exercício físico. Rev Port Cardiol. 2012;31(2):151-8.

27. Cornelissen VA, Smart NA. Exercise training for blood pressure: a systematic review and meta-analysis. J Am Heart Assoc. 2013;2.

28. Wallace JP. Exercise in hypertension: a clinical review. Sports Med. 2003;33(8):585-98.

29. Casonatto J, Polito MD. Hipotensão pós-exercício aeróbio: Uma revisão sistemática. Rev Bras Med do Esporte. 2009;15(2):151-7.

30. Riberto M, Miyazaki MH, Jucá SSH, Sakamoto H, Potiguara P, Pinto N et al. Validação da Versão Brasileira da Medida de Independência Funcional. Acta Fisiátrica. 2004;11(2):72-6.

31. Arias M, Lage S. Evaluación de la independencia funcional para la medición de las incapacidades de pacientes hemipléjicos. Rev Neurol. 2006;43(6):375-8.

32. Riberto M, Miyazaki M, Jorge Filho D, Sakamoto H, Battistella LR. Reprodutibilidade da versão brasileira da medida de independência funcional. Acta Fisiátrica. 2001;8(1):45-52.

33. Portes LH, Alice M, Caldas J, Paula LT De, Freitas MS. Atuação do fisioterapeuta na Atenção Básica à Saúde: uma revisão da literatura brasileira. Rev APS. 2011;14(1):111-9.

Atenção Fisioterapêutica no Manejo das Vestibulopatias e na Prevenção de Quedas

■ Johnnatas Mikael Lopes

APRESENTAÇÃO

As vestibulopatias, comumente conhecidas como "labirintite", estão entre as principais condições crônicas que afetam a população adulta e idosa e que ainda não apresentam uma assistência adequada em nível primário. As vestibulopatias causam grande impacto na saúde das pessoas, provocando quedas, reclusão social e incapacidades. Este cenário exige uma assistência contínua na atenção primária a fim de cuidar e acompanhar os indivíduos acometidos, devolvendo sua autonomia e, principalmente, evitar danos agudos como quedas.

Neste capítulo, como nos anteriores, teremos o foco no rastreamento de indivíduos na comunidade que apresentam quadros de vestibulopatias e/ou risco de quedas, avaliando sua condição de saúde, estratificando o risco de vulnerabilidade e a necessidade de cuidado profissional para assim estabelecer estratégias de manejo do usuário.

INTRODUÇÃO

É comum escutarmos na comunidade pessoas idosas afirmarem que sentem tonturas que acabam por impossibilitá-las de realizar atividades de vida diária dentro do domicílio, assim como atividades fora de casa, a exemplo de ir ao supermercado, *shopping*, caminhar pela rua e em locais movimentados.[1] Consequentemente, esta condição predispõe a instalação de sintomas depressivos,[2] reclusão social[3] e incapacidade. É também corriqueiro durante as visitas domiciliares, para análise de situação familiar e estratificação de risco das mesmas, escutar relatos que algum ente da família tem "labirintite" e que está sob medicação.

Essas observações anteriores ocorrem com bastante frequência e tendem a aumentar em um futuro próximo. Elas estão mais relacionadas com a população idosa,[4] mas podem atingir qualquer faixa etária.[5] Os idosos são mais atingidos em virtude das perdas sensoriais decorrentes de desmielinização das vias de condução nervosa e morte de corpos neuronais que processam os impulsos nervosos no sistema vestibular ou originária de inúmeras outras causas cerebrovasculares, conforme veremos mais à frente.[6,7]

Investigações mostram que disfunções vestibulares atingem mais de 60 milhões de nor- te-americanos acima de 40 anos.[8,9] Não há estimativas para a população brasileira que di- mensionem o quão instaladas as vestibulopatias estão. Todavia, como existe um processo de envelhecimento da nossa população, acreditamos que sua ocorrência esteja se aproximando daquelas de países em final de transição demográfica.

Uma complicação frequente em decorrência de vestibulopatias e de outras morbidades que afetam o controle postural em idosos são as quedas.[2,7,10] Esse evento é responsável por dois terços das mortes causadas por acidentes entre os idosos. Além de casos de mortes, as quedas são responsáveis por outros danos, como fragilidade, fratura do colo do fêmur, síndrome do pós-queda, imobilidade, institucionalização, depressão, incapacidade e dependência funcio- nal. Ao contrário das vestibulopatias, sabe-se que 30% dos idosos sofrem quedas ao menos uma vez por ano e que 13% caem de modo recorrente.[11]

Atacar os pontos-chave que contribuem para ocorrência de quedas é fundamental para preveni-las e reduzir as complicações consequentes. As estratégias não devem apenas se res- tringir aos condicionantes biológicos como as vestibulopatias, mas também necessita atacar os fatores ambientais como o domicílio e estruturas urbanas, além de manter a vigilância por meio da estratificação de risco de quedas na população idosa.

TIPOS DE VESTIBULOPATIAS E QUADRO CLÍNICO

As vestibulopatias são um conjunto extenso de disfunções do sistema vestibular que se divi- dem, principalmente, em distúrbios de origem periférica e central.[12] As vestibulopatias peri- féricas consistem de lesões em estruturas como os canais semicirculares e órgãos otolíticos do vestíbulo ou ainda no nervo vestibular. As lesões periféricas são as mais frequentes vestibulo- patias. Já as lesões centrais acontecem nos núcleos vestibulares situados no tronco encefálico e geralmente estão associadas a lesões de outras estruturas, como cerebelo e núcleos da base.

A principal causa de lesão periférica está no desprendimento de cristais minerais das otocônias, juntamente com sua movimentação dentro dos canais semicirculares, causando episódios vertiginosos breves, mas incapacitantes quando os movimentos cefálicos obstruem a circulação da endolinfa, principalmente nos canais semicirculares posteriores. Esta disfunção chama-se Vertigem Postural Paroxística Benigna (VPPB), que é a principal vestibulopatia en- contrada na população e, assim como outras patologias periféricas, é o grande foco das ações na atenção primária.

Os sintomas surgem durante ações comuns do dia a dia, como se movimentar na cama para sentar ou rolar, abaixar para pegar objetos no chão ou rodar a cabeça para observar o trânsito ao atravessar a rua. A história natural das crises vertiginosas apresenta resolução espontânea para o controle postural e ocular estático, não sendo necessária, na maior parte das vezes, terapia medicamentosa por longos períodos. Contudo, recaídas e cronicidade no quadro clínico podem acontecer. Como veremos mais adiante, há manobras que desobstruem os canais semicirculares e terapia física com base na adaptação, habituação e compensação neurológica, que favorecem a recuperação daqueles acometidos, reduzindo os episódios agu- dos e os sintomas desses.

Devemos conseguir diferenciar a VPPB e outras hipofunções vestibulares periféricas dos demais tipos de vertigem postural, que são aquelas associadas a sintomas psiquiátricos como depressão e ansiedade. Tal quadro clínico é classificado como vertigem postural fóbica e surge, comumente, em situações de aglomeração de pessoas, medo de sair de casa associado a sintomas vestibulares. Contudo, o exame clínico não revela achados característicos de alterações do sistema vestibular, como nistagmo ou vertigem, nos testes provocativos.

Outra morbidade vestibular periférica menos comum é a Doença de Menière, que consiste em crises vertiginosas intensas e que podem durar várias horas e ainda está associada a zumbindo e hipoacusia, que, com a vertigem, formam uma tríade de identificação da Doença de Menière. Essa condição é provocada pelo aumento no volume de endolinfa em decorrência da redução de sua reabsorção e sua causa, na maioria dos casos, é idiopática.

O fisioterapeuta ainda pode se deparar com vestibulopatias periféricas provocadas por medicamentos como antidepressivos, anticonvulsivantes e outros que, ao serem suspensos, devolvem a função normal do sistema vestibular. Infecções bacterianas, traumas e neoplasias também são fontes de lesões das estruturas periféricas.

Quanto às lesões centrais, elas ocorrem em menor proporção e estão relacionadas com eventos mais danosos. A principal causa de vestibulopatias centrais são as isquemias vertebro-basilares, a enxaqueca basilar e, em menor quantidade, neoplasias, esclerose múltipla e epilepsia. Comumente, o quadro clínico das lesões centrais é acompanhado de sintomas como paresia e parestesia bilaterais, disartria, ataxia e redução do nível de consciência. Assim, caracterizam-se como eventos agudos e necessitam de cuidados emergenciais para contensão por meio de serviços de pronto atendimento.

Até este ponto não esgotamos a clínica das disfunções otoneurológicas, até porque não é o objetivo desta obra, mas trouxemos uma visão geral de quais morbidades podemos encontrar com maior frequência na atuação em serviços de atenção primária. Indicamos a leitura de texto especializado que busque caracterizar especificamente cada entidade nosológica e, de maneira pormenorizada, entender a clínica das disfunções vestibulares a fim de maior aprofundamento.

FATORES DE RISCO PARA QUEDAS

Além das vestibulopatias, outras morbidades também são predisponentes à ocorrência de quedas e devem ser investigadas pelo fisioterapeuta ou equipe, preferencialmente, em uma avaliação por pares. O diabetes pode provocar a ocorrência de polineuropatias nas extremidades dos membros inferiores, o que impede uma acurada percepção de estímulos externos e internos para o controle postural. A deficiência muscular e a osteoporose são outros condicionantes, pois inviabilizam a geração de tensões adequadas para manutenção postural e possíveis lesões ósseas e, quando associadas a fatores biomecânicos como marcha lenta e passos curtos, potencializam a ocorrência de quedas. Por fim, a deficiência cognitiva, quedas precedentes e polifarmácia tornam o idoso menos ativo e receoso quanto à possibilidade de cair, o que agrava ainda mais as condições funcionais.

Há também a influência de características extrínsecas aos idosos, que se constituem no ambiente de vivência e o comportamento do mesmo. A maioria das quedas acontece no domicílio do idoso e durante a realização de atividades comuns, como tomar banho, limpar a casa, caminhar no seu interior, subir e descer escadas. Os ambientes mal iluminados, pisos irregulares ou escorregadios, tapetes soltos e disposição inadequada de móveis caracterizam o contexto ideal para episódios de quedas. Assim, estes serão alvos da inspeção e atuação do fisioterapeuta a fim de mitigá-los.

Portanto, a verificação destes fatores, seu registro e a elaboração de estratégias de intervenção são preponderantes para um programa comunitário de prevenção de quedas. O fisioterapeuta tem papel de destaque na orientação e liderança da equipe, no manejo de idosos e no combate ao risco de quedas em virtude da sua formação científica voltada para identificação de condicionantes clínicos e ambientais que levam o idoso a cair. Além disso, a estratificação do risco de queda e seu monitoramento é uma prática segura de qualquer serviço de saúde e que implica na qualidade do mesmo.

ESTRATÉGIAS DE RASTREAMENTO DE VESTIBULOPATIAS E RISCO DE QUEDAS

Diferentemente de algumas condições crônicas, para as quais existem instrumentos de rastreamento que identificam com máxima precisão o risco de desenvolver a morbidade, com validade diagnóstica reconhecida, as vestibulopatias são identificadas clínica e funcionalmente, sendo ainda impossível de prever os indivíduos que apresentarão vestibulopatias atualmente. Todas as metodologias elaboradas até o momento não mostraram, principalmente, boa sensibilidade, que é uma das melhores características de acurácia para instrumentos de avaliação.[13] Nessas situações, a principal estratégia vem da capacidade clínica dos profissionais de primeiro contato em identificar e distinguir achados semiológicos que elucidam o quadro de vestibulopatia.

Por outro lado, há um instrumento de estratificação de incapacidade para indivíduos com vestibulopatia que serve como aparato instrumental de alocação das necessidades de cuidado profissional e autocuidado apoiado a nível de atenção primária.[14,15] O instrumento se chama Escala de Disfunção Vestibular para Atividades de Vida Diária, que apresenta uma versão psicométrica para a população brasileira, que revelou boa confiabilidade e validade estrutural e concorrente. Esta escala permite ao fisioterapeuta discriminar a severidade dos pacientes com vestibulopatia a partir do exame da locomoção, atividades (funcionalidade individual) e participações (funcionalidade social).

IDENTIFICAÇÃO CLÍNICA DE VESTIBULOPATIA

A principal maneira de identificar indivíduos com vestibulopatia na comunidade é saber, inicialmente, qual o grupo de vulnerabilidade. Qualquer grupo etário pode ser acometido por vestibulopatias, todavia, aquelas pessoas acima de 50 anos ou já idosas apresentam maiores incidências/prevalências desta morbidade, sendo, portanto, um grupo populacional a ser sempre investigado.[13]

Inicialmente, antes de investigar a existência de vestibulopatia em idosos, é prudente avaliar a condição cognitiva e de humor. Estas características são fortes condicionantes comportamentais para quedas e reclusão, e podem estar relacionadas com as vestibulopatias. A função cognitiva pode ser examinada por meio do Miniexame do Estado Mental (MEEM),[6,16] que tem melhor desempenho de rastreio, e o Questionário de Pfeffer[12] que, junto ao MEEM, eleva a acurácia para detectar transtornos cognitivos (**Figuras 22.1** e **22.2**).

Quando o Pfeffer revelar escores maiores que 6, assim como ocorre quando a alteração no MEEM, devemos referenciar para avaliação neuropsicológica com o intuito de definir possíveis estados de depressão ou demência. Já a existência de sintomas depressivos é investigada com relatos e a aplicação da Escala de Depressão Geriátrica, que estratifica o quadro depressivo ausente, leve e severo[3] (**Figura 22.3**).

AVALIAÇÃO	NOTA	VALOR
ORIENTAÇÃO TEMPORAL		
. Que dia é hoje?	1	
. Em que mês estamos?	1	
. Em que ano estamos?	1	
. Em que dia da semana estamos?	1	
. Qual a hora aproximada? (considere a variação de mais ou menos uma hora)	1	
ORIENTAÇÃO ESPACIAL		
. Em que local nós estamos? (consultório, enfermaria, andar)	1	
. Qual é o nome deste lugar? (hospital)	1	
. Em que cidade estamos?	1	
. Em que estado estamos?	1	
. Em que país estamos?	1	
MEMÓRIA IMEDIATA		
Vou dizer três palavras e você irá repeti-las a seguir. Preste atenção, depois você terá que repeti-las novamente. (Dê 1 ponto para cada palavra. Use palavras não relacionadas.)	3	
ATENÇÃO E CÁLCULO		
5 séries de subtrações de 7 (100-7, 93-7, 86-7, 79-7, 72-7, 65). (Considere 1 ponto para cada resultado correto. Se houver erro, corrija-o e prossiga. Considere correto se o examinado espontaneamente se autocorrigir). Ou: Soletrar a palavra mundo ao contrário.	5	
EVOCAÇÃO		
Pergunte quais as três palavras que o sujeito acabara de repetir (1 ponto para cada palavra)	3	
NOMEAÇÃO		
Peça para o sujeito nomear dois objetos mostrados (1 ponto para cada objeto)	2	
REPETIÇÃO		
Preste atenção: vou lhe dizer uma frase e quero que você repita depois de mim: Nem aqui, nem ali, nem lá. (Considere somente se a repetição for perfeita.)	1	
COMANDO		
Pegue este papel com a mão direita (1 ponto), dobre-o ao meio (1 ponto) e coloque-o no chão (1 ponto). (Se o sujeito pedir ajuda no meio da tarefa, não dê dicas.)	3	
LEITURA		
Mostre a frase escrita: FECHE OS OLHOS. E peça para o indivíduo fazer o que está sendo mandado. (Não auxilie se pedir ajuda ou se só ler a frase sem realizar o comando)	1	
FRASE ESCRITA		
Peça ao indivíduo para escrever uma frase. (Se não compreender o significado, ajude com: alguma frase que tenha começo, meio e fim; alguma coisa que aconteceu hoje; alguma coisa que queira dizer. Para a correção, não são considerados erros gramaticais ou ortográficos)	1	
CÓPIA DO DESENHO		
Mostre o modelo e peça para fazer o melhor possível. Considere apenas se houver 2 pentágonos interseccionados (10 ângulos) formando uma figura de quatro lados ou com dois ângulos.	1	
TOTAL		

FIGURA 22.1. Instrumento Miniexame do Estado Mental (MEEM). (Fonte: Adaptada de Alves LR, Peixoto VR (2006).[16])

Mostre ao informante um cartão com as opções abaixo e leia as pergunta. Anote a pontuação.

	Sim, é capaz	Nunca fez, mas pode fazer	Com alguma dificuldade, mas faz	Nunca fez, mas teria dificuldade	Necessita de ajuda	Não é capaz
	0	0	1	1	2	3
É capaz de cuidar do seu próprio dinheiro?						
É capaz de fazer as compras sozinho (por exemplo: comida e roupa)?						
É capaz de esquentar água para café ou chá e apagar o fogo?						
É capaz de preparar comida?						
É capaz de manter-se a par dos acontecimentos e do que se passa na vizinhança?						
É capaz de prestar atenção, entender e discutir um programa de radio, televisão ou um artigo do jornal?						
É capaz de lembrar de compromissos e acontecimentos familiares ?						
É capaz de andar pela vizinhança e encontrar o caminho de volta para casa?						
É capaz de cumprimentar seus amigos adequadamente?						
É capaz de ficar sozinho(a) em casa sem problemas?						

Interpretação: quanto mais elevado o escore, maior a dependência de assistência.

FIGURA 22.2. Questionário de Pfeffer. (Fonte: Adaptada de Brasil. Ministério da Saúde. Secretaria de Atenção à Saúde. Envelhecimento e saúde da pessoa idosa. Brasília, 2007. p.146-7.)

Escala de Depressão Geriátrica de Yesavage – versão reduzida (GDS-15)

1	Você está satisfeito com a sua vida?
2	Você deixou de lado muitos de suas atividades e interesses?
3	Você sente que sua vida está vazia?
4	Você sente-se aborrecido com freqüência?
5	Está você de bom humor na maioria das vezes?
6	Você teme que algo de ruim lhe aconteça?
7	Você se sente feliz na maioria das vezes?
8	Você se sente freqüentemente desamparado?
9	Você prefere permanecer em casa do que sair e fazer coisas novas?

10	Você sente que tem mais problemas de memória que antes?
11	Você pensa que é maravilhoso estar vivo?
12	Você se sente inútil?
13	Você se sente cheio de energia?
14	Você sente que sua situação é sem esperança?
15	Você pensa de que a maioria das pessoas estão melhores do que você?
	Contagem máxima de GDS = 15

FIGURA 22.3. Escala de depressão geriátrica. (Fonte: Adaptada de Paiva PEM, Alves LR, Peixoto VR. Validação da escala de depressão geriátrica em um ambulatório geral. Rev Saúde Pública. 2005;39(6):918-23.)

Durante as visitas domiciliares de cadastramento/estratificação de risco das famílias, fisioterapeutas ou outros profissionais de primeiro contato da equipe podem averiguar, entre os idosos, aqueles que apresentam quadro clínico sugestivo ou que fazem uso de medicação para disfunção vestibular, a fim de mapear a população acometida. Outra maneira é por meio das consultas de primeiro contato, nas quais se pode investigar mais a fundo as queixas e comportamentos de tontura e reclusão da população idosa. A ajuda de outros profissionais, como médico e enfermeiros, em examinar e referenciar os pacientes para avaliação funcional também é uma boa via de acesso, pois as queixas de tonturas são bem comuns nos atendimentos médicos de idosos.

Na triagem de primeiro contato, o fisioterapeuta, assim como o médico, precisa diferenciar os tipos de tonturas que são relatados, pois este é o principal sintoma das vestibulopatias que causa reclusão social e física, assim como quedas. As tonturas são sensações de rodopio e rotação, escurecimento da visão, desorientação e flutuação. Elas podem ser originárias da deficiência neuromuscular, síncope, sensações cefálicas variadas e de vertigem, que define as vestibulopatias.[6-7]

A distinção sobre a origem da tontura é fundamental para a identificação da vestibulopatia e seu manejo. Esse trabalho pode ser realizado por pares, fisioterapeuta e médico, por exemplo, devendo indagar a respeito do tempo que o usuário apresenta o sintoma, qual sua duração, frequência e padrão de ocorrência, se existe algo que melhora ou piora o sintoma e se está sob uso de alguma medicação. Essas informações, que veremos a seguir, servem para distinção dos tipos de tonturas.[7]

As síncopes surgem de eventos isquêmicos cerebrais transitórios, tendo a hipotensão ortostática como um dos principais causadores, e elas surgem nas mudanças de posições bruscas. Este quadro é acompanhado de sudorese, queda de pressão, fraqueza e sensação de desmaio.

A tontura proveniente da má ação do sistema muscular caracteriza-se por alterações sensoriais que impedem a ativação correta da musculatura durante o controle postural, levando a oscilações e perda do equilíbrio, sendo muito comum em indivíduos que já têm neuropatias e também em idosos com deterioração dos sistemas sensoriais, classificando-se como desequilíbrio de sistemas sensoriais.

Outro tipo de tontura são aquelas relatadas como sensação de "cabeça vazia", decorrentes de hipoglicemia, sintomas depressivos e ansiedade. Estas são nomeadas como sensações cefálicas variadas.[6,7] Por fim, as tonturas do tipo vertigem caracterizam-se como sensações de movimento do ambiente em relação ao paciente (vertigem objetiva), como objetos do quarto girando ao redor do paciente ao acordar, ou o contrário também pode acontecer (vertigem subjetiva), quando a sensação é do paciente em movimento em relação ao ambiente. A tontura vertiginosa é acompanhada, na maioria das vezes, de sintomas de náuseas, vômito e hipoacusia.[7]

Após o esclarecimento da origem da queixa de tontura e que se trata mesmo de vertigem, devemos descobrir se é um caso de vestibulopatia periférica ou central, a partir de outros achados semiológicos. Aqui temos outro passo importantíssimo para o delineamento da assistência ao paciente. As vestibulopatias periféricas são causadas por lesão nas estruturas do labirinto vestibular e/ou nervo vestibular. As vestibulopatias centrais têm sua disfunção localizada nos núcleos vestibulares e, possivelmente, junto com o cerebelo e o núcleo da base, como vimos anteriormente.[6]

As vestibulopatias periféricas desenvolvem um conjunto sindrômico característico. Elas estão associadas a zumbido e hipoacusia, que são ausentes nos casos de origem central. Outro achado é o nistagmo, que constitui movimentos oculares involuntários compostos por uma fase lenta direcionada para o lado do vestíbulo lesionado e uma fase rápida na direção oposta. O nistagmo periférico apresenta-se na forma horizontal, rotatório ou misto, com duração de até um minuto, sendo fatigável ou esgotável,[9] ou seja, desaparece após esse tempo.

O nistagmo apresenta-se espontâneo no momento da avaliação apenas durante a fase aguda da lesão, isto é, o fisioterapeuta precisa apenas observar o controle oculomotor para identificá-lo. Quando o paciente se encontra na fase crônica, em torno de três meses após o início da lesão, é necessário lançar mão de testes clínicos provocativos, que são realizados a fim de desencadear o nistagmo e a vertigem. Entre os testes provocativos, destaca-se a manobra de Dix-Hallpike e de Selmon, que também são manobras de reposição de bloqueio dos canais semicirculares.[6]

O teste de Dix-Hallpike é realizado com o paciente sentado na mesa de exame do consultório ou em uma cama da residência e, em seguida, faz-se o movimento de deitar-se lentamente, com a cabeça rodada na direção que se deseja testar e auxiliado pelo fisioterapeuta. Finaliza-se o teste com uma hiperextensão cervical[17] (Figura 22.4). Nesse teste, o fisioterapeuta tenta observar a existência de nistagmo e sintomas como vertigem, náuseas e vômito. Para isso, o usuário precisa estar com os olhos abertos.

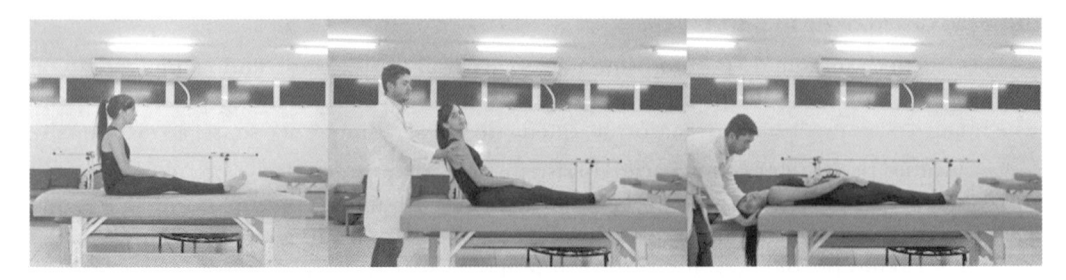

FIGURA 22.4. Manobra de Dix-Hallpike para detecção de obstrução dos canais semicirculares nos casos de vertigem postural paroxística benigna. (Fonte: Acervo do autor.)

Diferentemente do periférico, o nistagmo oriundo de disfunção central apresenta mudança de direção da fase rápida e direções diferentes em cada olho que não a horizontal. Em oposição ao nistagmo periférico, verificamos a ausência de um tempo de latência, assim como fadiga do nistagmo, que se traduz na manutenção da intensidade deste sinal clínico em testes provocativos repetidos. A ausência de vertigem na ocorrência de nistagmo é bem característica de lesões centrais.[17]

Outro dado semiológico examinado é o comportamento motor estático e dinâmico, que se enquadra na avaliação funcional. A avaliação do equilíbrio estático pode ser feita em situações em que a informação visual está ausente, como ficar de olho fechado e/ou redução das informações somatossensoriais, como em superfícies irregulares, em que se exige maior confiança do comando central nos *inputs* vestibulares. O mais adequado é que o usuário avaliado esteja na postura em pé e retaguardado pelo fisioterapeuta, e que este observe se o desequilíbrio se origina de déficits vestibulares ou neuromusculares.[17]

O comportamento motor dinâmico orquestrado, principalmente, pelo cerebelo, recebe contribuições do sistema vestibular e é examinado durante a observação da marcha do usuário e teste de Fukuda. A marcha de um indivíduo vestibulopata apresenta aspectos característicos, como uma base alargada e deslocamentos laterais excessivos com predileção para um lado quando na presença de vestibulopatias unilaterais. O exame da marcha deve ser realiza-do em ambiente espaçoso e livre de obstáculos.[12]

Já o teste de Fukuda nos revela uma hipofunção vestibular unilateral periférica. Este teste clínico é executado com o paciente em pé, de olhos fechados, com o membro superior esten-dido na horizontal em ângulo de 90°, realizando um movimento de marcha estacionário por 60 segundos. Em situações de desequilíbrio da função vestibular dos canais semicirculares, ocorrerá rotação dos membros superiores para um dos lados. Seu resultado apresentará dis-tinção dependendo do estadiamento da lesão. Nos casos de lesões periféricas agudas, o desvio será para o lado do labirinto saudável e nos estágios crônicos para o lado lesionado.[12] Logo, é importante definir o estágio da disfunção para inferir lesão a partir do teste de Fukuda (**Figura 22.5**).

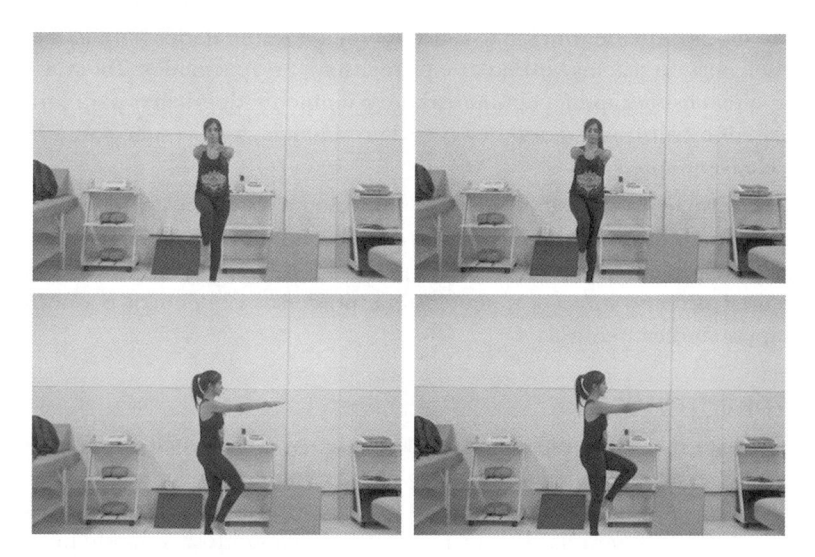

FIGURA 22.5. Teste de Fukuda. (Fonte: Acervo do autor.)

Por fim, é necessário utilizar os serviços de apoio diagnóstico da rede em que o serviço de atenção primária está inserido para a confirmação de hipofunção vestibular periférica. Os exames necessários são o teste calórico ou teste da cadeira giratória. O teste calórico identifica hipofunção unilateral quando há redução de pelo menos 25% da função vestibular em um dos lados. O teste da cadeira giratória é realizado em alta frequência, acima de 1 Hz, e estima--se o ganho, a assimetria e a fase do reflexo vestíbulo-ocular.[18]

ESTRATIFICAÇÃO DO RISCO DE QUEDAS

São importantíssimas a estratificação do risco de quedas e a avaliação da capacidade funcional em todos os idosos, tanto aqueles vestibulopatas como saudáveis, a fim de saber o perfil de risco, monitorá-los ao longo do tempo e traçar intervenções diferenciadas para resolução do problema.

O risco de quedas pode ser obtido a partir da aplicação de instrumentos simples e váli-dos, como a Escala de Equilíbrio e Marcha de Tinneti, ou pelo Modelo de Risco de Quedas de

Hendrich II. Da mesma maneira, a avaliação funcional pode ser estimada por meio de instrumentos como o Index de Katz, que mensura a independência para atividade de vida diária, ou a Escala de Lawton, que avalia a independência relacionada com as atividades instrumentais.[19]

De modo mais preciso, pode-se utilizar a versão brasileira da *Vestibular Disorders Activities of Daily Living* Scale (VADL)[14-15] (**Figura 22.6**). Este instrumento é composto por 28 itens de atividades divididas em subescala de funcionalidade individuais e sociais (12 itens), subescala de deambulação (9 itens) e subescala instrumental (7 itens). Cada item pode ter escore de 1 a 10, sendo que quanto maior o escore, pior a funcionalidade. Há a possibilidade de classificar o item como "Não Aplicável" (NA). O escore total e de cada subescala é dado pela mediana dos escores, com maiores valores revelando maior dependência. O VADL apresenta um poder discriminante de severidade para indivíduos vestibulopatas, em que o ponto de corte para severidade é 4.[15]

Com a obtenção das informações sobre a existência de vestibulopatias, risco de quedas e estratificação da capacidade funcional, o fisioterapeuta reúne dados para identificar indivíduos com deficiência do sistema vestibular e propensos a incapacidades. Todavia, é igualmente importante que o fisioterapeuta também avalie o ambiente domiciliar para fornecer orientações sobre riscos estruturais ou organizações da residência, assim como sobre os ambientes urbanos que ele frequente.

O rol de informações descritas antes viabiliza uma assistência integrada e continuada, que objetiva o manejo da condição crônica e recuperação da sua condição funcional. É preciso, também, parceria com o médico da equipe com o intuito de investigar a existência de bandeiras vermelhas como infecções, neoplasias e processos isquêmicos e a necessária prescrição de terapias medicamentosas.

ESTRATÉGIAS DE INTERVENÇÃO

Com a identificação de vestibulopatias e/ou risco de quedas, principalmente por meio de triagens por pares, as ações planejadas pela equipe para o manejo das vestibulopatias e a prevenção de quedas consistirão em intervenções gerais e específicas com base nas abordagens de educação em saúde, de terapias física e também medicamentosa, quando necessário.

ABORDAGEM DE EDUCAÇÃO EM SAÚDE

As estratégias de educação em saúde para o manejo das vestibulopatias e prevenção de quedas abarcam diversas frentes e podem ser estabelecidas por meio de oficinas com os profissionais da equipe e usuários acometidos, elaboração de material educativo com estratégias de mudanças comportamentais e terapias a serem realizadas durante consultas coletivas para compartilhamento de responsabilidades e problemas.

As oficinas devem ser conduzidas por mais de um profissional, a fim de expandir as orientações sobre questões emocionais,[2,3] alimentação, que precisa excluir estimulantes como a cafeína;[20] orientações de atividade física regular, que podem ser complementadas com material educativo, como um manual ou aplicativo de exercício autogerenciados;[21] cuidados e orientações quanto ao uso correto das medicações e treinamento de cuidadores para minimizar sua sobrecarga de cuidado e maximizar a recuperação e segurança do paciente em seu ambiente.

Assistência individualizada e coletiva por meio de abordagens de mudanças comportamentais, como Grupos Operativos, Modelo Transitório de Mudanças ou Entrevista Motivacional é de grande valia para aqueles indivíduos com receio de cair e em quadros

Atividade	Independente	Desconforto, sem altear o desempenho	Habilidade reduzida, sem altear o desempenho	Mais vagaroso, mais cuidadoso	Prefere usar objeto para auxílio	Precisa usar objeto para auxílio	Precisa de equipamento especial	Precisa de assistência física	Dependente	Muito difícil, não realiza mais	NA
	1	**2**	**3**	**4**	**5**	**6**	**7**	**8**	**9**	**10**	**NA**
F-1 A partir da posição deitada, sentar-se											
F-2 A partir da posição sentada, levantar-se (p. ex.: cama ou cadeira)											
F-3 Vestir a parte superior do corpo (p. ex.: camisa, camiseta, blusa)											
F-4 Vestir a parte inferior do corpo (p. ex.: calça, saia, roupa íntima)											
F-5 Colocar meias											
F-6 Calçar sapatos											
F-7 Entrar ou sair do chuveiro ou banheira											
F-8 Tomar banho no chuveiro ou banheira											
F-9 Alcançar objetos em lugares altos (p. ex.: armário ou prateleira)											
F-10 Alcançar objetos em lugares baixos (p. ex.: chão ou prateleira)											
F-11 Preparar uma refeição											
F-12 Atividade íntima (p. ex.: relação sexual)											
L-13 Andar em superfície plana (p. ex.: chão reto)											
L-14 Andar em superfície irregular (p. ex.: superfície esburacada ou com desnível)											
L-15 Subir degraus											
L-16 Descer degraus											
L-17 Andar em lugares estreitos (p. ex.: corredores de lojas e supermercados)											
L-18 Andar em ambientes abertos											
L-19 Andar entre muitas pessoas											
L-20 Usar elevador											
L-21 Usar escada rolante											
I-22 Dirigir carro											
I-23 Carregar objetos enquanto anda (p. ex.: pacote ou sacola)											
I-24 Tarefas domésticas leves (p. ex.: tirar o pó, guardar objetos)											
I-25 Tarefas domésticas pesadas (p. ex.: usar o aspirador, deslocar móveis)											
I-26 Recreação física (p. ex.: esportes, exercício físico, jardinagem)											
I-27 Ocupação (p. ex.: emprego, cuidar das crianças ou da casa, estudante)											
I-28 Ir de um lugar para outro na comunidade (p. ex.: de carro ou de ônibus)											

Header span: **Pontuação do grau de independência**

FIGURA 22.6. Versão brasileira da *Vestibular Disorders Activities of Daily Living* Scale (VADL). (Fonte: Adaptada de Aratani MC, Ricci NA, Caovilla HH, Ganança FF. Brazilian version of the Vestibular Disorders Activities of Daily Living Scale (VADL). Braz Journal Otorhinolaryng. 2013; 79(2):203-11.)

depressivos, e que acabam em reclusão social. Recomendamos ler o Capítulo 8 para melhor habilitação nessas estratégias.

ABORDAGEM DE TERAPIAS FÍSICAS

Além das ações voltadas para modificação da compreensão e do enfrentamento da condição de saúde por parte do usuário, como anteriormente descrito, há a necessidade de ações de combate às deficiências de função fisiológica do sistema vestibular e as limitações decorrentes da deficiência vestibular e o risco de quedas. Tais objetivos podem ser alcançados por meio de terapia física, que busca a habituação e compensação no sistema nervoso, promovidas a partir da integração sensorial nos exercícios sensoriomotores ou de controle motor, que aprimoram a eficiência somatossensorial e reações de recuperação do equilíbrio, promovendo a melhora na capacidade funcional e independência de idoso.[20]

Para a principal disfunção vestibular que acomete a população, a VPPB,[3] recomenda-se a realização da manobra de Semont, Epley e Gufoni para desobstrução dos canais semicirculares interrompidos por cristais provenientes dos órgãos otolíticos.[21] Para realização destas manobras, primeiramente, o fisioterapeuta identifica o lado do aparelho vestibular acometido com a manobra de Dix-Hallpike.[6,22] Em seguida, seleciona a manobra que deseja aplicar e procede a técnica. O paciente precisa retornar ao ambulatório para reavaliação alguns dias após a aplicação de novas manobras até o desaparecimento dos sintomas. Essas manobras estão no escopo de procedimentos que precisam de condução profissional e devem ser realizadas no consultório da unidade de saúde ou em consultório pelo fisioterapeuta ou médico.[23]

Para a aplicação da manobra de Semont, coloca-se o paciente sentado no centro da maca de exame, com as pernas pendentes na lateral, e solicita-se que ele rotacione a cabeça 45° para o lado do labirinto saudável, deitando rapidamente para o lado comprometido e permanecendo em decúbito lateral. Posteriormente, mantendo a cabeça na mesma posição, deita-se rapidamente para o outro lado. Nas duas movimentações, permanecer por 4 minutos em cada (Figura 22.7).[23]

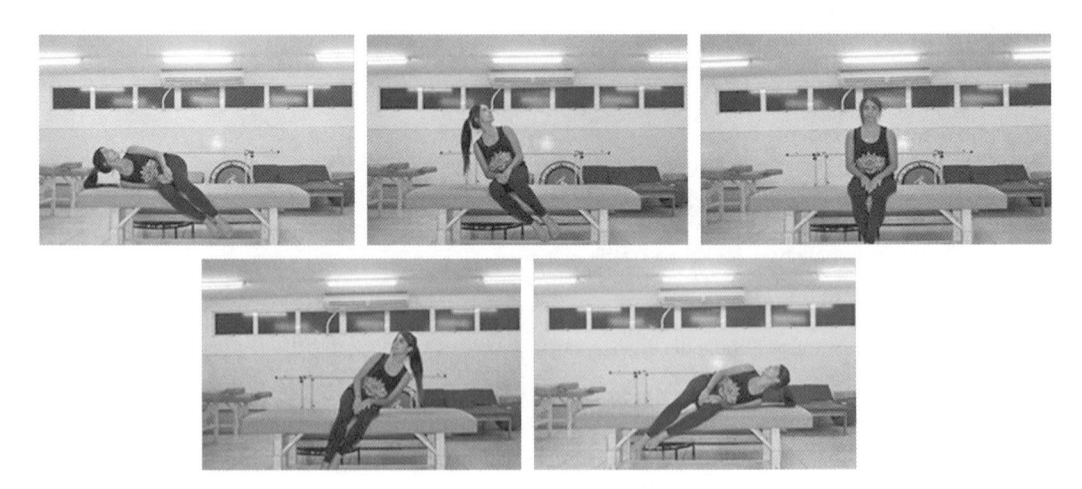

FIGURA 22.7. Manobra de reposição de Semont. (Fonte: Acervo do autor.)

A manobra de Epley se assemelha à manobra de Dix-Hallpike. O paciente senta no centro da maca de exame com as pernas estendidas sobre ela e de modo que, ao ficar deitado, a cabeça fique para fora da maca. O movimento é guiado pelo fisioterapeuta que rotaciona a cabeça do paciente em 45° para o lado do labirinto acometido e realiza hiperextensão ao final. Em seguida, a cabeça é rotacionada 45° para o lado contralateral e, posteriormente, pede-se ao paciente que rotacione o corpo para o decúbito lateral alinhado com a cabeça. Mantendo a cabeça nesta posição, auxilie o paciente a voltar à posição sentada.[24] Juntamente com as manobras de reposição, recomenda-se a prescrição de manipulações articulares cervicais para reorientação e melhora artrocinemática, e colar cervical para evitar retorno dos cristais (**Figura 22.8**).[12]

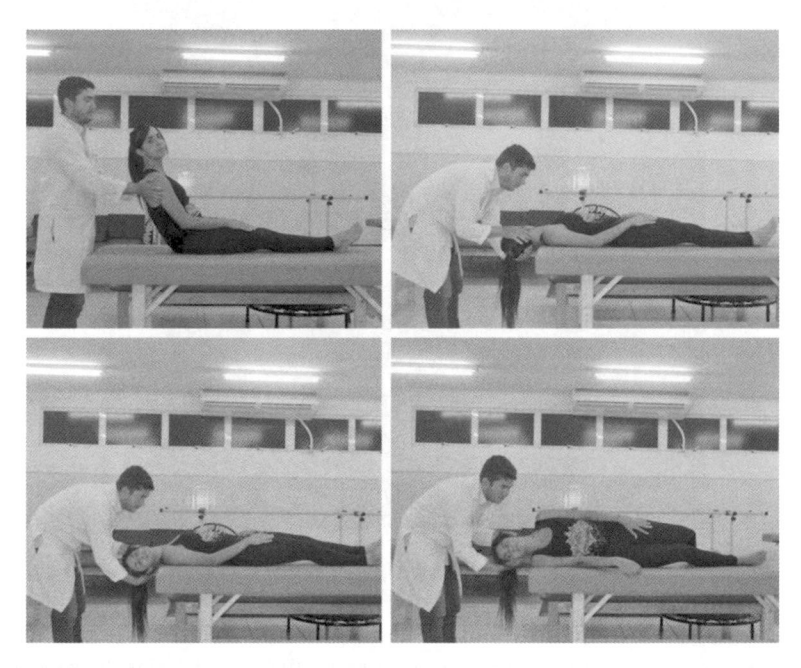

FIGURA 22.8. Manobra de Epley. (Fonte: Acervo do autor.)

As demais hipofunções vestibulares têm como base de manejo o exercício terapêutico. Bem documentados na literatura científica, os exercícios específicos e direcionados a comprometimentos vestibulares são condutas terapêuticas de primeira escolha tanto nas fases agudas como nas crônicas, para a habituação e compensação de disfunções vestibulares, principalmente em casos em que as crises vertiginosas são recorrentes.[23] É importante frisar que a fase aguda dura até duas semanas, a subaguda entre duas semanas e três meses, e a fase crônica acima de três meses.

Atualmente, o cuidado a indivíduos com vestibulopatia contempla os exercícios que promovem a estabilização do olhar, exercícios de habituação optocinéticos, exercícios que melhoram o equilíbrio e a marcha, e exercícios de *endurance*.

Os exercícios de estabilização ocular se alicerçam na adaptação do reflexo vestíbulo-ocular com os movimentos da cabeça na horizontal e vertical, melhorando a resposta neural vestibular ao longo do tempo, reduzindo os sintomas e normalizando a fixação do olhar e o equilíbrio. O rol de exercícios de reabilitação vestibular contém os exercícios desenvolvidos por Cawthorne e Cooksey em 1940,[18] que contemplam séries padronizadas de movimentos dos olhos somente com perseguição, movimentos da cabeça com os olhos abertos ou fechados durante as posturas deitada, sentada e andando (**Figura 22.9**).

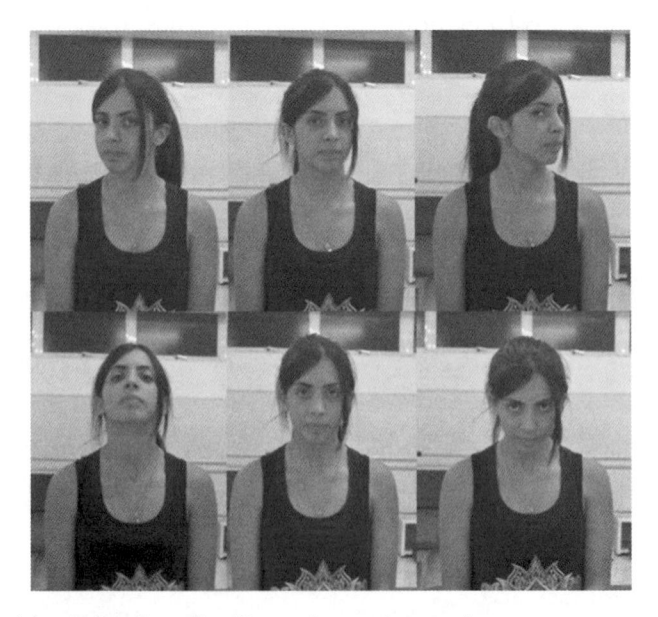

FIGURA 22.9. Exercícios de fixação ocular. (Fonte: Acervo do autor.)

Os exercícios de Cawthorne e Cooksey são indicados para casos de hipofunção unilateral vestibular e consistem em movimentos de perseguição ocular nas direções horizontais e verticais com a cabeça imóvel e com a cabeça em movimentos opostos da perseguição ocular.[12,19] Os objetos de perseguição podem estar fixos ou também em movimento. Isto torna os exercícios mais desafiadores. Outra maneira de progredir os exercícios é realizar movimentos com o tronco, membros inferiores e superiores, assim como caminhada durante a perseguição ocular.[12]

Já os exercícios de habituação promovem redução nas respostas comportamentais e sintomatológicas a partir da exposição repetida a estímulos provocativos, como ambientes visualmente confusos ou realidade virtual, que causam sintomas de leves a moderados.[18] Com a popularização de *smartphones* e de jogos de realidade virtual para estes aparelhos, sua utilização na recuperação de vestibulopatias tornou-se uma ferramenta poderosa no manejo comunitário ou de atenção primária destas condições de saúde. Vale a pena o serviço de saúde ou o fisioterapeuta possuir esses recursos tanto pela sua eficácia como pelo seu baixo custo.

Os exercícios de treino de equilíbrio e marcha devem ser planejados sob condições sensoriais e dinâmicas desafiadoras. Tais exercícios objetivam promover a utilização das informações somatossensoriais e visuais para substituir a função vestibular. Esses exercícios envolvem exercícios com a modificação das informações visuais (olhos abertos/fechados/redução de acuidade/distração), alteração da base de apoio ou irregularidade da superfície ou integração sensorial ao realizar exercícios dinâmicos de marcha com modificação das informações visuais e somatossensoriais, simultaneamente. Por fim, os exercícios aeróbicos bem prescritos em grupos de caminhada, por exemplo, condicionam indivíduos com limitada capacidade física e auxiliam a melhora geral da saúde.[18] Essa gama de exercícios pode ser administrada individualmente ou coletivamente, se os usuários forem alocados de acordo com suas condições clínicas e de risco (**Figura 22.10**).

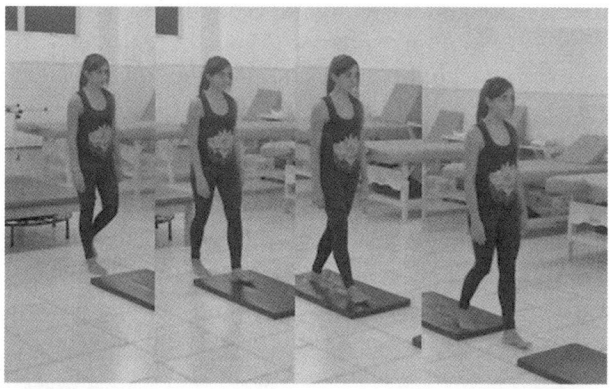

FIGURA 22.10. Exercícios de equilíbrio dinâmico com manipulações dos sistemas sensoriais. (Fonte: Acervo do autor.)

O protocolo de Herdman,[12,24] que se alicerça em treinos funcionais, ou seja, sensoriomotores, mimetizam as atividades de vida diária e permitem um aprendizado motor a partir do desafio do equilíbrio estático e dinâmico. Seu uso na atenção primária é viabilizado pela característica de serem abordagens autogerenciadas e modificados progressivamente em contatos profissionais agendados. Com o protocolo, almeja-se o desenvolvimento da adaptação vestibular que se configura no restabelecimento do controle postural a partir da melhora nos mecanismos de deslocamento de imagem na retina. Em indivíduos saudáveis, o controle ocular para a manutenção da imagem na retina é realizado, prioritariamente, pelo sistema vestibular por meio do reflexo vestíbulo-ocular.[18] Na deficiência deste, outros reflexos devem ser potencializados, a fim de suprir a necessidade do controle ocular e, consequentemente, do controle postural.

Assim, os exercícios de Herdman integram o sistema vestibular e visual para a melhora do desempenho do reflexo vestíbulo-ocular, assim como a tolerância aos movimentos cefálicos, que são, muitas vezes, os desencadeadores dos sintomas vertiginosos e de náuseas experimentados nas vestibulopatias periféricas.[25] Para tanto, o fisioterapeuta deverá prescrever exercícios que envolvam a estabilização estática ou dinâmica do corpo, como ficar sobre superfície de base reduzida juntamente com movimentos cefálicos para a manutenção da imagem na retina.[26] Exemplo destes exercícios são os realizados ao lançar uma bola para o paciente na tentativa de ele segurá-la e manter o equilíbrio na postura ortostática ou em marcha, em superfícies estáveis ou irregulares. Com isso, realizamos treino sensoriomotor com ajuda de *feedback* externo e também dupla tarefa, que é são primordiais para a automatização do movimento.

De acordo com o último *guideline* para cuidado de hipofunção vestibular periférica,[18] há uma contraindicação para treinos com movimentos sacádicos que potencializam o reflexo cérvico-ocular.[12] Os movimentos sacádicos são movimentos rápidos realizados na coluna cervical que permitem que a imagem dos objetos permaneçam na retina quando existe deficiência na perseguição ocular, desencadeada pelo reflexo vestíbulo-ocular.[27] Os exercícios que contemplam estes movimentos são realizados semelhantemente aos do protocolo de Cawthorne, todavia, os movimentos ocorrem na cervical, inicialmente e, em seguida, o deslocamento ocular.[28,29]

Esse conjunto de exercícios são fundamentais para uma recuperação funcional de pacientes com vestibulopatias. Além do sistema vestibular, os exercícios sensoriomotores precisam melhorar o desempenho de outro sistema sensorial, o somatossensorial. Esse consiste nas vias de informação exteroceptivas e proprioceptivas que também modulam o movimento, ou, mais precisamente, é ele que tem mais influência na modulação do movimento para a manutenção do equilíbrio. Para se trabalhar este sistema, podemos elaborar exercícios em que o usuário acompanhado tenha a superfície de apoio modificada, como no apoio bipodal e unipodal e a velocidade do movimento elevada progressivamente, entre outras variáveis físicas que provocam *inputs* diversos nos receptores corporais.

Soma-se também a necessidade de melhorar deficiências não apenas vestibulares ou somatossensoriais, mas também deficiência na estrutura e função da musculatura que atua no controle postural. Assim, a prescrição de exercícios de alongamento e resistidos são imprescindíveis à melhora do sistema musculoesquelético, que também influencia no controle postural.

Os exercícios de alongamento precisam ter em sua prescrição algumas características, como tempo de duração mínimo de 30 a 60 segundos de manutenção de estiramento além do limite elástico do músculo, sendo repetidos numa frequência de três a cinco vezes por treino, e em frequência de três ou quatro dias por semana.[30] É evidente que a causa das vestibulopatias não é a contratura muscular, mas ela tem um papel importante no desempenho dos exercícios sensoriomotores para aquisição de habilidades motoras e também na manutenção do equilíbrio. Já os exercícios resistidos podem ser prescritos para aqueles músculos identificados como fracos na triagem clínica, com subsequente estimação da carga de treino.[31-33] Como primamos pelas abordagens autogerenciadas, achamos que o uso de faixas elásticas pode ser uma alternativa viável pelo seu baixo custo para o serviço e paciente e pela capacidade de progressão que ela oferece, tão necessária para uma adaptação neural e morfológica do tecido muscular.[34,35]

CONSIDERAÇÕES FINAIS

As vestibulopatias ainda são bastante negligenciadas nos serviços de atenção primária. Por se tratar de uma condição crônica e com alta capacidade de reversão do seu quadro clínico e funcional, elas não deveriam ser esquecidas na assistência fisioterapêutica na estratégia de cuidado primário, no apoio matricial ou na saúde suplementar, pois as evidências científicas apontam que as terapias físicas são a melhor abordagem para a recuperação da independência e da qualidade de vida de indivíduos com vestibulopatias.

O programa de acompanhamento de usuários com vestibulopatias precisa almejar um cuidado inicial mais intensivo com as manobras de reposição, a exemplo da VPPB, com desmame do cuidado profissional a partir da implementação do autocuidado apoiado em exercícios físicos explicitados anteriormente. Cabe ao fisioterapeuta se capacitar e coordenar o cuidado a esta parcela da população que cresce constantemente, pois não existem, ainda, mecanismos de prevenção primária das vestibulopatias.

REFERÊNCIAS BIBLIOGRÁFICAS

1. Gazzola JM, Freitas F, Aratani MC, Perracini R, Malavasi M. Caracterização clínica de idosos com disfunção vestibular crônica. 2006;72(4):515-22.
2. Gazzola JM, Aratani MC, Doná F, Macedo C. Factors relating to depressive symptoms among elderly people with chronic vestibular dysfunction. Arq Neuropsiquiatr. 2009;67:416-22.
3. Caixeta GCDS, Doná F, Gazzola JM. Cognitive processing and body balance in elderly subjects with vestibular dysfunction. Braz J Otorhinolaryngol. 2012 Apr;78(2):87-95.
4. Gopinath B, McMahon CM, Rochtchina E, Mitchell P. Dizziness and vertigo in an older population: the Blue Mountains prospective cross-sectional study. Clin Otolaryngol. 2009;34(6):552-6.
5. Franco ES, Panhoca I. Pesquisa da função vestibular em crianças com queixa de dificuldades escolares. Rev Bras Otorrinolaringol. 2008;74(6):815-25.
6. Furman JM, Raz Y, Whitney SL. Geriatric vestibulopathy assessment and management. Curr Opin Otolaryngol Head Neck Surg. 2010;18(5):386-91.
7. Eaton DA, Roland PS. Dizziness in the older adult, part 1: Evaluation and general treatment strategies. Geriatrics. 2003;58(4):28-36.
8. Ward BK, Agrawal Y, Hoffman HJ, Carey JP, Della Santina CC. Prevalence and impact of bilateral vestibular hypofunction: results from the 2008 US National Health Interview Survey. JAMA Otolaryngol Head Neck Surg. 2013;139(8):803-10.
9. Schubert MC, Minor LB. Disorders of Balance and Vestibular Function in US Adults. 2014;169(10):2001-4.
10. Sousa RF De, Gazzola JM. Correlation between the body balance and functional capacity from elderly with chronic vestibular disorders. Braz J Otorhinolaryngol. 2011;77(6):791-8.
11. Secretaria de Estado da Saúde de São Paulo. Vigilância e prevenção de quedas em pessoas idosas. São Paulo: Centro de Produção e Divulgação Científica, 2010.
12. Herdman SJ. Reabilitação vestibular. Bauru: Manole; 2002. p. 621.
13. Hegemann SC, Palla A. New methods for diagnosis and treatment of vestibular diseases. Med Rep. 2010; 2:60.
14. Aratani MC, Ricci NA, Caovilla HH, Ganança FF. Brazilian version of the Vestibular Disorders Activities of Daily Living Scale (VADL). Braz Journal Otorhinolaryng. 2013;79(2):203-11.

15. Ricci NA, Aratani MC, Caovilla HH, Cohen HS, Ganança FF. Evaluation of properties of the vestibular disorders activities of daily living scale (brazilian version) in an elderly population. Braz J Phys Ther. 2014 Mar-Apr;18(2):174-82.

16. Lourenço Roberto A, Veras Renato P. Mini-Exame do Estado Mental: características psicométricas em idosos ambulatoriais. Rev Saúde Pública. 2006;40(4):712-9.

17. Polensek SH, Tusa RJ, Sterk CE. The challenges of managing vestibular disorders: a qualitative study of clinicians' experiences associated with low referral rates for vestibular rehabilitation. Int J Clin Pr. 2009;63(11):1604-12.

18. Hall CD, Herdman SJ, Whitney SL, Cass SP, Richard A, Clendaniel RA et al. Vestibular rehabilitation for peripheral vestibular hypofunction: an evidence-based clinical practice guideline. Journal Neuro Phys Therap. 2016;40(4):124-54.

19. Bertol E, Rodriguez C. Da tortura à vertigem: Uma proposta para o manejo do paciente vertiginoso na atenção primária. Rev APS. 2008;11(1):62-67.

20. Maarsingh OR. Causes of persistent dizziness in elderly patients in primary care. Ann Fam Med. 2010;8(3):196-205.

21. Eaton DA, Roland PS. Dizziness in the older adult, part 2: Treatment for causes of the four most common symptoms. Geriatrics. 2003;58(4):48-52.

22. Yardley L, Donovan-hall M, Smith HE, Walsh BM, Mullee M. Effectiveness of primary care – Based vestibular rehabilitation for chronic dizziness. Ann Intern Med. 2004;141(8):598-605.

23. Hansson EE, Månsson N-O, Håkansson A. Effects of specific rehabilitation for dizziness among patients in primary health care. A randomized controlled trial. Clin Rehabil. 2004;18(5):558-65.

24. Nguyen-Huynh AT. Evidence-based practice: management of vertigo. Otolaryngol Clin North Am. 2012;45(5):925-40.

25. Furman JM, Marcus DA, Balaban CD. Vestibular migraine: clinical aspects and pathophysiology. Lancet Neurol. 2013;12(7):706-15.

26. Bhattacharyya N, Baugh RF, Orvidas L, Barrs D, Bronston LJ, Cass S et al. Clinical practice guideline: benign paroxysmal positional vertigo. Otolaryngol Head Neck Surg. 2008;139(5 Suppl 4):S47-81.

27. Dellepiane M, Medicina MC, Barettini L Mura AC. Correlation between vestibulo-ocular reflex and optokinetic afternystagmus in normal subjects and in patients with vestibular system disorders. Acta Otorhinolaryngol Ital. 2006 Feb;26(1):20-4.

28. Langguth B, Kreuzer PM, Kleinjung T, De Ridder D. Tinnitus: causes and clinical management. Lancet Neurol. 2013 Sep;12(9):920-30.

29. Augusto A, Campos T De. Movimentos sacádicos em indivíduos com alterações cerebelares. Braz J Otorhinolaryngol. 2010;76(1):51-8.

30. Ricci NA, Aratani MC, Doná F, Macedo C, Caovilla HH, Ganança FF. Revisão sistemática sobre os efeitos da reabilitação vestibular em adultos de meia-idade e idosos. Rev Bras Fisioter. 2010;14(5):361-71.

31. Rogatto ARD, Pedroso L, Almeida SRM, Oberg TD. Proposta de um protocolo para reabilitação vestibular em vestibulopatias periféricas. Fisioter em Mov. 2010;23(1):83-91.

32. Kisner C, Colby LA. Exercícios terapêuticos. 5th ed. Manole; 2009. p. 1633.

33. Araújo MLM, Fló CM, Muchale SM. Efeitos dos exercícios resistidos sobre o equilíbrio e a funcionalidade de idosos saudáveis: artigo de atualização. Fisioter e Pesqui. 2010;17(3):277-83.

34. Câmara LC, Bastos CC, Volpe EFT. Exercício resistido em idosos frágeis: uma revisão da literatura. Fisioter em Mov. 2012;25(2):435-43.

35. Ishigaki EY, Ramos LG, Carvalho ES, Lunardi AC. Effectiveness of muscle strengthening and description of protocols for preventing falls in the elderly: a systematic review. Brazilian J Phys Ther. 2014;18(2):111-8.

Obs.: Números em *itálico* indicam figuras; números em **negrito** indicam quadros e tabelas.

escoliótica, probabilidade de progressão de acordo com o sexo, maturidade sexual e ângulo de diagnóstico, **181**

D

Declaração
de Alma-Ata, 55
de nascido vivo, 33

Defeitos artrocinemáticos vertebrais, resolução dos, 182

Denver II, 162
instruções para utilização do, *168*
teste de, *167*

Descentralização, **41**

Desempenho oculomotor, avaliação do, 162, 165
pela observação do nistagmo optocinético, *165*

Desenvolvimento
infantil, avaliação do, 161
interação entre indivíduo, ambiente e tarefa como moduladores do, 160
motor da criança, processo de, 160
neuropsicomotor
atenção fisioterapêutica no manejo do risco de atraso no, 159
atraso no
atenção fisioterapêutica no manejo do risco de, 159
fatores de risco, 159

Determinantes cardiovasculares
atuação fisioterapêutica dos, 227
educação e ações em saúde no contexto dos, 231

Diabetes
abordagem
de educação em saúde, 241
de terapia física, 241
atenção fisioterapêutica no manejo do, 237
custos do tratamento do, 238
epidemiologia do, 238

estratégia de rastreamento, acolhimento e triagem, 238
mellitus, cuidados prévios a serem tomados pelo portador de antes do, **242**
não diagnosticado, prevalência do, 238
papel do fisioterapeuta na assistência ao, 238

Diabético, fluxograma de acolhimento, **240**

Diafragma
pélvico, 137
urogenital, 137

Diagnóstico situacional, 70

Diagrama
de causa, 72
de Ishikawa, 72

Disfunção(ões)
articular do membro inferior, 189
defecatórias, 136

Doença(s)
crônico-degenerativas, 227
de Menière, 263
história natural da concepção de, 3
infecciosas e parasitárias, 227
na população, ilustração analógica da incidência e prevalência de, *9*
processos de transmissão das, 5

E

Educação em saúde, 129

Elementos constitutivos, características relevantes dos, **112**

Entrevista motivacional, 86
habilidades importantes na, 86

Epidemiologia
alicerce da, 4
como disciplina científica, 5
no Brasil, 6
pai da, 4
processo histórico, 4

Equidade, **41**, 42

Equipe de saúde da família, 48